Hans Wildberger
Aufsätze zum Alten Testament

THEOLOGISCHE BÜCHEREI

Neudrucke und Berichte aus dem 20. Jahrhundert

Begründet von Ernst Wolf. Herausgegeben von Gerhard Sauter

Altes Testament

Band 66

Bisher erschienene Bände (Altes Testament):

6 M. Noth, Gesammelte Studien zum Alten Testament
8 G. v. Rad, Gesammelte Studien zum Alten Testament
11 Cl. Westermann (Hg.), Probleme alttestamentlicher Hermeneutik. Aufsätze zum Verstehen des Alten Testaments (vergriffen)
12 Fr. Horst, Gottes Recht. Gesammelte Studien zum Recht im Alten Testament (vergriffen)
19 W. Zimmerli, Gottes Offenbarung. Gesammelte Aufsätze zum Alten Testament
20 J. Begrich, Studien zu Deuterojesaja
21 J. Begrich, Gesammelte Studien zum Alten Testament
22 H. W. Wolff, Gesammelte Studien zum Alten Testament
27 J. Wellhausen, Grundrisse zum Alten Testament
32 K. Elliger, Kleine Schriften zum Alten Testament
39 M. Noth, Gesammelte Studien zum Alten Testament II
48 G. v. Rad, Gesammelte Studien zum Alten Testament II
51 W. Zimmerli, Studien zur alttestamentlichen Theologie und Prophetie. Gesammelte Aufsätze II
55 Cl. Westermann, Forschung am Alten Testament. Gesammelte Studien Band II
57 R. Rendtorff, Gesammelte Studien zum Alten Testament
66 H. Wildberger, Jahwe und sein Volk

HANS WILDBERGER

Jahwe und sein Volk

Gesammelte Aufsätze zum
Alten Testament

Zu seinem 70. Geburtstag am 2. Januar 1980
herausgegeben von
Hans Heinrich Schmid und Odil Hannes Steck

CHR. KAISER VERLAG MÜNCHEN

1979

CIP-Kurztitelaufnahme der Deutschen Bibliothek

Wildberger, Hans:
[Sammlung]
Aufsätze zum Alten Testament/
Hans Wildberger. Zu seinem 70. Geburtstag
am 2. Januar 1980 hrsg. von
Hans Heinrich Schmid u. Odil Hannes Steck. –
München: Kaiser 1979
(Theologische Bücherei; Bd. 57: Altes Testament)

ISBN 3-459-01251-X

Gesamtherstellung: Druckerei Georg Wagner, Nördlingen
Umschlag: Christa Manner. – Printed in Germany.

Zum Geleit

Der Anlaß des 70. Geburtstages am 2. Januar 1980 gibt die willkommene Gelegenheit, einen Band gesammelter Aufsätze und Studien von Prof. Dr. Hans Wildberger vorzulegen. Es ist uns eine Freude, unseren verehrten Kollegen mit dieser Festgabe zu ehren und ihm auch an dieser Stelle die besten Wünsche für seine Arbeit und sein Ergehen zu sagen.

Die vorliegende Sammlung kann nur ein unvollkommenes Bild von der Weite des Wirkens von Hans Wildberger geben: Neben seine wissenschaftlichen Veröffentlichungen treten sein langjähriger Dienst als Pfarrer und für übergeordnete Aufgaben der Kirche, insbesondere als Präsident der Theologischen Konkordatsprüfungsbehörde sowie sein prägendes Wirken an der Universität Zürich in den Disziplinen Altes Testament und Allgemeine Religionsgeschichte für eine große Zahl von Studenten des In- und Auslandes während nahezu dreier Jahrzehnte. Aus der literarischen Arbeit Hans Wildbergers steht jetzt vor allem sein großangelegter, vor dem Abschluß stehender Kommentar zu Jesaja 1—39 (Biblischer Kommentar Altes Testament, Neukirchen-Vluyn) im Vordergrund. Die Aufsätze des vorliegenden Bandes umfassen sowohl wichtige Studien zu Themen dieses Kommentars als auch Arbeiten zu Genesis, zu Deuterojesaja, zur Exilszeit, deren wesentliche Bedeutung nicht minder unbestritten ist. So wünschen wir, daß ihre gesammelte Veröffentlichung mit dem Jubilar und den Herausgebern allen willkommen ist, die am Verstehen des alttestamentlichen Gotteswortes arbeiten, und daß sie hilft, Ergebnisse und Einsichten Hans Wildbergers weiter lebendig zu halten.

Die hier vorgelegten Aufsätze Hans Wildbergers kommen unverändert zum Abdruck. Wir danken Herausgeber und Verlag für bereitwillige Aufnahme in die Reihe "Theologische Bücherei", der ehemaligen Assistentin von Hans Wildberger, Fräulein U. Herter, Pfarrer in Furna GR, für die Erarbeitung der Register, Herrn Assistent M. Frauenfelder für die Zusammenstellung der Bibliographie und nicht zuletzt dem Kirchenrat der Evangelisch-reformierten Landeskirche des Kantons Zürich für die Gewährung eines großzügigen Druckkostenzuschusses.

Hans Heinrich Schmid
Odil Hannes Steck

Inhalt

Das Hiobproblem und seine neueste Deutung

VON HANS WILDBERGER

Mit der neuesten Deutung des Hiobproblems meinen wir diejenige, die ihm C. G. Jung in seinem Werk «Antwort auf Hiob» (Rascher-Verlag Zürich, 1952) gegeben hat. Daß sich der Arzt und Psychologe veranlaßt sieht, sich mit dem Buch Hiob zu beschäftigen, verwundert nicht, erst recht nicht bei Jung, der wie kein anderer Psychologe der Neuzeit die Wirklichkeit der Seele sieht und ernstnimmt und in seiner Arbeit auf die fundamentale Bedeutung des Religiösen für Leben und Gesundheit der Seele gestoßen ist. Was Jung dem Arzt und Seelsorger von heute, nicht zuletzt dem Pfarrer zur Kenntnis der menschlichen Psyche zu sagen hat, ist in jeder Hinsicht bedeutungsvoll und von der Kirche bei weitem noch nicht erfaßt, geschweige denn ausgewertet. Man greift darum mit Spannung nach seinem neuesten Werk, und wenn sich der Autor in seinem Vorwort an den «lector benevolus», den wohlgesinnten Leser wendet, so wird man sich durchaus auch dazu zählen wollen. Man wird insofern nicht enttäuscht, als es tatsächlich ein erregendes, erschütterndes Buch ist, das zur Auseinandersetzung zwingt. Man wird aber am Schluß der Lektüre unter dem Eindruck stehen, daß diese «Antwort auf Hiob» wiederum nach einer Gegenrede ruft.

Damit sind wir aber gezwungen, uns zunächst darüber zu besinnen, welches denn das Problem des Hiobbuches ist und welche Lösung es dort findet. Sich ganz abgesehen von der Jungschen Arbeit mit ihm zu beschäftigen, lohnt sich schon. Kein Wunder, daß es Dichter und Denker aller Zeiten immer wieder in seinen Bann gezogen hat! Der unerbittliche Ernst, mit dem hier nach der Wahrheit gefragt wird, das leidenschaftliche Ringen um die Gottesfrage, die ja zugleich ein Ringen ist um das Verständnis des eigenen Lebens in einer Situation drin, in der die üblichen Antworten nicht genügen wollen, die mit urwüchsigen Bildern gesättigte Sprache, sichert dem Buch seine dauernde Aktualität. Das gilt aber ganz besonders von der heutigen Zeit, die weniger denn je bereit ist, gegebene, kirchlich approbierte, durch die Tradition gesicherte Antworten auf die Gottesfrage zu übernehmen, sondern, wenn sie überhaupt die Frage nach Gott im Ernst stellt, dann auf alle Fälle keine schablonenhaften Antworten übernehmen will, nicht bloß selbst fragen, sondern auch auf Grund eigener Erkenntnis und Erfahrung die Antwort geben will. Die Haltung des heutigen Menschen in Glaubensdingen hat zweifellos eine gewisse Affinität zur Hiobsgestalt.

I

Das Verständnis des Hiobbuches ist nun aber erschwert durch seinen komplizierten Aufbau, in dem sich die lange, schwer übersehbare Geschichte des Buches widerspiegelt[1]. Denn darüber ist sich heute die Forschung einig, daß das Hiobbuch nicht mit einem Schlag entstanden ist und man, um es wirklich zu verstehen, versuchen muß, die einzelnen Phasen seines Werdens auseinanderzuhalten. Man kann es nicht vergleichen mit einem modernen Betonbau, der sozusagen in einem Arbeitsgang gegossen worden ist, sondern schon viel eher mit einem mittelalterlichen Dom, an dem Generationen gearbeitet haben, wo vielleicht Romanik, Früh- und Spätgotik miteinander verbunden sind, wo es Seitenkapellen gibt, die auf dem ursprünglichen Plan nicht eingezeichnet waren und wo doch die beteiligten Generationen durch Jahrhunderte hindurch ein lebendiges Ganzes geschaffen haben.

Man ist heute allgemein der Ansicht, daß das Buch in seiner heutigen Gestalt erst nach dem babylonischen Exil, im 5. oder 4. vorchristlichen Jahrhundert entstanden ist. Aber schon im Buch des Propheten Ezechiel, der zu Beginn des 6. vorchristlichen Jahrhunderts unter den nach Babylonien weggeführten Juden gewirkt hat, ist Hiob mit Noah und Daniel zusammen als ein Mann der Gerechtigkeit erwähnt (Ez. 14, 14). Was man sich damals und gewiß früher schon von Hiob zu erzählen wußte, wird etwa das sein, was man auch heute im allgemeinen von Hiob weiß, die Hiobserzählung, die wir in den beiden ersten und der zweiten Hälfte des letzten Kapitels im Buche finden. Diese «Rahmenerzählung» des Hiobbuches, die im Unterschied zu den dazwischen liegenden Kapiteln in Prosa gegeben ist, ist völlig in sich geschlossen, wir vermissen nichts, wenn wir die von ihr eingeschlossenen Reden ausscheiden. Das Problem, um das es hier geht, ist einfach und klar, sogar ausdrücklich formuliert im Satz Satans: «Meinst du, daß Hiob umsonst Gott fürchtet?» (1, 9), das heißt, gibt es eine Frömmigkeit, die nicht bloß durchhält, solange sich der Mensch Vorteile von ihr versprechen kann, sondern der es allein geht um die Gemeinschaft mit Gott. Gott bejaht, der Satan bezweifelt es, aber Gott behält recht. Gewiß kann man auch hier schon jene andere Frage gestellt sehen, die wir gemeinhin als das Hiobproblem ansehen, nämlich warum der Gerechte leiden muß. Und diese Frage wird so beantwortet, daß das Leiden sein muß, um die Frömmigkeit als echt zu erweisen. Der Einwand, den der moderne Mensch sofort zur Hand haben wird: ob

[1] Wer sich eingehend in einem Werk, das die wissenschaftliche Forschung berücksichtigt, über das Hiobbuch orientieren will, greife zu Artur Weiser: «Das Buch Hiob» (in der Sammlung: «Das Alte Testament Deutsch») Göttingen 1951.

denn das nicht ein zu harter, ein grausamer Gott sei, der die Seinen so in den Schmelztiegel des Leidens hineinstoße, obwohl sie doch unschuldig seien, wird durch den Schluß der Erzählung pariert: Gott wird doppelten Segen auf den legen, der sich im Leiden bewährt hat. Die Gerechtigkeit Gottes ist hier also noch nicht zum Problem geworden. Sie steht unbedingt fest, und zwar nicht bloß für den Glaubenden, sondern für jeden der sehen will, sofern er nur warten kann. Der Segen bleibt inhaltlich durchaus im Rahmen der israelitischen Frühzeit: großer Besitz, eine stattliche Zahl von Kindern (wobei bekanntlich die Schönheit der drei Töchter Hiobs noch besonders hervorgehoben wird) und ein hohes Alter, bis Hiob schließlich stirbt, alt und lebenssatt. Die griechische Übersetzung fügt noch hinzu, es stehe geschrieben, daß er aber wiederauferstehen werde. Doch ist dieser Satz nicht ursprünglich, er fällt aus dem Rahmen einer altisraelitischen Erzählung heraus, aber er ist bedeutsam, weil er zeigt, daß eine Zeit kam, der die Antwort der alten Geschichte nicht mehr genügt hat.

Trotzdem ist ihre Fragestellung sicher auch heute am Platz und ihre Antwort will gehört und beherzigt sein. Aber längst bevor die griechische Übersetzung jene Bemerkung hinzugefügt hat, hat das Hiobproblem die Menschen in Israel von neuem beschäftigt. Und das ist begreiflich genug. Ist da nicht doch noch ein peinlicher Rest einer Frömmigkeit geblieben, die darauf spekuliert, daß ja am Ende Frömmigkeit sich doch lohne und zwar schon in dieser Welt? Ist es wirklich wahr, daß es je und dann eine solche Wiederherstellung, ja Erhöhung des irdischen Glückes des Frommen gibt? Aber auch das war zu fragen: Gibt es denn in der Wirklichkeit des Lebens diesen Frommen, der unangefochten durch des Leidens Glut hindurchzuschreiten vermag, klaglos duldet und dabei Gott die Ehre gibt?

Diese Fragen hat der Mann gesehen, dem wir das Kernstück der Hiobdichtung verdanken. Er hat seinem Werk jene alte Volkserzählung zugrunde gelegt, sie vielleicht auch etwas verändert, dann aber jene Gespräche zwischen Hiob und seinen drei Freunden, Eliphas von Theman, Bildad von Suah und Zophar von Naema und die Reden zwischen Gott und Hiob eingefügt (Kap. 3–27, 29–31, 38–42, 6).

Hier steht ein ganz anderer Hiob vor uns, der keineswegs zu sagen vermag: «Der Herr hat's gegeben, der Herr hat's genommen, der Name des Herrn sei gelobt», sondern ein Mann, der leidenschaftlich über sein Los klagt, ja damit beginnt, daß er den Tag seiner Geburt verflucht, der den Trost der Freunde nicht annehmen will und sich nicht scheut, härteste Anklagen gegen Gott zu schleudern. Er denkt dabei keineswegs bloß an sein eigenes Geschick, sondern sieht sich in Solidarität mit der seufzenden, schwer geplagten Menschheit überhaupt:

> Ist nicht ein Kriegsdienst des Menschen Los auf Erden?
> Sind nicht wie Söldners Tage seine Tage? (7, 1.)

Kurz und unruhvoll ist des Menschen Leben und über seinem Grabe öffnet sich keine Hoffnung auf ein Leben nach dem Tod.

> Für einen Baum gibt es doch noch Hoffnung:
> wird er gleich umgehauen, er kann wieder treiben,
> und seine Schosse hören nicht auf ...
> Der Mensch aber entschläft und ersteht nicht wieder;
> bis die Himmel vergehen, erwacht er nicht,
> wird nicht aufgeweckt aus seinem Schlafe (14, 7 u. 12).

Und nicht einmal das ist dem Menschen gewährt, daß der Tod seinem Elend ein rasches Ende setzt, wenn er es wünscht (3, 20–22).

Dieser Hiob leidet auch keineswegs bloß unter seiner Krankheit, noch mehr trifft ihn die allgemeine Verachtung, in die er um seines Leidens willen hineingestoßen ist. Einst war es anders:

> Sahen mich die Jungen, traten sie zurück,
> die Alten erhoben sich, blieben stehen.
> Die Großen hemmten ihre Rede
> und legten die Hand auf ihren Mund (29, 8 u. 9).
> Jetzt aber spotten meiner,
> die jünger sind als ich an Jahren,
> deren Väter ich nicht wert gehalten,
> sie zu meinen Herdenhunden zu gesellen (30, 1).

So kommt es denn zu fulminanten Anklagen gegen Gott:

> Die Pfeile des Allmächtigen stecken in mir,
> und mein Geist saugt ein ihr glühend Gift;
> die Schrecken Gottes verstören mich (6, 4).

Gott hat ihn gepackt, ohne ihm auch nur zu sagen warum. Brutal schreitet er über sein Recht hinweg:

> Schuldlose wie Schuldige vernichtet er! (9, 22.)

Verteidigung ihm gegenüber ist sinnlos. Gott der Angeklagte ist ja zugleich der Richter. Wie sollte ein Mensch Recht haben können vor ihm? «Ich soll ja (nun einmal) schuldig sein» (9, 29). Hiob weiß wohl, daß seine Klage offener Aufruhr ist gegen Gott (23, 2). Nun gut, dann soll es eben Aufruhr sein. Seinen Mund hemmen kann er nicht (7, 11).

Wir sehen, hier geht es nicht mehr bloß um die Frage, was der Sinn des menschlichen Leidens sei, hier heißt das Problem: Was ist es um Gottes Gerechtigkeit?

Um die Wucht verstehen zu können, mit der sich dieser Aufruhr gegen Gott mitten in Israel Luft macht, müssen wir uns einen Augenblick besinnen über die geistesgeschichtliche Lage, von der aus allein die Anklagen Hiobs und die Antworten seiner Freunde voll zu verstehen sind[1]. Weite Stücke des Alten Testamentes sind vom Glaubenssatz beherrscht, daß Abfall von Gott mit Sicherheit Unglück, Gehorsam gegen Gott aber mit ebensolcher Sicherheit Bewahrung vor Not, Rettung aus Bedrängnis, Segen über dem Leben – und zwar sichtbarer Segen, wie er am Schluß des Hiobbuches beschrieben wird – zur Folge habe. An diesen Glaubenssätzen konnte festgehalten werden, solange sich das Individuum in den Schoß der Volksgemeinschaft, der Sippe, der Gemeinde eingebettet sah. Erlebt der einzelne das Gericht Gottes am Gottlosen nicht, so weiß er doch, daß seine Nachkommen es schauen werden. Und erlebt er selbst das Heil nicht, das Gott dem Frommen als Antwort auf seinen Gehorsam zusichert, so freut er sich doch und bleibt vor Anfechtung bewahrt beim Gedanken, daß seinen Kindern bestimmt dieses Heil zuteil werde. Wo man sich in dieser Weise mit seinem Schicksal in die übergreifende kollektive Größe hineingestellt zu sehen vermag, bleibt dem Problem der Gerechtigkeit Gottes zweifellos viel von seiner ätzenden Schärfe erspart. Aber nun hat sich ja schon im Israel der exilischen und nachexilischen Zeit, als die alten, selbstverständlichen Ordnungen, in denen man sein Leben verbrachte, zerbrachen, die Geburt des Individuums im modernen Sinn angebahnt. Dementsprechend mußte nun der Glaubenssatz von der Entsprechung zwischen der Frömmigkeit und dem irdischen Ergehen auf den einzelnen übertragen werden. «Dem Frommen widerfährt kein Leid, den Gottlosen aber Unheils die Fülle» (Sprüche Sal. 12, 21) oder: «Die Sünder verfolgt das Unheil, die Frommen aber belohnt er mit Glück» (Sprüche Sal. 13, 21). Damit hatte aber das Problem der Gerechtigkeit Gottes zweifellos eine Verschärfung gefunden. Solange man weite Zeiträume der Volksgeschichte zu überschauen vermochte, mochte es gelingen, die Wahrheit des Glaubenssatzes aufzuweisen. Aber nun glaubte man ja, Gottes Gerechtigkeit im Leben des einzelnen nachrechnen zu können. Wo Sünde war, da war auch Gottes Gericht nachzuweisen, wo Treue zu Gott, da mußte auch Gottes lohnende

[1] Vgl. z. Folg.: J. J. Stamm: Das Leiden des Unschuldigen in Babylon und Israel, Zürich 194

Segnen aufzuzeigen sein. Wo Unheil in ein Leben einbrach, da war auf sündige Taten zurückzuschließen. Mit diesem System einer im Grunde ganz rationalen Weltanschauung und Geschichtsdeutung glaubte man die Gerechtigkeit Gottes herausstellen zu können. Von ihm her glaubte man die Verteidigung Gottes führen zu sollen, wenn der Mensch durch den Einbruch des Irrationalen in sein Leben im Glauben angefochten war. Es bildete, wie die Weisheitsliteratur des Alten Testamentes zeigt, das geistige Fundament, von dem aus die Erziehungsarbeit im Israel dieser Zeit getan wurde.

Von ihm her kommt auch Hiob, aber es ist ihm beim Nachdenken darüber völlig zerbrochen. Das Buch Hiob bedeutet die völlige Erschütterung dieser rational durchschaubaren, sich in Lohn und Strafe bekundenden Gerechtigkeit Gottes. Der Gedanke der göttlichen Gerechtigkeit war neu und tiefer zu fassen, wenn die damit hereingebrochene Krise überwunden werden sollte.

Die Freunde Hiobs versuchen in guten Treuen die alte Position zu verteidigen: Wo Leiden einen Menschen überfällt, da kann von göttlicher Ungerechtigkeit und Willkür keine Rede sein. «Vielmehr der Mensch erzeugt das Leid» (5, 7), und Eliphas beharrt darauf, daß es seine Erfahrung ist: «Die Unrecht pflügen und Unheil säen, die ernten es auch» (4, 8). Ebenso gewiß ist es ihm, daß Gott den Geringen vor dem Schwert errettet und aus der Hand des Starken den Armen (5, 15). Greift er einmal hart zu, so steht hinter seiner Härte doch seine erzieherische Weisheit, in der seine Hand wohl weh tut, aber auch wieder verbindet, Wunden schlägt, aber auch wieder heilt (5, 17f.). Von Ungerechtigkeit Gottes kann aber keine Rede sein, denn kein Mensch ist ja gerecht vor Gott. Selbst seinen Engeln kann er nicht trauen, wie sollten also die Bewohner von Lehmhütten frei von Irrung sein? (4, 17 ff.) Hiob bestreitet das nicht in jeder Hinsicht, aber selbst wenn er gesündigt hat, wie sollte dann seine Schuld bei Gott so schwer ins Gewicht fallen?

> Habe ich gesündigt, was schadet es dir, du Menschenhüter?...
> Warum vergibst du mir nicht mein Vergehen
> und läßest nicht hingehen meine Schuld? (5, 20 f.)

Auch all die Beteuerungen seiner Freunde, daß der Gottlose seine Strafe schon finden werde, schlagen nicht ein. Seine Erfahrung ist, daß sie in Glück ihre Tage verbringen können und im Frieden zum Totenreich fahren (21, 7 u. 13). Die Auskunft, daß, wenn nicht sie selbst, so doch ihre Nachkommen vom Gericht Gottes ereilt würden, befriedigt den Mann der neuen Zeit nicht mehr:

> Nicht spare Er das Unheil auf für seine Kinder,
> ihm selbst vergelte Er, daß er es spüre! (21, 19.)

So redet er seine Freunde bald an mit bitterm Hohn: «Wahrhaftig, ja, ihr seid die Rechten, und mit euch wird die Weisheit sterben», bald fleht er sie aus seinem verwundeten Herzen heraus, das sich in den Kot getreten fühlt, an:

> Erbarmt euch, erbarmt euch mein, ihr meine Freunde,
> denn die Hand Gottes hat mich getroffen.
> Warum verfolgt ihr mich wie Gott
> und werdet nicht satt, mich zu zerfleischen? (19, 21 f.)

Kein Zweifel, das ist ein Sichaufbäumen des Menschen gegen alle geheiligten Vorstellungen von Gottes Gerechtigkeit, gegenüber dem alle schablonenhaften Versuche der approbierten Theologie, ihn zu beschwichtigen, kein Gewicht mehr haben.

Aber langsam bahnt sich der Umschwung an, und zwar in den Reden Hiobs selbst. Hat er eben noch behauptet: wie sollte ich zu meinem Recht kommen, da ja Gott, den ich anklage, zugleich der Richter ist, so sagt er sich jetzt: Könnte ich nur vor Gott treten und mit ihm selbst statt seinen irdischen Anwälten ins Gespräch kommen, er würde mein Recht gewiß anerkennen. Dieser Gedanke: Gott selbst müßte mir recht geben, läßt ihn nicht mehr los, bis er innerlich in der Lage ist, seinen Freunden gegenüber triumphieren zu können:

> Schon jetzt, siehe, lebt im Himmel mir ein Zeuge,
> mir ein Bürge in der Höhe.
> Es spotten meiner meine Freunde;
> zu Gott blickt tränend auf mein Auge,
> daß er Recht schaffe dem Manne gegen Gott,
> dem Menschen gegen seinen Freund! (16, 18 ff.)

Zu Gott wendet er sich – *gegen* Gott, zum wirklichen Gott dem starren Gottesbild gegenüber, das ihm seine Freunde entgegenhalten. So sicher ist er seiner Sache, daß er, nachdem er eben noch geklagt hatte, daß es für den Menschen an der Grenze des Grabes keine Hoffnung mehr gebe, seine Überzeugung, daß Gott sich zu ihm bekennt, mit eisernem Griffel und Blei auf ewig in den Felsen eingegraben sehen möchte:

> Ich weiß, mein Anwalt lebt,
> und ein Vertreter ersteht mir über dem Staube.
> Selbst wenn die Haut an mir zerschlagen ist,
> mein Fleisch geschwunden, werde ich Gott schauen,
> ja, ich, ich werde ihn schauen, mir zum Heil,
> und meine Augen werden ihn sehen, nicht als Feind (19, 25 ff.).

Es ist nun aber nicht so, daß Hiob im Gedanken an ein Leben nach dem Tod, von dem hier nach meiner Meinung die Rede ist, zur Ruhe kommt. Er muß ja *jetzt* wissen, ob er seinen Freunden gegenüber die rechte Meinung von Gott vertritt. So appelliert er denn weiter an Gott: Der Allmächtige gebe mir Antwort! Könnte ich mich nur verteidigen vor ihm selbst (31, 35).

Und seine Bitte wird erhört: Da antwortete der Herr dem Hiob aus dem Wetter und sprach:

> Wer ist's, der da verdunkelt den Ratschluß
> mit Reden ohne Einsicht?
> Gürte doch wie ein Mann deine Lenden;
> ich will dich fragen, und du lehre mich!

Und nun führt der Herr den anklagenden Menschen durch den ganzen Kosmos hindurch, vorbei an den vielen Wunderwerken der Schöpfung, um immer wieder zu fragen: Wo warst du, als dies und jenes geschaffen wurde? Weißt du hier Bescheid und kannst du jenes vollbringen?

> Sind dir die Tore des Todes aufgetan worden,
> und hast du die Weiten der Erde erkannt?
> Sag an, wenn du das alles weißt! (38, 17f.)

Hiob weiß es nicht. Es bleibt ihm nur, seine Ohnmacht einzugestehen und die göttliche Macht und Weisheit anzuerkennen:

> Siehe, ich bin zu gering, was soll ich dir antworten?
> Ich lege die Hand auf meinen Mund.
> Einmal habe ich geredet und wiederhole es nicht,
> zweimal und tue es nicht wieder (39, 34f.).

Und nach der zweiten Gottesrede bekennt er:

> Ich habe erkannt, daß du alles vermagst;
> nichts, was du sinnst, ist dir verwehrt...
> Ich habe geredet in Unverstand,
> Dinge, die zu wunderbar für mich, die ich nicht begriff...
> Vom Hörensagen hatte ich von dir gehört;
> nun aber hat dich mein Auge gesehen.
> Darum widerrufe ich und bereue
> in Staub und Asche (42, 2–6).

Wir fragen: Hat das Hiobproblem damit seine Lösung gefunden? Haben wir eine rational befriedigende Antwort erwartet, müssen wir sagen: nein! Aber ich meine, daß gerade das das Große an der Antwort des Hiobbuches auf die Frage nach der göttlichen Gerechtigkeit sei, daß es keine fertige Lösung bringt, keine Theodizee entfaltet, nach der jedermann Gottes Handeln klar durchschauen kann, sondern daß es den Menschen vor der Größe Gottes sich beugen und verstummen läßt. Man muß aber im Auge behalten, daß das kein «sacrificium intellectus», keine Preisgabe des eigenen Denkwillens ist. Die Freunde haben ja Hiob unabläßig eben diese Beugung vorgeschlagen. Er war nicht bereit, es auf ihre Autorität hin zu tun und hat sich durch ihren Redeschwall nicht zermürben lassen. Erst die ersehnte Begegnung mit Gott selbst, sein Gotteserlebnis in der Theophanie hat ihn innerlich überwunden: «Vom Hörensagen hatte ich von dir gehört; nun aber hat dich mein Auge *gesehen.*»

Es ist bedeutsam, daß in der Überleitung zum Schluß des Hiobbuches Gott ausdrücklich zu Hiobs Freunden sagt: «Ihr habt nicht recht von mir geredet, wie mein Knecht Hiob.» Also: nicht bloß Hiob gibt Gott recht, sondern auch Gott Hiob! Hiobs Auflehnung gegen die zu rationale Theorie von der göttlichen Gerechtigkeit wird anerkannt. Man kann Gottes Gerechtigkeit nicht einfach aus dem Schicksal des Menschen ablesen. Nicht weil Gott ungerecht wäre, aber weil seine Gerechtigkeit das Verstehen des Menschen übersteigt.

Nun bleibt es dieser Antwort auf die Hiobfrage gegenüber allerdings beachtenswert, daß die alte Erzählung vom frommen Dulder Hiob, dessen Glück wiederhergestellt worden ist, vom Dichter des Hiobbuches nicht ausgeschaltet worden ist, sondern daß er seine Gedanken in sie hineingestellt hat. Es will ebenso beachtet sein, daß wahrscheinlich ein späterer Ergänzer, dem die Lösung des eigentlichen Hiobdichters zu revolutionär erschien, die sogenannten Elihureden (Kap. 32–37) eingefügt hat, die die Antwort wieder auf der traditionellen Ebene, nämlich daß das Leiden Erziehungswerk Gottes sei, gesehen haben. Das wird bedeuten, daß die Lösungen, die hier gegeben sind, schon auch mitbedacht werden müssen und durch die Schau des Kernstückes des Hiobbuches nicht einfach erledigt sind. Aber es bleibt zu bedenken, daß der große Rebell Hiob und nicht die wohlmeinenden menschlichen Verteidiger Gottes, die Vertreter einer «Theologie», die glatt aufgeht, wie ein schönes Rechenexempel, von Gott selbst recht bekommt. Und wenn wir als Christen auch nicht einfach bei dieser «Lösung» stehen bleiben können, sondern die Frage nach der Gerechtigkeit Gottes vom Kreuz Jesu Christi her beantwortet sehen, so bleibt die Schau des Hiobbuches doch für alle Zeiten bedeutsam als inständige Mahnung, Gott nicht in ein System einfangen zu wollen, sondern in seiner ganz unfaßlichen Größe und Macht und seiner undurchdringlichen Weisheit als Herrn über sich anzuerkennen.

II

Das ist es nun aber, was Jung entweder nicht verstanden hat oder nicht anerkennen will. Es sei zunächst versucht, den Inhalt seines Buches kurz zu resümieren, wenigstens soweit sich Jungs Gedanken um die Hiobgestalt bewegen. Er betont, daß er keine kühl abwägende, jeder Einzelheit gerecht werdende Exegese geben wolle, sondern daß es ihm darum gehe, die subjektive Reaktion eines gebildeten Menschen unserer Tage, der sich mit den Dunkelheiten des Hiobbuches auseinandergesetzt habe, zum Ausdruck zu bringen. Er weiß, daß seine Darstellung affektgeladen ist, aber er meint, daß sie gerade so fruchtbar sei. Man wird weder gegen die Subjektivität noch gegen den Affekt zum vornherein etwas einzuwenden haben, nicht einmal dagegen, daß Jung nicht jeder Einzelheit gerecht werden will, sofern nur das Anliegen des Hiobbuches richtig aufgenommen ist.

Er setzt ein bei der Antwort Hiobs, die wir oben erwähnt haben: «Siehe ich bin zu gering, was soll ich dir antworten? Ich lege die Hand auf meinen Mund.» Für Jung sagt das ein Hiob, der eingesehen hat, daß er sich vor Gott, der so maßlos wird in seinen Emotionen, wenn man ihm widerspricht, am besten aller kritischen Überlegungen enthält, geschweige denn, daß er seine moralischen Ansprüche, die er Gott gegenüber zu erheben hätte, weiter verfolgt.

So unterwirft er sich, aber seine Unterwerfung ist nichts anderes als ein Zurückweichen vor brutaler Gewalt. Daß es für Hiob keinen andern Weg gab, ist nach Jung für den nicht erstaunlich, der sich die auch sonst oft bezeugte Amoralität Jahwes vergegenwärtigt. Dieser Gott befindet sich im Widerspruch mit sich selbst. Seine unberechenbaren Launen und verheerenden Wutanfälle sind bekannt, aber zugleich gibt er sich als eifersüchtigen Hüter der Moral und ist im besondern empfindlich, wenn seine Gerechtigkeit in Frage gestellt wird (S. 19). Er kann sich maßlos über die Untreue der Menschen aufregen, ohne sich in seiner Allwissenheit (die er aber verdrängt hat!) je Rechenschaft darüber zu geben, daß es ja nur an ihm lag, wenn er nichts Besseres erschaffen hat, als diese «irden schlechten Töpfe» (S. 20). Dabei macht es ihm, der so eifersüchtig über der Gesetzeserfüllung der Menschen wacht, nichts aus, seinem Volk gegenüber seine Treue zu brechen. Er verheißt dem David: «Ich will meinen Bund nicht entweihen» und bricht ihn dann doch, so daß der Sänger des 89. Psalmes, eine Parallelgestalt zu Hiob, klagen muß: «Wo sind deine früheren Gnadenbeweise, o Herr, wie du sie David geschworen bei deiner Treue?» (V. 50). Der Psalmensänger kann nur fragen; seinen allmächtigen Partner geradezu des Vertragsbruches zu zeihen, darf er um der Rache willen, die er dann zu befürchten hätte, nicht wagen. Denn dieses göttliche Wesen, das sich seiner Widersprüchlichkeit gar nicht bewußt ist, legt allen Wert darauf, vom Menschen «gepriesen» und propitiiert zu werden, und der Mensch muß sich diesem Anspruch schon fügen, um ihn bei Laune zu erhalten (S. 22). Das ist genau das, was auch Hiob schließlich getan hat.

Warum läßt sich Gott so rasch von seinem Sohn, dem Satan, beeinflussen, Hiob, seinen treuen Knecht, einer so grund- und nutzlosen Belastungsprobe auszusetzen? Er muß einen geheimen Widerstand gegen Hiob in sich getragen haben, der sich erklärt aus der Eifersucht, in der er argwöhnt, Hiob könnte etwas mehr sein wollen als ein bloßes Geschöpf. «Sollte Jahwe Verdacht geschöpft haben, daß der Mensch ein zwar unendlich kleines, aber konzentrierteres Licht als er, Gott, besitzt?» (S. 28.) Jedenfalls, Gott gibt dem Satan ohne Verzug nach. Und nun häufen sich in kürzester Frist dunkle Taten: Raub, Mord, vorsätzliche Körperverletzung und Rechtsverweigerung, womit Jahwe seine eigenen, am Sinai erlassenen Gebote in flagranter Weise verletzt. – Diese Antinomie in Gottes Wesen hat Hiob offensichtlich durchschaut. Gott spürt das, aber sein Zorn richtet sich nicht gegen den Verleumder, den Satan, sondern ohne dem Hiob die ihm zukommende moralische Genugtuung zuteil werden zu lassen, donnert er ihn an: «Wer ist's, der da verdunkelt den Ratschluß mit Reden ohne Einsicht?» Die Antwort müßte in Wirklichkeit lauten, daß Jahwe es selber ist, der seinen Ratschluß verdunkelt und keine Einsicht hat. Aber es soll nun einmal dem Menschen nicht gestattet sein, seine Meinung über ihn zu haben und besonders nicht eine Einsicht, die er selbst nicht besitzt. Hiob hat glücklicherweise gemerkt, wie gefährlich es ist, mit Gott zu rechten. Nachdem ihm Jahwe mit Donner und Blitz seine Allmacht vordemonstriert hat, hält er es für geraten, seinen Rechtsanspruch zu widerrufen: «Ich lege die Hand auf meinen Mund.» Dabei könnte es ja Gott nun bewenden lassen, aber um seine Machtüberlegenheit auszukosten, eröffnet er eine zweite Runde, bis dann Hiob antwortet: «Ich habe erkannt, daß du alles vermagst; nichts, was du sinnst, ist dir verwehrt» (S. 37). In Wirklichkeit hat aber Hiob, so meint Jung, gesehen, daß Jahwe nicht nur kein Mensch, sondern in gewissem Sinne weniger als ein Mensch ist, nämlich das, was Jahwe vom Krokodil sagt: «Alles, was hoch ist, fürchtet sich vor ihm; er ist ein König über alle stolzen Tiere» (41, 25). Jahwes Doppelnatur ist offenbar geworden; er hat sich sozusagen tödlich blamiert. Dem monotheistischen Glauben Israels droht eine Katastrophe. Er wird untergehen, so wie einmal die Götter Griechenlands auch untergegangen sind, oder Jahwe muß sich wandeln und die Konsequenzen aus der Schlappe ziehen, die er erlitten hat.

Und nach Jung *hat* sich Gott gewandelt. Es war für ihn ja auch eine absolute Notwendigkeit, denn so weitergehen konnte es ja nicht. Der «gerechte» Gott kann nicht mehr solche Ungerechtigkeiten begehen und der «Allwissende» (Anführungszeichen von Jung) sich nicht mehr solche ahnungslosen Streiche leisten. Selbstreflexion ist für ihn zur gebieterischen Notwendigkeit geworden (S. 49).

Damit verläßt Jung seine Deutung des Hiobbuches, um nun diese Wandlung Gottes aus den Andeutungen der heiligen Schrift und der Geschichte, wie er wenigstens behauptet, nachzuzeichnen. Die Geschichte dieser Wandlung, die den Hauptteil des Buches ausmacht, gehört ja nun nicht mehr zu unserm Thema, ich muß mich darum auf wenige Andeutungen beschränken, die zum Verständnis dessen, warum Jung so mit dem Hiobbuch verfährt, notwendig sind.

Jung erinnert daran, daß etwa gleichzeitig mit dem Hiobbuch wichtige Teile der Weisheitsliteratur des Alten Testamentes entstanden seien, in der die Idee der göttlichen sophia, Weisheit, auftaucht, die einen hypostatischen Charakter hat, das heißt als ein Gott gegenüber mehr oder weniger selbständiges göttliches Wesen betrachtet wird. Er verweist auf Sprüche 8, 22 ff., wo die Weisheit sagt: «Der Herr schuf mich, seines Waltens Erstling, als Anfang seiner Werke vorlängst. Von Ewigkeit her bin ich gebildet, von Anbeginn, vor dem Ursprung der Welt.» Und ähnlich sagt sie im Buche Jesus Sirach (24, 3 u. 18): «Ich bin aus dem Munde des Höchsten hervorgegangen, ich bin die Mutter der edlen Liebe.» Das Auftauchen dieser Idee der göttlichen Weisheit bedeutet nach Jung, daß Jahwe nach seiner innern Niederlage im Kampf mit Hiob sich auf dieses Wesen, seine Weisheit, die zwar längst existierte, die ihm aber aus dem Bewußtsein entschwunden war, neu besinnt. Sie beginnt nun, Jahwes schroffes Wesen zu kompensieren, offenbart sich dem Menschen als freundlicher Helfer und zeigt ihnen den lichten, gütigen, gerechten und liebenswerten Aspekt ihres Gottes (S. 57).

Damit bereitet sich aber noch Größeres vor. Die Weisheit ist ja «die Mutter der edlen Liebe». Wenn sie nun Jahwe zur Seite tritt, so heißt das, daß Gott sich im Mysterium der himmlischen Hochzeit erneuern und Mensch werden will (S. 58). Das bedeutet nun aber eine Wandlung Gottes von unabsehbaren Folgen. Zunächst hat sich Jahwe bei der Erschaffung der Welt in der Schöpfung geoffenbart. Aber schon die Erschaffung Adams (die sich nach

Jung *nach* der der gewöhnlichen, mit den Tieren geschaffenen Menschen vollzogen hat) hat die Menschwerdung Gottes angebahnt. Die Wiedergeburt des ägyptischen Gottes im Pharao ist eine weitere solche Präfiguration. Die Vision Ezechiels, der Gott erblickt wie einen Menschen, der Menschensohn des Henochbuches deuten ebenfalls auf das kommende große Ereignis hin: Gott will Mensch werden. Im Grunde war er das zwar schon immer, weil ja die ganze Schöpfung Gottes ist, ja Gott das Wirkliche schlechthin. Aber was schon immer so war, das muß jetzt ins Bewußtsein gehoben werden (S. 66).

Diese Menschwerdung Gottes ist die eigentliche Konsequenz aus der Auseinandersetzung Gottes mit Hiob. Jahwe erkennt, daß der Mensch Hiob ihm moralisch überlegen ist und er deshalb das Menschsein noch nachzuholen hat. Sein Geschöpf hat ihn überholt, also muß er sich erneuern. – Die Absicht Jahwes, Mensch zu werden, hat sich denn auch im Leben und Leiden Christi erfüllt (S. 78). Der Opfertod Christi ist von da her zu verstehen; er hat seinen eigentlichen Sinn nicht darin, Gott Genugtuung zu leisten, sondern er bedeutet die Wiedergutmachung für das an Hiob geschehene Unrecht (S. 80). Das ist die wirkliche Antwort, die Hiob zuteil geworden ist.

Damit könnte ja nun das Buch «Antwort an Hiob» schließen. Aber auch der Gott des neuen Testamentes kann sich keineswegs des vollen Wohlgefallens Jungs erfreuen, und es wäre ein Irrtum, den Jung immer wieder dem Protestantismus vorwirft, zu meinen, daß mit der Inkarnation in Christus die Offenbarung Gottes, wie wir sagen würden, die Wandlung, die Entwicklung Gottes, wie Jung es sagt, zu ihrem Abschluß gekommen ist. Wie die Menschwerdung in Christus ihre Präfigurationen hatte, so ist sie selbst wiederum nur eine Präfiguration weiterer Entwicklungen. Der Gott, der seit Urzeiten solchen Wutanfällen ausgeliefert war, kann ja schließlich nicht mit *einem* Schlag zum Inbegriff des Guten werden. Die Bitte: Führe uns nicht in Versuchung, sondern erlöse uns vom Bösen, zeigt ja, daß Christus selbst in dieser Hinsicht nicht ganz beruhigt war. Wenn nach der Lehre der Kirche der qualvolle Tod seines Sohnes Gott Genugtuung für seine Beleidigung erweisen muß, so verrät das, daß Gottvater immer noch das Wesen des gefährlichen und deshalb zu versöhnenden Jahwe in sich trägt (S. 87, vgl. auch S. 92). Und schließlich zeigt vor allem die Offenbarung des Johannes, daß Gott seine dunkeln Seiten immer noch nicht überwunden hat.

Derselbe Johannes hat aber auch in der Vision vom Sonnenweib in Kap. 12 der Offenbarung geschaut, daß ein zweiter, endzeitlicher Messias kommen wird. Nicht etwa der wiederkommende Christus der kirchlichen Dogmatik, sondern eine *neue* Inkarnation Gottes ist zu erwarten. Die Menschwerdung in der Jungfrau Maria war ja keine vollkommene, denn Maria ist ja nicht Mensch schlechthin, sondern die immaculata, ein von Erbsünde freies und damit mehr göttliches, denn menschliches Wesen, während Hiob gewöhnlicher Mensch gewesen ist. Die Bewegung Gottes zum Menschen hin muß also weitergehen. Nach Jung sprechen nun alle Zeichen dafür, daß heute eine solche erneute Wandlung Gottes wieder fällig geworden ist. Die apokalyptischen Bilder der Offenbarung sind ja Wirklichkeit geworden oder drohen, es in naher Zukunft zu werden. Das heißt, der Zorn Gottes ist wieder einmal in unerhörter Weise losgebrochen. Jung bestreitet zwar nicht, daß der Mensch sich selbst den fatalen Strick gedreht hat, an dem er sich jederzeit selbst exekutieren kann (S. 141). Aber das ist nach ihm nur eine andere façon de parler, wie wenn Johannes eben vom göttlichen Zorne spricht. Wir haben so unerhörte und erschütternde Dinge erlebt, daß die Frage, ob sich solches mit der Idee eines gütigen Gottes vereinen lasse, brennend geworden ist (S. 144). Damit stehen wir heute in einer Situation, die – auf einer höheren Ebene – der im Buch Hiob aufgebrochenen durchaus entspricht. Wie sich Jahwe damals der Weisheit erinnert hat, so tritt nun auch heute das weibliche Element im göttlichen Wesen wieder in den Vordergrund. Eine neue Menschwerdung kündet sich an. Die katholische Kirche hat das begriffen, indem der Papst die Himmelfahrt der Maria dogmatisiert hat. Jung hält das für das wichtigste religiöse Ereignis seit der Reformation (S. 165). Der Protestantismus hingegen hat die Fühlung mit der Masse und jenen religiösen Symbolen, welche die apokalyptische Weltlage zu kompensieren bestimmt sind, verloren, hat die Zeichen der Zeit nicht verstanden, ist zur reinen Männerreligion geworden, die keine metaphysische Repräsentation der Frau kennt, und hat damit die Tendenz der Zeit, die auf Gleichberechtigung der Frau hinzielt, nicht genügend beachtet.

III

Damit stehen wir nun längst nicht mehr bei Hiob, sondern sind Jung bis mitten in die Deutung des gegenwärtigen geistigen Geschehens und der heutigen Weltlage hinein gefolgt. Es ist ein weiter Bogen, den er gespannt hat, und es wird von Dingen gesprochen, an die man nicht denkt, wenn man den Titel: «Antwort auf Hiob» liest. Man kann nicht verkennen, daß es Jung im Grunde nicht so sehr um eine Antwort auf Hiob, denn um einen Angriff auf die kirchliche Verkündigung vor allem des Protestantismus von heute geht.

Er ist wahrlich seiner Ankündigung gefolgt, subjektiv zu sein und seinen Affekten ungescheut und rücksichtslos das Wort zu erteilen. Die empörende Wirkung von Jungs Darstellung geht noch mehr als vom Inhalt seiner Ausführungen vom frivolen Ton, mit dem er von Gott spricht, und der Leichtfertigkeit, in der er mit den Texten verfährt, aus. Es ist einem beim ersten Zusehen unverständlich, warum Jung, der religiösen Vorstellungen vergangener Zeiten und anderer Völker mit eminentem Verständnis nachgegangen ist, der am Schluß seines Werkes «Psychologie und Religion» schreiben kann: «Nur unvorsichtige Toren können am christlichen Dogma rütteln, nicht aber Liebhaber der Seele», einen so fulminanten Angriff gegen den christlichen Glauben vorgetragen hat. Ich sage: *christlichen* Glauben, nicht protestantischen. Wir trauen es nämlich dem Katholizismus trotz seiner Neigung, auf die Bedürfnisse der Seele allzuviel Rücksicht zu nehmen, zu, daß er sich durch die mancherlei Lobsprüche, die er in diesem Buch zu hören bekommt, nicht gerade geschmeichelt fühlt, sondern sich von dieser psychologistischen Auflösung seines Dogmas distanziert[1].

Was Jung uns in seinem Buch bietet, ist eine Deutung der Geschichte des jüdisch-christlichen Gottesglaubens mit Betrachtungen über die Wandlungen, die nach ihm heute fällig wären. Wollten wir ihn bei seiner ironisch-frivolen Art von Gott zu reden behaften, könnte er uns entgegenhalten: Ich redete ja gar nicht von Gott, sondern nur von der Gottesidee, vom Gottesbegriff. Und er könnte einwerfen, daß auch christliche Theologen und also auch die Kirche um die Veränderung des Gottesbildes in der Geschichte wohl wüßten und es also auch ihm zustehe, über diese Wandlung des Gottesbegriffes in seiner Schau zu spekulieren. Das ist in der Tat so. Wir kennen Stufen der Gottesoffenbarung, und es ist uns allen klar, daß das Gottesbild des Alten Testamentes sich mit dem des Neuen nicht einfach deckt, daß es tatsächlich möglich ist, eine alttestamentliche Religions*geschichte* zu schreiben und daß auch im Neuen Testament verschiedene Schichten von Glaubensaussagen zu unterscheiden sind. So deckt sich ja auch das Gottesbild der Freunde Hiobs gewiß nicht einfach mit dem Gottesbild Hiobs selbst. Und wenn wir auch keine neue Menschwerdung Gottes erwarten, so wissen doch auch wir Protestanten um die Aufgabe, der Offenbarung in Christus immer neuen, je und dann mit der Situation der Zeit konfrontierten, wenn möglich immer tieferen und umfassenderen Ausdruck zu geben.

Das Recht, die Wandlung, zwar nicht Gottes, aber doch des Gottesbildes im israelitisch-christlichen Raum nachzuzeichnen, ist darum unbestritten. Aber dieses Nachzeichnen müßte dann allerdings die gegebenen historischen Tatsachen ernst nehmen. Jung sagt zwar (S. 49), daß er sein Bild auf Grund

[1] Vgl. dazu: A. Brunner: Theologie oder Tiefenpsychologie?, in Stimmen der Zeit 1952/1953, Heft 12; ferner R. Gutzwiler u. J. Rudin in Orientierung, 17. Jahrg. (1953) Nr. 4 u. 11.

der Andeutungen der Heiligen Schrift und der Geschichte zu rekonstruieren versuchen wolle. Aber was er dann tatsächlich bietet, schöpft er weitgehend nicht aus der Schrift, sondern, soweit es sich nicht um freie spekulative Kombinationen handelt, aus Quellen weitab vom biblischen Kanon. Daß Adam nicht der erste Mensch war, sondern vor ihm schon andere Menschen lebten, daß Adam und nicht Abraham der Urvater des auserwählten Volkes ist, daß Adam nicht nur Eva, sondern zuerst Lilith, die Tochter Satans, zur Frau hatte, das und vieles Ähnliche steht nicht in der Schrift. Und auch wo er an Aussagen der Bibel anknüpft, wie bei seiner «Auslegung» des 89. Psalmes oder bei Apokal. 12, der Geburt des Kindes des Sonnenweibes, deutet er um. Es geht doch wohl nicht an, daß man, wenn man sich mit einer Erscheinung auseinandersetzen will, diese zuerst in solch eminentem Maße nach den eigenen Ideen uminterpretiert, sondern man hat zunächst zu fragen, wie sie sich selbst versteht. – Das allgemein zur Art, wie Jung mit der Bibel verfährt. Nun aber seine Hiobdeutung: Er redet von der Unterwerfung Hiobs unter Jahwes Macht, die nichts anderes als ein Sich-Beugen vor brutaler Gewalt sei. Wer das Buch aufmerksam liest, weiß, daß dem nicht so ist. Die Unterwerfung Hiobs bereitet sich langsam vor. Immer dringlicher wird der Appell an Gott selbst, sein Verlangen, vor ihn treten zu dürfen. Immer tiefer die Überzeugung, daß er, wenn nicht bei Menschen, so doch bei Gott Recht finden werde. In seiner Antwort auf die Gottesreden anerkennt Hiob Gottes Recht, aber Gott anerkennt, wie wir gesehen haben, auch das seine. Das scheint Jung bewußt übersehen zu haben. Ich muß sagen *bewußt*, denn Rikwa Schärf, seine Mitarbeiterin, zitiert in ihrer Arbeit «Die Gestalt des Satans im Alten Testament» zustimmend Rudolf Ottos Feststellung: «Das (die Art, wie Hiob Jahwe antwortet) ist ein Zeugnis innerlichen Überführtseins, nicht aber ohnmächtigen Zusammenbrechens und Entsagens vor bloßer Übermacht» (C. G. Jung, Symbolik des Geistes, S. 287). Jung als Religionspsychologe müßte doch Verständnis dafür haben, daß der Glaubende weiß, daß es Dinge gibt, die er nicht mehr begreifen kann und auch gar nicht begreifen will, daß das Stillewerden-dürfen vor dem Allmächtigen und Allweisen zwar nicht Lösung aller Probleme, aber *Er*lösung von seinem quälenden Fragen ist. *Das* ist es, nicht Vergewaltigung, was dem Hiob der Bibel widerfahren ist.

So muß man urteilen: Der Hiob, den Jung sieht, ist nicht der Hiob des alttestamentlichen Buches, das nach ihm benannt ist, und das Gottesbild, dem wir im Hiobbuche begegnen, ist zwar nicht einfach das Gottesbild des Neuen Testamentes, gewiß noch viel weniger das des menschgewordenen Gottes, das Jung als Idealbild vorschwebt, aber auch nicht dasjenige, das Jung aus dem

Hiobbuch herausgelesen hat. Wir verstehen es, daß Jung keine Exegese im einzelnen geben will, aber bei ihm ist die Gedankenwelt des Hiobbuches im wesentlichen verzeichnet.

In einem hat Jung aber schon recht gesehen: Gerade im Hiobbuch, wenn auch keineswegs bloß in ihm, sondern letzten Endes in der ganzen Heiligen Schrift, ist von einem Gott die Rede, der dem Menschen gegenüber steht, vor dem der Mensch sich letzten Endes tatsächlich beugen soll. Es meint, daß es eine göttliche Macht gibt, die der menschlichen tatsächlich überlegen ist, und eine göttliche Weisheit, die Weisheit bleibt, auch wenn der Mensch sie nicht zu fassen vermag. Es zeichnet uns einen Gott, der tatsächlich auf die menschliche Sünde heftig reagiert. Jung sagt: Wutanfälle bekommt. Die Bibel sagt es nicht so, denn sie weiß um einen heiligen Gotteszorn. Hier ist die Bibel ganz unerbittlich: Ein Gott, der das Böse gelassen hinnähme, ist ihr nicht mehr ein Gott. Und wir meinen, ein solcher Gott kann auch vom Menschen nicht mehr ernstgenommen werden. Man möchte Jung sozusagen auf jeder Seite seines Buches das Wort Anselms entgegenhalten: Nondum considerasti, quanti ponderis sit peccatum: Du hast noch nicht bedacht, welches Gewicht die Sünde hat. Es ist darum auch ganz verständlich, daß er nur höchst ironisch vom Bedürfnis Jahwes propitiiert zu werden sprechen kann und der kirchlichen Deutung des Opfertodes Christi völlig verständnislos gegenübersteht.

Jung besitzt zweifellos eine erstaunliche Kenntnis der apokryphen, pseudepigraphischen und vor allem gnostischen Literatur im Umkreis von Judentum und Neuem Testament. Den biblischen Gottesbegriff aber hat er verzeichnet und die Religionsgeschichte, die er zeichnet, ist nicht die biblische, sondern konstruiert zu seinen Zwecken auf Grund gnostischer Spekulation. Trotzdem ist nicht anzunehmen, daß Jung nur einem Irrtum zum Opfer gefallen ist und er ein sachlich gezeichnetes biblisches Gottesbild akzeptieren könnte. Die Differenz liegt zweifellos tiefer.

Wir haben gesagt: Jung spricht zwar von Gott und seinen Wandlungen, aber der lector benevolus ist zunächst geneigt, zu meinen, er rede nur von menschlichen Gottesvorstellungen, die unzureichend sind. Der Kampf gegen falsche Gottesbilder ist uns immer aufgetragen. Kein Sich-berufen auf Offenbarung schützt davor, daß unser Gottesbild immer wieder zu korrigieren ist. Gerade um Gottes willen darf der Kampf gegen das Bild, das sich die Menschen von ihm machen, nie zu Ende sein. Auch Hiob selber ist im Ringen mit seinen Freunden ein Kämpfer in diesem Streit, und gerade die komplexe Natur des Hiobbuches, die nicht zu leugnen ist, auch wenn man alle Stücke von der Hand eines einzigen Verfassers herleitet, zeigt, daß in der Bibel selbst dieses Ringen vor sich geht. Das ist wohl manchen ärgerlich, so wie manchen auch die notwendigen Auseinandersetzungen in der Theologie eine ärgerliche Sache sind. Aber das muß nun einmal sein, weil die Wahrheit der Offenbarung nie endgültig in eine Formel zu fassen ist. Ist nun nicht vielleicht auch Jung doch ein solcher Kämpfer gegen menschliche Gottesbilder für den wahren, lebendigen Gott?

Bleibt also zu fragen: Was ist das für ein Gott, für den er sich wehrt? Er schreibt (S. 159): «Man hat mich oft gefragt, ob ich an die Existenz Gottes glaube oder nicht.» Wer so frage, habe aber offenbar noch nicht gemerkt, daß er, Jung, die Psyche für wirklich halte. Das kommt uns auf den ersten Blick sehr merkwürdig vor: Man fragt Jung nach der Existenz Gottes, und er antwortet, daß man doch wissen könne, daß er die Psyche als eine Realität ansehe. Daran kann man tatsächlich nicht zweifeln, wenn man das Schrifttum Jungs auch nur einigermaßen kennt. Aber was ist damit über die Wirklichkeit Gottes ausgemacht? Das wird von den Voraussetzungen Jungs her sofort klar, wenn man weiterliest: Gott ist eine offenkundige psychische und nichtphysische Tatsache. Man stutzt: Sollte es nicht heißen: Die Religion oder die Gottesvorstellungen? Aber Jung sagt: Gott. Martin Buber (Gottesfinsternis, Manesse-Verlag 1953, S. 158) hat darum mit Recht die Frage aufgeworfen: «Ist Gott lediglich ein psychisches Phänomen oder existiert er auch unabhängig von der Psychik des Menschen?» Nun versichert uns allerdings Jung, daß Bild und Aussage psychische Vorgänge und als solche von ihrem transzendentalen Gegenstand verschieden sind; sie setzen ihn nicht, sie deuten ihn bloß an (S. 10). Aber was ist nun hier der transzendentale Bereich, dem Gott angehört, im Unterschied zum Gottesbegriff, der im Bewußtsein des Menschen seinen Ort hat? Jung sagt es uns: Es sei nicht auszumachen, ob die Gottheit und das Unbewußte zwei verschiedene Größen seien, beides seien Grenzbegriffe für transzendentale Inhalte (S. 166). Er präzisiert dann noch: Das Gottesbild ist nicht das Unbewußte schlechthin, sondern ein besonderer Inhalt desselben, der Archetypus des Selbst. Das heißt doch wohl, daß Gott und das Selbst letzten Endes identisch sind. Nun verstehen wir es, warum Jung schreiben kann: Die Aussagen der Heiligen Schrift betrachte ich als Äußerungen der menschlichen Seele (S. 9). Nicht umsonst schätzt Jung das mystische Denken so sehr und zitiert so gern Meister Eckhart, der sagen kann, daß es Gott nicht eher gab, als bis die Seele zu etwas Erschaffenem wurde. Gott ist eine Funktion der Seele und die Seele ihrerseits eine Funktion Gottes. Von hier aus wird verständlich, warum Jung die Menschwerdung Gottes in

Christus nicht genügt, sondern er eine neue Menschwerdung erwartet. Er sagt, man könne wohl Gottesbild und Archetyp trennen und die Verschiedenheit der beiden Größen postulieren, aber das nütze gar nichts, im Gegenteil, es helfe nur dazu, Mensch und Gott zu trennen, wodurch die Menschwerdung Gottes verhindert werde. Die Inkarnation ist ihm nicht ein Akt göttlicher Gnade, in dem der jenseitige, dem Menschen schlechthin gegenüberstehende und ihm in jeder Hinsicht überlegene Gott sich ihm zuwendet, sondern im Grunde nur die Herausstellung der Tatsache, daß Gott und Mensch letztlich identisch sind. Denn nach Jung besteht die ganze Schöpfung ja aus nichts anderm, denn aus Gott, und darum ist auch der Mensch wie die ganze Kreatur sowieso (!) konkret gewordener Gott. Präfigurationen sind also nur Stufen im Bewußtseinsprozeß. Erst spät hat man realisiert, daß Gott das Wirkliche schlechthin ist, also nicht zum mindesten auch Mensch (S. 66). Hier wird nun mit Händen greifbar, daß Jung die Grenzen, die einem Psychologen gesetzt sind, überschritten hat (was gegenüber seinen Versicherungen, nur als Arzt zu schreiben, festgehalten werden muß) und von einer Weltanschauung her redet, wie sie die konsequente Mystik schon längst konzipiert hat und vor allem in Indien zuhause ist. Es ist sehr zu fragen, ob das, was in seinem Buch vorliegt, nicht einfach eine Uminterpretation der biblischen Offenbarungsgeschichte vom indischen Denken her ist.

Warum hat er dabei eingesetzt bei Hiob? Und warum dieser gereizte Ton? Er sagt zwar: «Das Buch Hiob spielt nur die Rolle eines Paradigmas» (S. 14), mir aber scheint, daß er darum gerade hier zugegriffen hat, weil sich die Gottesanschauung des Hiobbuches als ein Block erweist, der seiner Uminterpretation des Christentums ganz besondern Widerstand entgegensetzt. Man kann den Gottesbegriff des Hiobbuches wirklich nicht in die Jungsche Philosophie hineinnehmen. Jung muß ihn also im Zorn zerschlagen. Aber er trifft nicht bloß die Gottesvorstellung des Hiobbuches, auch nicht bloß die des Alten Testamentes, sondern die biblisch-christliche überhaupt. Aber darum ist es allerdings gut, daß das Hiobbuch in der Bibel steht, und seine Botschaft von dem Gott, vor dessen heiliger Überlegenheit sich der Mensch tatsächlich beugen muß, vor dessen Weisheit er aber auch getrost sich beugen kann, ist durch ihre neuste Deutung tatsächlich aufs neue aktuell geworden.

Samuel
und die Entstehung des israelitischen Königtums.

I.

Albrecht Alt hat in seiner Studie «Die Staatenbildung der Israeliten in Palästina» [1] die Frage gestellt, von welchen ideellen und institutionellen Voraussetzungen her das israelitische Königtum entstanden sei. Nach ihm ist das Prinzip der charismatischen Führerschaft, das in der Richterzeit eine bedeutsame Rolle gespielt hatte, auch bei der Gründung des israelitischen Königtums wirksam gewesen, ja es bildete den eigentlichen Ausgangspunkt der Staatenbildung in Israel [2] und ist im Nordreich das Ideal des Königtums geblieben. Da das israelitische Königtum von Anfang an als eine den Stämmen übergeordnete Größe verstanden wurde, hat die altisraelitische Stammesverfassung auf seine innere Struktur kaum Einfluß ausgeübt. Dagegen ist sehr wohl damit zu rechnen, daß zwischen dem sakralen Zwölfstämmebund und dem Königtum Sauls ein kontinuierlicher Zusammenhang besteht. Zum mindesten ist diese Verbindung ideeller Art, denn die Stämme der Jahweamphiktyonie sind ja zugleich die potentiellen Glieder des Königreiches. Aber es stellt sich auch nach Alt die Frage, ob nicht die Organisation des Zwölfstämmebundes bei der Errichtung des Königtums ganz praktisch eingegriffen hat. Darauf könnte nach ihm die Rolle hinweisen, die Gilgal, damals doch wohl sakraler Mittelpunkt der Stämme, bei der Erhebung Sauls zum König gespielt hat. Aber auch die Beziehungen zwischen Saul und dem Priestergeschlecht von Nob, das von Silo, dem früheren Sitz des Ladeheiligtums, stammte, zeigt in dieser Richtung. [3] Die Darstellung von 1. Sam. 8, nach der das Begehren Israels nach einem König dem bloßen Wunsch ent-

---

[1] A. Alt, Die Staatenbildung der Israeliten in Palästina: Reformationsprogramm der Universität Leipzig 1930, jetzt auch in Kleine Schriften zur Geschichte des Volkes Israel, 2 (1953), S. 1-65.

[2] Alt (A. 1), S. 17 ff. Vgl. auch ders., Das Königtum in den Reichen Israel und Juda: Vet. Test., 1 (1951), und in Kleine Schriften (A. 1), S. 116 bis 134, bes. S. 119.

[3] Alt, Staatenbildung (A. 1), S. 21 f.

sprang, es andern Völkern gleichzutun, muß also zum mindesten als eine einseitige Verzeichnung des wirklichen Geschehens betrachtet werden, die aus den bitteren Erfahrungen der spätern Zeit zu verstehen ist. Einen gewissen Einfluß mag die Art des Königtums bei den im Umkreis von Palästina seßhaft gewordenen Völkern (Edom, Moab, Ammon) immerhin ausgeübt haben, hingegen ist dem kanaanäischen Stadtkönigtum gegenüber das israelitische von Haus aus eine Größe für sich.

Die Thesen von Alt haben weitgehend Zustimmung gefunden. Es fragt sich aber, ob dieses Ergebnis nicht durch den Aufweis der tatsächlichen Vorgänge bei der Gründung des israelitischen Königtums konkretisiert werden kann, vielleicht auch gewisse Korrekturen erfahren muß. Was die *konkreten* Vorgänge bei der Staatenbildung anbelangt, ist Alt nämlich auffallend zurückhaltend. Beim Stand der Überlieferung, die darüber Bescheid geben müßte, hält er den «Versuch, den äußern Hergang der Gründung des Reiches Israel und seines Schicksals unter König Saul aus den Quellen zu rekonstruieren, von vornherein für aussichtlos» und will sich darum mit dem Aufweis der inneren Struktur des ersten israelitischen Staatsgebildes begnügen.[4] Er steht mit dieser Skepsis nicht allein; die neueren Darstellungen der Geschichte Israels, wenn man von der reichlich unkritischen von Ricciotti[5] absieht, empfinden stark die Schwierigkeit, sobald sie nach der Bestimmung der allgemeinen Lage den Ablauf der Ereignisse im einzelnen klarlegen sollen.[6] Zwar ist man sich darüber einig, daß aufs Ganze gesehen 1. Sam. 11 einen historisch wertvollen Bericht darstellt und selbst einer der schärfsten Kritiker, Irwin, erklärt: «Chapter 11 is authentic history.»[7] Aber schon bei

---

[4] Alt, ebd., S. 15.

[5] G. Ricciotti, Geschichte Israels, 1 (1953), S. 345 ff.; vgl. auch E. Robertson, Samuel and Saul: Bull. John Ryl. Libr., 28 (1944), S. 175—206.

[6] Vgl. etwa M. Noth, Geschichte Israels² (1954), S. 156: «Die Einzelheiten dieses Vorgangs (scil. wie Saul König wurde) entziehen sich einer genaueren historischen Einsicht.» Ferner den Artikel Saul von A. Alt in RGG², oder die Darstellungen bei Th. H. Robinson, A History of Israel, 1 (1932), und bei E. Auerbach, Wüste und Gelobtes Land, 1 (1932).

[7] W. A. Irwin, Samuel and the Rise of the Monarchy: Am. Journ. Sem. Lang., 58 (1941), S. 113—134, bes. S. 113.

diesem Bericht erhebt sich die Frage, ob die Rolle, die in ihm Samuel zugedacht ist, als historisch betrachtet werden darf. Und das ist nun überhaupt die Kernfrage der Diskussion: *Ob und in welchem Sinn Samuel bei der Inaugurierung des Königtums beteiligt war.* Irwin verneint es mit Nachdruck. Greßmann glaubt zwar, daß die Freundschaft zwischen Samuel und Saul *vielleicht* auf zuverlässiger Überlieferung beruhe, aber hält es doch für falsch, in Samuel den geistigen Urheber des Königtums zu sehen.[8] Ähnlich unbestimmt ist Noth, der meint, daß Samuel Saul doch wohl zu seinem ersten Auftreten inspiriert habe, aber glaubt, daß Samuel dabei eher an Führerschaft in einer augenblicklichen Notlage gedacht habe als an die dauernde Institution des Königtums.[9] Sellin hingegen hält es für möglich, mit Sicherheit zu erweisen, daß «Saul einst die Krone aus Samuels Hand, der dabei gleichzeitig Organ Jahwes und Wortführer des Volkes war, erhalten haben muß»[10], und Kittel, der sich zwar der Schwierigkeiten wohl bewußt ist, ist doch dessen gewiß, daß Samuel die Hand im Spiele hatte.[11] Auch Auerbach ist davon überzeugt, daß Samuel die treibende Kraft in der Entwicklung zum Königtum war, und meint es diesem als Verdienst zuschreiben zu dürfen, daß die Erhebung gegen die Philisterherrschaft nicht Sache des Stammes, dem Saul angehörte, blieb, sondern zur nationalen Einigung führte. Aber auch er verzichtet darauf, darzustellen, wie das im einzelnen vor sich ging.[12] Die Zahl der Stimmen ließe sich vermehren, aber das Ergebnis würde sich nicht ändern, daß man wohl weithin seine Überzeugung äußert, daß Samuel an der Gründung des Reiches ein hohes Verdienst hat, im übrigen aber kein klares Bild seiner Funktion umreißen kann.[13]

---

[8] H. Greßmann, Die älteste Geschichtsschreibung und Prophetie Israels: Die Schriften des Alten Testaments, 2, 1, 2. Aufl. (1921), S. 36.

[9] Noth (A. 6), S. 157.

[10] E. Sellin, Geschichte des Israelitisch-Jüdischen Volkes², 1 (1935), S. 146 ff.

[11] R. Kittel, Geschichte des Volkes Israel⁷, 2 (1925), S. 79.

[12] A. a. O., S. 177 ff.

[13] O. Eißfeldt, Die Komposition der Samuelisbücher (1931); ders., Geschichtsschreibung im Alten Testament (1948), S. 30 ff., und Einleitung in das Alte Testament² (1956), S. 330.

II.

Die Quellen, auf Grund derer das Werden des israelitischen Königtums darzustellen ist, sind uns in *1. Sam. 8—15* gegeben.

In der auf Wellhausen gründenden Forschung hat sich die Auffassung durchgesetzt, daß gerade innerhalb dieses «Samuel-Saul-Komplexes» deutlich wenigstens zwei Hauptstränge der Erzählung auseinanderzuhalten sind. Zur einen Quelle sollen grob gesprochen Kap. 8; 10, 17—27; 12 und 15 gehören, so daß für die andre 9, 1—10, 16; 11; 13 und 14 übrigbleiben. Die Diskussion ging nicht so sehr um die grundsätzliche Notwendigkeit einer solchen Aufteilung, sondern darum, ob in den beiden Teilen die Fortsetzung der Pentateuchquellen E und J zu sehen sei. Die Eindeutigkeit, mit der es möglich schien, gerade in diesem Teil der Samuelisbücher zwei parallele Darstellungen auseinanderzulösen, war manchen der sicherste Beweis für die Fortsetzung der pentateuchischen Quellenschriften bis in die «geschichtlichen» Bücher des Alten Testamentes hinein. Die literarkritische Arbeit an den Samuelisbüchern hat denn auch die einzelnen Phasen der Pentateuchkritik mitgemacht, und wir wundern uns nachträglich schon etwas über die Sicherheit, mit der man meinte, auch hier E^1 und E^2 oder J^1, J^2 und J^3 samt verschiedenen redaktionellen Verbindungsstücken feststellen zu können. Von den neuern Versuchen, an dieser Quellenhypothese, wenn auch in abgewandelter Gestalt, festzuhalten, sei der von Eißfeldt verzeichnet, der in Konsequenz seiner Aufteilung des Jahwisten in J und L (Laienquelle) auch in unserm Abschnitt drei parallele Darstellungen davon, wie Saul König wurde, herausstellen wollte: 8; 10, 17—21 bα; 12 und 15 (Elohist); 9, 1—10. 16; 11, 6 aα; 13, 3 bα. 4 b + 5. 7 b bis 15 a (Jahwist); und 10, 21 bβ—27; 11 (ohne v. 6 aα); 13 (ohne die oben zum Jahwisten gerechneten Verse und Versteile); und 14 (Laienquelle).[14] Diese Variation der alten Quellenhypothese durch Eißfeldt ist bedeutsam. Man muß ihm darin recht geben, daß 10, 21 bβ—27 nicht in die dem Königtum ablehnend gegenüberstehende Quelle hineinpassen will und daß es sehr fragwürdig ist, ob, wie man gewöhnlich dachte, Kap. 11 die Fortsetzung von 9, 1—10, 16 bildet. Man kommt mit der

[14] Eißfeldt, Komposition (A. 13), S. 16, und die synoptische Übersicht, S. 56 ff.

lange Zeit hindurch fast zum Dogma gewordenen Zweiquellentheorie tatsächlich nicht durch. Die Frage ist nur, ob eine Verteilung auf drei Stränge die Quellentheorie zu retten vermag. Die Stimmen mehren sich, daß sie dem Tatbestand nicht gerecht werden und daß vor allem der Zusammenhang mit den Pentateuchquellen preiszugeben sei. Schon Greßmann [15] wollte zwar drei Schichten unterscheiden (Geschichtserzählungen: 11; 13 + 14; Sagen: 9, 1—10. 16; 15; und Legenden: 10, 17—27; 12), betont aber, daß alle Erzählungen ursprünglich für sich umliefen. Alt [16] rechnet zwar mit zwei Quellen, unterstreicht aber, daß auch die jüngere, nach ihm deuteronomistische, Reihe älteres Überlieferungsgut enthalte, und vor allem, daß die ältere Reihe aus Einzelerzählungen zusammengesetzt sei, deren Sonderstellung sorgfältiger zu beachten wäre. So habe 9, 1—10, 16 weder in Kap. 11 (so die gewöhnliche Annahme) noch in 13 und 14 (so Lods)[17] ihre Fortsetzung; sowohl 11 als auch 13 f. stünden durchaus auf eigenen Füßen. In seinen überlieferungsgeschichtlichen Studien hat dann Noth [18] die Auffassung vertreten, daß die dem Königtum abgeneigten Stücke, die man in der Regel E zuschrieb, in Wirklichkeit dem Deuteronomisten zugehörten, so daß dieser also als Verfasser, nicht bloß als Redaktor der Samuelisbücher anzusehen sei. Schon vor ihm hat Preß [19] herausgestellt, daß sich die Erzählungen um Samuel und Saul nicht auf Quellen verteilen lassen, sondern daß wir es mit einzelnen Überlieferungseinheiten zu tun haben, die nur lose nebeneinandergestellt sind. Immerhin meint er, daß sich die einzelnen Erzählungseinheiten in Gruppen sammeln lassen, die doch wieder mit den beiden «Quellen» der früheren Literarkritik dem Umfange nach ziemlich identisch sind. [20]

---

[15] Greßmann (A. 8), S. 10.

[16] Alt (A. 1), S. 14, bes. Anm. 3.

[17] A. Lods, Les sources des récits du premier livre de Samuel sur l'institution de la royauté israélite: Etudes de théol. et de l'hist. en hommage à la faculté théol. de Montauban (1901).

[18] M. Noth, Überlieferungsgeschichtliche Studien: Schr. d. Königsb. Gel. Ges., Jg. 18, Geistesw. Kl., 2 (1943), S. 54 ff.

[19] R. Preß, Der Prophet Samuel: ZAW, 56 (1938), S. 177—225, bes. S. 215.

[20] Preß (A. 19), S. 217, betont stark die Sonderstellung von Kap. 15, das keinem der beiden Stränge, in die man in der Regel die Samuel-Saul-

Die Diskussion ist noch keineswegs zum Abschluß gekommen; es scheint aber, daß sich die Schau Noths durchsetzen wird und die Quellenhypothese einer Art Fragmentenhypothese weichen muß. [21] Das heißt nicht, daß die frühere literarkritische Arbeit umsonst gewesen ist und klanglos begraben werden kann. Ihr bleibendes Ergebnis ist, daß die Samuel-Saul-Traditionen sich in solche königsfreundlicher und königsfeindlicher Art aufteilen lassen und daß die dem Königtum wohlgesinnte Darstellung dem historischen Tatbestand näher steht. Aber die Erkenntnis hat sich Bahn gebrochen, daß überlieferungsgeschichtlich gearbeitet werden muß und die einzelnen Erzählungseinheiten zunächst einmal für sich zu betrachten sind, wobei nach ihrem Werden und Wachsen im Lauf der Überlieferung zu fragen ist. Es ist ebenso sicher, daß auch die Stücke der älteren Schicht erst durch den Traditionsprozeß ihre heutige Gestalt gewonnen haben, wie andererseits die Möglichkeit durchaus besteht, daß auch die jüngern Stücke Traditionselemente verarbeitet haben, die uns helfen können, den geschichtlichen Vorgang zu rekonstruieren. Wenn die Erkenntnis richtig ist, daß am Anfang des ganzen jetzigen Komplexes die Einzelerzählung steht, besteht keine Gewähr dafür, daß, sofern wir auf Elemente stoßen, die der Geschichte angehören, die Reihenfolge, in der uns die Einheiten gegeben sind, dem geschichtlichen Ablauf entspricht. So werden wir unten zu fragen haben, ob Kap. 11 historisch gesehen an der richtigen Stelle eingeordnet ist. Die Verknüpfung der einzelnen Erzählungseinheiten zu

---

Erzählungen aufteilt, zugeordnet werden könne. Auch von anderer Seite ist mit Recht betont worden, daß man Kap. 15 nicht einfach der jüngeren dieser beiden Schichten zuzählen dürfe, z. B. A. Weiser, 1. Samuelis 15: ZAW, 54 (1936), S. 1—28.

[21] Vgl. dazu A. Weiser, Einleitung in das Alte Testament² (1949), und C. Kuhl, Die Entstehung des Alten Testaments (1953). Ferner verweise ich auf M. Buber, Die Erzählung von Sauls Königswahl: Vet. Test., 6 (1956), S. 113—173, wo der Versuch unternommen wird, zu zeigen, daß wir «eine einheitliche Erzählung vor uns haben, die ein vielfältiges ... Material schon früh, unter dem Einfluß einer geschlossenen Konzeption des Gegenstands ... verschmolzen hat» (S. 113/114). R. H. Pfeiffer, Midrash in the Books of Samuel: Quantulacumque (1937), S. 303—316, rechnet mit einer späten Überarbeitung der Samuelisbücher zwischen 400 und 300 vor Chr.

einem Gesamtbild ist jedenfalls erst das Werk einer relativ späten Sammelarbeit.

Wir werden demgemäß zunächst die einzelnen Einheiten auf ihr Werden und Wachsen hin überprüfen, wobei wir uns fragen, wo ursprüngliche Überlieferungselemente vorliegen und wo wir auf historisches Urgestein stoßen, um dann zu sehen, ob es möglich ist, aus den so herausgestellten Elementen ein diskursives Bild der Entstehung des Königtums in Israel zu gewinnen. Wir beschränken uns dabei im wesentlichen auf 1. Sam. 8—12.

III.

Wir beginnen mit dem Abschnitt, der nach dem einmütigen Urteil der Forschung das Lob erhalten hat, dem Historiker am ehesten die Möglichkeit zu bieten, dem Werden des Königtums auf die Spur zu kommen: 1. Sam. 11. Daß auch dieser Abschnitt nicht tale quale als historischer Bericht hingenommen werden kann, haben wir allerdings bereits angedeutet. Die Zahl von 300 000 Israeliten (V. 8) erinnert an die großzügige Weise, mit der der Chronist mit den Zahlen umgeht. Daß zudem auch Judäer, 30 000 an Zahl, mitgezogen sind, ist unwahrscheinlich. Die LXX redet gar von 600 000 Israeliten und 70 000 Judäern. Der Vers dürfte später Zusatz sein. [22] Daß die Jabeschiten dem Nahas den Vorschlag machen konnten, ihnen sieben Tage Frist zu gewähren, um sich nach Hilfe umzusehen, und Nahas auf diese Bitte einging, wird man bezweifeln dürfen. [23] Glaubwürdiger schiene es uns, wenn berichtet wäre, daß die Jabeschiten in ihrer Not heimlich Boten zu ihren westjordanischen Brüdern sandten. Denn wenn die Boten mit Wissen der Ammoniter auszogen, hätten sie mit ihrem günstigen Bericht doch kaum wieder in die Stadt zurückkehren können. Daß die Ammoniter das zugelassen und sich dann erst noch von Saul derart überraschen ließen, ist schwer vorstellbar. [24] Immerhin, es kann ja

[22] Pfeiffer (A. 21) vergleicht diese hohen Zahlen mit Recht mit der großzügigen Weise, in der der Chronist mit den Zahlen umgeht.

[23] Vgl. A. Lods, Israël des origines au milieu du VIIIe siècle (1932), S. 411.

[24] Greßmann (A. 8), z. Stelle, glaubt den Zug durch den Hinweis auf die ritterlichen Gepflogenheiten der damaligen Zeit für die Historie retten

sein, daß wir die Hintergründe der allfälligen Großzügigkeit des Nahas nicht zu durchschauen vermögen, wesentlich für die Gesamtbeurteilung der Erzählung ist dieser Zug nicht. Hingegen hängt nicht wenig daran, ob we'achar šemû'el in V. 7 zum ursprünglichen Bestand der Erzählung gehört. Nach Budde [25] ist es eine handgreifliche Glosse, und daran ist auch gar nicht zu zweifeln. Samuel ist vorher nicht genannt und es ist nicht einzusehen, warum er gerade in Gibea hätte weilen sollen oder wie Saul sich sonstwie mit ihm hätte verständigen können. Daß Saul ganz selbständig gehandelt hat, beweist noch der Singular der LXX in V. 9 (καὶ εἶπεν), der gegenüber dem Plural von M.T. gewiß im Recht ist. Das beweist auch V. 15: «Sie (das Volk) machten Saul zum König»: Die Krönung Sauls ist nach dieser Darstellung das Werk des Volkes allein. Die LXX hat gespürt, daß, wenn Samuel schon zugegen war, er hier in Aktion treten mußte, und liest darum in V. 15 für wajjamlîkū šâm 'ät-Šā'ûl: καὶ ἔχρισεν Σαμουήλ. Es kann darum auch nicht zweifelhaft sein, daß die Verse 12—14 einen Einschub darstellen, genauer: eine redaktionelle Klammer, die das Kapitel mit dem vorher Erzählten verbinden soll. Wenn V. 14 vom Erneuern (chaddeš) des Königtums spricht, so steht das mit V. 15, wo ja nicht von seiner Erneuerung, sondern der Neuerrichtung gesprochen wird, im Widerspruch. Der Schluß ist unumgänglich: Samuel hat mit dem ursprünglichen Bestand der Erzählung von der Befreiung von Jabes nichts zu tun. Aber sind wir dann nicht gezwungen, hinzuzufügen, daß er auch mit der Erhebung Sauls zum König, die sich nach unserm Bericht an jene Befreiungstat angeschlossen haben soll, nichts zu tun haben konnte? Das ist, wie wir sahen, die These vieler. Auch anderes in unserm Kapitel spricht für sie: Saul ist hier nichts denn ein schlichter Bauer, der mit seinen Rindern zum Pflügen auf dem Felde ist. Niemand scheint daran gedacht zu haben, daß Saul benachrichtigt werden müßte, als die Boten von Jabes ihre Not berichteten. Saul hat in diesem Moment in seinem

---

zu können. S. dazu I. Hylander, Der literarische Samuel-Saul-Komplex (1932), S. 156 f. Wenn man an die harte Kapitulationsbedingung denkt, die Nahas gestellt hatte, hat man nicht den Eindruck, daß die Gepflogenheiten der Ammoniter sehr ritterlich gewesen seien!

[25] K. Budde, Die Bücher Samuel (1902) z. Stelle.

Heimatstädtchen keine besondere Bedeutung gehabt (Budde[26] meint gar, er habe als Haussohn wohl gar keine Stimme gehabt). Und keiner unter Sauls Mitbürgern kann etwas davon gewußt haben, daß Saul von Samuel zum nâgîd (10, 1) oder gar öffentlich als König ausgerufen worden sei (10, 24). Saul selbst handelt nicht, weil er jetzt die Gelegenheit gekommen sieht, sein Königtum unter Beweis zu stellen, sondern ganz unter der Inspiration des Augenblicks. Es scheint also nur die Alternative zu bestehen: Entweder ist das hier in Kap. 11 Berichtete im ganzen historisch: dann fällt aber das in 8—10 Erzählte für die Historie völlig aus Abschied und Traktanden; oder die Kapitel 9 + 10, die von einer Mitwirkung Samuels bei der Erwählung Sauls in extenso berichten, enthalten einen historischen Kern: dann aber wird das in Kap. 11 Überlieferte völlig rätselhaft.

Wo diese Alternative in ihrer Schärfe erkannt wurde, hat sich der Historiker für die erste Möglichkeit entschieden. Aber ganz abgesehen davon, daß die Verbindung zwischen Saul und Samuel doch nun einmal in verschiedenartigen Traditionen fest verwurzelt ist, erheben sich schwere Bedenken. Irwin hätte dann recht: «Saul was in reality the last of the judges and the first of the kings», er wäre zu seiner Führerschaft «precisely as the other judges» emporgetragen worden durch die Drangsal der Stunde und seine Fähigkeit, sie zu meistern.[27] Aber durch diese Analogie wird ja eben gerade nicht erklärt, warum Saul mehr als eine der Richtergestalten geworden ist und warum er von einem mehr oder weniger zufällig zusammengeströmten Haufen von Wehrfähigen aus Benjamin und allenfalls noch aus Ephraim zu einem König erhoben worden ist, der Autorität in *ganz* Israel haben sollte. Charismatisches Führertum läßt sich wohl denken, charismatisches Königtum ist im Grund ein Widerspruch in sich selbst, denn das Königtum ist eine feste, rechtlich verankerte Institution.

Aber wenden wir uns nun den andern Traditionen zu, die davon berichten, wie Saul König wurde. In der Regel sieht man in Kap. 11 die Fortsetzung von 9, 1 bis 10, 16. Das ist ein Abschnitt von einem ziemlich komplizierten Aufbau. Die erste

---

[26] Budde (A. 25), S. 75.

[27] Irwin (A. 7), S. 133.

Szene, 9, 1—10, redet von Kis, einem wohlhabenden Mann in Benjamin, dem sich Eselinnen verlaufen haben [28] und der nun seinen schönen und stattlichen Sohn Saul, der alles Volk um Haupteslänge überragt, mit einem Knecht nach ihnen auf die Suche schickt. Aber sie haben keinen Erfolg, und Saul will wieder zu seinem Vater zurückkehren, damit der sich nicht um ihn sorgen müsse. Doch der Knecht schlägt vor, einen Gottesmann «in der Stadt» (sie wird nicht mit Namen genannt) zu befragen. Saul zögert, da er nichts besitzt, was er dem Gottesmann als Gabe für seine Bemühung geben könnte; doch hat der Knecht noch einen Viertelsschekel bei sich. In der zweiten Szene, V. 11—14 a, läßt der Erzähler die beiden, wie sie zur Stadt hinaufsteigen, sich bei Mädchen, die vor dem Tor Wasser holen, nach dem Seher (auch hier ist kein Name genannt) erkundigen. Sie bekommen die Antwort, daß er eben in die Stadt gekommen sei und bald auf die Höhe hinaufsteigen werde, um dort das Opfermahl zu segnen und mit den Geladenen zu essen. Die dritte Szene, V. 14 b—21, schildert uns das wunderbare Zusammentreffen der beiden mit Samuel, der eben zum Tor herauskommt, wie sie die Stadt betreten wollen. Samuel lädt sie gleich zum Festmahl auf der Höhe ein. Über die Eselinnen kann er beruhigende Auskunft geben, und darüber hinaus weiß er, daß alles Wertvolle in Israel Saul gehört. Der ist darüber höchst erstaunt, da er ja nur ein Benjaminit und seine Sippe die kleinste in Israel sei. In einem Zwischenstück, V. 15—17, erfahren wir, daß Samuel von Jahwe selbst auf den Besuch Sauls vorbereitet worden ist. Es folgt die vierte Szene, V. 22—24: Samuel weist Saul und seinem Knecht an der Tafel die Ehrenplätze an und läßt ihm durch den Koch die Keule auftragen, die eigens für ihn auf die Seite gelegt worden ist. Fünfte Szene, 9, 25—10, 8: Saul übernachtet in der Stadt. Am andern Morgen begleitet ihn Samuel zum Tor hinaus und salbt ihn insgeheim

[28] Nach M. Bič, Saul sucht die Eselinnen: Vet. Test., 7 (1957), S. 92 bis 97, sollen in diesem Text Überreste eines Berichtes über ein längst verschollenes Fest vorliegen, bei dem eine verlorengegangene und gesuchte Gottheit durch einen auf einer Eselin sitzenden Jüngling vorgestellt wurde. Gegenüber einer solchen mythologischen Deutung bleibe ich doch lieber bei der Meinung jenes «nicht unbedeutenden Alttestamentlers», der einst der Lehrer von Bič war (s. S. 92), nämlich, daß es sich um einen märchenhaften Zug handle.

zum Fürsten (nāgîd) über das Volk Israel. Durch drei Zeichen, die Saul begegnen werden, soll dieser Akt bekräftigt werden: Am Grab Rahels wird Saul zwei Männer treffen, die ihm sagen, daß die Eselinnen gefunden sind, bei der Eiche Tabor wird er drei Männern begegnen, die mit Gaben auf dem Weg nach Bethel sind; die werden ihm zwei Brote zum Geschenk machen. Und wenn er nach dem Gibea Gottes kommt, wird Saul auf eine Prophetenschar stoßen, mit der zusammen er in Verzückung geraten wird. Nach dem Eintreffen dieser Zeichen soll er nach Gilgal gehen, wo sich dann alles Weitere geben wird, sobald Samuel dort erscheint. Sechste Szene, 10, 9—12: Die drei Zeichen, so wird berichtet, seien eingetroffen. Erzählt wird es allerdings nur vom dritten. Siebente Szene, 10, 13—16: Als Saul nach Hause kommt, will ihn sein Oheim über die Worte Samuels ausfragen, aber Saul tut ihm das Wesentliche, die Zusage des Königtums, nicht kund.

Aufs Ganze gesehen, haben wir es in diesem Abschnitt nicht mit historischer Berichterstattung zu tun. Die Exegeten stellen denn auch in weitem Ausmaß fest, daß es ein Stück mit legendären und märchenhaften Zügen sei. Aber man darf nicht das Kind mit dem Bad ausschütten. Genaueres Zusehen zeigt, daß der Abschnitt nicht einheitlich ist. So redet z. B. Szene 1 ohne Namensnennung nur von einem Gottesmann, in Szene 2+3 hingegen wird er als Seher bezeichnet. Nachher wird einfach ohne Titulierung von Samuel gesprochen. Das weist darauf hin, daß wir es mit verschiedenen Schichten in der Erzählung zu tun haben. Daß Saul alles Volk um Haupteslänge überragte, eine Aussage, die in 10, 23 wiederkehrt, mag geschichtlich begründet sein. Daß er stattlich und schön und daß kein schönerer Mann als er in Israel gewesen sei, klingt aber sagenhaft. Allerdings stimmt diese Beschreibung nicht recht zum sonstigen Bild, das man in der ersten Hälfte von Kap. 9 von Saul gewinnt: er erscheint als ziemlich unbeholfener Junge; er steht noch ganz unter der Befehlsgewalt seines Vaters, und dieser sorgt sich um ihn, wie er längere Zeit ausbleibt. Sein Knecht ist ihm sichtlich überlegen, sogar darin, daß er wenigstens Geld im Beutel hat, während Saul nichts auf sich trägt. All das, und damit das Motiv der Eselinnensuche überhaupt, kann nicht geschichtlich sein. Im Moment, wo Saul König wird, ist er längst kein junger Bursche mehr, sondern hat schon einen waffenfähigen Sohn (13, 1). Das Motiv verdankt seine Verknüpfung mit der Designation Sauls zum König dem Bedürfnis, darzustellen, auf welch wundersame Weise Gott die Menschen zu lenken weiß, und wie es ihm ein geringes ist, den Dürftigen aus dem Staub zu heben und ihm den «Ehrenthron» zu geben (1. Sam. 2, 8). In 9, 21 spricht der Erzähler noch deutlicher aus, daß es ihm um die Veranschaulichung dieses Gedankens geht: Die Sippe Sauls ist die geringste unter den Sippen des kleinsten Stammes Israels — und doch hat Jahwe gerade ihn erwählt! Diese Aussage steht aber im Widerspruch zu 9, 1, wo noch die zweifellos richtige Erinnerung bewahrt ist, daß Sauls Vater Kis einer Familie mit bester Tradition angehörte und ein hablicher Mann war. [29] Das Motiv der Begegnung mit den Mädchen am Brunnen, die den fremden Ankömmlingen Auskunft geben, ist weit verbreitet, ebenso das andere, daß der Seher schon im voraus von seinem Herrn über einen bevorstehenden wichtigen Besuch unterrichtet wird. [30] Daß Samuel eben im Moment, wo Saul die Stadt betreten will, zum Tor herauskommt, unterstreicht noch einmal den Gedanken, wie herrlich Gott die Seinen zu führen weiß. Wir haben es also in Szene 1—3 mit Erweiterungen teils aus Freude am Erzählen, teils zur erbaulichen Belehrung zu tun. Mit Szene 4 stoßen wir zum Kern der Erzählung vor. Der Anfang dieses Kernes ist uns aber nur noch verstümmelt erhalten, und der Bericht scheint auch sonst verkürzt zu sein, wahrscheinlich darum, weil in Kap. 8 schon von einer Zusammenkunft zwischen Samuel und den Ältesten in Israel die Rede war. Es sind dreißig Geladene da. Warum gerade so viel und was sie eigentlich zur Opfermahlzeit zusammengeführt hat, wird nicht gesagt. Eine gewöhnliche Opfermahlzeit war es gewiß nicht. Samuel scheint, wenn wir darin den Worten der Mädchen am Brunnen Bedeutung zumessen wollen, nur gerade zu dieser Mahlzeit in die (leider nicht benannte) Stadt gekommen zu sein. Es wird nicht erklärt, warum Saul und sein Knecht den Ehrenplatz an der Tafel zu-

---

[29] Nach Bič (A. 28), S. 93, soll ein gibbor chajil allerdings ein Mitglied der Leibwache der Gottheit (des Bildes) sein.

[30] Vgl. Apg. 9, 10 ff.; 10, 19 f.

geteilt bekommen, doch die Geladenen und auch der «Koch» [31] sind durchaus im Bild. Zwischen den Zeilen kann man sehr wohl lesen, daß hier ein geheimer Rat von Vertretern ganz Israels unter Führung Samuels versammelt ist, der über das Königtum verhandelt hat und dem Samuel nun den vorstellt, den er für den gegebenen Anwärter der hohen Würde betrachtet. Daß hier nicht viel gesprochen wird, ist nur natürlich: über der Versammlung liegt die Atmosphäre der Konspiration. — Den Höhepunkt erreicht die Erzählung aber erst in der nächsten Szene, wo Samuel Saul insgeheim zum Fürsten über Jahwes Volk salbt. Man beachte wohl: nicht direkt zum König salbt er ihn, sondern zum nāgîd, d. h. zum designierten Anwärter auf die Königswürde. Die Erzählung verlangt darum eine Fortsetzung, in der berichtet werden muß, wie der nâgîd zum mäläk erhoben worden ist. Der Bericht über die Salbung muß natürlich noch zum ursprünglichen Kern der Erzählung gehören. Das folgende Zeichenmotiv ist im Alten Testament Bestandteil mancher Verheißungen, die es bestätigt (Ex. 3, 12; Jes. 7, 11 ff., 37, 30; 38, 6+22; Zeichen als Bestätigung einer Drohung: 1. Sam. 2, 34). Man wird also die beiden Szenen, die von den Zeichen reden, nicht einfach für den Urbestand der Erzählung streichen dürfen. Aber gleich drei Zeichen sind des Guten zuviel! 10, 1 (LXX) redet denn auch nur von *einem* Zeichen. Das erste, daß beim Grab Rahels dem Saul zwei Männer künden werden, daß die Eselinnen gefunden sind, gehört mit dem Motiv der Eselinnensuche zusammen, muß also sekundär sein. [32] Das dritte, daß Saul unter die Propheten geraten wird, will das Sprichwort erklären: Ist Saul auch unter den Propheten? [33] Das Sprichwort selbst ist abschätzig gemeint, aber nach dem Zusammenhang will es jetzt positiv wertend den König als einen Mann, begabt mit dem Geist Jahwes, hinstellen.

[31] Das Wort ṭabbâch, das hier mit Koch übersetzt werden muß, bedeutet sonst Leibwächter, natürlich eine beabsichtigte Doppeldeutigkeit.

[32] Es stößt sich übrigens mit 9, 20, wo wir bereits erfahren haben, daß die Eselinnen gefunden sind.

[33] Eine andere Erklärung des Sprichwortes treffen wir in 19, 20 ff. Bei irgendeinem Anlaß im Leben Sauls muß das geflügelte Wort entstanden sein. Nach Greßmann (A. 8), S. 83, hängt es wohl mit der Teilnahme des Königs für die derwischartigen Prophetengruppen zusammen, nach andern mit seiner Schwermut.

Ursprünglich wird also nur das 2. Zeichen sein: daß Saul drei Männern bei der Eiche Tabor begegnet, die ihm von ihren für das Heiligtum bestimmten Gaben einen Anteil geben: Man beginnt, dem König Gaben darzubringen, Samuels Ankündigung ist im Zug sich zu verwirklichen. Daß die letzte Szene, die uns den neugierigen Oheim Sauls zeigt, ihr Dasein dem erzählerischen Bedürfnis auszuschmücken verdankt, bedarf doch wohl keiner weiteren Erörterung.

Der Abschnitt 9, 1—10, 16 ist also erst im Verlauf einer langen und komplizierten Überlieferungsgeschichte zu seinem jetzigen Umfang angewachsen. Der Kern der Erzählung liegt in 9, 22—10, 1+3+4, alles andere ist legendäre Ausmalung. Bei diesem Wachstumsprozeß ist der ursprüngliche Kern so verkürzt und verändert worden, daß es nicht mehr leicht zu fassen ist, was er meint. Immerhin läßt sich der allgemeine Sinn durchaus erheben. Ob dieser Kern aber wirklich noch etwas weiß vom konkreten Hergang bei der Erhebung Sauls zum König, ist eine Frage, die zunächst noch zurückgestellt sei.

Wir gehen nun über zu 10, 17—27. Nach dem jetzigen Zusammenhang wäre auf die geheime Versammlung der Geladenen auf der Höhe bei der ungenannten Stadt und die ebenso geheime Salbung Sauls zum nâgîd die öffentliche Auslosung Sauls auf einer von Samuel nach Mizpa einberufenen Volksversammlung gefolgt. Der Auslosung wiederum folgte die öffentliche Proklamation durch Samuel und dann der Königsjubel des Volkes. Es läßt sich tatsächlich gut denken, daß nach den geheimen Verhandlungen nach einer Gelegenheit gesucht werden mußte, Saul dem Volk als König vorzustellen: Zur Designation durch den Vertreter Jahwes muß die Akklamation durch das Volk kommen. «Das eine wie das andere ist offenbar für das Königtum in Israel konstitutiv.»[34] Die beiden grundlegenden Akte können zeitlich weit auseinanderliegen (vgl. 1. Kön. 11, 29 ff. und 12, 20, betr. Jerobeam I.); sie können aber auch nahe zusammenrücken (2. Kön. 9, 3 und 13, betr. Jehu). Ob es so oder anders ist, hängt von den Umständen ab. Nie mehr aber hören wir im Alten Testament davon, daß ein König durch Auslosung bestimmt worden ist. Und daß der König gar erst noch ausgelost wird, nachdem er bereits zu seiner Würde gesalbt

[34] Alt, Staatenbildung (A. 1), S. 23.

wurde, ist undenkbar. 10, 17 ff. kann also unmöglich ursprüngliche Fortsetzung des vorhergehenden Abschnittes sein. Die Verse gehören ihrem Inhalt nach zu Kap. 8, in dem Samuel das Königtum grundsätzlich ablehnt. Aber nun hat, wie wir sahen, Eißfeldt erkannt, daß von V. 21 b*β* an ein Überlieferungselement auftaucht, das sich mit 17—21 b*α* nicht verträgt: Warum sollte Saul sich versteckt haben, wenn er doch keine Ahnung davon haben konnte, daß das Los ihn treffen könnte — man wird doch nicht sagen wollen, daß Samuel die Verlosung so leitete, daß schon der von ihm Ausersehene herauskam! Noch schwerer fällt ins Gewicht, daß diese Verse im Gegensatz zu den vorhergehenden zu Sauls Königtum wieder positiv eingestellt sind. Samuel präsentiert dem Volk Saul mit den Worten: «Seht ihr, wen Jahwe erwählt hat, seinesgleichen ist nicht im ganzen Volk.» Diejenigen, die Saul wenig zutrauen und ihm keine Geschenke bringen, müßten nach den in Kap. 8 und in 10, 17 ff. vertretenen Anschauungen Männer vortrefflicher Einsicht sein, aber sie werden in V. 27 b^{e}nê b^{e}lijja'al genannt. V. 17—21 b*α* ist also ein Einschub. Darin aber kann ich Eißfeldt nicht folgen, daß 21 b*β* ff. mit Kap. 11 zusammen eine eigene Quelle bilde.[35] Die Feststellung, daß Saul alles Volk um Haupteslänge überragt habe, weist auf 9, 2 zurück. Der Abschnitt ist die natürliche und notwendige Fortsetzung von 9, 1—10, 16. Kap. 11 kann nicht seine Fortsetzung sein, denn es weiß von Haus aus nichts von einer Mitwirkung Samuels. Und man erwartet nach Kap. 10 auch in keiner Weise, daß das Königtum nun noch einmal einer Bestätigung bedürfe. Die Fortsetzung von Kap. 10 haben wir vielmehr in Kap. 13 vor uns: Der erwählte und anerkannte König hat nun seine eigentliche Aufgabe anzugreifen: den Kampf mit den Philistern. Es ist allen, die sich mit der Frage nach den politischen Hintergründen der Geschichte Sauls befaßt haben, klar, daß das israelitische Königtum notwendig wurde, weil es galt, Israel vor dem Zugriff der Philister zu retten. — So haben wir also in 10, 21 b*β*—27 einen alten Bericht vor uns, der durch die deuteronomische Einleitung, mit der er verschmolzen ist, an seinem Anfang wiederum verstümmelt wurde. Es war offenbar erzählt worden, daß — doch wohl auf Initiative Samuels hin — eine Volksversammlung einberufen wurde. (Daß es nach Mizpa

[35] Eißfeldt, Komposition (A. 13), S. 10.

geschah, ist fraglich, da sich dieser Ortsname ja nur in der Einleitung findet.) Nach Eißfeldt [36] hat dabei Samuel verkündet, König solle nach Jahwes Willen der sein, welcher alles Volk um Haupteslänge überrage. Aber man fand keinen solchen. So richtete man an Jahwe die Frage: «Ist noch einer hergekommen?» (der Text muß also an dieser Stelle nicht geändert werden, wie es schon die LXX tat). Im übrigen ist die Erzählung klar. Sie enthält nichts, was an sich unglaubwürdig wäre. Ob sie das historische Geschehen richtig festgehalten hat, ist aber wieder eine Frage, die uns später beschäftigen soll.

Zunächst noch ein Wort zu Kap. 8! Es ist nach der Meinung der Exegeten im ganzen jung, und ob man es als elohistisch oder deuteronomistisch bezeichnet oder sonstwie einordnet, jedenfalls ist man sich darüber ziemlich einig, daß das Kapitel für die Eruierung der geschichtlichen Vorgänge bei der Gründung des Königtums kaum etwas abwerfe. Denn wenn schon Samuel dabei mitgewirkt hat. dann gewiß nicht als der grundsätzliche Gegner, als welcher er hier erscheint. Aber nun ist wieder zu fragen, ob nicht vielleicht doch auch in diesem Kapitel alte Traditionen, die in ihm (wie ich meine durch den Deuteronomisten) verarbeitet sind, erkannt werden können. Das gilt gleich von den ersten drei Versen. Die Kenntnis der Namen der Söhne Samuels und die überraschende Mitteilung, daß sie in Beerseba als Richter geamtet hätten, muß einer alten Samueltradition angehören. [37] Das Überlieferungsfragment ist im jetzigen Zusammenhang zur Begründung des Begehrens des Volkes nach einem König verwendet. Aber diese Begründung paßt sehr schlecht zu den folgenden Ausführungen, nach denen doch nur die Hartnäckigkeit des Volkes Jahwe gegenüber den Wunsch nach einem König laut werden ließ, und paßt auch schlecht zu Kap. 12, das inhaltlich mit Kap. 8 zusammengehört, wo Samuel zugunsten Sauls abdankt, während er sich nach 8, 1 aus Altersgründen zugunsten seiner Söhne zurückgezogen hat. Ist aber in 1—3 eine alte Tradition verarbeitet, so kann das auch für 4 + 5 zutreffen, wonach sich alle Ältesten Israels zu Samuel nach Rama versammelt haben, um das Begehren nach einem König aufzustellen. Wie 10, 24 weiß auch unser Kapitel

[36] Eißfeldt, ebd., S. 7 und 10.

[37] So auch Noth, Überlieferungsg. St. (A. 18), S. 56, Anm. 7.

(V. 11), daß Samuel dem Volk den mischpaṭ-hammäläk, die Gerechtsame des Königs, vorgelegt hat, ja hier wird dieser mischpâṭ seinem Inhalt nach dargelegt. Man will in ihm allgemein ein Dokument sehen, das die spätere Erfahrung Israels mit seinen Königen widerspiegle. Mendelsohn [38] hat neulich unter Verwendung akkadischer Texte aus Ugarit dargetan, daß die Sätze eine zutreffende Beschreibung der halb-feudalen kanaanäischen Gesellschaftsordnung seien. Das mag richtig sein, aber damit ist doch noch nicht bewiesen, daß Samuel selbst dieses Königsrecht formuliert hat. Saul war ja nicht ein Herrscher nach der Art der Könige von Ugarit. Authentisch im Munde Samuels könnten diese Bestimmungen nur sein, wenn er (was Mendelsohn tatsächlich annimmt) Sprecher einer antimonarchischen Bewegung jener Zeit gewesen wäre, aber das ist nicht der Fall. Die Ausgrabungen im Gibea Sauls, auf dem Tell el Fûl, haben zur Genüge gezeigt, daß Saul nicht einen so luxuriösen Hofhalt geführt hat, wie er in diesem Königsrecht vorausgesetzt wird. [39] Hingegen wird die hier festgehaltene Überlieferung doch darin recht haben, daß Saul das Recht eingeräumt wurde, eine stehende Truppe, ähnlich dem Heer der Philister, zu unterhalten. [40] Daß er eine solche schuf, ist in 14, 52 ausdrücklich bezeugt, ebenso in 22, 7 und an andern Stellen vorausgesetzt. Man kann darum das Königtum Sauls gerade nicht direkt aus dem charismatischen Führertum der Richterzeit ableiten. Die Schaffung eines stehenden Heeres und damit eines vom König abhängigen und durch ihn mit Gütern belehnten Kriegerstandes war allen bisher in Israel bekannten Institutionen gegenüber etwas absolut Neues. Und es ist durchaus naheliegend, daß hier die Diskussion eingesetzt hat, daß die Ermächtigung dazu con-

---

[38] I. Mendelsohn, Samuel's Denunciation of Kingship in the Light of the Akkadian Documents from Ugarit: Bull. Am. Sch. Or. Res., 143 (1956), S. 17—22.

[39] Vgl. W. F. Albright, Excavations and Results at Tell-el-Ful: Ann. Am. Sch. Or. Res., 4 (1924), und Bull. Am. Sch. Or. Res., 52 (1933).

[40] Zur Schaffung eines Berufskriegertums durch Saul vgl. Alt, Staatenbildung (A. 1), S. 26 f., besonders S. 27, Anm. 1. Alt ist allerdings der Meinung, daß Saul sich zunächst mit dem Heerbannaufgebot begnügt habe. Das widerspricht aber 1. Sam. 10, 25 f., wonach Samuel das Volk entläßt, aber die benê-hachajil (so nach der LXX), «denen Gott ans Herz gerührt hatte», mit Saul nach Gibea ziehen.

ditio sine qua non Sauls war und hier also eine rechtliche Regelung getroffen werden mußte. Es scheint also, daß der ursprüngliche Wortlaut wohl erweitert, aber der zentrale Inhalt der Abmachung doch ganz richtig festgehalten ist.[41] — Man beachte im weiteren, daß nach V. 4 die Ältesten Israels zu Samuel nach Rama kommen, von V. 10 an aber Samuel nicht einzelnen, sondern dem Volk schlechthin gegenübersteht. Auch Kap. 8 weiß also von zwei verschiedenen Zusammenkünften, einer mit den Ältesten Israels und einer mit dem Volk, genau wie der Komplex von Kap. 9 + 10. Das heißt aber, daß der Bericht von Kap. 8 dem von 9 f. parallel ist. Da aber der Deuteronomist nicht bloß die Traditionen verarbeiten wollte, die ihm für Kap. 8 zur Verfügung standen, sondern auch die jetzt in 9 + 10 enthaltene Überlieferung seinem Werk einzuordnen beabsichtigte, mußte er zeitlich hintereinander ordnen, was im Grunde Berichte über dieselben Ereignisse sind.

IV.

Wir glaubten, in Kap. 11 eine Erzählung vor uns zu haben, die zwar nicht in allen Details, aber doch im ganzen als historisch anzusehen sei. Wir stellten aber auch fest, daß sie in ihrer ursprünglichen Gestalt nichts davon gewußt hat, daß Samuel bei der Errichtung des Königtums in Israel die Hand im Spiel hatte. Das Königtum scheint nach jenem Bericht in gerader Linie aus dem charismatischen Führertum der Richterzeit herausgewachsen zu sein. Demgegenüber sind wir aber in Kap. 9 und 10 auf deutliche, in Kap. 8 auf immerhin noch faßbare Traditionen gestoßen, die wissen, daß Samuel ein wesentliches Verdienst um die Errichtung des Königtums zukam, wenn es auch nicht ausgesprochen ist, daß die Initiative geradezu von ihm ausging. Ebenso ist es uns deutlich geworden, daß der eigent-

[41] W. Caspari, Die Samuelbücher (1926), S. 86, Anm. 6, sieht im mischpâṭ eine die königliche Stellung ordnende Abrede. Sie liege in 1. Sam. 8, 11—18 vielleicht in einer Gestalt vor, die sie erst in der späteren Königszeit erreicht habe, aber solche Entwürfe griffen nach Möglichkeit auf alte Vorbilder zurück, was sich am vorgelegten bestätige, weil er die kriegerische Tätigkeit des Königs zu seiner Grundlage habe.

lichen Erhebung Sauls zum König Beratungen zwischen den Ältesten Israels und Samuel vorangegangen sind. Gewiß kann man nun zu erweisen versuchen, daß wir doch nur in Kap. 11 historischen Boden unter den Füßen haben, indem jene andern Traditionen, mögen sie auch relativ alt sein, dem Wunsch entsprungen seien, die Autorität des Königtums durch dessen Verbindung mit dem hochangesehenen Samuel zu untermauern. Demgegenüber hat es Gewicht, daß der Deuteronomist (oder wer immer für die Abfassung der Samuelisbücher verantwortlich sein mag) trotz seiner antimonarchischen Haltung die Tradition von der Beteiligung Samuels nicht übergehen konnte, sondern durch die jetzt in Kap. 8 vorliegende Darstellung diese Beziehung mühsam und widerspruchsvoll genug aus einer positiven in eine negative umzudeuten versuchen mußte. Es kommt hinzu, daß dem Verfasser von Kap. 8 Traditionen über diese Beteiligung bekannt waren, die von Kap. 9 f. unabhängig sind. Sellin[42] hat mit gutem Recht darauf hingewiesen, daß sich vor allem aus Kap. 15, der Erzählung vom Bruch zwischen Saul und Samuel, zeige, daß jener seine Krone einst aus Samuels Hand empfangen habe. Grundsätzlich verneint das Kapitel das Königtum nicht. Wie eine späte Zeit den Bruch zwischen den beiden gesehen hat, ist aus dem jüngern, legendarischen Doppelgänger zu Kap. 15, der Erzählung in 13, 7 b—15 von Sauls Opfer und seiner Verwerfung in Gilgal, zu ersehen. Es kommt hinzu, was wir über die Struktur des Königtums im späteren Israel wissen. Designation und Akklamation sind nicht bloß in den Samuel-Saul-Traditionen die konstitutiven Vorgänge bei der Erhebung des Königs, sondern auch spätere Herrscher in Israel — sofern sich nicht das Prinzip der Erbfolge durchsetzte — verdanken ihre Würde der Bestimmung durch Jahwe und der öffentlichen Zustimmung des Volkes (1. Kön. 11, 29 ff.; 12, 20; 14, 14; 15, 27; 2. Kön. 9, 1 ff.). Die Designation wird durch einen Jahwepropheten vollzogen: Ahia von Silo bei Jerobeam I., Elisas Jünger bei Jehu. Selbst wenn die Berichte über Saul in diesem Punkte schwiegen, wäre zu vermuten, daß ein Vertreter Jahwes als Übermittler der göttlichen Erwählung bei der Erhebung Sauls tätig gewesen ist. Der Schluß ist zwingend, daß die Überlieferungen Vertrauen

[42] Sellin (A. 10), S. 148; vgl. ferner Weiser (A. 20).

verdienen, die berichten, daß die Erhebung Sauls zum König nicht ohne die Mitwirkung Samuels geschehen ist.

Aber in welcher Vollmacht hat das Samuel getan? Man kann antworten, daß es dazu keiner andern Vollmacht bedurfte denn der, im Auftrag Jahwes zu handeln. War Samuel Jahwes Prophet, so genügte es, daß er sich auf die ihm zuteil gewordene Inspiration berief. Samuel müßte dann allerdings als Prophet im ganzen Gebiet des Zwölfstämmebundes bekannt gewesen sein und sich hoher Achtung erfreut haben. Beim Eigenleben, das die Stämme in der vorstaatlichen Zeit führten, ist das nicht so ohne weiteres denkbar. Aber war Samuel überhaupt ein Prophet? Es ist bekanntlich umstritten, wie die Gestalt Samuels zu deuten ist. Prophet, nābî', wird er direkt nur einmal genannt, 3, 20, dazu indirekt in 9, 9, wo der Seher, rō'ǣ, mit dem Propheten, nābî', gleichgesetzt wird. Aber abgesehen davon, daß diese Gleichsetzung zwei Erscheinungen zusammenstellt, die zum mindesten ihrem Ursprung nach verschieden sind, taucht die Bezeichnung Seher nur in 9, 11—19 auf, einem Abschnitt, den wir als sekundären Zuwachs zur Tradition von der Zusammenkunft der Ältesten mit Samuel und Saul bezeichnen mußten. Die Erzählung von 19, 18 ff., nach der Samuel Anführer einer Schar von n^ebī'îm gewesen wäre, ist anerkanntermaßen jung.[43] Kittel meint zwar, Samuel sei kein Ekstatiker gewesen, aber er habe doch diese Bewegung benutzt und sich bestrebt, «das brausend-schäumende Element ihres Wesens abzuklären und der Jahwereligion dienstbar zu machen».[44] Erweisen läßt sich das nicht, aber wie dem auch sei, ein Nabi im gewöhnlichen Sinn war Samuel nicht, wenn ihn auch die Bewegung der n^ebī'îm ähnlich wie Elisa für sich beansprucht hat. Noch weniger haben wir allerdings das Recht, den geschichtlichen Samuel als Seher oder Gottesmann zu bezeichnen. Man hat immer wieder versucht, den Gedanken, Samuel könnte bei

---

[43] Viel eher ist zu fragen, ob nicht Saul mit den n^ebî'îm Verbindung hatte, worauf das Sprichwort «Ist Saul auch unter den Propheten?» hinweisen könnte (siehe oben Anm. 33), was ja allerdings noch nicht berechtigt, mit Lods (A. 23), S. 410, anzunehmen, Saul sei in Wirklichkeit durch die Begeisterung der n^ebī'îm für sein königliches Amt gewonnen worden. Vgl. auch Robinson (A. 6), S. 180.

[44] Kittel (A. 11), S. 77 f.

der Erhebung Sauls zum König mitgewirkt haben, dadurch abzuweisen, daß man auf die Art des Sehertums Samuels in 9, 1 ff. hinwies; hier zeige es sich, daß der wahre Samuel nur eine Gestalt von lokaler Bedeutung gewesen sei, ein Gottesmann, dem man es zutraute, um Dinge zu wissen, die der gewöhnliche Sterbliche nicht sieht, und an den man sich darum wandte, wenn sich z. B. Eselinnen verlaufen haben. Es ist nur konsequent, daß Greßmann, der Samuel für einen solchen Seher hält, es ihm nicht zutrauen kann, Urheber des Königtums zu sein. [45] Aber die Bezeichnung Seher gehört ja nicht einer alten Überlieferungsschicht an, und ebenso ist es mit der eines «'îsch-hā'^{a}lōhîm». Das Vorkommen dieses Titels beschränkt sich auf 9, 6—10. Es ist genau wie bei Elia, der in jüngern Teilen der Tradition ebenfalls als Gottesmann bezeichnet wird: Der Volksglaube hat sich der Gestalt bemächtigt und konnte seine Größe nur dadurch herausstellen, daß er ihn zur populären Gestalt eines Wundermannes gemacht hat. Aber der historische Samuel war das nicht. War Samuel dann also Priester? Man hat auch diese These vertreten, und sie hat heute noch Anhänger. [46] Auf das Zeugnis der Chronik, die in Samuel einen Leviten sieht (1. Chr. 6, 12, emendierter Text), wird man nicht abstellen wollen; nach 1. Sam. 1, 1 war sein Vater Zuphit vom Gebirge Ephraim! Weder die spätere Nachricht, daß er einen Altar baute (7, 17), noch diejenigen Stellen, die ihn mit Opfern in Verbindung bringen (7, 10; 9, 13; 10, 8), können beweisen, was sie sollen. [47] Bei dieser Situation scheint es nur noch *eine* Möglichkeit der Einordnung Samuels in die Welt religiöser Gestalten Israels zu geben: Daß er Prophet

---

[45] Greßmann (A. 8), S. 36 ff. Es ist verdienstlich, daß Greßmann dort unter Beiziehung religionsgeschichtlichen Materials dargestellt hat, was er unter einem Seher und was unter einem nābî' versteht. Daß Samuel ein «Seher» war, ist auch sonst eine beliebte These, z. B. H. Gunkel in RGG², Artikel Samuel.

[46] Vgl. Hylander (A. 24), S. 245. 302; Ricciotti (A. 5), S. 350 f.; und Robertson (A. 5), S. 193. Kittel (A. 11), S. 73, meint, daß Samuel Priester und Prophet zugleich gewesen sei; vgl. ders., Gedanken und Gestalten in Israel (1925), S. 99 f.

[47] Daß man mit dem Essen wartet, bis Samuel das Opfer «gesegnet» hat, ist kein Beweis dafür, daß er Priester ist. Samuel hat diese Aufgabe, weil er den Vorsitz beim Mahle führt.

war, nicht im Sinn der in Gruppen auftretenden n^{e}bī'îm, aber in dem eines Elia und der späteren Schriftpropheten. Preß [48] hat in diesem Zusammenhang nachdrücklich auf Kap. 15 hingewiesen, in welchem der Zusammenprall zwischen Saul und Samuel ähnliche Konflikte zwischen Königen und Propheten der späteren Zeit vorwegzunehmen scheint. Man wird auch kaum die Echtheit des Samuelwortes 15, 22 f. bestreiten können; dieses Wort atmet aber prophetischen Geist und läßt sich der Form nach durchaus als prophetisches Scheltwort verstehen. Doch bleibt die Frage offen, ob es nicht ein Anachronismus ist, wenn wir Samuel als Propheten im Sinn der späteren Zeit verstehen. Eine andere Möglichkeit scheint mir vielmehr der Erwägung wohl wert zu sein. Die Überlieferung schreibt dem Samuel auch das Amt eines Richters zu. Da das in den relativ jungen Kapiteln 7 und 8 geschieht, pflegt man über diese Angaben (7, 6; 7, 15—17; 8, 1—3 von seinen Söhnen) rasch hinwegzugehen. Aber man hat auch hier wieder den Fehler gemacht, die Vorstellung damit, daß sie in allgemein als jung beurteilten Abschnitten überliefert ist, als für die historische Betrachtungsweise irrelevant anzusehen. Dazu kommt, daß die Darstellung von Kap. 7, in der Samuel nach dem Muster der sogenannten großen Richter des Richterbuches Israel vom Joch der Fremdherrschaft befreit, als eine späte Konstruktion zu betrachten ist. «Nicht historische, sondern dogmatische Anschauungen und Forderungen haben die Gestaltung der Erzählung bestimmt.» [49] Samuel ist gewiß nicht Richter im Sinn der großen Heldengestalten des Richterbuches gewesen. Aber jene Stammesführer der vorstaatlichen Zeit werden ja auch innerhalb des alten Sagenbestandes gar nicht Richter genannt; das geschieht vielmehr zum erstenmal in 2. Sam. 7, 7 und 11 (siehe aber auch 1. Sam. 12, 11, wo sie in eine Reihe mit Samuel gestellt sind). Es ist aber der Forschung der neuern Zeit klargeworden, daß von diesen «großen» Richtern, von denen ja gar nicht berichtet wird, daß sie Recht gesprochen hätten, die «kleinen» Richter, von denen nur kurz in den Listen von Ri. 10, 1—5 und 12, 8—15 gesprochen wird, funktionell zu unterscheiden sind. Ihnen kommt von Haus aus allen die Bezeichnung

[48] Press (A. 19), S. 224.

[49] Press, S. 174.

šōfᵉṭîm zu. Nach der These von Klostermann, die zunächst Alt und, auf ihn sich stützend, Grether und Noth [50] aufgenommen haben, hatten diese Männer, dem isländischen «Gesetzessprecher» vergleichbar, die Aufgabe, das Gottesrecht, dem Israel unterworfen war, «auszulegen und darüber Auskunft zu geben, über seine Beachtung zu wachen und vielleicht selbst es öffentlich zu verkündigen ... schließlich auch ... seine Anwendung auf neue Situationen und damit seine Weiterbildung verantwortlich vorzunehmen». [51] Es ist das älteste gesamtisraelitische Amt, von dem die Überlieferung berichtet. Sollte nun nicht Samuel Träger eben dieses Amtes der Jahweamphiktyonie gewesen sein? [52] In 7, 15—17 ist Samuel in einem ganz andern Sinn Richter denn zuvor, wo er das Volk in den Kampf führt. «Er zog Jahr für Jahr umher und machte die Runde über Bethel, Gilgal und Mizpa und sprach Israel Recht an allen diesen Stätten. Dann kehrte er zurück nach Rama ... und dort sprach er Israel Recht» (V. 16 und 17). Es wäre zu erwarten, daß Samuel als «Richter» in Israel seinen Sitz am zentralen Heiligtum, dem Aufbewahrungsort der Bundeslade, gehabt hätte. Aber da zu seiner Zeit die Lade den Philistern in die Hände gefallen war, ist es durchaus möglich, daß Samuel in der geschilderten Weise herumzog. Der historische Samuel war Richter Israels. Daß ihn die Prophetengruppen zu einem der Ihren machten und das Volk in ihm einen Seher und Gottesmann erblickte, ist nur Beweis seiner Größe und Beliebtheit. Wenn er in Kap. 15 wie ein Prophet der späteren Zeit spricht, so hat das

[50] A. Klostermann, Der Pentateuch, N.F. (1907), S. 348 ff. 419 ff.; A. Alt, Die Ursprünge des israelitischen Rechts: Ber. über d. Verh. d. Sächs. Ak. d. W., Phil.-hist. Kl., 86 (1934), jetzt auch in Kleine Schriften, 1 (1953); O. Grether, Die Bezeichnung «Richter» für die charismatischen Helden der vorstaatlichen Zeit: ZAW 57 (1939), S. 110—121; M. Noth, Das Amt des «Richters Israels»: Festschr. für A. Bertholet (1950), S. 404—417.

[51] Alt, Ursprünge (A. 50), S. 99.

[52] Auerbach (A. 6), S. 178, führt aus, daß Samuel seiner Erziehung nach Hüter der nationalen Jahwe-Tradition von Silo und also über die stammestümliche Begrenzung des Gesichtskreises hinausgewachsen war. Es ist tatsächlich zu bedenken, daß es schon seine Gründe haben muß, daß die Jugendgeschichte Samuels ihn mit Silo, dem damaligen Sitz der Lade und damit dem zentralen Heiligtum der Israelstämme, zusammenbringt. Vgl. auch K. Möhlenbrink, Sauls Ammoniterfeldzug: ZAW 58 (1940/41), S. 54 ff., bes. S. 66 f.

seinen Grund darin, daß Richter und Prophet in den Traditionen der alten Jahweamphiktyonie ihre geistige Heimat haben. Beide sind Kämpfer für das Gottesrecht.

Jetzt löst sich die oben gestellte Frage: Kraft welcher Vollmacht hat Samuel mit den Ältesten Israels über die Errichtung des Königtums verhandelt? Es war nicht bloß eine geistige Autorität, über die er verfügte, sondern zugleich und wohl zuerst die seines Amtes.[53] Die Möglichkeit bleibt offen, daß der Anstoß nicht von ihm ausging, aber wenn auch der Gedanke von den Ältesten zur Sprache gebracht wurde, so konnte Samuel als Amtsträger im Zwölfstämmebund doch nicht umgangen werden, sollte das zu schaffende Königtum mehr als eine Angelegenheit bloß *eines* Stammes sein. Es mußte eine Rechtsgrundlage geschaffen werden, und dazu war die Mitwirkung des Richters Israels unerläßlich. Saul hat das Königtum nicht an sich gerissen (Greßmann[54]), es wurde ihm auch nicht aus der augenblicklichen Begeisterung über seine kriegerische Tat heraus spontan vom Heeresbann Israels übertragen und ist ihm auch nicht von einem Propheten nur kraft prophetischer Inspiration zugesprochen worden; sondern er wurde von den legitimen Vertretern der Jahweamphiktyonie, den Aeltesten[55] und dem Richter, dazu berufen und daraufhin dem Volk präsentiert, das seine Zustimmung bekundete. Es entspricht völlig dieser Situation, daß dabei Samuel, der Richter, das Königsrecht zu verkünden hatte. Es ergibt sich aus diesem Werdegang ebenso, daß der König an das Gottesrecht der Amphiktyonie, die ihn berufen hatte, gebunden war, und erstaunt nicht, daß Samuel als Wächter über diesem Gottesrecht nach Kap. 15

[53] Noth, Geschichte (A. 6), S. 158, sagt: «Samuel, als ‚Gottesmann' ohnehin eine angesehene Erscheinung und jetzt erst recht als der Sprecher Gottes, der den Saul zu seiner befreienden Tat aufgerufen und inspiriert hatte, (war) eine Autorität in Israel, auch ohne Träger eines Amtes zu sein.»

[54] Greßmann (A. 8), S. 36: «Könige werden überhaupt nicht von *einem* anderen gemacht, höchstens machen sie sich selbst dazu, wenn sie die Gunst der Verhältnisse richtig zu nutzen verstehen.»

[55] Daß es sich beim Opfermahl auf der Höhe nicht um eine zufällige «feierliche Veranstaltung einer Provinzstadt», sondern um die Versammlung des Ältestenrates Israels handelt, hat Hylander (A. 24), S. 153 f., deutlich gesehen und ist von Buber (A. 21), S. 129 f., in seiner Bedeutung klar herausgestellt worden.

sofort eingegriffen hat, als Saul eigene Wege zu gehen sich anschickte. Es bestätigt sich, was Alt gesehen hat, daß nämlich das israelitische Königtum wesentlich von israelitischen Voraussetzungen her zu verstehen ist und daß eine seiner Wurzeln die sakralen Traditionen des Zwölfstämmebundes waren. Aber der Zusammenhang mit ihnen ist viel konkreter und enger, als er angenommen hat.

V.

Wir müssen jetzt nochmals auf Kap. 11 zurückkommen. Wir haben festgestellt, daß, wenn man den Traditionen von 9+10 historisches Gewicht verleiht, Kap. 11 rätselhaft wird. Aber auch sonst bereitet Kap. 11 der historischen Einordnung mehr Schwierigkeiten, als man gewöhnlich wahrhaben will. Wenn nicht alles trügt, ist es die Philisternot gewesen, durch welche in den verantwortlichen Männern Israels der Gedanke reifte, daß die bisherige Ordnung des Zwölfstämmebundes den Forderungen der Stunde nicht mehr gewachsen sei. Aber nach Kap. 11 wäre Saul nach einem Kampf gegen Ammon König geworden. Neben andern hat Lods scharf betont, wie undenkbar es ist, daß Saul von Gibea ausziehen konnte, wenn dort eine Besatzung der Philister lag. [56] Er meint darum, daß Saul in Wirklichkeit nach seinem Sieg über die Philister, die Gibea besetzt gehalten hatten, durch die Stämme zum König erhoben worden sei. Daß andererseits die Befreiung von Jabesch historische Tatsache ist, kann er angesichts der Anhänglichkeit, die die Jabeschiten nach 1. Sam. 31, 11—13; 2. Sam. 2, 4—7 Saul bewiesen haben, nicht leugnen. Aber Lods hat darin recht, daß der Sieg bei Jabesch mit der Erhebung Sauls zum König direkt nichts zu tun hat. Die literarische Analyse hat ergeben, daß Kap. 11 eine Einzeltradition ist, die weder Kap. 10 fortsetzt noch in Kap. 13 ihre Fortsetzung findet. Dann ist aber mit der Möglichkeit zu rechnen, daß sie an falscher Stelle in den Gang der Ereignisse eingeschoben worden ist. Es lösen sich tatsächlich alle Schwierigkeiten, wenn man das in Kap. 11 Berichtete zeitlich dem in 8—10 Erzählten voranstellt. Als Saul zum König erhoben wurde, hatte er bereits einen Sohn in reiferen

[56] Lods (A. 23), S. 411.

Jahren zur Seite (13, 2 ff.). Was in Kap. 11 berichtet wird, kann sich also Jahre, wenn nicht gar Jahrzehnte, vor der Erhebung Sauls zum König abgespielt haben. Alles weist darauf hin, daß er damals noch ein ganz unbekannter Bauer gewesen ist, und es ist durchaus möglich, daß Gibea zu jener Zeit noch nicht von den Philistern besetzt war. Nichts in der Erzählung von Kap. 11 läßt ahnen, daß die Boten von Jabesch wußten, daß Saul zum König designiert sei, oder daß Saul eingriff, weil es ihm bewußt war, daß er als nāgîd die Pflicht habe, einzugreifen. Wenn er handelt, dann ganz spontan, weil ihn Gottes Geist gepackt hat, nicht als Anwärter auf die Königswürde, sondern als schlichter Israelite aus Ergriffenheit über die Not der Brüder. Hier steht Saul tatsächlich ganz in der Linie des charismatischen Führertums der Richterzeit. Saul hatte Erfolg, aber er kehrte zu seinem Acker in Gibea zurück. Dann aber — nach Jahren — kam die schwere Zeit der Philisternot; es kamen die Niederlagen bei Aphek, die zeigten, daß man jetzt einem Feind gegenüberstand, den man mit den gewöhnlichen Mitteln nicht mehr zurückzuhalten vermochte. Der Druck der Philisterhand lag immer schwerer über Israel. Es war nicht mehr zu erwarten, daß ein rasch zusammengeraffter Haufe von Bauern unter Führung eines gottbegeisterten Helden dem Kriegsvolk der Philister gewachsen sei. Die neue Situation verlangte neue Maßnahmen. Die Vertreter der Stämme berieten sich darüber mit dem «Richter» Samuel.[57] Was lag näher, als den siegreichen Führer bei der unvergessenen Entsetzung von Jabesch im Ostjordanland jetzt offiziell mit der weit größeren Aufgabe zu betrauen?[58] Er willigte ein, scheint aber Bedingungen gestellt zu haben, die in einem zu erlassenden Königsrecht ihren Niederschlag fanden. In einer Volksversammlung wurde dann Saul, doch wohl durch Samuel, als der Erwählte Jahwes vorgestellt und das Königsrecht promulgiert.

---

[57] Leider ist nicht mehr auszumachen, wo diese Beratung stattfand. Die große Rolle, die in den jüngeren Stücken der Tradition Mizpa spielt, könnte immerhin darin begründet sein, daß jener bedeutungsvolle Akt in diesem Städtchen stattgefunden hat.

[58] Es ist bezeichnend, daß Ricciotti (A. 5), S. 352, den Eindruck hat, Samuel könne doch unmöglich einen unbekannten Mann aus Gibea zum König ausersehen haben, weshalb er vermutet, «daß sich die Männer des Qis ihren Ruf durch kleine, mutige Unternehmungen erworben hatten».

So weit läßt sich ein geschlossenes Bild gewinnen. Es bleibt aber noch 11, 15 (12—14 haben wir ja ausgeschieden), wonach Saul nach dem Kampf bei Jabesch in Gilgal vom Volk zum König erhoben worden ist. Wenn der Vers wirklich eine alte Tradition wiedergibt, was ich annehmen möchte, so muß zwischen V. 11 und V. 15 einmal erzählt worden sein, wie Saul von Samuel zum König berufen wurde. Dieser Bericht fiel weg, da davon schon nach anderer Quelle in 9 und 10 berichtet worden war, so daß es nun so aussieht, als sei das Heer Sauls gleich von Jabesch aus nach Gilgal gezogen. Man hat sich darüber schon immer gewundert, da Gilgal bei Jericho ja nicht am Wege liegt, und hat versucht, die Schwierigkeit dadurch zu beheben, daß man an ein Gilgal bei Sichem (Dschulêdschil) dachte, aber diese These hat sich nicht zu behaupten vermocht. In Wirklichkeit ist das in V. 15 Erzählte identisch mit dem, was in 10, 21 b—27 berichtet wird.[59] Allerdings scheint jene Szene in Mizpa zu spielen (V. 17), aber wir haben bereits bemerkt, daß die alte Tradition selbst keinen Ortsnamen nennt. So dürfte Saul tatsächlich in Gilgal zum König ausgerufen worden sein.

Ist unsere Schau richtig, dann ist der israelitische König von Haus aus der militärische Führer des Zwölfstämmebundes.[60] Der König ist sozusagen ein Beamter der Jahweamphiktyonie. Für eine Erbmonarchie war da kein Platz, sondern die Stämme mußten es sich vorbehalten, jedesmal neu den zu bestimmen, der ihre Sache zu wahren hatte. Es erstaunt uns auch nicht, daß das Königtum in jahwetreuen Kreisen Israels sofort schärfsten Widerstand erfuhr, sobald es die ihm von seinem Ursprung her gesetzten Grenzen zu überschreiten versuchte. Schon Saul selbst hat den härtesten Protest Samuels entgegennehmen müssen, als er nach der Amalekiterschlacht nach seinem eigenen Gutdünken und nicht nach dem Gottesrecht handeln wollte. Für eine freie Entfaltung des Königtums nach

[59] Vgl. dazu R. Preß, Sauls Königswahl: Theol. Bl., 12 (1933), Sp. 243 bis 248.

[60] Das heißt, daß das charismatische Element bei der Gründung des Königtums nicht die Bedeutung hat, die ihm Alt und andere zuschreiben wollten. Es ist bezeichnend, daß auch David auf Grund von Verhandlungen mit den Ältesten Israels in Hebron zum König erhoben wurde (2. Sam. 5, 1—5) und längst nicht mehr ein unbekannter Hirtenjunge war, als das geschah.

orientalischem Muster, gar für den Despotismus oder die Vergöttlichung des Königs blieb da kein Raum. Man wird sich hüten müssen, irgendein «pattern» einer Königsideologie auch in Israel finden zu wollen. Hier sollte der König nur ein bescheidener Diener des Gottesbundes sein. Daß diese Konzeption schlecht verwirklicht wurde und das Königtum zu scharfer Kritik durch die Propheten Anlaß gab, ändert an ihrer Einmaligkeit und Bedeutsamkeit nichts.[61]

---

[61] Nachträglich sehe ich, daß auch W. Hertzberg, Die kleinen Richter: Theol. Lit.-Zeit. 79 (1954), Sp. 285—290, die These vertritt, daß Samuel den kleinen Richtern zuzuzählen sei (oben, S. 464); ebenso G. von Rad, Theologie des Alten Testaments, 1 (1957), S. 42. 68.

Die Thronnamen des Messias, Jes. 9, 5 b.

Schon vor einem Menschenalter hat Greßmann in seinem «Messias» [1] herausgearbeitet, daß die messianischen Weissagungen des Alten Testaments in weitem Ausmaß vom sogenannten Hofstil des Alten Orients her zu verstehen sind. [2] Er hat im besondern bereits klar gesehen, daß für die Namen, die dem Gotteskind in Jes. 9, 5 b gegeben werden, ägyptische Beeinflussung anzunehmen ist. [3] G. von Rad hat dann in seiner Arbeit «Das judäische Königsritual» gerade im Blick auf Jes. 9, 5 b die These aufgestellt, daß in Juda die Namengebung durch die Gottheit zum Zeremoniell der judäischen Thronbesteigungsfeierlichkeiten gehöre und Jesaja mindestens in formaler Hinsicht an diesem Punkt von einer Tradition abhängig sei, die letzten Endes nach Ägypten zurückweise. [4] Schließlich hat A. Alt in der Bertholet-Festschrift den ganzen Abschnitt Jes. 8, 23 bis 9, 6 von der Inthronisation des Königs her gedeutet, und auch er ist der Meinung, daß wenigstens die Namen אל גבור und אבי־עד durch ihren hochgreifenden Sinn noch etwas von der ägyptischen Tradition verraten, die am Hofe der Davididen nachgewirkt habe. [5] Diese Auffassung scheint sich in der Forschung durchzusetzen. [6] Sie bedarf aber einer näheren Abklärung, wobei zu fragen ist, welches das Verhältnis der Ehrennamen des

---

[1] H. Greßmann, Der Messias (1929).

[2] Der Begriff «Hofstil», der von der Forschung aufgenommen worden ist, ist allerdings unangemessen. Der religiöse Ernst der betreffenden Aussagen ist völlig mißverstanden, wenn Greßmann meint (S. 8): «Zum Hofstil gehört notwendig die Übertreibung. Wer verpflichtet ist, auf Goldgrund zu malen, darf es mit den Farben der Wirklichkeit nicht immer genau nehmen. Der König ... will hören, was angenehm klingt ...»

[3] Greßmann (A. 1), S. 245.

[4] G. von Rad, Das judäische Königsritual: Theol. Lit.zeit. 72 (1947), Sp. 211—217, s. Sp. 215; jetzt auch in Gesammelte Studien zum Alten Testament (1958), S. 211 f.

[5] A. Alt, Jesaja 8, 23 bis 9, 6. Befreiungsnacht und Krönungstag: Festschr. für A. Bertholet (1950), S. 29—49, jetzt auch in Kleine Schriften zur Geschichte des Volkes Israel, 2 (1953).

[6] Vgl. dazu etwa W. Vischer, Die Immanuel-Botschaft im Rahmen des königlichen Zionsfestes, = Theol. Stud. 45 (1955); S. Herrmann, Die Königsnovelle in Ägypten und Israel: Wiss. Zeitschr. der Karl-Marx-Univ. Leipz., ges. und sprachw. Reihe, 3, = Festschr. für A. Alt (1953/54).

Messias zu den vermuteten Thronnamen der Davididen sei und ob und inwieweit Israel die Titulatur der Pharaonen übernommen habe.[7]

1.

Wir fassen zunächst die dem Messias in Jes. 9, 5 b zugeteilten Namen näher ins Auge: ויקרא שמו פלא יועץ אל גבור אבי־עד שׂר־שלום.

Es stellt sich zunächst die Frage der Gliederung und Übersetzung. Das Targum Jonathan betrachtet nur שׂר־שלום als Namen des Kindes, was vorausgeht als Bezeichnung des Benennenden, d. h. als Subjekt zu ויקרא[8] Ähnlich sind nach der Akzentsetzung im masoretischen Text nur אבי־עד und שׂר־שלום als Namen des Sohnes aufzufassen.[9] Der Grund für diese gezwungenen Deutungen ist klar: Es schien unmöglich, daß der Prophet dem «Kind»[10] sonst der Gottheit vorbehaltene Prädikate als Namen zugedacht hätte. Aber in Wirklichkeit ist das Subjekt zu dem ויקרא nicht genannt, worüber sich alle modernen Ausleger einig sind.[11] Aber auch darüber besteht keine ernsthafte Meinungsverschiedenheit mehr, daß V. 5 b vier Namen des Messias, die aus je zwei Gliedern bestehen, enthält.[12] Ge-

---

[7] Über die Frage der Echtheit von Jes. 9, 1—6 kann hier nicht diskutiert werden; ich verweise dazu auf Alt (A. 5), S. 47 ff. bzw. 223 ff. Ebenso setzte ich voraus, daß der Abschnitt trotz den in ihm verwendeten Perfektformen von einem zukünftigen Ereignis sprechen will; vgl. Alt, S. 38 bzw. S. 215; anders J. Lindblom, A Study on the Immanuel Section in Isaiah (1958), S. 34.

[8] S. dazu C. W. E. Naegelsbach, Der Prophet Jesaja (1877), ad l.; ähnlich Raschi, Kimchi, Malbim u. a. Luzzatto übersetzt die ganze Reihe: «Wunderbares beschließt Gott der Starke, der Ewig-Vater, der Friede-Fürst», was zwar Name des Kindes sein soll, aber als Bekenntnis zu Jahwe zu fassen wäre; s. F. Delitzsch, Commentar über das Buch Jesaja[4] (1889), ad l.

[9] F. Feldmann, Das Buch Isaias, 1 (1925), ad l.

[10] Wir müssen hier die Frage offen lassen, ob V. 5a: «ein Kind ist uns geboren, ein Sohn ist uns gegeben», bereits von der Inthronisation spricht — so Alt (A. 5), S. 41 f. bzw. S. 217 f. — oder ob hier noch von der physischen Geburt eines königlichen Kindes die Rede ist — so Lindblom (A. 7), S. 36 f.

[11] Die LXX liest das Passiv, καλεῖται = וַיִּקָּרֵא; das Aktiv ist aber zu belassen, denn Subjekt ist Gott, nicht ein unbestimmtes «man».

[12] Hieronymus sagt ausdrücklich, daß sechs Namen anzunehmen seien

legentlich wollte man allerdings פלא und יועץ als zwei gesonderte Titel auffassen [13] oder irgendwie sonst abteilen [14], doch läßt sich eine andere Gliederung nicht glaubhaft machen. Daß die beiden Begriffe פלא und יועץ gerade für Jesajas Denken zusammengehören, zeigt 28, 29: הפליא עצה (vgl. auch 29, 14 und 25, 1: עשית פלא עצות[15]). Diese beiden Stellen beweisen zugleich, daß es nicht angeht, פלא יועץ als einen Satznamen zu verstehen und etwa zu übersetzen: «ein Wunder ist der Ratgeber», es muß sich vielmehr um einen Wortnamen handeln. [16] Dann könnte יועץ Apposition zu פלא sein: ein Wunder (oder: etwas Wunderbares), nämlich ein Ratgeber. Es könnte aber auch eine Status-Constructus-Verbindung vorliegen, also: ein Wunder von einem Ratgeber, d. h. ein Ratgeber, der selbst ein Wunder ist. [17] Aber es liegt von 28, 29 her näher, פלא als vorausgestellten Akkusativ aufzufassen, der des Nachdrucks halber vor das Partizip gestellt ist. [18] Daß eine solche Konstruktion in der Sprache Jesajas möglich ist, zeigt תשאות מלאה in 22, 2. Die gewöhnliche Übersetzung von יועץ mit «Ratgeber» trifft übrigens den genauen Sinn des Wortes nicht, da es mit dem bei Jesaja theologisch so gefüllten Begriff עצה = Plan zusammenzusehen ist. Der erste Name muß demnach übersetzt werden: *«der Wunderbares plant»* [19], wobei zu bedenken ist, daß die Wurzel פלא bei Jesaja streng dem das menschliche Tun weit transzendierenden Bereich göttlichen Handelns zugeordnet ist. [20]

Auch der zweite Name, אל גבור, ist auf keinen Fall zu zer-

---

und daß die vier ersten nicht zu je zwei verbunden werden dürften; vgl. Feldmann (A. 9), ad l. Demgemäß übersetzt und interpungiert Hetzenauer: Admirabilis, consiliarius, Deus, fortis, pater futuri saeculi, princeps pacis.

[13] So noch Delitzsch (A. 8), ad l.

[14] So z. B. M. Buber, Der Glaube der Propheten (1950), S. 202.

[15] Der Atnach bei פלא ist mit Bibl. Hebr.³ zu עצות zu verschieben.

[16] Zu den hier verwendeten Begriffen «Wortnamen» und «Satznamen» vgl. M. Noth, Die israelitischen Personennamen im Rahmen der gemeinsemitischen Namengebung (1928), S. 11 ff.

[17] Man verweist dazu als Parallele auf פרא אדם in Gen. 16, 12.

[18] Das Objekt wird des Nachdrucks halber vorangestellt sein, s. B. Duhm, Das Buch Jesaja³ (1914), ad l.

[19] Nach 11, 2 wird dem Messias die רוח עצה, der Geist des Planens, verliehen.

[20] In Mi. 4, 9 wird der (irdische) König יועץ genannt. Das zeigt, daß die Übersetzung «Berater» ungenügend ist, ein König berät nicht, sondern

legen; wir treffen ihn wieder an der doch wohl ebenfalls jesajanischen Stelle 10, 21, und niemand denkt daran, ihn dort, wo er als Bezeichnung für Jahwe verwendet ist, in zwei selbständige Epitheta aufzuteilen. Aber wieder stellt sich die Frage nach der grammatischen Form. Man hat versucht, ihn von Ez. 32, 21 her, wo אלי גבורים vorkommt, zu deuten.[21] Aber der Text ist dort unsicher.[22] Vor allem aber liegt es weit näher, von Dt. 10, 17, Jer. 32, 18 und Neh. 9, 32 auszugehen, wo wir jedesmal lesen האל הגדל הגבור (Dt. 10, 17 und Neh. 9, 32 + הנורא). Darnach geht es auch bei Jesaja nicht an, an ein Genetivverhältnis zu denken[23], גבור ist vielmehr in Parallele zu גדול adjektivisch zu fassen. Gewiß ist es auffallend — davon wird noch zu sprechen sein —, daß hier eine Gottesbezeichnung ohne jede Sicherung gegen Mißverständnisse auf den Messias, der doch als Davidide gedacht sein muß, übertragen ist. Aber es ist nicht statthaft, um dieser scheinbaren Schwierigkeit willen nach irgendeiner abschwächenden Umdeutung zu fahnden.[24] Es gibt keine Möglichkeit, auszuweichen: Der Messias trägt an zweiter Stelle den Namen *«starker Gott»*.

אבי־עד heißt zweifellos *«Vater der Ewigkeit»* oder «ewiger Vater» — wobei natürlich nicht unser moderner Begriff von Ewigkeit in den Text hineingelegt werden darf. Man hat allerdings immer wieder die Deutung «Beutevater» vertreten.[25] In Gen. 49, 27 heißt עד zweifellos Beute. Aber *«Vater* von Beute» ist unmöglich, denn *Besitzer* von Beute, wie man deutet, kann die Wendung nicht heißen. Die Wortverbindung kommt im Alten Testament sonst nicht mehr vor, aber עד im Sinn von

---

plant. Daß er *Wunderbares* plant, wird an der Michastelle bezeichnenderweise nicht gesagt.

[21] So O. Procksch, Jesaia I (1930), ad l.

[22] Manche Handschriften lesen אילי (Widder) für אלי (Götter). Das Wort muß wohl als Variante zum vorangehenden לו gestrichen werden; vgl. A. Bertholet, Hesekiel (1936), ad l.

[23] In Ps. 24, 8 wird Gott selbst גבור genannt.

[24] Als Beispiel einer solchen verharmlosenden Deutung sei Martis Interpretation zitiert: «ein Gott unter Helden, d. h. nicht ein gewöhnlicher Held, sondern ein 'Gott', mit einer Kraft ausgerüstet, die den gewöhnlichen Helden abgeht», K. Marti, Das Buch Jesaja (1900), ad l.

[25] So noch Buber (A. 14), S. 202; die «Beute» ist nach ihm die dem «Stab» des assyrischen Fronvogts entrissene Völkerwelt.

Ewigkeit findet sich wenigstens in ähnlichen Ausdrücken: הררי־עד Hab. 3, 6, עד־עולמי עד Jes. 45, 17 und vor allem שכן עד in Jes. 57, 15 und גברת עד[26] in Jes. 47, 7. Was אב hier meint, kann man aus 22, 2 erschließen: Der «Hausminister» [27] ist «Vater» für die Bewohner Jerusalems und das Haus Juda, d. h. der, welcher es zu betreuen, zu umsorgen und zu beschützen hat. «Der Messias tut das nicht bloß für heute und morgen . . ., sondern für immer.» [28] Wenn schon ein solcher «Hausminister» Vater genannt werden kann, ist es an sich nicht erstaunlich, daß dem Messias dieser Titel beigelegt wird. Und da sogar dem gewöhnlichen König «Ewigkeit» zugeschrieben (Ps. 21, 5) oder doch angewünscht wird (Ps. 72, 17), kann es auch nicht überraschen, daß der Messias das Prädikat der Ewigkeit bekommt (vgl. auch V. 6). Immerhin mag man es als schwierig empfinden, daß hier demjenigen, der eben als «Kind» und «Sohn» bezeichnet wurde (V. 5 a), nun gleich der Vatername gegeben wird, um so mehr als gerade im Bereich der Traditionen, die dem Königtum gelten, der Vatername im Gegensatz zum König, der als Sohn gilt, Gott vorbehalten bleibt. Das ist Symptom dafür, daß bei diesen Thronnamen noch eine andere Tradition denn die, daß er Sohn der Gottheit ist, mitspielt.

Als Genetivkonstruktion ist natürlich auch der vierte Name, שר־שלום = *Fürst des Friedens*, aufzufassen. Auch er findet sich sonst im Alten Testament nicht, man hat aber an Verbindungen wie שר־החיל (2. Sam. 24, 2. 4), שר הצבא (1. Sam. 17, 55), שר־העיר (Ri. 9, 30) u. a. gedacht. [29] Der שר kann ein Beamter sein, der als solcher natürlich unter dem König steht. Im Gegensatz zu den drei ersten scheint also der vierte Name des Messias klar dessen Unterordnung unter Jahwe zum Ausdruck zu bringen.[30] Aber der Gedanke der Abhängigkeit von einer übergeordneten Instanz liegt keineswegs notwendig im Begriff שר, wie schon die babylonische Entwicklung des Wortes (šarru = König)

[26] Der Text an dieser Stelle wird allerdings angefochten, vgl. Bibl. Hebr.[3], meines Erachtens ohne Grund.

[27] Zum Titel „Hausminister" (אשר על הבית) vgl. R. de Vaux, Les institutions de l'Ancien Testament (1958), S. 199 ff.

[28] Vgl. J. Fischer, Das Buch Isaias I (1937), ad l.

[29] Vgl. auch den Namen Absalom.

[30] Vgl. etwa die Übersetzung von Alt (A. 5), S. 43 bzw. S. 219, mit «Wohlfahrtsbeamter».

zeigt. Ein שׂר ist ein Mann, der über Befehlsgewalt verfügt. Das Wort ist hier gewiß gewählt, weil unmittelbar vorher und gleich nachher wieder von משׂרה = Herrschaft gesprochen wird[31]; er heißt שׂר, weil die משׂרה auf seine Schulter kommt und er diese groß machen wird. Weil er aber seine Befehlsgewalt zur Aufrichtung und Festigung des Friedens einsetzt, heißt er mit Recht auch «Fürst des Friedens», wobei mit «Frieden» gewiß mehr als das Ende der Kriege, nämlich Gedeihen und Segen, Glück und Heil gemeint ist.[32]

2.

Sind nun diese messianischen Titel von der Namengebung im «Zeremoniell der judäischen Thronbesteigungsfeierlichkeiten» her zu verstehen? Kann man sagen, daß «Jesaja in seiner Schilderung nicht über das Maß dessen hinausgeht, was schon vor ihm die Tradition geprägt hatte»?[33]

Zunächst ist zu prüfen, was sich, abgesehen von Rückschlüssen von unserer Stelle her, zur Verleihung von Thronnamen an die judäischen Könige aus dem Alten Testament selbst beibringen läßt. Es könnte ja sein, daß wir ein angeblich allgemeines altorientalisches «cultic pattern» zu rasch auch für Israel in Anspruch nähmen, ohne es wirklich aus seinen eigenen Traditionen belegen zu können.[34] Über die Namens-

---

[31] Die Wurzel שׂרה, von der in der Regel משׂרה abgeleitet wird, ist eine Nebenform zu שׂרר, zu der שׂר gehört. Die vollständige Jesajahandschrift von Qumran liest aber משׂורה. G. R. Driver, Vet. Test. 2 (1952), S. 357, sieht das als die korrekte Form des Substantivs an *(meśurrāh* wird zu *meśōrāh).* Dann ist mit J. Gray, The Book of Isaiah (1912), ad l., das Wort wie שׂר von שׂרר (akk. *šarāru,* König sein) abzuleiten und bedeutet Herrschaft (kingly rule, dominion), nicht etwa (nach שׂר im Sinn von Beamter, Statthalter) «Statthalterschaft».

[32] Übersetzt man aber mit «Wohlfahrt» (s. Anm. 30), so ist verkannt, daß das Ende von Krieg und Unterdrückung ein wesentliches Moment dieses Friedens ist. Vgl. zum Frieden unter den Völkern nach Jesaia meinen Aufsatz: Die Völkerwallfahrt zum Zion, Vet. Test., 7 (1957), S. 62—81.

[33] Vgl. Herrmann (A. 6), S. 37, Sp. 2, Anm. 1.

[34] Daß man sehr vorsichtig in der Postulierung eines solchen «pattern» sein muß, zeigt erneut die Untersuchung von I. J. Gelb, The Double Names of the Hittite Kings: Rocznik Orientalistyczny 17, = Mémorial Tadeusz Kowalski (1952—53), S. 146—154. Die Doppelnamen, die bei den Herrschern

änderung judäischer Könige bei der Thronbesteigung hat A. M. Honeyman eine Studie vorgelegt.[35] Nur in zwei Fällen ist beim Antritt der Regierung von der Verleihung eines neuen Namens die Rede: bei Eljakim = Jojakim (2. Kön. 23, 34 = 2. Chron. 36, 4) und bei Matthanja = Zedekia (2. Kön. 24, 17). Es wird ausdrücklich berichtet, daß das im ersten Fall durch den Pharao Necho, im zweiten durch den König von Babel geschehen sei. Man deutet den Vorgang darum in der Regel so, daß die beiden Herrscher durch die Umbenennung demonstrieren wollten, daß der betreffende Davidide allein von ihren Gnaden König sei.[36] Sollte hier einfach durch ausländische Herrscher eine Zeremonie nach fremdem Vorbild durchgeführt worden sein? Honeyman erwägt zunächst, ob das Subjekt des Satzes, durch den in beiden Fällen die Namensänderung berichtet wird (ויסב את־שמו), nicht der betreffende judäische König selbst sein könnte, dieser also sua sponte einen neuen Namen angenommen hätte. Das ist allerdings höchst unwahrscheinlich, denn Thronnamen gibt man sich nicht selbst, sondern sie werden (durch die Gottheit oder durch einen Oberherrn) verliehen. Aber Honeyman hat recht, wenn er betont, daß die Thronerhebung Jojakims keine ägyptischen Züge trage und ebensowenig diejenige Zedekias babylonische. Zudem erhalten die beiden Könige gut israelitische Namen. Es sieht also gar

---

des jüngern Hethiterreiches nachzuweisen sind, sind allein in der ethnischen Situation dieses Staates begründet. Wenn diese Könige in Keilschrifthethitisch schreiben, verwenden sie auch ihren keilschrifthethitischen Namen, in hieroglyphischen Texten ebenso immer den hieroglyphischen. So heißt derselbe König in den Keilschrifttexten Šuppiluliuma, in hieroglyphischen aber Piḫameš. Daß der eine der beiden Namen als Thronname aufzufassen wäre, ist schon dadurch ausgeschlossen, daß es nicht bloß für königliche Personen solche Doppelnamen gibt, sondern auch — auf bilinguen Siegeln — für Privatpersonen. Für diesen rein sprachlich bedingten Namenwechsel verweist Gelb u. a. auf die Münzen des Hasmonäerkönigs, auf deren Vorderseite mit griechischen Buchstaben der griechische Name Alexander geschrieben steht, während auf der Rückseite in hebräischer Schrift Jehonathan zu lesen ist. Tiefere theologische Bedeutung haben solche Doppelnamen offenbar nicht und mit den Thronnamen des Messias in Jes. 9, 5 haben sie nichts zu tun.

[35] A. M. Honeyman, The Evidence for Regnal Names among the Hebrews: Journ. Bibl. Lit. 67 (1948), S. 13—25.

[36] Z. B. M. Noth, Geschichte Israels[2] (1954), S. 253.

nicht darnach aus, als sei hier ein neues, aus dem Ausland stammendes Ritual zur Anwendung gekommen. Es lag Necho (bzw. Nebukadnezar) offensichtlich nur daran, daß der von ihm eingesetzte König die Anerkennung des Volkes finde, und dazu war es, wie Honeyman gewiß mit Recht vermutet, notwendig, die Inthronisation genau nach dem traditionellen Ritus vorzunehmen. Dann wäre die Namensänderung gerade nicht eine ägyptische (oder babylonische) Neuerung gewesen, sondern gehörte in Juda schon immer zur Thronbesteigung eines Königs, so daß also mit guten Gründen von israelitischen Thronnamen gesprochen werden könnte. Honeyman versucht seine These damit zu unterbauen, daß er auf weitere Doppelnamen judäischer Könige hinweist, von denen er je einen als Thronnamen auffassen möchte. Das leuchtet noch am ehesten im Fall Schallum = Joahas ein, im übrigen aber ist sein Material ziemlich brüchig. [37]

Es dürfte Honeyman kaum gelungen sein, seine These zu letzter Gewißheit zu erheben. [38] Aber es spricht tatsächlich vie-

---

[37] Honeyman (A. 35) nennt noch den Wechsel von Asarja und Ussia, von Jedidja (2. Sam. 12, 25) und Salomo, und den von Elchanan (2. Sam. 21, 19b) und David. — Zur Frage der Doppelnamen ist auch G. Widmer zu berücksichtigen, Hebräische Wechselnamen: Zeitschr. alttest. Wiss. Beih. 41 = Festschr. für K. Marti (1925), S. 297—304. Er ist geneigt, Joahas, Jojakim und Zedekia als Thronnamen anzusehen, «wenn auch hier der kurzgebundene Text uns über den Grund dieser Änderung und den mit der Wahl des neuen Namens verbundenen Sinn ganz im Ungewissen läßt». Hingegen scheint ihm Ussia nur eine volkstümliche Kurzform für Asarja zu sein. — Elchanan dürfte kaum mit David gleichzusetzen sein (gegen L. M. von Pákozdy, 'Elḥånån — der frühere Name Davids?: Zeitschr. alttest. Wiss. 68, 1956, S. 257—279), nachdem es sich herausgestellt hat, daß David nicht, wie man früher nach den Maritexten vermutete, «Befehlshaber», «Truppenführer» heißt. Zum Problem des Namenwechsels ist ferner zu vergleichen: I. Zoller, Il rito del cambiamento del Nome nel pensiero religioso ebraico: Studi e mat. di storia delle rel. 6/7 (1930/31), S. 215—222. Zur Deutung des Namens David siehe: J. J. Stamm, Der Name des Königs David: Vet. Test. Suppl. 7 (1960), S. 165—183.

[38] S. dazu de Vaux (A. 27), S. 165 ff. Die Zurückhaltung ist um so nötiger, als auch im babylonisch-assyrischen Bereich eigentliche Thronnamen nicht nachzuweisen sind. Wenn Tiglat-Pileser III. als König von Babylon den Namen Pûlu annimmt oder Salmanassar V. in Babylon unter dem Namen Ulûlai regiert, so liegt das auf derselben Ebene, wie wenn Joseph als Statthalter des Pharao der Name Zaphnath-Paneah gegeben

les für sie. Aber auch wenn man sie als bewiesen ansieht, ergibt sich, daß Jesaja nur formal an diesen Ritus anknüpfen konnte. Inhaltlich klingen die Namen des Messias nicht an diejenigen der judäischen Könige an, und zwar auch und gerade nicht an jene, die Honeyman als Thronnamen in Anspruch nimmt. Die Davididen von Jerusalem tragen fast alle jahwehaltige Namen. Man müßte also durchaus erwarten, daß auch die Thronnamen des Messias Jahwe als theophores Element enthielten, zumal jenem in Jer. 23, 6 tatsächlich ein solcher Titel, יהוה צדקנו, verliehen wird. Aber keiner der Messiasnamen Jesajas enthält Jahwe als Bestandteil, dafür ist einer El-haltig. Dazu kommt, daß, soweit es sich um zusammengesetzte Bezeichnungen handelt, die judäischen Könige Satznamen tragen, unter den Messiasnamen Jesajas aber finden sich zwei Genetivverbindungen, wofür es in Israel immerhin auch sonst noch Beispiele gibt, אבי־עד und שר־שלום, daneben eine Verbindung Akkusativ und Partizip, פלא יועץ, und eine solche von Substantiv und Adjektiv, אל גבור. Schließlich darf auch nicht übersehen werden, daß von der Kompliziertheit der Titulatur, die dem Messias verliehen wird, bei den Königen keine Spur zu entdecken ist; wenn sie Thronnamen trugen, dann jedenfalls nur einen einzigen. Damit ist doch wohl *ausgeschlossen*, daß Jesaja, was den Inhalt der messianischen Namen anbelangt, einfach an die Sitte der Thronnamen der *Davididen* anknüpft, überhaupt, daß er in dieser Hinsicht in einer genuin *israelitischen Tradition* drin steht.

Nun aber hat W. Vischer überzeugend nachgewiesen, daß die Begrifflichkeit des «großen Namens» des Messias mit der jerusalemischen Königstradition, wie sie vor allem in den Königspsalmen, aber auch in den «letzten Worten Davids» (2. Sam. 23, 1—7) faßbar ist, im Zusammenhang steht.[39] Für פלא יועץ nennt er Ps. 20, 6; 88, 11—13; 89, 6 und 72, 18 f. Ähnlich ist es beim Begriff גבור. Der König wird in Ps. 89, 20 und 45, 4 so genannt. In Ps. 24, der den Königspsalmen nicht ferne steht, ist גבור Bezeichnung für Gott selbst (V. 8). Die Psalmen 20 (V. 7) und 21 (V. 14) reden von Jahwes גבורות bzw. seiner גבורה, und Jes. 11, 2 verheißt dem Messias aus Davids Haus nicht bloß den

(Gen. 41, 45) und Daniel in Beltsazzar umbenannt wird (Dan. 1, 7); vgl. Gelb (A. 34), S. 152.

[39] Vischer (A. 6), S. 40 ff.

Geist des Planens (עצה), sondern auch der Heldenkraft (גבורה). Ps. 45, 7 bezeichnet den König nicht nur als Helden, sondern sogar als Gott (zwar nicht אל aber doch אלהים): «Dein Thron, o Gott, steht auf immer und ewig» (עולם ועד). Hier steht dasselbe Wort עד, das in Jes. 9, 5 der nächste Messiasname verwendet. Auch der Begriff אב, Vater, ist in der jerusalemischen Königstradition fest verwurzelt (2. Sam. 7, 14 f.; Ps. 89, 27 ff.). Ps. 132, 12 verheißt den Davidssöhnen, daß sie im Fall des Gehorsams für immer (עדי־עד) auf dem Thron sitzen werden, und ebenso spricht Ps. 21 dem König Leben für ewig und immer (עולם ועד, V. 5) und Segen für immer (לעד, V. 7) zu. Beim vierten Namen, שר־שלום, darf man vielleicht an den Namen Salomo erinnern, welcher nach Honeyman Thronname dieses Königs gewesen ist, und man mag auch an den andern Sohn Davids, Absalom [40], denken. Schließlich sei auf das textlich allerdings unsichere זה שלום [41] am Ende der messianischen Weissagung von Mi. 5, 1—4 a hingewiesen, aber auch an שלום in Ps. 72, 3 u. 6.

Nicht die messianischen Thronnamen selbst, aber doch die einzelnen Begriffe, die Jesaja zu ihrer Bildung verwendet hat, sind also in der Tradition um das jerusalemische Königtum durchaus verankert. Trotzdem kann man nicht sagen, daß, was die Thronnamen vom Messias bekennen, im Grunde von jedem König in Jerusalem hätte gesagt werden können. Es handelt sich bei Jesaja nicht bloß um eine Aktualisierung der Ideen um das sakrale Königtum, wie sie sonst im Alten Testament faßbar werden, sondern um eine deutliche Übersteigerung ihrer Inhalte, die damit zusammenhängt, daß hier vom Herrscher der Heilszeit gesprochen wird; die gewöhnlichen Vorstellungen vom Königtum sind hier in eschatologischer Sicht überdehnt. Die Ausleger haben diesen Tatbestand immer wieder nicht anerkennen wollen und vor allem an der Bezeichnung אל, Gott, Anstoß genommen. Deshalb hat vor allem die jüdische Exegese versucht, wenigstens in einem Teil der Messiasnamen Bezeichnungen für Jahwe zu sehen, darum mag die Septuaginta den

[40] Sollte das am Ende der Thronname sein, den dieser Davidssohn bei seiner Proklamation zum König angenommen hätte?

[41] זה שלום ist eine sehr nahe Parallele zu שר־שלום, wenn es mit A. Weiser, Das Buch der Zwölf Kleinen Propheten, 1 (1949), S. 245, mit «Herr des Friedens» übersetzt werden darf.

Text so stark umgebogen haben [42], darum übersetzt Luther אל mit Kraft! Dieselbe Tendenz macht sich in den offensichtlichen Abschwächungsversuchen der modernen Kommentatoren geltend, etwa wenn Procksch אל גבור von Ez. 32, 21 statt von Jes. 10, 21 her deutet [43], wenn Marti interpretiert: «ein Gott unter den Helden, d. h. nicht ein gewöhnlicher Held» [44], oder wenn M. Buber im Anschluß an Luzzatto die Titulatur auf drei Namen reduziert und übersetzt: «Ratsmann des heldischen Gottes, Vater der Beute, Fürst des Friedens» [45], um dann festzustellen: «Das sind nicht Namen, die wie die üblichen Übersetzungen eher an göttliche als an menschliche Epitheta erinnern; es sind Würdebezeichnungen, wie sie dem erfüllenden Statthalter JHWHs zukommen.» [46] Es liegt auf derselben Linie, wenn man אב als Verwalter faßt und in שר einen Beamtentitel sieht. Caspari hat in seiner Arbeit über Jes. 9, 1 ff. mit Nachdruck die These vertreten, daß der Messias durchaus als Untergebener charakterisiert sei und ihm der Titel König bewußt vorenthalten werde. [47] Gewiß, im Bereich des Alten Testamentes bleibt jeder König, auch der eschatologische, Jahwe streng untergeordnet, aber in den ihm hier gegebenen Namen kommt das in keiner Weise zum Ausdruck. Wird er auch nicht מלך genannt, so ist doch von seinem Thron, aber auch von seiner ממלכה die Rede, die «Königsscheu» [48] anderer Partien des Alten Testaments teilt Jesaja offensichtlich nicht. Man könnte wohl eher den gegenteiligen

---

[42] Sie übersetzt פלא יועץ אל mit μεγάλης βουλῆς ἄγγελος, hat also אל (vgl. Hi. 20, 15 und אלהים in Ps. 8, 6) wie in בני אלים und בני אלהים als Engel verstanden. Was weiter folgt, hat die LXX nicht mehr als Namen verstanden.

[43] Procksch (A. 21), ad l.

[44] Marti (A. 24), ad l. [45] Buber (A. 14), S. 202.

[46] Vgl. auch Duhm (A. 18), ad l.: «Jes. bedient sich mit אל eines volkstümlich hyperbolischen Ausdrucks, der, in der älteren Zeit ganz unverfänglich (Gen. 33, 10; 2. Sam. 14, 7. 20), selbst in späterer Zeit noch auf Menschen angewandt werden kann, s. Sach. 12, 8: Das Haus Davids wird wie ein Gott vor ihnen her sein.» Aber die genannten Stellen bezeichnen doch den König nicht direkt als Gott.

[47] W. Caspari, Echtheit, Hauptbegriff und Gedankengang der messianischen Weisagung Jes. 9, 1—6, = Beitr. z. Förd. Christl. Theol. 14, 4 (1908); s. dazu von Rad (A. 4), S. 216 bzw. S. 213.

[48] Caspari (A. 47), S. 14 ff.

Schluß als Caspari ziehen: Diese messianische Gestalt ist *mehr* als ein König, sie ist eindeutig als göttliches Wesen gekennzeichnet.[49] Nur von Jahwe wird sonst gesagt, daß er Wunderbares plant, nur Jahwe wird anderwärts אל גבור genannt. Vater ist innerhalb der Königstradition Jahwe selbst, und ebenso ist er selbst derjenige, von dem dauernder Friede erwartet wird.

Daraus darf man nicht voreilig schließen, daß also offenbar auch in Israel, oder wenigstens in Juda, der König als ein Gott angesehen worden sei. Unsere Stelle ist viel zu isoliert, als daß sie das Fundament für eine solche Theorie abgeben könnte, und vor allem ist nicht außer acht zu lassen, daß sie nicht vom gegenwärtigen, sondern vom zukünftigen König spricht. Der im Alten Testament sonst faßbare theologische Gedankenkreis um das Königtum ist weit zurückhaltender. Wir sahen es bei den Thronnamen, die Honeyman nachgewiesen hat. Man kann zwar den König einen יועץ nennen, d. h. einen, der Pläne aufstellt, Mi. 4, 9, vgl. auch Ps. 20, 5, aber nur von Jahwe kann man sagen, daß er פלא plane oder vollbringe (Jes. 25, 1, vgl. auch 28, 29). Man kann von des Königs גבורה sprechen, ihn einen גבור nennen, auch einmal sagen, das Haus Davids sei כאלהים, *wie* göttliche Wesen (Sach. 12, 8), aber als Gott wird er nur in Ps. 45, 7 bezeichnet. Der König ist nur «der Sohn», Vater wird er nicht genannt. Trotz dem Zusammenhang, den wir zwischen den Thronnamen des Messias und der Begrifflichkeit der jerusalemischen Königstradition festgestellt haben, stehen wir hier bei Jesaja also doch in einer andern Welt. Damit haben wir nun die Aufgabe, zu prüfen, ob und wie weit hier fremder Einfluß vorliegt, konkret, ob sich die These festigen läßt, daß hier ein religionsgeschichtlicher Zusammenhang mit der Namengebung bei der Inthronisation des Pharao zu erkennen ist.

3.

In Ägypten ist seit dem Mittleren Reich die Verleihung eines «Namens» bzw. eines «großen Namens» fester Bestandteil des Königsprotokolls. Die Titulatur wird von Priestern festgesetzt

---

[49] Vgl. Feldmann (A. 9), S. 120 f.: «Die israelitische Tradition hat stets einen unübersteiglichem Unterschied zwischen Gott nud Mensch (31, 3) festgehalten. Nur beim Messias wird er unbeachtet gelassen. Das beweist,

und im Anschluß an die Proklamation zum König bekanntgegeben.[50] Aber die Priester handeln nicht in eigener Vollmacht, sondern «der Gott läßt in ihr Herz kommen, die Namen so zu machen, wie er sie vorher erdacht hat»[51]: der menschliche Ratschluß ist durch den göttlichen vorweggenommen.[52]

Die heilige Titulatur besteht aus fünf Teilen.[53] Sie beginnt mit dem Horusnamen, der den König als eine Inkarnation des Falkengottes Horus bezeichnet, welcher schon früh der dynastische Gott Ägyptens geworden war.[54] Es folgt der Nbtj-Name (nbtj = die zwei Herrinnen), der den König in besondere Beziehung zur oberägyptischen Nechbet und zur unterägyptischen Buto setzt.[55] Darauf kommt der Goldhorusname[56], dann der Titel, den er als König von Ober- und Unterägypten trägt und den man etwa, in allerdings nicht genauer Analogie, als seinen Vornamen bezeichnet[57] — es ist meistens ein Name, der das theophore Element Re enthält. Am Schluß steht eine

---

daß er in die Sphäre des Göttlichen erhoben ist.» S. auch die Ausführungen von H. W. Hertzberg, Der Erste Jesaja² (1952), S. 49 f.

[50] Vgl. H. Bonnet, Reallexikon der ägyptischen Religionsgeschichte (1952), Art. Krönung.

[51] Urkunden des ägyptischen Altertums, begründet von G. Steindorff, IV, 261.

[52] Vgl. J. H. Breasted, Ancient Records of Egypt (1906), 2, § 143; 3, § 29.

[53] Ihre Entstehung hat H. Müller dargestellt, Die formale Entwicklung der Titulatur der ägyptischen Könige (1938).

[54] Zur Bedeutung der Titel ist zu vergleichen: A. Moret, Du caractère religieux de la royauté pharaonique (1902).

[55] Es fragt sich, ob mit diesem Titel eine Wesensgemeinschaft des Pharao mit den beiden Göttinnen ausgesagt werden will, indem man sich wie Horus so auch «die beiden Herrinnen» in den Königen innewohnend dachte. Es fehlt jedenfalls nicht an Namensformen, die die Beziehung zu den Nbtj-Gottheiten lediglich als ein besonderes Vertrauensverhältnis auffassen; vgl. Bonnet (A. 50), Art. König.

[56] Die Übersetzung des Titels ist nicht völlig gesichert, und die Deutung ist schwierig. Da Könige und Götter um ihres Glanzes willen gerne als «Gold» bezeichnet werden, mag «der Name 'Gold' auf den Charakter des Gottes als Lichtträger zugespitzt sein», Bonnet (A. 50), Art. Goldhorus. Moret (A. 54), S. 23, kommt zum Schluß: «On appelle Pharaon 'Horus d'or' pour attester son origine divine, pour lui décerner le privilège d'indestructibilité, d'incorruptibilité dont les dieux se prévalaient par nature.»

[57] S. A. Gardiner, Egyptian Grammar³ (1957), S. 73.

Bezeichnung, die der Pharao als «Sohn des Re» [58] trägt; es ist derjenige Name, mit dem wir die ägyptischen Könige zu benennen pflegen. Man hat ihn mit unserm Familiennamen verglichen, weil er sich in der einzelnen Dynastie zu wiederholen pflegt.

Als Beispiel sei die volle Titulatur Haremhebs genannt:[59]

«Laß die großen Namen dieses guten Gottes und seine Titulatur gemacht werden wie (diejenige) der Majestät Re's, und zwar:

Horus: Kräftiger Stier, geschickt in Plänen,
Liebling der beiden Herrinnen: Groß an Wundern zu Karnak,
Goldhorus: Gesättigt mit Wahrheit, Schöpfer der beiden Länder,
König von Ober- und Unterägypten: Zeserchepure, Setepnere [60],
Sohn Re's: Mernamon, Haremheb [61], dem Leben verliehen ist.»

So wie dieser «große Name» Haremhebs, besteht jede Titulatur aus fünf Gliedern, die je aus einem konstanten Teil (Titel) und einem variablen (Name) zusammengesetzt ist.

Steht diese komplexe Benennung des Pharao irgendwie hinter den Messiasnamen von Jes. 9, 5 b? Auf den ersten Blick scheint das fraglich zu sein. Alles irgendwie typisch Ägyptische ist jedenfalls ausgemerzt. Es scheinen nur vier, nicht fünf Glieder zu sein, und die Doppelung in Titel und Name fehlt. Das ägyptische Schema müßte also in sehr freier Weise ver-

---

[58] Durch diesen Titel ist also der Pharao nicht mehr direkt mit einer Gottheit identifiziert. Aber als «Sohn» trägt er durchaus seines Vaters Art an sich, und die durch das Sohnesverhältnis begründete Wesensähnlichkeit kann bis zur Wesensgleichheit gesteigert werden. Darum soll seine Titulatur derjenigen der Majestät Re's gleichgemacht werden, Breasted (A. 52), 3, § 29; denn «der Sohn ist dem gleich, der ihn gezeugt hat», ebd., § 268. Die königlichen Diener sprechen zu Ramses II., dem «guten Gott»: «Du bist Re, dein Leib ist sein Leib», ebd., § 270, vgl. auch § 288. Der König als «Sohn» ist also des Vaters lebendes Bild auf Erden, seine εἰκὼν ζῶσα, wie die Rosettana das betreffende ägyptische Wort übersetzt, Bonnet (A. 50), Art. König. — Zur ägyptischen Königstheologie ist zu vergleichen: H. Jacobsohn, Die dogmatische Stellung des Königs in der Theologie der alten Ägypter, = Ägyptol. Forsch. 8 (1939).

[59] Breasted (A. 52), 3, § 29.

[60] Bedeutung dieser Namen: «Glänzend ist das Wesen Re's, erwählt von Re.»

[61] Bedeutung: «Geliebt von Amon, Horus beim Fest.»

wendet und stark abgewandelt worden sein. Da aber nicht anzunehmen ist, daß der ägyptische Einfluß *direkt* auf Jesaja eingewirkt hat, sondern der Prophet doch wohl Gedanken aufgenommen hat, die inoffizielle Kreise längst in Jerusalem gepflegt haben, ist eine solche Abwandlung eigentlich selbstverständlich. Wir haben aber aus Ägypten selbst einen Beleg dafür, daß ein freier Gebrauch der königlichen Titulatur leicht möglich war: H. Ranke [62] hat auf die Stelle in der Geschichte vom «beredten Bauern» [63] hingewiesen, wo dieser den mächtigen Herren, dessen Gunst er gewinnen will, bittet: «Laß mich deinen Namen in diesem Lande machen, allen guten Vorschriften entsprechend.» Der hier verwendete Ausdruck «einen Namen machen» (ỉrj rn) ist fest geprägte Formel für die Aufstellung einer Königstitulatur. Und tatsächlich *gibt* der Bauer seinem Herrn nun auch Namen, welche diejenigen des Pharao nachahmen: «Der Führer — frei von Habgier, der Große — frei von Niedrigkeit, der die Lüge zerstört, der die Wahrheit erschafft, der auf die Stimme des Rufenden kommt.» Wie beim Pharao liegt hier deutlich eine fünfgliedrige Benennung vor. Aber während bei den beiden ersten Gliedern noch zwischen dem «Titel» und dem «Namen» unterschieden wird, ist das nachher nicht mehr der Fall, was beweist, daß man sich über den Zwang der strengen Form hinwegsetzen konnte, wo das als passend erschien. Man kann also solche Titulaturen für den Augenblick erschaffen, Nachahmungen solcher Prädikationen finden sich vor allem beim Lobpreis der Götter. [64] Inhaltlich ist die Titulatur, die der Bauer seinem Herrn gibt, von derjenigen des Pharao weit entfernt, als göttliche Gestalt wird er nicht gepriesen.

Kehren wir nun aber zu Jes. 9, 5 b zurück. G. von Rad hat in 2. Sam. 7, 9 (er zieht auch 1. Kön. 1, 47 heran) eine Anspielung an die feierliche Namengebung bei der Thronbesteigung in Juda gesehen, nämlich in der Verheißung Jahwes an David: «Ich will dir einen großen Namen machen gleich dem Namen

---

[62] H. Ranke, Zu Bauer I, 64 ff.: Zeitschr. f. äg. Spr. u. Altk. 79 (1954), S. 72 f.

[63] Text bei A. Erman, Die Literatur der Ägypter (1923), S. 157 ff.

[64] S. dazu S. Morenz, Ägyptische und davididische Königstitulatur: Zeitschr. f. äg. Spr. u. Altk. 79 (1954), S. 73 f.

der Größten auf Erden.»[65] Heißt das nicht: Er soll einen Namen erhalten, der demjenigen des Pharao wohl vergleichbar ist? Von hier aus gesehen ist das ויקרא in Jes. 9, 5 ganz in Ordnung und darf nicht mit den alten Versionen als Passiv gelesen werden. Subjekt ist auch nicht ein «man», sondern Jahwe selbst, der hier nun eben dem Davididen einen «großen Namen» macht. Schon das zeigt, daß die Beziehung zu Ägypten enger ist, als es zunächst aussieht. Allerdings haben wir bis jetzt nur von vier Thronnamen in Jes. 9, 5 b gesprochen. Aber schon Alt hat vermutet, daß es auch an unserer Stelle einmal deren fünf waren.[66] Er läßt nämlich V. 6 erst mit רבה המשרה beginnen und sieht im vorangehenden Lamed und Mem finale den Rest des verlorengegangenen fünften Namens. Eine andere Lösung scheint mir aber sehr viel näher zu liegen: Es ist schon immer aufgefallen, daß V. 6 nicht durch ein konjunktives Waw mit dem Vorhergehenden verbunden ist. Das läßt vermuten, daß in den beiden ersten Wörtern von V. 6 noch einmal, asynthetisch angefügt wie die vorhergehenden, ein Thronname vorliegt, etwa מרבה המשרה. Der, welcher die Herrschaft groß macht. Das findet seine Stütze darin, daß der Nbtj-Name Amenhoteps IV. lautet: «Groß im Königtum in Karnak» (oder später: in Achetaton, wohin dieser König seine Residenz verlegt hat).[67] Wie dem auch sei, die Vermutung, daß Jesaja von fünf Namen des Messias sprach, wird schon richtig sein. Schließlich sei darauf hingewiesen, daß die in ihrer grammatischen Struktur unhebräischen Namen des Messias ihrer Bildung nach an den ägyptischen Thronnamen enge Parallelen haben.

Berühren sie sich auch im Inhalt? Den Namen «Wunderrat» wird man kaum trennen können von den Bezeichnungen Geschickt in *Plänen* und Groß an *Wundern* in Karnak, die als Bestandteil der Titulatur Haremhebs auftauchen.[68] Der zweite

---

[65] von Rad (A. 4), S. 215 bzw. 212.

[66] Alt (A. 5), S. 42 f. bzw. S. 219.

[67] Breasted (A. 52), 3, § 934. Man vergleiche auch Epitheta wie «groß an Kraft» (Amenhotep II. und III.), «blühend in der Königsherrschaft» (Ramses I.), «groß an Siegen»; G. J. Thierry, De religieuze beteekenis van het Aegyptische koningschap (1913), S. 14.

[68] Man vergleiche aber auch folgende Aussagen innerhalb der Königsnovellen: «er empfing die großen Wunder» (Thutmose III., Breasted [A. 52], 2, § 139), «seine Majestät (Thutmose III.) freute sich außerordentlich, als

Name Jesajas, «starker Gott», steht doch wohl in Verbindung mit dem in Ägypten regelmäßig als erster Bestandteil des Horusnamens auftauchenden Epitheton «*kräftiger* Stier» [69], zumal El ja in Kanaan als Stiergottheit erscheint. [70] Von der Beziehung von מרבה המשׂרה zum Namen Amenhoteps haben wir eben gesprochen. Es steht zu vermuten, daß eine systematische Durchmusterung des ägyptischen Materials noch weit mehr Anklänge feststellen könnte. Aber daß nicht nur formale, sondern auch inhaltliche Berührungen vorliegen, steht fest. [71]

Aus all dem ist wohl zu schließen, daß es in Jerusalem Kreise gab, welchen die Ideologie des *göttlichen Königtums* bekannt war. Aus dieser Unterströmung, die sonst im Alten Testament nicht deutlich in Erscheinung tritt, muß Jesaja geschöpft haben. Von der offiziellen Hoftheologie, die in den Königspsalmen für uns greifbar ist, sind diese Ideen, die schon im vorisraelitischen Jerusalem gepflegt worden sein mögen, nur unter starken Ab-

---

sie die großen Wunder sah, die ihr Vater (Amon) für sie vollbracht hatte» (ebd., § 608), «groß an Wundern ... wie Ptah» (Amenhotep II., ebd., § 804), «wir haben eine Menge von deinen Wundern gesehen, seit deinem Erscheinen als König der beiden Länder» (Ramses II., Breasted, 3, § 288), «ich bin mächtig in Wundern zu Karnak» (Pinotem I., Breasted, 4, § 635). Ganz allgemein schreibt man also dem König zu, daß er Wunderbares vollbringt.

[69] Auch sonst preisen die Thronnamen des Pharao seine Stärke: «mächtig an Stärke» (Thutmose III., Breasted [A. 52], 2, § 145), «groß an Stärke» (Amenhotep II., ebd., § 782), «groß an Stärke, ... Herr der Stärke, mächtig an Tapferkeit» (Amenhotep III., ebd., § 844) u. a.

[70] Vgl. M. H. Pope, El in the Ugaritic Texts: Vet. Test. Suppl. 2 (1955), S. 35 ff.; J. Gray, The Legacy of Canaan: ebd. 5 (1957), S. 117.

[71] Es kommt dazu, daß die ägyptische Königstitulatur sich auch sonst in Jes. 9, 1—6 bemerkbar macht. Es wird immer wieder über des Königs Glanz oder Aufleuchten gesprochen (Jes. 9, 1), von seiner «Ewigkeit» (z. B. von Thutmose I.: «lebend von Ewigkeit zu Ewigkeit», Thierry [A. 67], S. 13), von der Stabilität seiner Herrschaft (z. B. von Thutmose III.: «der, dessen Königsherrschaft beständig ist», ebd. S. 14). — Die so auffallende Erscheinung, daß in Jes. 9 der Messias Namen trägt, die nur auf Jahwe zuzutreffen scheinen, erklärt sich leicht aus der ägyptischen Gleichsetzung des Königs mit der Gottheit: Die Titulatur Haremhebs soll derjenigen der Majestät Re's gleichgemacht werden (Breasted [A. 52], 3, § 29), während Thutmose III. von sich selbst sagt: «Re selbst setzte mich ein, ich wurde der Diademe gewürdigt, die auf seinem Haupte waren, ... ich wurde vorgestellt mit allen Würdezeichen eines Gottes ... *seine eigene Titulatur wurde mir beigelegt.*»

strichen rezipiert worden. Mit fast völliger Konsequenz wurde ausgemerzt, was auf eine Vergöttlichung des judäischen Königs hinausgekommen wäre. So haben wir in den Königspsalmen und ähnlichen Stücken des Alten Testaments nur fragmentarische *Relikte* einer weit volleren, aber nicht offiziell rezipierten Königstitulatur, von der uns allein Jes. 9 noch etwas ahnen läßt.

Wirklich durchgesetzt haben sich — religionsgeschichtlich gesprochen — die Inhalte der Ideologie des göttlichen Königtums [72] im israelitischen Bereich nur in eschatologischer Neuinterpretation. Daß dem so war, hängt mit der Eigenart des altisraelitischen Glaubens zusammen, der sich zwar zu Jahwes Königtum bekannte, aber im politischen Königtum eine Konkurrenz zu Jahwes Alleinherrschaft witterte. Wie es aber Jesaja unter Aufnahme altorientalischer Ideen gewagt hat, vom thronenden himmlischen König zu sprechen (Kap. 6, 1 ff.), und dabei mit dem Gedanken von Jahwes Königtum Inhalte verbunden hat, die ihm von Haus aus nicht eigneten [73], so hat er es auch gewagt, zwar nicht von einem gegenwärtigen König, aber doch vom zukünftigen der Heilszeit unter Aufnahme von Prädikaten zu sprechen, die sonst von Jahwe verwendet wurden und so den König als göttliches Wesen erscheinen ließen. Was da geschah, war mehr als die Übertragung von in Israel lebendigen und anerkannten Gedanken über das Königtum auf den erwarteten Messias, es war eine schöpferische Synthese zwischen *Israels* Grundgedanken vom kommenden, seine Herrschaft zum vollen Durchbruch führenden Gott, welcher die

[72] A. Allwohn, Der religionspsychologische Aspekt des sakralen Königtums: Numen, Suppl. 4. The Sacral Kingship. La regalità sacra (1959), S. 37—47, unterscheidet drei verschiedene Gesichtspunkte, unter denen dieses gesehen ist: 1. der Fruchtbarkeitsaspekt, der sich unter anderm darin äußert, daß der König eine enge Beziehung zum Stier hat; 2. der Heldenkönig; 3. der Vateraspekt. Allwohn hat unsere Stelle nicht im Auge; um so sprechender ist es, daß sich seine drei Aspekte genau mit den drei ersten Thronnamen des Messias decken. Es wäre gewiß nicht willkürlich gewesen, zum mindesten noch einen vierten Aspekt hinzuzunehmen, nämlich daß der König Garant des Friedens ist. Der religiöse Gehalt der überaus weitverbreiteten Idee des göttlichen Königtums ist also in die biblische Messiashoffnung hineingenommen worden.

[73] Vgl. dazu H. Wildberger, Jahwes Eigentumsvolk (1960), vor allem S. 80 ff.

israelitische Eschatologie geboren hat, und den Gehalten der *altorientalischen*, speziell ägyptischen Ideologie vom göttlichen Königtum. Das war die Geburtsstunde der messianischen Hoffnung.[74] Nichts verwehrt es dem Theologen, hier eine neue Stufe der Selbstoffenbarung Gottes zu sehen, die für den gesamtbiblischen Glauben überaus wichtig geworden ist. Mit dieser Rezeption der Inhalte des göttlichen Königtums in die Hoffnung Israels hinein war der Grundansatz zur endgültigen Überwindung des antiken Herrscherkultes, zur Profanisierung des Königtums überhaupt gegeben.[75] Die soteriologischen Ideen aber, die mit dem Königtum anderwärts verbunden waren, werden hier nicht einfach verneint, sondern in die Messiashoffnung aufgenommen. Der Christus rex, βασιλεὺς βασιλέων, θεὸς καὶ σωτήρ tritt in Sicht.

---

[74] Es bestätigt sich einmal mehr, daß nicht die Eschatologie als solche, wohl aber einzelne Inhalte der eschatologischen Erwartung Israels fremden Ursprungs sind. Vgl. V. Maag, Malkût JHWH: Vet. Test. Suppl. 7 (1960), S. 129—153, wo gezeigt wird, wie die altorientalische Vorstellung vom Königtum Gottes unter dem Einfluß des israelitischen Gottesgedankens in eschatologische Heilserwartung umgesetzt worden ist.

[75] Vgl. dazu K. Goldammer, Die Welt des Heiligen im Bilde des Gottherrschers: Numen, Suppl. 4 (vgl. oben Anm. 72), S. 513—530.

JESAJAS VERSTÄNDNIS DER GESCHICHTE

Das Alte Testament kennt kein Wort für Geschichte. D^{e}bārîm, was in gewissen Fällen mit „Geschichte" übersetzt zu werden pflegt [1]), meint eine Reihe von Geschehnissen, annalistisch aufgereiht, bestenfalls mit einem „darnach" miteinander verbunden und trifft damit gerade nicht, was das Wesentliche an „Geschichte" ist. Eine beliebige Zusammenstellung unter sich unverknüpfter Ereignisse ist noch nicht Geschichte, auch nicht eine Reihe historischer Fakten, die zeitlich wohl geordnet und in der Hauptsache lückenlos ist. Geschichte ist erst ein Komplex von Ereignissen, die in ihrem Zusammenhang als sinnvoll verstanden sind. Als dermassen verstandene Abfolge schliesst sie immer schon ein Moment der Interpretation der Geschehnisse, von denen sie sprechen will, mit ein. Darum gibt es nicht nur keine objektive Geschichtsschreibung, sondern es ist unsinnig, eine solche zu fordern [2]).

Fehlt im Alten Testament auch das Wort Geschichte, so weiss es doch sehr wohl, was Geschichte ist. Ja, wie kein anderes Buch hat das Alte Testament der Menschheit die Augen für die Kategorie der Geschichte aufgetan. Es besteht zu einem grossen Teil aus sogenannten Geschichtswerken und bietet sein Glaubenszeugnis in der Gestalt geschichtlicher Überlieferungen dar. Sind das auch Begriffe, die sofort der Klärung bedürfen, wenn nicht Missverständnisse um sich greifen sollen, so liegt doch auf der Hand, dass hinter ihnen in der Regel historische Fakten stehen. Daneben enthält aber das Alte Testament auch Geschichtswerke im eigentlichen Sinn [3]). Trotzdem

---

[1]) דברי שׁלמה in 1. Kön. 11, 41, דברי ירבעם und דברי הימים למלכי ישׂראל 1. Kön. 14, 19 und entsprechend דברי רחבעם und דברי הימים למלכי יהודה in 14,19, u.ö., aber auch etwa דברי ירמיהו in Jer. 1, 1. und der Titel דברי הימים für die Chronik.

[2]) Siehe L. von Muralt, Über das geschichtliche Verstehen, in: *Der Historiker und die Geschichte*, 1960, S. 3-10.

[3]) Dafür ist nicht nur auf die vielzitierte und grossartige Erzählung von der Thronfolge Davids zu verweisen, sondern in erster Linie auf das deuteronomistische Geschichtswerk. Es ist bei allen Fragezeichen, die der moderne Histori-

ist es nicht die Geschichtsschreibung, sondern der Prophetismus gewesen, der den spezifisch altisraelitischen Beitrag zum Verständnis der Geschichte geleistet hat [1]).

Angesichts der Fülle der Persönlichkeiten und „Schulen", die im Alten Testament zu Worte kommen, und angesichts der weiten historischen Räume, aus denen dessen Beiträge zum Verständnis der Geschichte stammen, kann es nicht überraschen, dass keine durchgehende alttestamentliche Konzeption dessen, was Geschichte eigentlich ist, herausgearbeitet werden kann und auch hier ein Werden und Wachsen festzustellen ist. Gerade bei der ausgesprochenen Intention zu deuten, was geschehen ist, beziehungsweise geschehen soll, muss sich die Individualität und der historische Ort des jeweiligen Interpreten der Geschichte stark bemerkbar machen. Für den Exegeten ergibt sich daraus die Aufgabe, sich zunächst dem einzelnen Traditionsstrom oder der einzelnen Persönlichkeit zuzuwenden, sich über deren Voraussetzungen und Eigenart Klarheit zu verschaffen um dann deren besondere Schau der Geschichte herauszustellen [2]). Hier soll dem Geschichtsverständnis Jesajas speziell unter dem Gesichtspunkte der überlieferungsgeschichtlichen Zusammenhänge nachgegangen werden.

---

ker, Religionsgeschichtler und Theologe dabei zu setzen hat, ein grandioser Versuch, nicht bloss den Ablauf nackter historischer Ereignisse zu registrieren, sondern zu verstehen, was geschehen ist und warum es geschehen musste. Dass der Verfasser dabei seine „dogmatischen" Voraussetzungen, von denen her er urteilt, so offen auf den Tisch legt, spricht gewiss nicht gegen ihn. Vgl. L. Rost, Die Überlieferung von der Thronnachfolge Davids, *BWANT* III, 6, 1926; G. von Rad, Der Anfang der Geschichtsschreibung in Israel, *Ges. Stud. z.AT* 1958, S. 148-188, und: Die deuteronomistische Geschichtstheologie in den Königsbüchern, *ebend.* S. 189-204; H. W. Wolff, Das Kerygma des deuteronomistischen Geschichtswerks, *ZAW* 73, 1961, S. 171-186.

[1]) Das ist gerade darum der Fall, weil die Propheten nicht Geschichte schreiben wollen, ihr Blick also nicht einseitig der Vergangenheit zugewendet ist. Ihr Wort gilt der Gegenwart, ihr Blick richtet sich auf die Zukunft, wobei sie aber Gegenwart wie Zukunft von dem her beurteilen, was in der Vergangenheit an Israel geschah. So ist ihnen die geschichtliche Existenz ihres Volkes als Gegenwart, bestimmt durch die Vergangenheit und ausgerichtet auf die Zukunft, voll bewusst.

[2]) Natürlich ist es sinnvoll und nötig, den Bogen auch weiter zu spannen und dann etwa nach dem „Geschichtsverständnis der alttestamentlichen Prophetie" (so H. W. Wolff, *Ev. Th.* 20, 1960, S. 218-235) zu fragen oder gar das alttestamentliche Geschichtsverständnis mit demjenigen seiner Umwelt zu konfrontieren (so H. Gese, Geschichtliches Denken im Alten Orient und im Alten Testament, *ZThK* 55, 1958, S. 127-145; *The Idea of History in the Ancient Near East*, ed. R. C. Dentan, 1955). Man wird sich allerdings dabei wohl hüten müssen, zu schematisieren und die Differenziertheit, die auch bei einer so relativ einheitlichen Strömung wie der vorexilischen Prophetie vorliegt, nicht gerecht zu werden.

I

Wie jeder Prophet bekennt sich auch Jesaja dazu, dass Jahwe, der Gott Israels, in dessen Namen er spricht, in der Geschichte handelt, ja er redet in auffallender Einseitigkeit fast ausschliesslich davon, dass *die Geschichte* der Bereich des Handelns Jahwes ist [1]). Dass Jahwe allein ihr Subjekt ist, wird immer wieder explizit ausgesprochen. Nicht dem König von Juda ist es gelungen, wenigstens noch einen kleinen Teil seines Reiches durch die Katastrophe von 701 hindurchzuretten, sondern Jahwe der Heere hat von Juda noch einen Rest übrig gelassen, sodass es nicht wie Sodom und Gemorrha geworden ist (1, 9), womit natürlich vorausgesetzt ist, dass auch die unmittelbar vorher dargestellte Verheerung Judas nicht einfach assyrischer Macht und Bosheit zuzuschreiben ist, sondern, wenn nicht direkt Jahwes Werk ist, so doch jedenfalls nicht ohne seine permissio geschehen konnte. Die Vernichtung der sorgfältig angelegten und wohl gehegten „Lieblingspflanzung" Jahwes ist seine eigene Tat (5, 5 f). Jahwe selbst steckt einem Volk aus der Ferne ein Panier auf und lockt es herbei von den Enden der Erde (5, 26). Er hält die Ereignisse um 734 so in seiner Hand, dass der Prophet gegenüber den Plänen der verbündeten Feinde ruhig erklären kann: „Es kommt nicht zustande und geschieht nicht!" (7, 7). Der Assyrer ist nicht eigenständige Geschichtsmacht, sondern „der Stecken meines Zorns und die Rute meines Grimms" (10, 5). Der Prophet sieht einen Starken und Gewaltigen des Herrn kommen wie Hagelwetter, wie ein stechender Sturm (28, 2), womit die von Jahwe gesandten Assyrer gemeint sind. „Wie der Löwe knurrt, der Jungleu über seinem Raub, . . . so fährt hernieder Jahwe der Heere zur Heerfahrt auf den Berg Zion und auf seinen Hügel" (31, 4).

Diese paar Beispiele müssen zur Illustration der Fälle genügen, wo Jahwe rein formal schon als Subjekt der angekündeten Ereignisse erscheint [2]). Natürlich kann davon keine Rede sein, dass in den

[1]) Jesaja spricht kaum je von Naturkatastrophen und wo es noch zu geschehen scheint, wie in 5, 10, 13 ist „Verödung des Landes" und „Hungersnot" doch wohl Folge kriegerischer Ereignisse. Dass er seinen Weinberg nicht mehr beregnen lassen will, ist nur noch Bild (s. dagegen die Drohung in Dt. 28, 39). Ebenso ist ihm Krankheit Metapher für die Verheerung des Landes durch den Feind (1, 5 f., s. dagegen etwa Dt. 28, 21 ff., aber auch Am. 4, 6 ff. oder Jer. 14).

[2]) Es sei aber noch auf folgende Stellen verwiesen: 1, 24 f.: Jahwe der Heere will das Läuterungsgericht über Jerusalem kommen lassen; 2, 19,21: er wird sich erheben, sodass die Erde erschrickt; 5, 15: Er erweist sich heilig durch Gerechtigkeit; 5,25: er reckt seine Hand aus und schlägt zu, was sich offensichtlich durch eine geschichtliche Katastrophe realisieren wird; 7, 17: er wird über Volk

andern Fällen, wo einfach von dem gesprochen wird, was geschehen wird, Jahwe nicht als Urheber der Geschichte zu denken wäre. Es ist

---

und Dynastie Tage kommen lassen, wie solche seit der Zeit der Reichstrennung nicht mehr gewesen sind; 7, 18, vgl. auch 20: Die Fliege vom Ende der Ströme Aegyptens und die Biene aus dem Lande Assur werden kommen, aber sie kommen nicht sua sponte, sondern weil Jahwe sie herbeigepfiffen hat. Er lässt die grossen und starken Wasser des Euphrat emporsteigen, dass sie alle Ufer überfluten (8, 7). Nicht von den starken und verschlagenen Feinden droht den beiden Häusern Israel die eigentliche Gefahr, sondern von Jahwe, ihrem Gott, der ihnen zum „Fallstrick" wird, zum Stein, an dem sie straucheln werden (8, 14). Aber er ist es andererseits auch, der für das Volk in der Finsternis des Jubels viel und die Freude gross macht (9,2). Sendet er ein Wort wider Jakob und fährt es nieder auf Israel, so spürt es das ganze Volk (9, 7 f.). Wenn die Feinde Israel „fressen mit vollem Maul", dann weil Jahwe seine Gegner aufgereizt, den Feind Rezin erhöht hat (9, 10 ff.). Er selbst „hieb Israel ab Kopf und Schwanz, Palmzweig und Binse an einem Tag" (9, 13) und „durch den Grimm Jahwes der Heere wurde das Land verbrannt" (9, 18). Der Assyrer ist der Stecken seines Zorns und die Rute seines Grimms, er vollzieht Jahwes Gericht an Israel (10, 5 f.), aber er wird ebenso heimsuchen die Frucht des Hochmuts des Königs von Assyrien samt seinem stolzen Prahlen (10, 12), denn eben das ist der grosse Irrtum Assurs, dass es sich selbst als Herrn der Geschichte wähnt. Jahwe wird die Geissel über Assur schwingen, wie damals, als er Midian am Rabenfelsen schlug (10, 26, Echtheit umstritten) und „zerschlägt die Äste der Krone mit Schreckensgewalt" (10, 33). „Nationen brausen wie das Brausen vieler Wasser, doch er herrscht sie an, da fliehen sie weithin..." (17, 13). Jahwe kann dem diplomatischen Ränkespiel ruhig von seiner Stätte her zuschauen, „wie Taugewölk in der Erntezeit", aber im gegebenen Moment „schneidet er die Schosse mit Rebmessern ab, und die Triebe entfernt er, haut sie weg" (18, 5). Wie Jahwe auch in die Kabinettspolitik Judas eingreift, bezeugen 22, 17 f. und 20 ff. „Wer hat solches beschlossen über Tyrus, die Kronenspenderin" frägt 23, 8 und die Antwort (V. 9) lautet: „Jahwe der Heere hat es beschlossen, zu entweihen die Hoffart, Schmach zu bringen über alle Zier, alle, die in der Welt so hoch angesehen sind". (Zur Echtheit der Tyrusweissagung, vgl. W. Rudolph, Jesaja 23, 1-14, in Festschr. Fr. Baumgärtel, 1959, S. 166-174). Über Samarien lässt Jahwe einen Gewittersturm einherfegen (28, 2, V. 5 ist kaum echt, ansonst er hier zu nennen wäre), sondern auch zu den Priestern und Propheten von Jerusalem, denen alle Einsicht abgeht, will er sprechen „durch Leute mit stammelnder Lippe und in fremder Zunge" (28, 11), und über die „Spötter" von Jerusalem wird er ebenso im Vollzug der Errichtung seiner Gerechtigkeit mit Hagel und Wasserfluten einherfahren (28, 17 ff.). Wie er sich in den entscheidenden Kämpfen um seinen Lebensraum Israel zur Seite stellte, wird er auch jetzt erscheinen, diesmal aber zu höchst befremdlichem Tun (28, 21). Er wird Jerusalem bedrängen, Posten gegen es zusammenziehen und Bollwerke aufrichten (29, 2 f.), wobei dann allerdings, im Lauf einer unerhört harten Heimsuchung Jerusalems, Jahwe einen ganz unerwarteten Umschwung herbeiführen wird (29, 6). Wenn er durch den Propheten ankündet, dass er weiterhin mit dem Volk „wunderbar und wundersam" verfahren muss (29, 14), da es ihn nur mit den Lippen ehrt, werden auch damit geschichtliche Eingriffe einer Fremdmacht gemeint sein. Bei dem allem begleitet Jahwe die Hoffnung, dass „wenn sie sehen, was meine Hände unter ihnen getan", sie den Gott Israels zu fürchten beginnen (29, 23, Echtheit umstritten). Es kommt ja die Zeit, da Jahwe seinen hehren Donner hören und das Niederfahren seines Armes sehen lässt, sodass Assur erschrecken wird (30, 30 ff.). Und noch einmal ähnlich (in 31, 4f.):

nicht einzusehen, welche Ereignisse etwa nicht von ihm gewirkt wären. Heisst es bei Amos: „Geschieht ein Unglück in einer Stadt, und Jahwe hätte es nicht gewirkt?" (עשׂה 3, 6), so müsste es bei Jesaja heissen: „Was geschieht im weiten Feld der Geschichte überhaupt, und Jahwe hätte es nicht gewirkt?"

Vielleicht hätte auch Amos das schon sagen können. Aber Jesaja führt weiter. Er hat die Erkenntnis von Jahwes umfassendem Walten in der Geschichte auch begrifflich bewältigt. In 5, 12b lesen wir:

„Auf *das Werk* (פעל) Jahwes achten sie nicht
Und auf *das Tun seiner Hände* (מעשׂה ידיו) sehen sie nicht".
Nach 5, 19 haben die Gegner Jesaja entgegengehalten:
„Es beeile sich, es komme rasch *sein Werk* (מעשׂהו),
Damit wir es sehen,
Es nahe sich, es treffe ein *der Ratschluss* (עצה) des Heiligen Israels,
So erkennen wir ihn."

Bei 5, 12 könnte man sich fragen, ob wirklich Jahwes Walten in der Geschichte und nicht sein Schöpfungswerk gemeint sei, 5, 19 aber behebt diesen Zweifel. Die andern Stellen sind ebenso eindeutig: 10, 12, wo vom Werk (מעשׂה) gesprochen wird [1]), das Jahwe am Zion und an Jerusalem vollenden werde, und 28, 21, wo der Prophet zur Bezeichnung von Jahwes Walten neben מעשׂה das Synonym עבדה stellt.

Während עבדה zur Bezeichnung des göttlichen Werkes bei Jesaja sich nur an dieser Stelle findet [2]) und auch sonst im Alten Testament kaum so verwendet wird, hat עצה, Ratschluss, Plan, das in 5, 19 neben מעשׂה steht, Gewicht, wobei das Verbum יעץ mit in Betracht

---

„Jahwe der Heere fährt hernieder zur Heerfahrt auf den Berg Zion und auf seinen Hügel. Wie schwebende Vögel, so wird Jahwe der Heere Jerusalem beschirmen, schirmen und retten, verschonen und befreien" (lies וְהִצִּיל und וְהִמְלִיט). Bedenkt man, wie gering im Grund der Umfang der echten Jesajaworte ist und nimmt man noch all die Stellen hinzu, wo indirekt vom Eingreifen Jahwes in die Geschichte Israels und Juda-Jerusalems gesprochen wird, sieht man sofort, wie sehr dieses Thema seine Prophetie beherrscht. Immer sind Ereignisse der *nächsten* Zukunft gemeint. Der oft gemachte Versuch, zwischen Worten, welche die nähere Zukunft betreffen und solchen, die auf die eschatologische Wende hinausblicken, zu unterscheiden, sollte endgültig preisgegeben werden.

[1]) Die Echtheit von 10, 12 ist fraglich, doch scheint ein versprengtes Jesajawort zugrunde zu liegen.

[2]) In ganz anderer Verwendung findet sich עבדה neben מעשׂה in 32, 17 (Echtheit unsicher).

gezogen werden muss [1]). Vom göttlichen Ratschluss bzw. seinem Planen wird neben 5, 19 noch gesprochen in 14, 24, 26, 27:

24b „Wie ich es mir *ausgedacht* (דמיתי) [2]), so wird es geschehen,
Und wie ich es *beschlossen* (יעצתי), so wird es zustande kommen . . .
26 Das ist *der Ratschluss*, *beschlossen* (העצה היעוצה) über die ganze Erde,
Und das die Hand, ausgestreckt über alle Völker.
27 Denn Jahwe der Heere hat es *beschlossen* (יעץ)
Wer will's zunichte machen?
Und seine Hand ist ausgereckt,
Wer wird sie abwenden können?"

Ausdrücklich wird hier gesagt, dass Jahwes Ratschluss die ganze Erde umgreift und sich auf alle Völker richtet. Die starke Betonung der Unverbrüchlichkeit der göttlichen ʿeṣā ist notwendig, weil die irdischen Mächte die Geschichte nach ihrem Plan zu gestalten suchen. Dem „es wird geschehen" und „es wird zustande kommen" (היתה und תקום) von 14, 24 steht das לא תקום ולא תהיה von 7, 7 gegenüber, nämlich, was Judas Feinde beschlossen haben (יעץ 7, 5) [3]). Das Gleichnis vom klugen Ackerbauern, 28, 23-29 schliesst mit den Worten, die den Skopus des Lehrabschnittes bilden:

„Er (Jahwe der Heere) macht wunderbar seinen *Ratschluss*,
Macht *das Gelingen* gross."

Aber auch die Jerusalemer haben einen Plan, doch auch sie einen solchen, „der nicht von Jahwe kommt" (30, 1). [4])

---

[1]) עצה und מעשׂה stehen bei Jesaja auch in Parallele, wo er vom Ratschluss und den Werken der Menschen spricht (s. 29, 15), sind also ganz allgemein als verwandte Begriffe empfunden worden. Das Partizip der Wurzel יעץ findet sich in der technischen Verwendung als Amtsbezeichnung in 1, 26 (יעציך neben שׁפטיך) und in 3, 3 innerhalb einer Reihe von Würdenträgern. Einer der Thronnamen des Messias in 9, 5 lautet פלא יועץ. In 19, 11 wird von den חכמי יעצי פרעה gesprochen, die ein verdummter Rat (עצה נבערה) seien, der Text ist allerdings unsicher und die Echtheit umstritten.

[2]) דמה findet sich wie hier in der Bedeutung „beabsichtigen", „planen" in 2. Sam. 21, 5; Ps. 17, 12; Nu. 33, 56; Ri. 20, 5; Est. 4, 13. vgl. auch Jes. 10, 7, wo es parallel zu חשׁב steht.

[3]) Vgl. dazu 8, 10, wo Assur entgegengehalten wird, dass sein Plan scheitern werde.

[4]) Vgl. auch 29, 15. Die unechten oder in ihrer Echtheit umstrittenen Stellen 16, 3 19, 3, 11, 12, 17 23, 8, 9, die, sofern sie nicht von Jesaja stammen, einer jesajanischen „Schule" zuzuschreiben sind, verwenden den Begriff in derselben Weise. Auch sie decken den schroffen Gegensatz auf zwischen dem die Geschichte tatsächlich bestimmenden göttlichen Ratschluss und den Plänen der Feinde Israels. In 32, 7 f. wird von den Plänen der Schurken und der Edlen gesprochen. Es ist aber bezeichnend, dass an diesen Stellen nicht von den widergöttlichen Plänen des Gottesvolkes selber gesprochen wird.

Die Begriffe maʿaśā und poʿal, ʿeṣā und jāʿaṣ geben dem Verständnis des Wirkens Jahwes im Raum der Geschichte eine besondere Note. Dass Jahwe in die Geschichte eingreift, das hat Israel immer gewusst. Hier aber wird klar, dass sich nach Jesaja Jahwe nicht bloss in kritischen Phasen im Leben seines Volkes in eine an sich durch irgendwelche überweltlichen oder irdischen Mächte geleitete Geschichte zugunsten seines Volkes einschaltet, sondern dass er die Geschichte überhaupt und vollständig mit seiner erhobenen Hand dirigiert. Es ist bezeichnend, dass von maʿaśā, poʿal und ʿeṣā immer nur im Singular die Rede ist [1]; es geht nicht um einzelne Werke, die Jahwe in der Geschichte tut, sondern um das *eine* Walten Gottes, das sie durchgehend bestimmt. So darf man den Satz wagen: *Die Geschichte ist das Werk des einen Jahwe der Heere, der auf dem Zion thront und sie vollzieht sich nach dem Plan* [2], *der von ihm beschlossen ist.*

II

Wie ist es zu dieser Konzeption gekommen? Liegt hier eigenste Erkenntnis Jesajas vor? [3] Beim heutigen Stand der Propheten-

[1] Dass das nicht selbstverständlich ist, zeigt die weit spätere Stelle 25, 1: עשית פלא עצות oder 29, 15, wo Jesaja selbst von den Werken der Gottesverächter spricht.

[2] Die Übersetzung von יעץ und עצה macht gewisse Schwierigkeiten. Das Verbum heisst „raten", aber auch „einen Ratschluss fassen", „planen", vgl. dazu P. A. H. DE BOER, The Counsellor, in „Wisdom in Israel and in the Ancient Near East", *SVT* 3, 1955, S. 42-71, bes. S. 56, wo er von der Identität von Rat und Handlung spricht (was allerdings daran hängt, dass das Subjekt des „Ratens' oder „Planens" in der Regel eine Autoritätsperson ist, die darauf dringen wird, ihren Willen durchzusetzen). Das Substantiv עצה heisst zunächst Ratschluss. Mit Recht betont DE BOER (*l.c.*), dass damit eine machtvolle, die Zukunft bestimmende Entscheidung gemeint ist, die man geradezu als synonym für „Orakel", das Wort eines Priesters oder Propheten, ansehen könne. Einerseits empfiehlt es sich, bei der Übersetzung „Ratschluss" für alle Stellen zu bleiben, weil die Übersetzung mit „Plan" dem Missverständnis rufen kann, als sei die Zukunft für alle Zeiten deterministisch festgelegt (s. dazu unten), andererseits lässt sich doch die Wiedergabe mit „Plan" kaum umgehen, da die עצה eine umfassende Entscheidung Jahwes meint. Jahwe ist ja doch der, welcher sein Werk von fernher (מרחוק) gebildet hat, 22, 11. „Hier wurde nichts improvisiert . . . Dieses Werk Jahwes füllt . . . den ganzen weltgeschichtlichen Raum aus, soweit er damals überhaupt überschaubar war; und wie mit ihm die grossen Weltreiche in Kollision geraten, die sich selbstbewusst in demselben geschichtlichen Raum breitmachen, das ist eines der ungeheuren Themen, zu dem Jesaja immer wieder zurückgekehrt ist" (G. VON RAD, *Theologie des Alten Testaments* II, 1960, S. 173). Vgl. auch 37, 26.

[3] So G. VON RAD, *o.c.* (cf. obige Anm.) S. 172: Die Vorstellung von einem Werk Jahwes scheine „wirklich eine freie Prägung Jesajas zu sein". Zu dieser Auskunft dürfte doch erst gegriffen werden, wenn die Versuche der Ableitung aus einem Traditionskreis scheitern müssten.

forschung ist zu fragen, ob sie nicht von den Überlieferungsbereichen her, in denen Jesaja verwurzelt war, zu verstehen ist. Man möchte vermuten, dass hinter Jesajas Herrn der Geschichte der „Gott der Väter", der seinen Stamm von Ort zu Ort begleitet und ihn einem bestimmten Ziel zuführt, steht. Aber es gehört zu den Rätseln der israelitischen Religionsgeschichte, dass der „Gott der Väter" von den Propheten mit Stillschweigen übergangen wird [1]). Noch auffallender aber ist auf den ersten Blick, dass Jesaja im Gegensatz zu seinen Zeitgenossen Amos, Hosea und Micha die Auszugstradition, wie sie im sog. „kleinen geschichtlichen Credo" ihren Niederschlag gefunden hat, nicht kennt [2]) oder nicht kennen will, indem für ihn an die Stelle der Heilsgeschichte die spezifisch jerusalemischen Erwählungstraditionen getreten sind.

Nun verraten uns aber jene Abschnitte, in denen von Jahwes Eingreifen in die Geschichte gesprochen wird, selbst, wo Jesaja letztlich gründet. Einen ersten Hinweis gibt der Gottesname „Jahwe der Heere", der zwar ganz allgemein für Jesaja bezeichnend ist, aber gerade an diesen Stellen mit Vorliebe verwendet wird [3]). Es ist hier nicht der Ort, auf die Problematik dieses Jahweepithetons einzu-

---

[1]) Die Rolle des „Vätergottes" als Komponente des israelitischen Gottesglaubens wird heute zweifellos überschätzt. Im ganzen Prophetismus sind kaum Nachwirkungen des Vätergottglaubens nachzuweisen. Die singuläre Bezeichnung אביר ישראל in Jes. 1, 24 ändert an dieser Feststellung nichts, obwohl sie gewiss mit dem Vätergottnamen אביר יעקב sachlich identisch ist, ebensowenig dass sich auch die Bezeichnung „Gott Jakobs" findet (2, 3). אביר יעקב ist gerade nicht in den Vätertraditionen der Genesis verwurzelt, sondern begegnet ausser im Jakobssegen (Gen. 49, 26) bezeichnenderweise im „Ladepsalm" 132 und an einer deuterojesajanischen (49, 26) und einer tritojesajanischen Stelle (60, 16), wo sie zum Wortfeld der Ziontradition gehört (die auch in Ps. 132 hineinspielt). Da vom „Gott Jakobs" auch und gerade in den „letzten Worten Davids" (2. Sam. 23, 1) und in den Zionpsalmen 46 (V. 8, 12) 76 (V. 7) und 84 (V. 9) geprochen wird, beweist, dass diese Bezeichnung in Jerusalem wohl zuhause gewesen sein muss. Sie mag mit der Überführung der Lade dorthin gekommen und dort bewußt gepflegt worden sein, um den Anspruch Jerusalems zu unterstreichen, Zentrum der Amphiktyonie zu sein, ohne dass darum spezifische Jakobtraditonen rezipiert worden wären.

[2]) 10, 26 scheint allerdings die Auszugsüberlieferung zu kennen (vgl. auch V. 24). Wahrscheinlich stammt aber der Abschnitt 10, 24-27 nicht von Jesaja (so, um nur die neuesten Auslegungen zu nennen: Fohrer, Kaiser und Eichrodt). Falls er doch für Jesaja zu halten wäre, dürfte die Erwähnung Ägyptens als Glosse zu betrachten sein.

[3]) Von den oben erwähnten Stellen, die von Jahwes künftigem Geschichtshandeln künden, sprechen 13 einfach von Jahwe, 7 aber von Jahwe Zebaoth (worunter eine mit dem Zusatz אביר ישראל), einmal lesen wir אדני יהוה, 7 Mal „ich", 5 Mal „er", 1 Mal „du".

gehen [1]). Hingegen ist es notwendig, seine überlieferungsgeschichtliche Herkunft zu bedenken. Der Name fehlt bis zu den Samuelbüchern und erscheint dort erst im Zusammenhang der aus Silo stammenden Ladetradition. Wurzelt also das Geschichtsdenken Jesajas in der Ladetradition und — so möchte man vermuten —, in den mit dieser verbundenen Überlieferungen vom heiligen Krieg? Den Beweis dafür müsste eine Untersuchung der Stellen, wo Jesaja vom kommenden Eingreifen Jahwes spricht, liefern.

Fragt man nach den Anspielungen auf die Vergangenheit, die in Jesajas Geschichtsweissagungen auftauchen, so stösst man tatsächlich auf Traditionen vom heiligen Krieg:

28, 21 „Wie am Berg *Perazim* wird Jahwe sich erheben,
Wie im Tal von *Gibeon* wird er wettern".

Das erste Beispiel spielt auf den Kampf Davids gegen die Philister bei Baal Perazim [2]) an — der Bericht darüber in 2. Sa. 5, 19 f. ist eindeutig nach der Begrifflichkeit des heiligen Kriegs gestaltet [3]). Andererseits gehört die Ankündigung von Jahwes Sicherheben zur Ladetradition [4]). Der zweite Bezug von Jes. 28, 21 ist die in Jos. 10 geschilderte Schlacht bei Gibeon. Dass auch sie nach dem Muster

---

[1]) Die religionsgeschichtliche Herkunft und die genaue sprachliche Erklärung des Epithetons ist immer noch strittig. Einigkeit herrscht aber darüber, dass mit ihm die überlegene Mächtigkeit Jahwes bezeichnet werden soll. Insofern möchte man der Deutung, die O. Eissfeldt gegeben hat (Jahwe Zebaoth, *Misc. acad. Berol.* II 12 1950, S. 128 ff.), wonach צבאות eine Abstraktbildung von der Bedeutung „Mächtigkeit" wäre und syntaktisch als Attribut zu Jahwe verstanden werden müsste, gerne zustimmen. (Anders V. Maag, Jahwäs Heerscharen, *Schw. Th. Umschau* 1950, S. 75-100). Der Sinn des Namens hängt aber nicht an seiner religionsgeschichtlichen Herkunft oder philologischen Deutung. Dass „Jahwe Zebaoth" jedenfalls später als „Gott der Kriegsscharen Israels" verstanden wurde, beweist 1. Sam. 17, 45 („Jahwe der Heere, der Gott der Schlachtreihen Israels").

[2]) Die Örtlichkeit Baal Perazim muss mit dem „Berg Perazim" von Jes. 28, 21 identisch sein.

[3]) Zum Vokabular des heiligen Krieges vgl. G. von Rad, *Der heilige Krieg im alten Israel*, 1951 S. 6 ff. Bezeichnend für das Vorliegen der Tradition in 2. Sam. 5, 19 f. ist die Orakelbefragung, die Aufforderung „hinaufzusteigen" עלה (vgl. Jos. 10, 7, 9 Ri. 6, 35 u.ö.), dann die Zusage: „Ich will die Philister sicherlich in deine Hand geben", aber auch die weitere Feststellung, dass David nach Baal-Perazim gezogen sei (בוא) und die Philister dort geschlagen habe (הכה). Selbst die Deutung des Namens פרצים: „Jahwe hat meine Feinde vor mir her durchbrochen wie bei einem (Damm)bruch, von Wassern (verursacht)", erinnert an die in der Ideologie des heiligen Krieges beheimateten Schilderungen vom Eingreifen Jahwes durch mächtige Wasserfluten (Ri. 5, 4, 19, 21 Jos. 10, 10 f. 1. Sam. 7, 10 vgl. gerade bei Jes.: 8, 7 ff. 28, 2 28, 15 ff.).

[4]) Vgl. Nu. 10, 35 Ps. 132, 8, auch Jes. 2, 19, 21 31, 2.

eines heiligen Krieges dargestellt ist, liegt ebenso auf der Hand [1].

Eine weitere Anspielung auf eine Episode der Vergangenheit Israels, die dem Propheten als Leitbild für Jahwes Geschichtshandeln in Gegenwart und Zukunft gedient hat, findet sich in 9, 3:

„Das Joch, das auf ihm lastet und das Zugholz [2]) auf seiner Schulter
Den Stock seines Fronvogts zerbrichst du wie am *Midianstag*".

Auch hier handelt es sich keineswegs um eine zufällige historische Reminiszenz sondern um eine bezeichnende Anknüpfung an eine bekannte Überlieferung vom heiligen Krieg, wie die Motive des Teilens der Beute (V. 2) und des Verbrennens des Banngutes (V. 4) bestätigen [3].

Diese wenigen, aber unzweideutigen und konkreten Hinweise auf alte Traditionen genügen zur Erhärtung der These, dass Jesaja mit der Welt des heiligen Krieges vertraut war und sich das Eingreifen Jahwes in die künftige Geschichte Israels in Analogie zu dem, was die ihr zugehörenden Erzählungen berichteten, gedacht hat. Die Bedeutung dieses Überlieferungsbereiches für Jesaja ist grösser, als man bis anhin angenommen hat. Der Beweis dafür lässt sich ohne Mühe ausweiten, wenn man diejenigen Stellen, die vom Eingreifen Jahwes sprechen, auf ihre Verwandtschaft mit Vorstellungen des heiligen Krieges prüft. Ich muss mich auf ein Beispiel beschränken, 29, 5bβ, 6:

---

[1]) S. V. 8: „Fürchte dich nicht vor ihnen, denn ich gebe sie in deine Hand" vgl. auch V. 19. Dann המם und הכה מכה גדולה in V. 10 und 28 (vgl. Ri. 11, 33 und 15, 8 u.a.) und vor allem das Eingreifen Jahwes durch ein Gewitter, V. 11.

[2]) Lies מוטת für מטה.

[3]) Die Ordnung des heiligen Krieges verlangt die Vollstreckung des Banns am feindlichen Eigentum, vgl. Jos. 6, 24; Achan lädt schwerste Schuld auf die Volksgemeinde, weil er unter anderm einen Mantel, der dem Bann unterlag, auf die Seite schaffte (Jos. 7, 25, vgl. ferner Jos. 8, 2, 27 11, 14 Ri. 8, 24 f.). Natürlich gehört aber auch das Teilen der Beute zu den Motiven des heiligen Krieges (Jos. 22, 8: חָלַק שלל Ri. 5, 30: חִלֵּק שלל, ferner Jos. 8, 2, 27 11, 14 Ri. 8, 24 f.). Falls in 10, 26 wenigstens die Erwähnung des Rabenfelsens eine jesajanische Grundlage haben sollte, verfügten wir über ein weiteres Beispiel für die Verwurzelung Jesajas in der Heilig-Krieg-Tradition (vgl. Ri. 7, 24 f., bezeichnend für das Wortfeld des heiligen Krieges sind ירד לקראת und נצעק). — Ein Problem für sich ist die Erwähnung von Sodom (und Gomorrha) bei Jesaja (1, 7, 9, 10 3, 9 vgl. aber auch Am. 4, 11 Zeph. 2, 9 und Jes. 13, 19). Jesaja kennt die Vätertraditionen nicht, aber die Sodomtradition ist offensichtlich erst relativ spät in die Vätersagen aufgenommen worden und hat noch lange danach eine unabhängige Existenz geführt. Es ist beachtenswert, dass Sodom und Gomorrha auch in Dt. 32 erwähnt werden, dessen Beziehungen zu Jesaja uns noch beschäftigen müssen (vgl. auch Dt. 29, 22).

„Und dann geschieht es plötzlich, im Nu (לפתע פתאם)
Von Jahwe der Heere wirst du heimgesucht (תפקד)
Mit Donner und Dröhnen und lautem Krachen (ברעם וברעש וקול גדול)
Mit Windsbraut und Wetter und Flammen brennenden Feuers (סופה וסערה ולהב אש אוכלה)
7 Und wie ein Traum, wie ein Gesicht in der Nacht, wird sein
Der Schwarm aller Völker (המון כל־הגוים)
Die wider Ariel streiten."

All die genannten hebräischen Vokabeln gehören zum Inventar der Heilig-Krieg-Tradition [1]). Jahwe wird erscheinen nach Art jener Theophanien, in denen er nach den alten Berichten Israel zu Hilfe eilte. Er ist immer noch derselbe in der Geschichte sich hehr und gewaltig manifestierende Gott [2]).

Hat also Jesaja einfach alte Erwartungen wieder belebt [3])? Davon kann keine Rede sein. Einmal: Er hat die Vorstellung stark umgebogen, indem er den angekündeten Umschwung völlig von der Tätigkeit Jahwes erwartet hat. Nie wird davon gesprochen, dass Israel sich zu rüsten und zu versammeln habe. Es ist bezeichnend, dass die Formel „Ich gebe sie in deine Hand", die zum Grundbestand der Schilderung eines heiligen Krieges gehört, fehlt. Jerusalem wird gerettet, seine Feinde werden zurückgeschlagen und vernichtet, die Brandstätte für Assur wird gerüstet und der errichtete Holzstoss wird von einem Schwefelbach gleich dem Odem Jahwes entzündet (30, 33). Rein überlieferungsgeschichtlich betrachtet ist diese Radikalisierung dadurch zustandegekommen, dass bei Jesaja die Vorstellung vom heiligen Krieg weithin mit Elementen der Gottesbergtradition

---

[1]) Zu פתאם s. Jos. 10, 9 11, 7, vgl. Jes. 30, 13; zu פקד, wenn auch in anderm Sinn vgl. Jos. 8, 10; vgl. Jes. 10, 3; zu רעם und קול גדול ist 1. Sam. 7, 10 zu vergleichen: וַיַּרְעֵם יהוה בקול גדול; zu רעש Ri. 5, 4, vgl. Nah. 1, 5; zu סופה sei auf Am. 1, 14 verwiesen: בסער ביום סופה d.h. am Tage, da Jahwe die Freveltaten der Ammoniter ahndet, für סופה und להב אש auch Jes. 66, 15.

[2]) Es sei nur noch an 30, 30 erinnert: „Jahwe lässt seinen hehren Donner hören (הוד־קולו) und das Niederfahren seines Armes sehen mit grimmigem Zorn und der Flamme verzehrenden Feuers, mit Sturm und Wetterguss und Hagelstein". (Zu קול und להב אש אכלה s. oben, zu אבן ברד verweise ich auf אבני הברד in Jos. 10, 11, vgl. auch Jes. 28, 2, 17).

[3]) Wie man sich zur Zeit des Deuteronomium den Zuspruch eines Priesters vor Eröffnung des heiligen Krieges vorstellte, zeigt Dt. 20, 2 ff. Die Berührungen mit Jesaja sind unverkennbar (vgl. vor allem V. 3 mit Jes. 7, 4), die Unterschiede allerdings nicht weniger!

verschmolzen ist [1]): im Anblick der Königsstadt auf dem heiligen Berg erschrecken die Könige mit ihren Scharen und fliehen dahin (Ps. 48, 6 ff., vgl. auch 76, 7 ff.). Theologisch gesehen war die Rezeption der alten Tradition ohne deren Zurechtbiegung unmöglich, weil ja Israel selbst dem Gericht verfallen ist. Es wird alles vermieden, was den Anschein erwecken könnte, als sei Jahwe auf irgendeine Weise seinem Volk verpflichtet; er ist in seinem Walten der souveräne Herr.

So redet denn Jesaja keineswegs bloss vom bevorstehenden, Jerusalem rettenden Auftreten Jahwes, sondern es kann sich das Unerhörte, von der alten Tradition her geradezu Paradoxe ereignen, dass das Erscheinen Jahwes Gericht über Israel bringt:

„Siehe, ein Starker und Gewaltiger des Herrn,
Wie Hagelwetter, wie stechender Sturm,
Wie Wetterguss mächtiger, flutender Wasser;
Der wirft sie zu Boden mit Macht" (28, 2).

Hier ist Ephraim Objekt des göttlichen Zorns. Die Hand Jahwes kann aber auch auf Jerusalem fallen, denn „Vernichtung ist beschlossen", das ist's, was der Prophet vernommen hat [2]). Es muss uns noch beschäftigen, wie es möglich ist, dass Jesajas Denken so stark von der alten Überlieferung geprägt ist und ihr zugleich am entscheidenden Punkt so radikal widersprechen kann.

III

Mit all dem unterscheidet sich Jesaja von seinen Vorgängern nicht wesentlich. Er steht einfach auf Voraussetzungen, die für den israelitischen Prophetismus konstitutiv sind. Sein Besonderes tritt dort in Sicht, wo er die Geschichte mit Hilfe der Begriffe „Werk" und „Ratschluss" Jahwes umschreibt und damit die Einheit und Universalität des Wirkens Jahwes in der Geschichte bezeugt. Sind hier einfach Konsequenzen aus der alten Anschauung von Jahwe als dem

[1]) Während nach der Tradition des heiligen Krieges Jahwe Israel zu Hilfe eilt, gilt die Hilfe (wie auch die Bedrohung) nun Jerusalem, ein Beweis dafür, mit welcher Selbstverständlichkeit Jerusalem sich als Repräsentant Israels verstand, wie innig amphiktyonische und genuin jerusalemische Traditionen schon zu Jesajas Zeit verschmolzen waren.

[2]) S. 28, 22: כלה ונחרצה שמעתי. Man hat allerdings zu fragen, ob Jesaja je wirklich an die vollständige Auslöschung Jerusalems gedacht hat (s. Mi. 2, 12). Natürlich ist es durchaus möglich, dass Jesaja über das Schicksal seiner Stadt zu verschiedenen Zeiten verschieden dachte. Aber trotz 5, 14 scheint es mir nicht wahrscheinlich, dass er nicht doch immer mit einem Weiterbestand der Stadt, da „Jahwe ein Feuer und einen Ofen besitzt" (31, 9), gerechnet hat.

die Geschichte wendenden Kriegshelden gezogen worden? Dagegen spricht, dass jene Begriffe sich in den Überlieferungen vom heiligen Krieg nicht finden [1]). Bevor wir aber von einer Neuschöpfung Jesajas sprechen, tun wir gut daran zu beobachten, in welchen Überlieferungszusammenhängen sonst im Alten Testament von Jahwes מעשה und פֹּעַל (wozu wir noch das Verbum פָּעַל und die sinnverwandten Ableitungen der Wurzel עלל: מעלל und עלילה stellen) gesprochen wird. Schon die Streuung über die einzelnen Bücher des Alten Testaments ist frappant. Im Pentateuch wird gerade 7 Mal von Jahwes Werk gesprochen und zwar ausnahmlos in eindeutig späten Schichten [2]). Es folgen die genannten Stellen bei Jesaja nebst 9 weiteren im übrigen Jesajabuch, je eine im Micha-, Jeremia- und Habakukbuch [3]). In den Psalmen aber sind es 45 Stellen, wozu noch einige wenige im dritten Teil des Kanons kommen [4]). Es gibt also nur zwei Bücher des Alten Testaments, wo in einiger Dichte von Jahwes Werk (oder Werken) gesprochen wird: Jesaja und die Psalmen [5]). Die Begriffe gehören weder zu den alten heilgeschichtlichen Traditionen noch zum allgemeinen Sprachgut der Propheten, sondern zur Kultdichtung, wo ihr Vorkommen weit überwiegt. Die Vermutung drängt sich auf, dass sie Jesaja aus diesem Bereich zugeflossen sind.

In welchem Sinn und in welchen Gattungen wird im Psalter von Jahwes Werk gesprochen? Da sind zuerst die Schöpfungshymnen zu nennen, ich erinnere an Ps. 8, מעשׂי אצבעתיך in V. 4 und מעשׂי ידיך in V. 7 [6]). Die Begriffe erscheinen aber auch in Hymnen anderer Art und

[1]) Im Josuabuch, wo das Schema des heiligen Krieges weitgehend vorherrscht, ist nur *ein* Mal von Jahwes ma‘ᵃśā die Rede (24, 31), in einem Satz der deuteronomischen Redaktion (identisch mit Ri. 2, 7).

[2]) Ex. 34, 10 innerhalb eines späten Zusatzes (cf. M. Noth, Das zweite Buch Mose, *ATD* 5, 1959 ad loc.), Nu. 23, 23 innerhalb einer ebenfalls späten Interpolation im zweiten elohistischen Bileamspruch, Dt. 3, 24 11, 3, 7 32, 4, 27.

[3]) Jes. 10, 12 12, 4 26, 12 41, 4 43, 15 45, 9 45, 11 60, 21 64, 7 Mi. 2, 7 Jer. 51, 10 Hab. 1, 5.

[4]) Ps. 8, 4, 7 9, 12 19, 2 28, 5(bis) 33, 4 44, 2(bis) 46, 9 64, 10(bis) 66, 3 66, 5 68, 29 74, 12 77, 12, 13, 15 78, 7, 11 86, 8 90, 16 92, 5, 6 95, 9 102, 26 103, 7, 22 104, 13 105, 1 106, 13 107, 22, 24 111, 2, 3, 6, 7 118, 17 138, 8 139, 14 143, 5 145, 4 Hi. 14, 15 33, 29 34, 19 36, 24 37, 7 Prov. 16, 4 ,11 Dan. 9, 14.

[5]) Ins Gewicht fallen allerdings auch die Hiobstellen, sie können aber ausgeschieden werden, da keine traditionsgeschichtlichen Beziehungen zwischen Hiob und Jesaja anzunehmen sind.

[6]) Siehe ferner Ps. 19, 2 (מעשה ידיו). Ps. 104, 13 ist textlich unsicher. Auch bei der Erschaffung des einzelnen Menschen macht Jahwe seine Werke wunderbar (Ps. 139, 14).

in hymnischen Stücken anderer Psalmengattungen. In Ps. 74, 12 wird Jahwe gepriesen als König von alters her, der Taten des Heils auf Erden vollbringt, was in den folgenden Versen mit dem Hinweis auf seine Schöpfungswerke interpretiert wird:

13 „Du hast das Meer (ים) aufgestört durch deine Kraft,
Hast zerschmettert die Häupter der Drachen über den Wassern,
14 Du hast zerschlagen Leviathans Köpfe,
Gabst sie zum Frass ‚den Haifischen des Meeres' . . ." [1])

In einer gewissen Häufung begegnen wir den Begriffen in Ps. 77, 12 ff.:

12 „Ich will gedenken der *Werke* Jahs (מעללי יה)
Ja gedenken deiner früheren ‚*Wunder*' (פלאיך) [2])
13 Nachsinnen will ich über *dein Walten* (פעלך)
Deine Werke (עלילותיך) überdenken . . ."
15 Du bist der Gott, *der Wunder tut* (עשׂה פלא),
Machst unter den Völkern deine Macht offenbar." [3]).

Der folgende Vers, 16, redet vom Meerwunder, V. 17 aber ebenso eindeutig von der Überwindung der chaotischen Urfluten [4]).

Diese und ähnliche Stellen scheinen mir den Beweis dafür herzugeben, dass Israel zunächst im Blick auf die Schöpfung von Jahwes Werken und Taten gesprochen hat. Bei Jesaja aber ist mit maʿaśā̆, poʿal [5]) und ʿabodā das Walten Jahwes in der Geschichte gemeint.

---

[1]) Zum Text s. H.-J. Kraus, Kommentar, und *KBL* nach Löw. Kraus setzt den Psalm in die Zeit nach 587, wohl um 520 (s. Kommentar, wo auch über andere Meinungen referiert wird). Gattungsmässig gehört der Psalm zu den Klageliedern des Volkes, V. 12-17 bilden aber ein Zwischenstück hymnischen Charakters, welches das „Vertrauensmotiv" repräsentiert. Wie immer das Alter des Psalms zu bestimmen sei, jedenfalls sind in V. 12 ff. uralte Motive aufgenommen, die Israel ohne Zweifel von Kanaan übernommen hat (cf. Aussagen aus Ugarit, wie Baal I* i, 1). Dass gerade Jahwe als dem *König* die Taten zugeschrieben werden, ist nicht Zufall: In Babylon ist es der Gottkönig Marduk, der den Drachen erschlägt, in Ugarit (Baal III* A 10) gibt Koscher waChasis Baal vor dem Entscheidungskampf die Zusicherung: tqḥ. mlk. ʿlmk. drkt dt dr drk („Du sollst erhalten dein ewiges Königtum, deine Herrschaft für Geschlecht um Geschlecht") s. dazu W. Schmidt, Königtum Gottes in Ugarit und Israel, *BZAW* 80, 1961, S. 43 ff.).

[2]) Lies. פְּלָאֶיךָ (Plur., cf. BHK).

[3]) Ps. 77 ist in seinem ersten Teil (V. 1-11) ein individuelles Klagelied, zeigt aber von V. 12 an ausgesprochen hymnische Züge.

[4]) Ps. 86 ist ebenfalls ein individuelles Klagelied, wieder mit einem hymnischen Teil, V. 8-10, der Jahwes Überlegenheit über alle Götter preist. Von den Schöpfungswerken reden schliesslich Ps. 102, 26 103, 22 105, 1 136, 5-9 und 145, 4.

[5]) P. Humbert, L'emploi du verbe paʿal et de ses dérivés substantifs en hébreu biblique, *ZAW* 65, 1953, S. 35-44 (auch in: *Opuscules d'un hébraïsant*, 1958)

Das heisst: *Er hat das erwartete Geschichtswerk seines Gottes in Analogie zu Jahwes Schöpfungswerk verstanden. Der universale Herr der Schöpfung ist ihm zum universalen Herrn der Geschichte geworden.*

Lässt sich diese These angesichts der Tatsache halten, dass in Texten anderer Art doch auch von Jahwes Werk(en) in der Geschichte gesprochen wird? In den geschichtlichen Büchern werden die Ereignisse der israelitischen Heilsgeschichte (also nicht der Geschichte überhaupt) erst in der Sprache des Deuteronomisten als Jahwes Werke oder Taten bezeichnet. Die betreffenden Stellen sind jünger als Jesaja. Aber auch manche Psalmen reden von den Werken Jahwes, die er in der Geschichte vollbringt. Wir stellten schon fest, dass der Lobpreis Jahwes im Blick auf Schöpfungswerk und Heilsgeschichte völlig in eins zusammenfliessen kann. Es überrascht darum nicht, dass in den eigentlichen „Geschichtspsalmen" ebenfalls von den Taten Jahwes gesprochen wird. So in Ps. 78: Es gelte, die Taten Gottes nicht zu vergessen (V. 7), und es wird gewarnt vor dem Verhalten der Väter, die der Werke Jahwes nicht mehr gedacht hätten (V. 11), wobei die Wunder in Ägypten, die Rettung am Meer, die Führung durch die Wüste und die Verleihung des Landes erwähnt werden [1]). Dass bei Deuterojesaja Schöpfung und Heilsgeschichte der Frühzeit mit dem zukünftigen Heilsgeschehen zusammengesehen werden, ist in letzter Zeit mit Nachdruck betont worden [2]). Schliesslich kann auch in den Klageliedern des Einzelnen

---

kommt zum Schluss, dass das Verb mit seinen Ableitungen fast immer von der Geschichte rede. Es gibt immerhin Ausnahmen, HUMBERT selbst rechnet dazu für das Verb Ps. 74, 12, für das Substantiv מפעל Prov. 8, 22, eine Stelle, die nicht-jahwistischer Herkunft sei. Es ist ein bemerkenswerter Tatbestand, dass kosmische Begriffe der Umwelt von Israel in weiten Umfang vergeschichtlicht worden sind, was aber nichts daran ändert, dass פעל in der Kultsprache zunächst das göttliche Handeln im Kosmos meint, wozu phönizische Namen wie Baʿalpaʿal, Paʿalastoret und Paʿalbast zu vergleichen sind, aber auch **Elpaʿal** in 1. Chr. 8, 11, 12, 18.

[1]) Es sind also die Themen des sog. kleinen geschichtlichen Credos. Vgl. dazu Ps. 95, 9 103, 7 106, 13.

[1]) S. G. VON RAD, Das theologische Problem des alttestamentlichen Schöpfungsglaubens, *Ges. Stud. z. AT*, 1958, S. 136-147; R. RENDTORFF, Die theologische Stellung des Schöpfungsglaubens bei Deuterojesaja, *ZThK* 51, 1954, S. 3-13. VON RAD vertritt die These, dass im Alten Testament die Schöpfung vom Geschichtshandeln her verstanden, im Grund also kein selbständiges Thema sei. Das ist zwar eine Vergröberung des weit komplizierteren alttestamentlichen Befundes, trifft aber als theologisches Urteil auf weite Partien des Alten Testaments zu. Für das *Werden* des israelitischen Jahwismus darf aber die Bedeutung der Integration des Glaubens an den Weltschöpfer nicht unterschätzt werden. Das Geschichtshandeln des Gottes Israels ist zunächst gar nicht universal gesehen, sondern vollzieht sich im engen Bereich der israelitischen Heilsgeschichte. Erst unter dem Einfluss des auf

von den Taten Jahwes gesprochen werden: Der Beter vergegenwärtigt sich in seiner Not das gnädige Walten seines Gottes über seinem Leben, um so Zuversicht zu gewinnen oder sein Vertrauen zu bezeugen [1]).

Es ergibt sich also: In diesen Texten sind im Gegensatz zu Jesaja mit den Werken Jahwes in der Geschichte immer seine grossen Taten in Israels Frühzeit gemeint, oder: es ist das Walten Gottes über dem Individuum ins Auge gefasst. Zudem dürften alle diese Stellen jünger als Jesaja sein. *Die Eigenart des jesajanischen Sprachgebrauches steht also fest.*

Mit allem Vorbehalt, der angesichts der Unsicherheit in der Datierung der Psalmen geboten ist, kann also gesagt werden: Von den Werken Jahwes wurde in Israel zunächst in Psalmen und Psalmteilen gesprochen, die Gott als den Schöpfer preisen. Hier knüpft Jesaja an, wenn er von Jahwes Tun in der Geschichte spricht. Erst später hat Israel auch die Heilsgeschichte als Abfolge von Jahwes *Werken* verstehen gelernt. Etwa gleichzeitig damit scheint es begonnen zu haben, auch vom Walten Jahwes über dem Leben des einzelnen unter Verwendung derselben Begriffe zu sprechen.

Den Vokabeln für „Werk" oder „Tat" steht ʿeṣā, „Ratschluss", „Plan", nahe. Auch hier ist sofort zu registrieren, dass die Vorstellung bei keinem andern Propheten eine ähnliche Bedeutung beanspruchen kann, womit noch einmal die Eigenständigkeit der jesajanischen Geschichtsauffassung unterstrichen wird [2]). Nur noch bei Deutero-

---

den gesamten Kosmos gerichteten Schöpfungsglaubens wird Jahwe der Herr der Geschichte schlechthin.

[1]) Wie von Jahwes Schöpfungswerk nicht nur in den eigentlichen Schöpfungshymnen gesprochen wird, sondern auch in hymnischen Teilen anderer Psalmengattungen, so auch von seinem Geschichtshandeln nicht bloss in eigentlichen „Geschichtshymnen". Als Beispiel für das Klagelied des Einzelnen diene Ps. 64, 9 f.: „Da fürchten sich alle Menschen und verkünden Gottes Tun (פעל) und verstehen sein Walten (מעשהו). Ferner: Ps. 28, 5 90, 16. Im individuellen Danklied können ebenso die Taten Gottes gepriesen werden: Ps. 9, 12 11, 2, 3, 6 92, 5, 6 118, 17 138, 8. Hier ist auch Hi. 33, 29 einzuordnen, was beim Zusammenhang zwischen Hiob und der Gattung der Klagelieder nicht verwunderlich ist. In diesen Liedern des einzelnen ist aber nicht mehr an das Handeln Gottes in der Geschichte gedacht, sondern an die Hilfe, die der Fromme erfahren hat oder, noch häufiger, an das Gericht über die gottlosen Feinde, dessen Zeuge er war. In hymnischen Stücken der Volksklagelieder hingegen kann natürlich von Jahwes Taten an seinem *Volk* gesprochen werden (Ps. 44, 2, vgl. auch 74, 12).

[2]) Vgl. dazu: J. FICHTNER, Jahves Plan in der Botschaft des Jesaja, *ZAW* 63, 1951, S. 16-33. Das Verbum יעץ in dem uns hier interessierenden Sinn: „einen Ratschluss beschliessen", „einen Plan fassen", von Gott gesagt, findet sich nur noch an den beiden exilischen Stellen Jer. 49, 20 und 50, 45, wo mit Abhängigkeit von Jesaja zu rechnen ist. In Ps. 16, 7 und (falls der überlieferte Text gehalten werden kann) in Ps. 32, 8 bedeutet יעץ „beraten".

jesaja spielt der Wortstamm eine gewisse Rolle. Für unsere Untersuchung ist 40, 13 f. interessant:

„Wer hat den Geist Jahwes gelenkt,
Und wer ist sein *Ratgeber* (איש עצתו), dass er ihn unterwiese?
Mit wem hat er *sich beraten* (נועץ), dass er ihn belehrte,
Ihn unterrichtete über den rechten Pfad
Und den Weg der Einsicht ihm wies?"

Die hier verwendeten Begriffen scheinen aus der Welt der Weisheit zu stammen. Demselben Bereich gehört aber auch das Gleichnis in 28, 23-29 an, das zeigt, wie wunderbar Jahwes Ratschluss ist [1]). Es ist längst aufgefallen, dass Jesaja die „chokma" nicht unbekannt gewesen ist [2]). Nun ist aber zu bedenken, dass im Alten Orient die Weisheit eine besondere Gabe des Königs ist. Nach Jesaja selbst ruht auf dem messianischen König der Geist der Weisheit und der Einsicht, des Rates (ʿeṣā) und der Stärke . . . 11, 2, und in der messianischen Titulatur von 9, 5b ist auch der Name פלא יועץ, „der Wunderbares plant" enthalten [3]). Einen Plan zu fassen (יעץ עצה) ist königliches Vorrecht und königliche Pflicht [4]). Ein irdischer König wird sich allerdings, bevor er seinen Entscheid fällt, mit seinen Ratgebern beraten [5]), dasselbe gilt auch von Götterkönigen im himmlischen Rat, Jahwe aber bedarf solcher Hilfe nicht [6]). Dass Jesaja so betont von Jahwes ʿeṣā spricht, dürfte also damit zusammenhängen, dass er Gott den Königstitel gibt (6, 5, wohl auch 8, 21).

Irdische Könige planen allerdings auch. Der Messias aber als Jahwes Repräsentant plant, im Gegensatz zu den Feindesmächten, aber wohl auch im Gegensatz zu den gegenwärtigen glaubensschwachen Davididen „Wunderbares", פלא. Erst recht ist natürlich Jahwes

---

[1]) תושיה neben עצה findet sich auch Prov. 8, 14.

[2]) J. Fichtner, Jesaja unter den Weisen, *ThLZ* 74, 1949, Sp. 75-80; R. Martin-Achard, Sagesse de Dieu et sagesse humaine chez Ésaïe, in: *Hommage à W. Vischer*, 1960, S. 137-144. Wie eng die Berührung Jesajas mit der Weisheit sein kann, zeigt Prov. 19, 21: רבות מחשבות בלב־איש ועצת יהוה היא תקום. Der Spruch kann durchaus in vorexilische Zeit zurückgehen.

[3]) Vgl. zur Übersetzung: H. Wildberger, Die Thronnamen des Messias, Jes. 9, 5b, *ThZ* 16, 1960, S. 314-332, cf. S. 316, s. nun auch o. S. 56-74, cf. 58.

[4]) Jahwe hat über Edom einen Ratschluss beschlossen und Pläne geplant (יעץ עצה und חשב מחשבות) Jer. 49, 20, vgl. auch Jer. 50, 45. Dasselbe kann aber auch von Nebukadnezar gesagt werden, Jer. 49, 30.

[5]) S. 1. Kön. 12, 6, 28 2. Kön. 6, 8.

[6]) Jes. 40, 14. Spuren einer göttlichen Ratsversammlung sind aber durchaus auch im Alten Testament noch zu erkennen, s. dazu: H. W. Robinson, The Council of Yahweh, *JThSt* 45, 1944, S. 151-157, und F. M. Cross, The Council of Yahweh in Second Isaiah, *JNESt* 12, 1953, S. 274-277.

Ratschluss „wunderbar", הפליא עצה sagt 28, 29. Schon hier ist nicht so sehr das Übernatürliche des göttlichen Handelns, als vielmehr das Überraschende, lebendig der jeweiligen Situation Adäquate des göttlichen Handelns gemeint. In 29, 14 ist der Begriff geradezu ins Ironische gewendet: Weil das Herz des Volkes von ihm ferne ist, will Jahwe weiterhin „wunderbar" mit ihm verfahren, „wunderbar und wundersam, sodass die Weisheit der Weisen zuschanden wird und der Verstand der Verständigen sich verbergen muss". Es scheint übrigens, dass auch die Vorstellung, dass Jahwes Plan oder Handeln „wunderbar" sei, zunächst im Lobpreis der Werke des Schöpfers verwendet wurde, dann aber auch in die Bereiche der Heilsgeschichte und der persönlichen Glaubenserfahrung hineingewachsen ist. Während aber in dieser Verwendung פלא das Staunen Erregende und damit zur Ehrfurcht Bewegende meint, bringt das Wort bei Jesaja zum Ausdruck, was, aller Erwartung, auch der der Weisen, widerspricht. Es liegt auf derselben Linie, wenn Jahwes Werk in 28, 21 als fremdartig, sein Tun als seltsam beschrieben wird [1]).

IV

Wenn nun aber in der Geschichte Jahwes Werk sich durchsetzt und zwar nach seinem unverbrüchlichen Plan, ist dann das Geschehen nicht deterministisch festgelegt [2])? Das Problem des menschlichen Anteils an der Geschichte und der Verantwortung der Völker und ihrer Führer für sie ist damit mit Schärfe gestellt. Wir gehen aus von 7, 2-9. Aram hat Böses wider Juda beschlossen. Aber was es im Schilde führt, läuft der göttlichen ʿeṣā zuwider: „Es kommt nicht zustande es geschieht nicht" (V. 7). Der Ablauf der Geschichte scheint absolut festgelegt zu sein, umsomehr als Jahwes ʿeṣā kein

---

[1]) Es scheint, dass auch der Begriff פלא zunächst im Blick auf das Werk oder die Werke der Schöpfung und das Walten der Gottheit in der Natur verwendet wurde (s. Ps. 77, 12 Ps. 139, 13 f.) und dann ähnlich wie מעשה in die Bereiche der Heilsgeschichte (Ex. 15. 11 Ps. 77, 15 Ps. 78, 12) und der persönlichen Glaubenserfahrung hineingewachsen ist (Ps. 9, 2 ff., 17, 7 31, 22).

[2]) Solange Jahwe als Gott Israels und nur als solcher bekannt wurde, standen andere Völker unter anderen Göttern (vgl. noch Jes. 36, 7 und 18-20). Der Kampf eines Volkes war demnach auch Machterweis (oder Schwächezeichen) seines Gottes oder seiner Götter. Die Propheten fassen aber auch eine durch einen Feind verursachte *Niederlage* Israels als Machterweis Jahwes (der „sich erhöht durchs Gericht", Jes. 5, 16) auf. Feinde Israels können Jahwes Werkzeuge sein, bekommen ihren Platz in der göttlichen Heilsökonomie. Bei Jesaja werden sie auf Grund seines Geschichtsverständnisses nun aber völlig dem Geschichtswalten Jahwes unterstellt, wie etwa Hosea dafür kämpfte, dass der Bereich der Natur Jahwe untergeordnet werde.

göttlicher Willkürakt ist, sondern die Erwählung des Zion und des Davidshauses bejaht [1]).

Aber nun schliesst der Abschnitt scheinbar gegen alle Logik: „Glaubt ihr nicht, so bleibt ihr nicht". Dieser Tatbestand macht den Exegeten, sofern sie das Problem überhaupt gesehen haben, offensichtlich Mühe. Immerhin, sie sind sich im ganzen darüber einig, dass die Ankündigung des Scheiterns des feindlichen Planes durch den abschliessenden Satz nicht in Frage gestellt ist, wohl aber der Weiterbestand des Hauses Davids an den Glauben gebunden wird [2]). Das heisst aber: der göttliche Plan besteht nicht in einem starren Programm. ʿEṣā heisst zunächst Ratschluss und ist auf eine bestimmte einmalige Situation bezogen. Wenn Jesaja die Erfolglosigkeit des jetzigen Angreifers ankündet, heisst das nicht, dass das königliche Haus für jede Situation gesichert sei. Die „Nathanverheissung" wird unter die conditio des Glaubens gestellt. Fasst Jahwe seinen Plan, so tut er das in absoluter Freiheit, zwar so, dass seine Erwählungszusage durchaus nicht übersehen wird, aber zugleich so, dass die Haltung des Menschen vor Gott nicht unberücksichtigt bleibt. Verheissung und Glaube zusammen sind die beiden Elemente, die Jahwe in seinem Entschluss bestimmen. Dann ist aber a limine kein gradliniges, in sich geschlossenes Geschichtsbild zu erwarten. Es war der grosse Fehler der Jesajaforschung, auf literarkritischem Wege die sogenannten Widersprüche in der Geschichtsschau des Propheten eliminieren zu wollen [3]). Das Jesajabuch selbst warnt davor,

---

[1]) In 7, 4 klingen zweifellos Formulierungen der Tradition des heiligen Krieges an. Das schliesst aber nicht aus, dass in V. 8 f. die Zion- und die Davidtradition anklingen; bei Jesaja werden die verschiedenen Überlieferungen oft zusammengesehen. Die Verse meinen: Was die Gegner planen, kann nicht zustande kommen, weil Damaskus eben nur Damaskus und Samarien nur Samarien ist — Jerusalem aber die Stadt des Heiligtums, der irdische Thronsitz Gottes. Und auf dem irdischen Thron zu Jerusalem sitzt nicht bloss ein Usurpator, wie der Remaljasohn in Samarien, sondern der Spross Davids, Jahwes Repräsentant, der sich auf die Verheissung stützen kann, dass sein Haus und Königtum vor Jahwe immer Bestand haben wird (2. Sam. 7, 16).

[2]) DE LAGARDE hat das Problem verzeichnet, wenn er formuliert: „Was soll man für Vernunft darin finden, wenn einem Ungläubigen gesagt wird: Falls du nicht glaubst, gehst du unter, und der so Predigende ersichtlich der Überzeugung ist, dass der Angeredete, auch wenn er nicht glaubt, doch nicht untergeht?" (Zitiert nach B. DUHM, Komm. zu Stelle). Aber er hat doch klar die Frage gesehen, wie es möglich ist, dass der Prophet einerseits auf der festen Grund der Verheissung verweist, andererseits aber die Gültigkeit der Verheissung für den Unglauben verwirft. Im übrigen vgl. die Ausführungen zur Stelle bei O. KAISER, *l.c.*, z. St..

[3]) Natürlich heisst das nicht, dass die Notwendigkeit strenger literarkritischer

die im Geschichtshandeln Gottes sich manifestierende Weisheit nachzurechnen, Jahwe verfährt „wunderbar und wundersam, dass dass darob die Weisheit der Weisen zunichte wird" [1]). Das Gleichnis vom weisen Ackerbauern ist für das Verständnis der Prophetie Jesajas von grundsätzlicher Bedeutung: Jahwe tut je das Angemessene zu seiner Zeit [2]).

Ich weise auf ein paar Beispiele hin: Das Urteil über Assur schwankt bei Jesaja, aber Jesaja ist sich dessen selbst voll bewusst. Die Grossmacht aus dem Zweistromland hat ihre Funktion in Jahwes Plan gegenüber dem ruchlosen Volk, das er ihm preisgibt (10, 5). Aber wie die Verheissung über dem Davidshaus sozusagen erst durch den Glauben validiert wird, so wird die Assur durch Jahwe zugedachte Rolle einer Zuchtrute für sein Volk durch seinen frevlen Hochmut in Frage gestellt. — In 29, 1-3 spricht der Prophet von der Bedrängung Ariels, „der Stadt, da David lagerte", wie bedeutungsvoll hinzugefügt wird. Nach den neuern Forschungen unterliegt es keinem Zweifel, dass Jesaja den in den Zionspsalmen vertretenen, letztlich auf den Mythos vom Gottesberg zurückgehenden Gedankenkreis um die Gottesstadt, die unantastbar ist, sehr wohl kennt [3]). Aber deren Unverletzlichkeit ist ihm Verheissung, die an den Glauben gebunden ist (28, 16) [4]). So kann er der Stadt des Heiligtums, aller Tempelbergtheorie zum Trotz, schwerste Bedrohung ansagen (29, 1-3), lebt man doch in Jerusalem sorglos in den Tag hinein [5]).

Arbeit am Jesajabuch nicht bestünde. Die besonnene literarkritische Forschung hat übrigens die Gefahr, einen falschen Maßstab anzulegen, selbst weitgehend erkannt, vgl. die immer noch höchst instruktive Auseinandersetzung, die K. Budde mit Fullerton geführt hat (Über die Schranken, die Jesajas prophetischer Botschaft zu setzen sind, *ZAW* 41, 1923, S. 154-203).

[1]) Jes. 29, 14.

[2]) von Rad, (*Theologie des Alten Testaments* II, 1960, S. 174, Anm. 19) zweifelt daran, ob die Deutung des Gleichnisses auf Jahwes Geschichtshandeln zu Recht bestehe, ja, ob es sich überhaupt um ein Gleichnis handle. Dann müsste ein Stück Weisheitsbelehrung in das Jesajabuch hineingekommen sein, was an sich gewiss nicht unmöglich ist. Da aber nach V. 29 der Sinn der Darlegung die „wunderbare" Art des göttlichen Ratschlusses ist, ein Thema, das für Jesaja von grundlegender Bedeutung ist, besteht kein Anlass, ihm den Abschnitt abzusprechen. Dann aber muss das „Lehrgedicht" gemäss der Thematik der Botschaft Jesajas vom Geschichtshandeln Jahwes sprechen wollen.

[3]) Vgl. G. von Rad, Die Stadt auf dem Berge, *Ges. Stud. zum AT*, 1958, S. 214-224; E. Rohland, *Die Bedeutung der Erwählungstraditionen Israels für die Eschatologie der alttestamentlichen Propheten*, Diss. Heidelb. 1956).

[4]) Nach 14, 32 sind es „die Armen", die auf dem Zion Zuflucht finden. Faktisch sind diese „Armen" mit den „Glaubenden" von 28, 16 identisch.

[5]) So ist doch wohl 29, 1b zu deuten.

Die Hinfälligkeit der der Wohnstätte Jahwes geltenden Verheissung verkündet er damit allerdings nicht. Er hofft, dass es ob der tiefen Demütigung der Stadt [1]) zu einer innern Wandlung ihrer Bewohnerschaft kommt, und dann—plötzlich, im Nu, von Menschen nicht mehr erwartet, zum Einbruch der göttlichen Hilfe.

Mit all dem ist der Satz, dass die Geschichte nach Jahwes Plan abläuft und „Werk seiner Hände" ist, nicht angetastet. Aber was Gottes Ratschluss und sein Tun sein wird, ist mit von der Haltung Israels und der Völker abhängig gemacht. *Der menschlichen Entscheidung ist damit eine unerhörte Bedeutung, dem menschlichen Handeln eine so nie gesehene Verantwortungsschwere zugemessen.* Da sind Heil und Unheil nicht durch magische Kräfte verursacht und darum auch nicht durch magische Riten zu manipulieren. Da ist nicht mit Willkürakten wohlgesinnter oder neidisch-boshafter Gottheiten zu rechnen, die Blüte oder Verfall, Leben oder Tod über ein Königshaus oder eine Nation verhängen. Da ist der Ablauf der irdischen Geschichte auch nicht durch analoge Vorgänge in der himmlischen Welt festgelegt. Da bedeutet der Erwählungsglaube keine Aufhebung menschlicher Inanspruchnahme. Man möchte sagen: *Da ist die Geschichte gesehen als Folge menschlichen Tuns, wobei aber dieser Satz nur gelten kann im dialektischen Gegenüber zum andern, dass die Geschichte Gottes Werk ist.* Gott bleibt Herr der Geschichte. Aber er ist es *in der Begegnung mit dem Menschen*, aus der heraus sich sein Ratschluss formt [2]).

---

[1]) V. 4: „Dann wirst du demütig (שפל) von der Erde her reden und geduckt (שחח) aus dem Staub tönen deine Worte . . ." Der Prophet verwendet hier zur Beschreibung der Demütigung dieselben Ausdrücke, wie in 2, 11, 17 (vgl. ferner 2, 9 5, 15 10, 33). „Es ist nötig, sich selbst als dem Tode verfallen zu erkennen und zu bekennen, indem man mit versagender totengeistähnlicher Stimme redet, weil dies ausdrückt, dass das eigene Leben bereits in den Tod übergeht. Das könnte noch helfen — wirklich ernsthafte Umkehr, Reue und Busse bis in den Staub, äusserste Selbsterniedrigung nach all dem Hochmut!" (FOHRER, Kommentar Z. St.). Also auch hier wieder die Haltung des Glaubens als Voraussetzung der Realisierung göttlicher Verheissung! Die Bedeutung des Glaubens bei Jesaja geht weit über den Gebrauch der Vokabel האמין hinaus. Es ist klar, dass hier auch der Restgedanke bei Jesaja einzuordnen ist (s.u.).

[2]) S. dazu H. GESE *a.a.O.*, ferner K. H. FAHLGREN, *Ṣᵉdākā, nahestehende und entgegengesetzte Begriffe im Alten Testament*, 1932, vgl. vor allem seine Ausführungen über „Synthetische Lebensauffassung" S. 50 ff. und diejenigen über „Segnen und Fluchen" S. 190 ff. Es muss aber gegenüber FAHLGREN (und K. KOCH, Gibt es ein Vergeltungsdogma im Alten Testament?, *ZThK* 52, 1955, S. 1-42) betont werden, dass der Zusammenhang von Tun und Ergehen bei den Propheten nie ein automatischer ist, sondern allein durch den göttlichen Willen festgelegt wird. Es ist übrigens sehr zu beachten, dass Jesaja nicht wie Hosea und Jeremia von der Sünde der Väter spricht, deren Auswirkung die Generation der Gegenwart zu tragen hätte—ebensowenig natürlich auch von den Verdiensten

Das ist nun allerdings eine Anschauung, die sich keineswegs auf Jesaja beschränkt, sondern die zu den Grundlagen des Prophetismus überhaupt gehört. Es drängt sich auch sofort die Vermutung auf, dass diese Seite des prophetischen Geschichtsverständnisses mit der Institution des Bundes zusammenhängt. Gottesbund, das bedeutet doch, dass Gott die Geschichte nicht ohne sein Volk macht, aber auch, dass sich sein Volk vor ihm, dem Herrn seiner Geschichte, verantworten muss [1]). Damit wären wir zu einer weiteren Wurzel des jesajanischen Geschichtsverständnisses vorgedrungen. Aber lässt sich das erweisen? Wie Amos und Micha kennt auch Jesaja den Begriff „Bund" nicht [2]), eine Tatsache, die die Forschung lange irreführte [3]). Aber nun hängt die Sache ja nicht am Wort „berît". Für Amos ist neuerdings gezeigt worden, dass er sich in weitem Umfang auf das apodiktische Recht, wie es an den Bundesfesten Israels gepflegt worden ist, stützt, für Micha, dass die Sinaitradition hinter seiner Botschaft greifbar ist [4]). Aber auch Jesaja kennt die

---

der Väter. Das Israel der Gegenwart steht und fällt mit sich selbst. H. W. Wolff (*a.a.O.*, S. 222) spricht vom Gesprächscharakter der Geschichte: „Geschichte ist für die Prophetie das gezielte Gespräch des Herrn der Zukunft mit Israel".

[1]) „L'alliance est la dimension intime du temps prophétique. Elle est la contribution la plus originale de la pensée hébraïque à l'histoire de l'humanité", A. Neher, *L'essence du prophétisme*, S. 116.

[2]) Wohl aber Hosea, s. 6, 7 8, 1. Selbst W. Eichrodt (*Theologie des Alten Testaments* I, 1957[5], S. 19 f. meint die auffallende Erscheinung notieren zu sollen, dass „durch die klassischen Propheten der Bundesbegriff zunächst durchaus in den Hintergrund rückt", ohne zwischen dem Begriff „berît" und der Sache selbst zu unterscheiden. Die Erklärung, die Eichrodt für das Fehlen des Begriffs gibt, leuchtet nicht ein, nämlich dass es den Propheten auf die persönliche Note im Verhältnis zu Jahwe ankomme und sie mit aller Energie und Leidenschaft auf die Gesinnung der Rechtschaffenheit, der Liebe und der Hingabe drängten und darum den Bundesgedanken mieden, weil dieser zum Pochen auf statutarische Verordnungen führen könnte. Dann hätten doch gerade Hosea und Jeremia nicht vom Bunde sprechen dürfen! Ebensowenig befriedigt die Erklärung von Mendenhall (in seiner Studie: *Law and Covenant in Israel and the Ancient Near East*, 1955 (deutsch: „Recht und Bund in Israel und dem Alten Vordern Orient, *ThSt* 64, 1960, siehe S. 49).

[3]) Dass Amos, Jesaja und Micha nicht vom Bund sprechen, muss vielmehr mit der besonderen judäischen Situation zusammenhängen. Aber es will mit aller Deutlichkeit erkannt sein, dass Bundes*forderungen* und Bundes*drohungen* diesen judäischen Propheten sehr wohl bekannt gewesen sind.

[4]) Vgl. R. Bach, Gottesrecht und weltliches Recht in der Verkündigung des Propheten Amos, Festschr. G. Dehn, 1957, S. 23-34. (Erst nach Abschluss der Arbeit kam mir die Schrift von H. Graf Reventlow, Das Amt des Propheten in Israel, *FRLANT* 80, 1962, in die Hand, die mir in manchen Punkten eine willkommene Bestätigung meiner Sicht ist.) Zu Micha ist zu vergleichen: W. Beyerlin, Die Kulttraditionen Israels in der Verkündigung des Propheten Micha, *FRLANT* 72, 1959.

Bundestradition und zwar nicht nur einzelne Bestimmungen des Gottesrechts. Den Beweis liefert in erster Linie die prophetische Gerichtsrede, wie sie in 1, 2 f. 1, 10-17 1, 18-20 3, 13-15 vorliegt und auch auf 5, 1-7 gewirkt hat. Auf die in letzter Zeit geführte Diskussion über den ursprünglichen „Sitz im Leben" dieser Gattung kann hier nicht eingegangen werden [1]). Was Jesaja anbelangt, sind jedenfalls enge Beziehungen zur Bundestradition festzustellen. Die erste dieser Gerichtsreden, 1, 2 f., beginnt mit dem Aufruf von Himmel und Erde als Zeugen der Notwendigkeit des Gerichts über Israel. Derselbe Aufruf findet sich aber auch in Ps. 50 (V. 4, vgl. V. 6) — und Ps. 50 gehört zum Traditionskreis um das Bundesfest [2]). Auch wenn der Psalm in seiner jetzigen Form tatsächlich jünger als der vorexilische Prophetismus sein sollte, sind die in ihm greifbaren Elemente der Bundesüberlieferung doch bereits vorausgesetzt. Vom Bundesfest her ist auch das Moselied, Dt. 32, zu verstehen [3]). Auch

---

[1]) Die Diskussion ist inauguriert worden durch E. Würthweins Artikel „Der Ursprung der prophetischen Gerichtsrede", *ZThK* 49, 1952, S. 1-16. Er hat Widerspruch gefunden bei F. Hesse: „Wurzelt die prophetische Gerichtsrede im israelitischen Kult?", *ZAW* 65, 1953, S. 45-53. Cf. auch B. Gemser, The rîb- or controversy-pattern in Hebrew mentality, in: Wisdom in Israel and in the Ancient Near East, *SVT* 3, 1955, und: H. J. Boecker, *Redeformen des israelitischen Rechtslebens*, Diss. Bonn, 1959. Würthweins These ist dadurch belastet, dass er mit dem Problem der prophetischen Gerichtsrede die Frage des Kultprophetentums verknüpft hat. Über das Bundeserneuerungsfest wissen wir aber zu wenig, um uns hier ein Urteil erlauben zu können. Wollte man schon die These wagen, dass dabei „Propheten" mitgewirkt haben, müsste man diese Art Kultprophetismus vom üblichen scharf trennen. Vorsichtiger ist in dieser Hinsicht H.-J. Kraus, Die prophetische Verkündigung des Rechts in Israel, *ThSt* 51, 1957; er hat die These vom „Rechtmittler" („Richter Israels") aufgenommen und glaubt ein prophetisches Amt in Israel annehmen zu dürfen, das aber „freilich von allen allgemeinen Hypothesen über alttestamentliche „Kultprophetie" in seiner besonderen, dem apodiktischen Rechtstypus verbundenen Funktion streng zu scheiden ist" (S. 17 f.). Die grosse Prophetie Israels aktualisiere „in freier charismatischer Rezeption und Fortbildung . . . die Rechtsüberlieferungen des altisraelitischen Bundeskultes" (S. 30). In dieser Weise dürfte in der Tat der Zusammenhang Jesajas mit der Bundestradition zu umschreiben sein. [Korrekturzusatz: Zum Problem der kultischen Verwurzelung der prophetischen Gerichtsrede siehe nun auch: E. von Waldow, Der traditionsgeschichtliche Hintergrund der prophetischen Gerichtsreden, *BZAW* 85, 1963.]

[2]) S. dazu H.-J. Kraus, *Psalmen* I, 1960, S. 372 ff. H. Gunkel urteilt noch (Kommen. z.St.), der Psalm bewege sich in Nachahmungen prophetischer Denk- und Redeweise.

[3]) Zur Datierung von Dt. 32 hat sich neuerdings O. Eissfeldt in einer eingehenden Untersuchung geäussert (Das Lied Moses Deuteronomium 32, 1-43 und das Lehrgedicht Asaphs, Ps. 78, *Ber. Sächs. Ak. Wissensch., Ph.-h. Kl.*, Bd. 104, H. 5, 1958), s. die dortige Diskussion ähnlicher und abweichender Auffassungen. Eher dürfte allerdings der neuesten Abhandlung zu diesem Lied zu

es beginnt mit der Anrufung Himmels und der Erde als Zeugen und zwar in enger Berührung mit dem Wortlaut der Jesajastelle. Wir haben heute den strikten Beweis dafür in der Hand, dass die Appellation an Himmel und Erde zur Bundesthematik gehört. Bei internationalen Abkommen, wie wir sie aus dem syrischen und hethitischen Bereich kennen, treten Gottheiten als Zeugen auf, unter ihnen Himmel und Erde. In Israel fällt das Pantheon weg, Himmel und Erde als Zeugen des Bundes und Garanten des in ihm für den Fall des Bundesbruches angedrohten Unheils können bleiben, wobei sie natürlich nicht mehr als deifizierte Naturmächte aufzufassen sind [1]).

Aber es handelt sich keineswegs bloss um diese formale Parallele zwischen jesajanischer Gerichtsrede und Bundesfesttradition, sondern die Anklagen und Drohungen berühren sich auch stark dem Inhalt nach. Bei Jes. klagt Gott, dass die Kinder, die er grossgezogen, von ihm abgefallen sind. In Dt. 32 stossen wir auf dasselbe Thema:

5 „Gebrochen haben ihm die Treue *seine Kinder*,
ein verkehrtes und verdrehtes Geschlecht.

6 Dankt ihr Jahwe also, du törichtes und unweises Volk?
Ist er nicht *dein Vater*, der *dich erschaffen* [2]), nicht er es, der dich gemacht und bereitet?"

Die Polemik gegen das Opfer in der zweiten Gerichtsrede hat ein Parallele im „Bundesfestpsalm" 50 [3]), der Schlussatz jenes Ab-

---

folgen sein: G. E. Wright, The Lawsuit of God: A Form-Critical Study of Deuteronomy 32, in: Israel's Prophetic Heritage, Festschr. J. Muilenburg, 1962, S. 26-67), der an das Ende des 9. Jahrhunderts denkt. Vgl. ferner zu Dt. 32: P. W. Skekhan, The Structure of the Song of Moses in Deuteronomy, *CBQ* 13, 1951, S. 151-163, und W. F. Albright, Some Remarks on the Song of Moses in Deuteronomy XXXII, *VT* 9, 1959, S. 339-346.

[1]) Die Diskussion ist ausgelöst worden durch G. E. Mendenhall, a.a.O. Vgl. ausser Wright (s. vorangeh. Anm.) auch H. B. Huffmon, The Covenant Lawsuit in the Prophets, *JBL* 78, 1959, S. 285-295. Zu den Götterlisten in altorientalischen Verträgen s.u.a. Stele AI von Sfire (in A. Dupont-Sommer, *Les inscriptions araméennes de Sfire*, Paris 1958, S. 17), Beispiele aus dem hethitischen Bereich bei V. Korošec, *Hethitische Staatsverträge*, 1931.

[2]) Vgl. V. 18, wo von Jahwe als dem „Fels, der dich gezeugt" gesprochen wird. Es ist beachtenswert, dass in Jes. 1, 12 die Septuaginta für בנים גדלתי υἱοὺς ἐγέννησα liest; sollte sie damit den ursprünglichen Text bewahrt haben, der später aus theologischen Gründen abgeschwächt worden wäre?

[3]) Der Widerstand gegen die Israel von Haus aus fremde Opferreligion gehört zweifellos zu den konstituierenden Elementen der Amphiktyonie (vgl. Am. 5, 21-25 1. Sam. 15, 22). Es ist aber nicht zu übersehen, dass der Widerspruch gegen die Opferreligion bei Jesaja (wie bei Amos) viel schärfer als im Psalm ist.

schnittes (1, 17): „Helft der Waise zum Recht, führt gerecht der Witwe Prozess" gehört zu den grundsätzlichen Forderungen des amphiktyonischen Rechts [1]).

Es sei nur noch auf den Schluss der dritten Gerichtsrede eingegangen: [2])

19 „Wenn ihr *willig seid* und *gehorcht*,
Sollt ihr des Landes *gute Gaben* (טוב הארץ) essen,
20 Doch wenn ihr euch weigert und widerstrebt,
Sollt ihr gefressen werden vom *Schwert*."

Von טוב, den guten Gaben des Landes, wird innerhalb der Segensverheissung bzw. Fluchandrohung der Bundestradition gesprochen [3]). Auch die Verbindung der beiden Verben „willig sein" und „gehorchen" [4]) ist dort **zu Hause,** und erst recht die Drohung mit dem „Schwert" [5]).

Das heisst aber, dass Jesaja die Zukunft des Volkes unter Segen oder Fluch, Leben oder Tod gestellt sieht, wenn er auch diese Begriffe nicht verwendet. In seinen häufigen Weherufen kündet er die Verwirklichung des angedrohten Unheils an, wie Übereinstimmungen besonders mit den Fluchandrohungen von Dt. 28 bis in den Wortlaut hinein zeigen [6]).

Damit steht fest, dass Jesaja auf jener zentralen Linie israelitischen Denkens steht, das von der Bundesüberlieferung her bestimmt ist. Und als Vertreter dieser Welt hat er, indem er Israel an den Bundesforderungen misst, genau wie die andern Propheten zunächst einfach Unheil anzukünden. Erst von daher wird es ganz durchsichtig, wie es zum jesajanischen Geschichtsverständnis gekommen ist. Weil er

---

Zur Aufforderung „waschet, reinigt euch" sei an Ex. 19, 10, 14 erinnert — wobei es auf den Hand liegt, dass bei Jesaja die alten kultischen Vorschriften völlig neu interpretiert sind.

[1]) Vgl. Ex. 22, 21 Dt. 10, 18 24, 17. Man hat neuerdings auf die ugaritischen Parallelen aufmerksam gemacht. In Aqht I i, 20 ff. und Aqht II v, 4 ff. wird erzählt, dass sich Dn'il dem Tor gegenüber auf der Dreschtenne niederlässt, „zu richten der Witwe Sache, der Waise zum Recht zu verhelfen" (jdn dn almnt jṯpṭ ṯpṭ jtm). Die Parallele ist frappant (s. dazu E. Hammershaimb, On the Ethics of the Old Testament Prophets, *SVT* 7, 1960, 75-101), aber sie beweist nur, dass auch das Gottesrecht des Alten Testaments schon früh in lebendigem Austausch mit seiner Umwelt stand.

[2]) Zu נוכחה in V. 18 vgl. die Wurzel יכח im „Bundesfestpsalm" 50 (V. 8 und 21).

[3]) Dt. 28, 47 6, 11.

[4]) אבה und שמע in Lev. 26, 21, vgl. auch Jes. 28, 12 30, 9 Ez. 3, 7 20, 8.

[5]) Lev. 26 und Dt. 28 öfters.

[6]) Zu Jes. 5, 9b vgl.: Dt. 28, 30 aβ, zu Jes. 5, 10a: Dt. 28, 30b, auch V. 39, zu Jes. 5, 13: Dt. 32, 24 (zu „Hunger" und „Durst": Dt. 28, 48).

dem Jahwebund verpflichtet ist, kann er die Erwartung eines rettenden Eingreifens Jahwes in die Geschichte seines Volkes nicht unbesehen übernehmen, kann der kommende Tag Jahwes nicht nur ein Tag des Zorns über die Bedränger des Gottesvolkes sein, sondern muss Demütigung und Erniedrigung für Israel selbst bringen. Darum kann auch der Ratschluss Jahwes nicht nur eine Aktualisierung der Erwählungszusagen an Israel sein, sondern hat solch seltsamen, befremdlichen, geradezu irritierenden Inhalt und ist Jahwes Werk ein so gänzlich unerwartetes, ihm scheinbar völlig fremdes Tun. Darum muss er den Davididen zu bedenken geben: „Glaubt ihr nicht, so bleibt ihr nicht" (7, 9). Darum bedeutet die Verheissung über der Gottesstadt keine Sicherung für die hochmütigen Spötter und wer dort wohnt, muss es sich gefallen lassen, dass an ihn die Normen des Bundes, Recht und Gerechtigkeit, angelegt werden [1]. Und da Jahwe auch die Völker in seinen Plan einbezieht, kann es nicht ausbleiben, dass auch sie daran gemessen werden, ob sie innerhalb der Grenzen des ihnen gesetzten Auftrags geblieben sind [2].

V

Aber nun ist ebenso zu betonen, was bereits festzustellen war: Die Formel „Geschichte als Folge menschlichen Tuns" kann nur dialektisch verstanden werden. Schon bei Amos versagt letzlich das Bemühen, seine Botschaft unter dem Aspekt Bruch der Bundesordnung — Gericht zu fassen. Es bleibt dabei, dass Jahwe der Heere „in Zion ein Feuer und zu Jerusalem einen Ofen hat" (31, 9). *Die Spannung zwischen der Geschichte als Ort der Verwirklichung der in der Erwählung Israels begründeten göttlichen Verheissung und der Geschichte als Ort, da Israel und letzlich der Mensch vor Gott seine Taten zu verantworten hat, muss unbedingt durchgehalten werden.* Sie ist bei jedem Propheten zu spüren, aber bei Jesaja ist sie sozusagen in jedem Wort erregend präsent. Erst von ihr her ist zu verstehen, was bei Jesaja als Sinn und Ziel der Geschichte gesehen ist.

Von einem Sinn der Geschichte kann nur gesprochen werden, wo ein Telos, das erreicht werden soll, anvisiert ist. Im Blick auf die jesajanische Botschaft könnte formuliert werden: Ziel der Geschichte ist die Aufrichtung des mit den Verheissungen an Israel/Jerusalem

---

[1] Jes. 28, 14-22. S. dazu J. FICHTNER, Die „Umkehrung" in der prophetischen Botschaft, Eine Studie zu dem Verhältnis von Schuld und Gericht in der Verkündigung Jesajas, *ThLZ* 78, 1953, Sp. 459-466.

[2] Jes. 10, 5-15.

gemeinten idealen Gottesverhältnisses allem Versagen des Volkes, das dem Gericht ruft, zum Trotz. Was das zunächst bedeutet, ist sozusagen programmatisch im grandiosen Gemälde vom kommenden Jahwetag in 2, 10-21 festgelegt, zumal im Refrain:

„Und Jahwe allein soll hoch sein an jenem Tage". Es geht um die Herausstellung der einzigartigen Erhabenheit Jahwes, die als Gegenstück neben sich die Vernichtung allen menschlichen Stolzes haben muss. In 5, 16, wo der Satz noch einmal aufklingt, wird gesagt, wie dieses Ziel erreicht werden soll: Durch das Gericht (משׁפט) und die Selbstheiligung des Heiligen Gottes in der Durchsetzung der Gerechtigkeit (צדקה). Gewiss ist damit zunächst die richtende Gerechtigkeit Gottes gemeint. Aber Jahwes Gerechtigkeit ist von seiner Treue zu seinem Volk nicht zu trennen. Das ist durch 28, 16 ff. gesichert: Jahwe macht das Recht zur Richtschnur, die Gerechtigkeit zur Setzwage, aber das hängt damit zusammen, dass er den kostbaren Eckstein auf dem Zion legt, der die Gemeinde der Glaubenden symbolisiert. Ebenso wird der Thron des künftigen Davididen durch mišpāṭ und ṣ^e^dāqā gestützt sein [1]). Am deutlichsten tritt die sozial-solidarische Seite der göttlichen Gerechtigkeit in 11, 4 f. zutage, wonach der Spross aus dem Isaistumpf den Geringen Recht schaffen (שׁפט) und für die Armen [2]) im Lande nach Billigkeit eintreten wird. Damit ist das Gericht eindeutig Mittel zum Zweck, es dient der Läuterung (1, 25). Ziel ist das Jerusalem der Zukunft, welches, durchaus eine geschichtliche Grösse, das wird, was es seiner Bestimmung nach schon immer war: Rechtsburg, treue Stadt.

Damit sind Durchbruch und Sieg der göttlichen Gerechtigkeit als Sinn und Ziel der Geschichte erkannt. Das entspricht präzis dem Epitheton „*König*", das Jesaja Jahwe der Heere verleiht, denn die Sorge um die Gerechtigkeit ist das vornehmste Anliegen des Königs, des himmlischen [3]) wie des irdischen [4]). Wahrscheinlich spielt bei den jesajanischen Formulierungen aber auch die Ziontradition mit: Ṣ^e^dāqā ist ein spezifisch jerusalemisches Ideal [5]).

---

[1]) V. dazu: H, BRUNNER, Gerechtigkeit als Fundament des Thrones, *VT* 8, 1958, S. 426-428.

[2]) Lies לַעֲנִיֵּי für לְעֲנִיֵּי vgl. Jes. 14, 32.

[3]) Vgl. Ps. 97, 6 96, 13 98, 2, 9 99, 4 und den messianischen Namen יהוה צדקנו bei Jeremia (23, 6).

[4]) Ps. 45, 5, 8 Ps. 72, 1-3 Ps. 89, 15, 17, vgl, auch 1. Kön. 3, 6.

[5]) Vgl. Jes. 1, 21. Ob das mit der Verehrung einer Gottheit Ṣädäq im vorisraelitischen Jerusalem zusammenhängt, muss offen bleiben. Um das Haften der „Gerechtigkeit" gerade an Jerusalem zu verstehen, bedarf es dieser These

Daneben werden nun aber auch sonst Inhalte der Erwählungstraditionen in das Zukunftsbild hineingenommen, freilich nicht unbesehen, nicht ohne neue Akzente und auffallende Überhöhungen. Das trifft z.B. für 2, 2-4 zu, wo aus der Ziontradition das Motiv der Völkerwallfahrt herausgegriffen ist, wobei gerade das Anliegen der Wahrung der göttlichen Gerechtigkeit unter den Völkern ins Zentrum gestellt ist. Ebenso bleibt die Erfüllung der Zusagen an David trotz der an Ahas gerichteten Drohung Ziel der Geschichte. Der Thron Davids kann nicht fallen, sondern ihr Inhaber wird Hort und Garant von Gerechtigkeit und Frieden sein. Und neben der Gerichtsankündigung über Jerusalem steht die Ansage eines Restes, der umkehren wird [1]).

Mit dem Begriff des Restes hat Jesaja — und wieder steht er damit allein da — die Klammer gefunden, die verhindert, dass Gerichtsankündigung und Heilsansage auseinanderbrechen. Viel ist über den Restgedanken gehandelt worden. Die überlieferungsgeschichtliche Betrachtungsweise hilft auch hier zu einem tieferen Verständnis. In 1, 9 lesen wir:

„Hätte nicht Jahwe der Heere
Uns ein paar Entronnene übrig gelassen (הותיר לנו שׂריד כמעט),
So wär's uns wie Sodom gegangen,
Gomorrha wären wir gleich."

Es kann kein Zufall sein, dass der hier verwendete Begriff שׂריד in konzentrierter Weise gerade in jener Erzählung nach dem Muster des heiligen Krieges auftaucht, deren enge Beziehung zu Jesaja uns bereits früher auffiel, der Gibeontradition von Jos. 10 [2]). Auch der Begriff des Restes gehört zunächst zur Terminologie des heiligen Krieges, wo gesagt zu werden pflegt, dass der Feind, ohne dass Entronnene übrig blieben, aufgerieben wurde. So kann Amos vom Rest eines Nachbarvolkes reden (1, 8) [3]). Es läge in der Konsequenz der Applikation der Vorstellungen des heiligen Krieges gegen Israel, dass nun auch von der Verhängung des Bannes über das Gottesvolk,

---

nicht, es genügt dafür die Würde Jerusalems als Wohnsitz des göttlichen Mäläk wie als Kapitale der Davididen. Vgl. zum Problem: N. W. Porteous, Jerusalem-Zion: the Growth of a Symbol, in *Verbannung und Heimkehr*, Festschr. für W. Rudolph, 1961, S. 235-252.

[1]) Zu dieser Übersetzung von שאר ישוב s. L. Köhler, *VT* 3, S. 84 f.

[2]) V. 28-40 (in V. 20 auch מכה wie in Jes. 1, 6). Ferner: Jos. 8, 22 (parallel zu פליט, vgl. פליטה in Jes. 10, 20 und 37, 31, 32), Jos. 11, 8, Dt. 2, 34 3, 3.

[3]) Hier שׂארית ,vgl. auch Jesaja in 10, 16-19: Assur wird bis auf einen kleinen Rest vernichtet.

die Vernichtung selbst des letzten Restes gesprochen werden müsste. Und es mag in der Tat Kreise gegeben haben, die den Untergang Israels befürchteten und auch ankündigten [1]). Amos steht dieser düstern Erwartung nicht fern, wenn er nur gerade noch, unter sein „vielleicht" gestellt, schüchtern zu hoffen wagt, dass die š^{e}'erît Josephs bei radikaler Änderung ihrer Gesinnung Gnade finden werde [2]). Und Jesaja 6 kommt der Ankündigung einer totalen Vernichtigung zum mindesten sehr nahe. Schon Elia mag sich mit solchen Gedanken getragen haben. Jedenfalls wird berichtet, dass ihm zu seiner Ermutigung zugesichert wurde, dass Jahwe bei aller Härte des Gerichts doch siebentausend in Israel übrig lassen werde, „allē, deren Kniee sich vor Baal nicht gebeugt und deren Mund ihn nicht geküsst hat" (1. Kön. 19, 18). Jesaja hat sich, weit entschiedener als Amos, auf diese Linie gestellt. Er ist der Erwählung zu gewiss, als dass er sich mit Amos auf ein „vielleicht" einlassen könnte. Er weiss aber auch zu gut um den totalen Abfall des Gottesvolkes, als dass er auf die Treue eines Restes zählen wollte. Er rechnet mit einem „Rest, der umkehrt" [3]). So bleibt, trotz der prophetischen Neuinterpretation der Tradition vom heiligen Krieg und ihrem Jahwetag, doch Raum für gewisse Hoffnung, weil alle Untreue des Volkes die Tatsache nicht negieren kann, dass Jahwe der Heilige Israels ist.

VI

Eine letzte Frage, mit der sich die Forschung in den letzten Jahren abgequält hat, ohne recht weiter zu kommen, sei wenigstens noch

---

[1]) Lev. 26, 36, 39 Dt. 28, 62 ff.

[2]) Am. 5, 15. In 5, 3 rechnet Amos mit der Dezimierung bis auf einen kleinen Rest (השאיר). Vgl. dazu Jes. 6, 13a.

[3]) Nicht nur durch die bekannte Benennung seines Sohnes, sondern auch in 10, 20-22. Der Rest, der umkehrt, besteht aus denen, die sich in Treue (באמת, dieselbe Wurzel wie האמין) stützen auf Jahwe, den Heiligen Israels. Der Rest, der umkehrt, ist identisch mit der Schar derer, die glauben. Von einem „Rest, der umkehrt" spricht auch Lev., 26, 40 ff. und Dt. 4, 30 ff. Es sind dies aber eindeutig späte Schichten in den betreffenden Traditionskomplexen, die nicht beweisen können, dass Jesaja seinen Restbegriff aus der Bundestradition übernommen hat. Zum Restgedanken im AT ist zu vergleichen: W. E. MÜLLER, *Die Vorstellung vom Rest im Alten Testament*; Sh. H. BLANK, The Current Misinterpretation of Isaiah's She'ar Yashub, *JBL* 67, 1948, S. 211-215 (BLANK ist der Auffassung, dass Schear-Jaschub nach Jes. 17, 6 und 30, 14 zu verstehen sei!); F. DREYFUS, La doctrine du reste d'Israël chez le prophète Isaïe, *RScPhR* 39, 1955, S. 361-386; Artikel λεῖμμα in *ThWBNT* 4.

berührt, diejenige der *Eschatologie* [1]). Ist das Telos der Geschichte, wie Jesaja sie versteht, das Eschaton? Stossen wir beim Durchmustern das jesajanischen Vokabulars auf keine Begriffe, die uns berechtigen, von den „letzten Dingen" zu reden? Amos sagt einmal, das Ende sei gekommen, aber auch er meint nicht das Ende der Zeit, sondern das Ende für Israel [2]). Jesaja sagt auch das nicht und hätte es auch kaum sagen können. Er kennt allerdings wie Amos die Vorstellung vom Jahwetag. Aber schon die Formulierung יום ליהוה, *ein* Tag *für* Jahwe in 2, 12 hätte davor warnen sollen, im Jahwetag den *einen* eschatologischen Gerichtstag am Ende der Zeiten zu sehen. Jahwetag meint von Haus aus „ein Kriegsereignis, das Sicherheben Jahwes gegen seine Feinde, seine Schlacht, seinen Sieg" [3]). Solcher Tage gab es manche und das Kommen Jahwes zur Errettung seines Volkes wurde immer wieder erwartet. Das Neue in der prophetischen Rezeption der Vorstellung besteht nicht darin, dass diese eschatologisiert wurde, sondern dass Jahwes Erscheinen auch Gericht für Israel meinen kann. Der Tag Jahwes ist zwar, wenigstens in Kap. 2, in sehr umfassenden Dimensionen gesehen. Dass er der *eine* Gerichtstag am Ende der Zeiten sei, davon verlautet nichts [4]).

---

[1]) Literatur s. A. JEPSEN in *RGG*³ II Sp. 662; ferner: W. VOLLBORN, *Innerzeitliche oder endzeitliche Gerichtserwartung, Ein Beitrag zu Amos und Jesaja*, Diss. Greifsw. 1938; A. LAUHA, Die Geschichtsauffassung der Propheten Israels, *Theologia Fennica* I, 1939, S. 1-6; Th. C. VRIEZEN, Die Hoffnung im Alten Testament, *ThLZ* 78, 1953, Sp. 577-586; J. D. W. WATTS, *Vision and Prophecy in Amos*, 1958, bes. S. 68 ff.: Amos' Eschatology.

[2]) Ähnlich auch Ezechiel (7, 2, 3, 6 21, 30, 34).

[3]) S. dazu: G. VON RAD, The Origin of the Concept of the Day of Yahweh, *JSSt* 4, 1959, S. 97-108. Vgl. ferner zur Vorstellung vom Tag Jahwes: L. ČERNÝ, *The Day of Yahweh and Some Relevant Problems*, 1948. Ähnlich spricht Jesaja in 22, 5 von einem „Tag der Verwirrung und der Verwüstung und der Bestürzung *für* den Herrn Jahwe der Heere".

[4]) J. LINDBLOM hat sich in seinem Aufsatz „Gibt es eine Eschatologie bei den alttestamentlichen Propheten?" *StTh* 6, 1952 S. 79-114, in umsichtiger Weise gegen eine unsachgemässe eschatologische Interpretation der Propheten der vorexilischen Zeit abgegrenzt, ohne doch auf den Begriff Eschatologie in der Prophetenexegese verzichten zu wollen. Nicht jedes nicht sofort durchsichtige Wort im Orakelstil (z.B. Jes. 7) soll als eschatologisch erklärt werden, keineswegs jede Theophanieschilderung (z.B. Jes. 30, 27-28a) will von einer eschatologischen Geschichtskatastrophe reden, nicht jedes mythologische Motiv, das in prophetischen Ankündigungen auftaucht (z.B. Jes. 5, 14 oder 29, 9 f.), gibt gleich schon einem Abschnitt einen eschatologischen Charakter, und nicht jede visionäre oder visionsähnliche Schilderung (z.B. Jes. 5, 26 ff. 10, 28 ff. und 17, 12) braucht sich schon auf das Endgericht zu beziehen. Für LINDBLOM ist Jes. 2, 10-21 ein Musterbeispiel universaler prophetischer Eschatologie: „Eine Welt, wo alles Hochmütige, alles, was die göttliche Majestät Jahwes kränkt, niedergestossen werden wird und Jahwe allein erhaben ist, ist wahrlich eine neue Welt. Eine Zukunft,

Neben der jôm-jahwâ-Vorstellung wird der Ausdruck ביום ההוא als eschatologischer Terminus in Anspruch genommen [1]). Eine Überprüfung seines Vorkommens in den echten Partien des Jesajabuches zeigt, dass der Ausdruck, jedenfalls für Jesaja selbst, nicht eschatologisch ausgewertet werden darf, man vergleiche 22, 12, wo er auf die grosse Bedrängnis Jerusalems zurückverweist, oder 22, 20, wo der Tag des Sturzes Schebnas gemeint ist [2]). Diejenige Formel, die am eindeutigsten die eschatologische Interpretation der jesajanischen Zukunftsansagen zu sichern scheint, ist באחרית הימים, wenigstens wenn man in 2, 2, an der einzigen Stelle, wo sie sich findet, der Septuaginta folgend mit „in den letzten Tagen" übersetzt [3]). Aber

---

die eine solche Verwandlung mit sich bringt, bedeutet sachlich ein neues Zeitalter" op. cit. S. 90). Aber das Unternehmen von LINDBLOM, zu unterscheiden zwischen Worten der Propheten, die von der Zukunft reden und solchen, die eschatologisch sind, scheint mir grundsätzlich falsch zu sein. Entweder verzichten wir hinsichtlich eines Propheten wie Jesaja überhaupt auf den Begriff Eschatologie, wozu man gute Gründe ins Feld führen kann — oder man definiert ihn so weit, dass er auch auf Jesaja noch anwendbar ist, wofür ebenso gewichtige Gründe namhaft gemacht werden können. Dann muss aber zugestanden werden, dass die Botschaft Jesajas grundsätzlich und durchgehend eschatologisch ausgerichtet ist. Jede prophetische Erwartung ist Naherwartung, jede Erwartung denkt an ein entscheidendes Eingreifen Jahwes, keine Erwartung der Propheten rechnet mit einem Ende der Zeit oder einem Ende auch nur einer Weltepoche, nach welcher eine völlig anders strukturierte „Zeit" anbrechen würde. (S. dazu VOLLBORN, op. cit. bes. S. 43 f.).

[1]) Lit.: P. A. MUNCH, The Expression „bajjôm hāhū"; is it an eschatological terminus technicus? *Avh. Nor. Vid.-Ak. Oslo, II hist.-fil. Kl.* 1936, 2; A. LEFÈVRE. L'expression „en ce jour-là" dans le livre d'Isaïe, Festschr. A. ROBERT, 1955, S. 174-179.

[2]) In Jes. 2, 11, 17, 20 ist mit ביום ההוא der יום ליהוה gemeint, das Verständnis der Formel hängt also von demjenigen des Jahwetages bei Jesaja ab. In 3, 7, 18 bezieht sie sich auf den kommenden Gerichtstag über Jerusalem. 5, 30, wo im jetzigen Zusammenhang der Tag gemeint ist, da das unheimlich starke Feindvolk erscheint, dürfte sekundärer Zusatz sein, durch den der zuvor beschriebene Feindeinfall als eschatologisch-apokalyptisches Ereignis gedeutet werden soll. Ähnlich ist die Formel in 11, 10, 11 in Zusätzen zu 11, 1-9 verwendet, ebenso in 17, 7 (und vielleicht auch in V. 11), 23, 15 28, 5 29, 18 30, 23 31, 7. Die Formel ist auch sonst bei den Ergänzern des Jesajabuches sehr beliebt und hat hier zweifellos einen eschatologischen Ton (12, 1, 4 19, 16, 18, 19, 21, 23, 24 24, 21 25, 9 26, 1 27, 1, 2). Es wäre aber methodisch falsch, von diesen sekundären Partien her die Bedeutung der Wendung bei Jesaja selbst bestimmen zu wollen. Der häufige Gebrauch der Formel bei den Redaktoren und Ergänzern ist Zeichen einer eschatologischen Uminterpretation der alten Texte.

[3]) Sept.: ἐν ταῖς ἐσχάταις ἡμέραις. Man kann dem Problem entgehen, wenn man 2, 2-4 Jesaja abspricht (so neuerdings wieder KAISER und FOHRER in ihren Kommentaren). Ich halte dies für einen Fehlgriff der Literarkritik (vgl. H. WILDBERGER, Die Völkerwallfahrt zum Zion, Jes. ii 1-5, *VT* 7, 1957, S. 62-81). KAISER (Komm. z.St.) meint, dass sich die jesajanische Herkunft nicht halten lasse, weil das Völkerkampfmotiv in diesem Abschnitt anders verwendet sei als in nachweislich

אחרית ist bei Jes. kein eschatologischer Terminus, sondern meint einfach: „was nachher kommt", „Zukunft". Es ist nichts anderes gemeint, als wenn Jesaja vom יום אחרון, dem zukünftigen Tag spricht, oder vom עת אחרון, den er dem עת ראשון, der früheren Zeit, gegenüberstellt [1]).

Es fehlen also bei Jesaja Termini einer eschatologischen Erwartung. Es ist nicht einmal so, dass er das Neue dem Alten entgegen setzt [2]). Er spricht nicht wie Jeremia von einem neuen Bund und könnte es auch nicht tun und nicht von den חדשות wie der grosse Unbekannte des Exils. Gegenwart und Zukunft sind für Jesaja nicht durch einen so tiefen Graben getrennt, dass das „Alte" durch die Konfrontation mit dem „Neuen" abgewertet würde [3]), oder gar aus Abschied und Traktanden fallen könnte.

---

echten Jesajatexten. Aber das Motiv der Völkerwallfahrt ist nicht eine Variante des Motivs vom Völkersturm, sondern ihm gegenüber selbständig. Es ist nicht einzusehen, warum Jesaja nicht das Motiv der Völkerwallfahrt aus der Zionstradition übernehmen konnte, wenn er dasjenige vom Völkersturm rezipiert hat, s. Ps. 47, 11 68, 30-32 76, 11 96, 7 102, 23, vgl. auch Ps. 122, 4 f. Auch in Jes. 2, 2 ff. geht es um die zentrale Botschaft Jesajas, die Aufrichtung der göttlichen Gerechtigkeit, diesmal unter den Völkern, nachdem diese — so wird man deuten dürfen — angesichts ihres Scheiterns vor Jerusalem der Überlegenheit Jahwes inne geworden sind.

[1]) Jes. 30, 8 und 8, 23. In diesem Sinn ist der Ausdruck auch an den beiden vorjesajanischen Stellen Gen. 49, 1 und Nu. 24, 14 verwendet (Hos. 3, 5 wird man nicht für den Sohn des Beeri in Anspruch nehmen dürfen, s. H. W. Wolff, Kommentar). Man hat mit Recht auf die akkadische Parallele „ina (oder ana) achrât ûmê" verwiesen, was nichts anderes heisst als „in (oder für) zukünftige(n) Tage". Dass die Formel später, als man von einem Weltende zu sprechen begann, eschatologisch im engern Sinn verstanden wurde, darf uns nicht dazu verleiten, diesen Sinn auch für Jes. 2, 2 zu postulieren. Diese Deutung hat nicht wenig dazu beigetragen, dass man meinte, den Abschnitt Jesaja absprechen zu müssen. G. W. Buchanan in seiner Studie „Eschatology and the ‚End of Days'", *JNESt* 20, 1961, S. 188-193, kommt zum Schluss; „In every OT use of the phrase, beʾaḥarît hayyāmîm makes perfectly good sense if translated by 'in the future', 'in days to come', 'after this', or some expression with this meaning, which does not by itself have any eschatological overtones" (S. 190).

[2]) Es fragt sich, warum Jes. in 11, 1 vom „Wurzelstock Isais" und nicht „Davids" spricht. Von Rad (*Theologie* II, 1960, S. 180) meint, Jesaja denke nicht einfach an einen zukünftigen Gesalbten auf dem Throne Davids, sondern meine die Wiederkehr Davids. Von einer solchen bei Jesaja zu sprechen scheint mir aber kein Anlass zu sein. Hingegen ist wohl möglich, dass der Prophet andeuten will, dass der künftige Herrscher nicht in grader Linie von einem der gegenwärtigen Davididen auf dem Thron abstammt.

[3]) Schon bei Jeremia ist die Zäsur sehr viel deutlicher, indem er von einem *neuen* Bund spricht, der nicht bloss eine Restititution des alten sein wird, sondern, wie ausdrücklich gesagt ist, „nicht ein Bund, wie ich ihn mit ihren Vätern schloss" (31, 31 ff.). Wie sehr Ezechiel den völligen Abbruch der unter den alten Verheissungen stehenden Geschichte Israels und darum einen völligen, allein von Gott

Von einem Ende oder Jenseits der Geschichte kann also bei Jesaja nicht die Rede sein, nicht einmal von einer wirklich radikalen Zäsur zwischen jetzt und dereinst.

Trotzdem kann schon bei Jesaja von einem eschatologischen Geschichtsverständnis gesprochen werden, sofern man darunter nicht mehr versteht, als dass nach ihm die Geschichte streng auf ein Ziel hin ausgerichtet ist, ein Ziel, dessen Erreichung Jesaja übrigens sehr nahe gesehen hat. Dieses grundsätzlich eschatologische Geschichtsverständnis im Sinn einer Geschichtsteleologie äussert sich bei Jesaja in folgenden Punkten:

a) Das erwartete Gerichtshandeln Jahwes lässt an Umfang und Intensität bisherige Geschichtskatastrophen hinter sich [1]), wenn es sich auch durchaus im Raum der Geschichte vollzieht.

b) Die erwartete Erfüllung der Heilszusagen — darin findet Jesajas Gotteserkenntnis als des Heiligen Israels ihren Ausdruck — bedeutet zugleich deren Korrektur. Um nur einen Punkt aufzugreifen: Vom Rest, der umkehrt, wird nicht einfach gesagt, dass er die Gebote halte, oder, negativ, die Götzen verwerfe, sondern er beugt sich vor Jahwes alleiniger Hoheit, stützt sich in Treue auf den Heiligen Israels (10, 20) schaut auf Jahwe (5, 12 22, 11), schenkt ihm Vertrauen (30, 15), er glaubt (7, 9 28, 16)[2]). All diese Begriffe sind zwar nicht

gesetzten Neuanfang ankündet, hat W. Zimmerli in seinem Aufsatz "Das Gotteswort des Ezechiel", *ZThK* 48, 1951, S. 249-262, schön herausgestellt. Für Deuterojesaja sei nur gerade auf 43, 18 f. verwiesen: „Gedenkt nicht mehr der früheren Dinge, und des Vergangenen achtet nicht. Siehe, nun schaffe ich Neues!". Es ist schon richtig, wenn Vriezen (a.a.O. Eschat. S. 225) zwischen der Eschatologie Jesajas und derj. Deuterojesajas unterscheidet. Seine Terminologie („proto-eschatological" für Jesaja und seine Zeitgenossen, „actual-eschatological" für Deuterojesaja) trifft aber den Unterschied nicht genau.

[1]) Was die Intensität anbelangt, sei nur gerade auf den Verstockungsauftrag der Berufungserzählung, Kap. 6, verwiesen, was den Umfang des Gerichtes betrifft, auf 14, 26, wo vom „Ratschluss über die ganze Erde" gesprochen wird, oder auf 2, 9 ff. wonach es um die Erniedrigung nicht Israels oder Jerusalems, sondern des „Mannes" oder „Menschen" überhaupt geht.

[2]) Weitere Beispiele: Von den Psalmen her, die von der Wallfahrt nach dem Zion sprechen, müsste man erwarten, dass die Völker auch nach Jesaja in Jerusalem am Kult teilnehmen und ihre Gaben dorthin bringen wollen — in Wirklichkeit wollen sie sich über Jahwes Wege belehren lassen. Der „Messias" der Psalmen ist eine kriegerische Gestalt (Ps. 2 110!), einer der Thronnamen des von Jesaja angekündeten Herrschers lautet „Friedefürst". Die Titel von Jes. 9,5 gehen überhaupt weit über das hinaus, was Thronnamen der jerusalemischen Könige, soweit sich solche nachweisen lassen, aussagen (s. H. Wildberger, Die Thronnamen des Messias, Jes. 9, 5b, *Th Z* 16, 1960, S. 314-332). Der Messias von Kap. 11 tötet die Frevler allein durch sein Wort (V. 4). Dass der Zion nach 2, 2 höher sein wird als alle Berge, wird metaphorisch gemeint sein, was eine

neu, aber jesajanisch ist ihre Selektion und die Akzentuierung, die ihnen verliehen wird, sodass die Heilszeit in der Sicht des Propheten ein wesentlich anderes Gesicht bekommt, als was üblicherweise in Israel als Heil erhofft worden ist.

c) Das erwartete Gericht ist nicht eines unter vielen, sondern insofern ein endgültiges, als aus ihm ein gereinigtes Israel hervorgehen wird. Dementsprechend ist die angekündete Heilszukunft offenbar als dauernd gedacht. Nichts weist darauf hin, dass Jesaja mit einem Rückfall, einem willkürlichen oder gesetzmässig-notwendigen Wechsel rechnet. Gerechtigkeit und Recht unter dem künftigen Herrscher währen עד עולם, was zwar nicht „in Ewigkeit" heisst, aber „lange Dauer" meint, über die hinaus zu blicken man jedenfalls nicht für notwendig hält [1]).

d) Jesajas Botschaft ist aber auf keinen Fall in dem Sinn eschatologisch, dass es ihm ein letztes Anliegen wäre, eine bestimmte Reihenfolge der zukünftigen Ereignisse aufzuzeigen oder ein Gemälde zu malen von dem, was sein wird. Dafür hat er viel zu grosse Ehrfurcht vor Jahwes Souveränität und dem Geheimnis seines Ratschlusses. Eschatologisch ist aber seine Botschaft allerdings in eminentem Sinn darin, dass sie den Hörer zwingend mit dem kommenden Gott, dem König, dem dreimal Heiligen, dessen Herrlichkeit in den Augen der himmlischen Wesen jetzt schon die ganze Erde erfüllt, konfrontiert, ihm mit letzter Energie das Gewicht der gegenwärtigen Stunde bewusst macht und ihn damit vor die über die Zukunft restlos entscheidende Bedeutung des Hörens, Gehorchens, Vertrauens, Glaubens im jetzigen Kairos hinführt.

Damit hat Jesaja gerade das erfasst, was als Wesen biblischer Eschatologie angesehen werden muss und festzuhalten ist, wie von ihm überhaupt das Wesen der Geschichte als Bereich der Verwirklichung des göttlichen Plans, der Erfüllung seiner Zusagen, wie als Raum der Wahrnehmung und Ausübung menschlicher Verantwortlichkeit in einmaliger und für alle Zukunft wegweisender Klarheit erfasst ist. — Dass das geschehen konnte, liegt im Geheimnis be-

---

einschneidende Umdeutung der alten Tradition vom Gottesberg, Ps. 48, 2 f. darstellt. Dasselbe gilt vom Tierfrieden im messianischen Reich (11, 6-8).

[1]) Was Jesaja zu künden hat, soll er aufschreiben, „dass es für einen künftigen Tag zum Zeugen (l. לְעֵד für לָעַד cf. *BHK*) für immer werde (30, 8), d.h. Jesajas Botschaft wird nicht so bald überholt sein, sondern behält dauernd ihr Gewicht. Es ist aber zu betonen, dass nicht unser Begriff der Ewigkeit in das Alte Testament hineingetragen werden darf, s. E. Jenni, Das Wort ʿōlām im Alten Testament, *ZAW* 64, 1952, S. 197-248 und 65, 1953, S. 1-35.

schlossen, dass Jahwes Hand ihn gepackt hat und Jahwes Wort auf ihn gefallen ist. Indem wir den Gang der Glaubensgeschichte Israels abtasten, und dabei in deren Ablauf den historischen Ort Jesajas zu fixieren suchen, erkennen wir, dass es zugleich daran liegt, dass unter dem Bann der glänzend-reichen Persönlichkeit dieses Mannes die verschiedenen und recht disparaten Ueberlieferungskomplexe Israels und Jerusalems zu einer überaus glücklichen und fruchtbaren Synthese herausgestaltet worden sind.

Das Abbild Gottes

Gen. 1, 26–30

In seinem Aufsatz zur Imago-Dei-Lehre von 1948 schreibt L. Köhler: «Vorgängig aller weitern Ausdeutung und Anwendung der Anschauung von der Gottebenbildlichkeit des Menschen (ist) zunächst einmal mit aller Genauigkeit und unerbittlichen Strenge festzustellen, was an der Grundstelle der Imago-Dei-Lehre... eigentlich und ursprünglich und ausschließlich gemeint ist. Erst wenn diese Arbeit geleistet ist, kann mit Frucht die Frage erörtert werden, wie sich die spätere Lehre zu ihrem biblischen Ausgangspunkt verhält.»[1] Diese Feststellungen sind eine Selbstverständlichkeit, aber sie sind nicht unnötig. Das Gewicht der traditionellen kirchlichen Lehre von der Imago Dei ist so schwer, daß es, wie zahlreiche Äußerungen zu *Gen. 1, 26–30* im dogmatischen Bereich zeigen[2], nicht leicht zu bewegen ist. Die Stelle steht aber auch, wenigstens auf den ersten Blick, im Alten Testament völlig isoliert da, so daß eine sichere Interpretation großen Schwierigkeiten begegnet. Man wird sich darum nach sorgfältigem Abtasten des knappen *alttestamentlichen Materials* umzusehen haben, ob nicht *religionsgeschichtliche Parallelen* das Verständnis der Stelle erhellen und sichern können. Gerade die Isoliertheit von Gen. 1, 26 ff. innerhalb des Alten Testaments legt die Vermutung nahe, daß hier ein fremdes Element in den Glauben Israels Aufnahme gefunden hat. Dieser Weg ist denn auch längst beschritten worden[3], und auch L. Köhler versuchte im erwähnten Artikel von 1948 auf ihm weiterzukommen[4].

---

[1] L. Köhler, Die Grundstelle der Imago-Dei-Lehre, Gen. 1, 26: Theol. Zeitschr. 4 (1948), 16–22, S. 17.

[2] Zur Auseinandersetzung mit K. Barth s. J. J. Stamm, Die Imago-Lehre von Karl Barth und die alttestamentliche Wissenschaft: Antwort. Festschr. für K. Barth (1956), S. 84–98.

[3] Vgl. etwa den Genesiskommentar von H. Gunkel, der bereits auf Ovid und babylonische Parallelen verwiesen hat. Vor allem sei auf den sachkundigen Artikel von J. Hehn, Zum Terminus «Bild Gottes»: Festschrift für E. Sachau (1915), S. 36–52, aufmerksam gemacht, dessen Material aus dem babylonischen Bereich immer wieder ausgeschöpft worden ist.

[4] Köhler hatte in der 1. Aufl. seiner Theologie des Alten Testaments (1936), S. 133, noch geschrieben: Da nur die Priesterschrift im Zusammenhang mit der Erschaffung des Menschen vom «Bild Gottes» spricht, «muß

Das hat ihn zusammen mit einer erneuten Untersuchung des Sprachgebrauchs von ṣäläm im Alten Testament und seiner Kognaten in den andern semitischen Sprachen dazu geführt, denjenigen Exegeten beizustimmen, die in ṣäläm die äußere Erscheinung sehen. Aber er fügt hinzu, faktisch sei dabei an die aufrechte Haltung des Menschen gedacht. Durch diese sei der Mensch aus der ihn umgebenden Tierwelt herausgehoben und an die Seite Gottes (bzw. der Götter) gerückt[5].

1.

Der allgemeinen und längst vertretenen Deutung der «Gottebenbildlichkeit» auf die *äußere Gestalt*[6] gegenüber hat Köhlers weithin übernommene Präzisierung auf die aufrechte Haltung des Menschen den Vorzug, daß dieser dadurch klar vom Tier unterschieden wird und damit die Herrschaft über die Tiere, von der die Fortsetzung spricht, einleuchtend begründet wird. Aber das Alte Testament bietet für sie keine Anhaltspunkte, und die von Köhler beigezogenen Ovidverse sind für die Deutung einer alttestamentlichen Stelle zu abgelegen und nicht tragfähig genug[7]. Andererseits bleibt die all-

der biblische Sinn des Ausdruckes aus Gen. 1 erschlossen werden... Dann aber gibt es nur *eine* Deutung, daß das Bild Gottes darin bestehe, daß die Menschen über die außermenschliche Natur, die Tiere, die Pflanzen und die Erde überhaupt verfügen und herrschen sollen, 1, 26. 28». Im erwähnten Artikel von 1948 (A. 1) hat er dann aber, P. Humbert, Etudes sur le récit du paradis et de la chute dans la Genèse (1940), Kap. V: L'«Imago Dei» dans l'Ancien Testament, S. 153–175, folgend, methodisch einen andern Weg beschritten, vgl. dazu auch die 3. Aufl. seiner Theol. des Alten Testaments (1953), S. 135 und Anm. 109a.

[5] Köhler (A. 1), S. 20, belegt diese Deutung durch Ov. Metam. I, 85f. und des Min. Fel. Oct. 17, 2.

[6] Sie ist besonders eindrücklich von Humbert (A. 4) vertreten worden. Seine sorgfältige Untersuchung des alttestamentlichen Sprachgebrauchs führt ihn zum Schluß, S. 158, daß sämtliche Stellen, wo sich im Alten Testament ṣäläm findet, mit Ausnahme von Ps. 39, 7 und 73, 20, wo dem Wort eine andere semitische Wurzel zugrunde liege (s. unten S. 250ff.), das äußere Bild, die plastische Darstellung gemeint sei, so daß es auch in Gen. 1, 26 verstanden werden müsse als «une ressemblance physique entre l'homme et la divinité».

[7] Ov. Metam. I, 85f., auf welche Stelle sich Köhler (A. 5) zum Beweis seiner Deutung bezieht, spricht im Gegensatz zu I, 82 nicht von der effigies deorum, ebensowenig die angegebene Stelle bei Minucius Felix, sondern nur von der aufrechten Gestalt.

gemeine Deutung auf die äußere Gestalt, so sehr sie der Begriff ṣälām nahezulegen scheint, *unbefriedigend*. Es ist bezeichnend, daß die neuern Exegeten zwar die Deutung auf die körperliche Erscheinung in der Regel akzeptieren, dann aber doch versuchen, den Begriffsumfang auszuweiten. So Gunkel, der meint, die Ebenbildlichkeit gehe in erster Linie auf den Körper des Menschen, «wenn freilich auch das Geistige dabei nicht ausgeschlossen ist»[8], oder Procksch: P sei zwar kühn genug, an eine abbildliche Gestalt Gottes zu denken, aber gemeint sei doch mit dem Gleichnis «die Persönlichkeit des Menschen», die sich in der singulären Stellung des Menschen innerhalb der Schöpfung äußere[9]. Zurückhaltender ist von Rad: Die Deutungen seien abzulehnen, welche die Gottesbildlichkeit einseitig auf das geistige Wesen des Menschen beschränken und es auf seine «Würde», seine «Persönlichkeit» oder «sittliche Entscheidungsfähigkeit» usw. beziehen. Das Wunder der leiblichen Erscheinung des Menschen sei von dem Bereich der Gottesbildlichkeit keinesfalls auszunehmen. Aber er fügt doch hinzu: «Indessen wird man guttun, so wenig wie möglich das Leibliche und das Geistige zu zerreißen: Der ganze Mensch ist gottesbildlich geschaffen.»[10] J. J. Stamm, der die Auffassung teilt, «daß die Gottebenbildlichkeit sich im Äußern, der Gestalt, nicht erschöpft», schlägt den Begriff der Gottesverwandtschaft vor, «weil (im Menschen) ein gestaltmäßig Äußeres und ein damit verbundenes geistiges oder wesensmäßiges Inneres gleichermaßen vorhanden ist»[11].

Das Unbehagen bei der vom Begriff ṣälām her zunächst gewiß naheliegenden Deutung auf die äußere Erscheinung läßt sich also offensichtlich nicht unterdrücken. Man weist zwar zu deren Stützung auf Gen. 5, 3 hin, wo mit denselben Begriffen ṣälām und d^{e}mūt von nichts anderm denn der Ähnlichkeit der äußern Gestalt Seths mit der seines Vaters Adam gesprochen werde[12]. Das

[8] H. Gunkel, Genesis ([3]1910), z. St.

[9] O. Procksch, Die Genesis (1913), z. St.

[10] G. von Rad, Das erste Buch Mose, ATD 2 (1950), z. St.; ders., Theol. Wört., 2 (1935), S. 389. Vgl. ferner K. Galling, Das Bild vom Menschen in biblischer Sicht: Mainzer Universitätsreden, 3 (1947), S. 11f.; F. Horst, Der Mensch als Ebenbild Gottes: «Gottes Recht» (1961), S. 222–234. Zum Stand der neuern Diskussion s. Stamm (A. 2), vgl. auch vom selben Verfasser: Die Gottebenbildlichkeit des Menschen im Alten Testament, Theol. Stud. 54 (1959).

[11] Stamm (A. 2), S. 96ff. [12] Humbert (A. 4), S. 165.

Argument schlägt nicht durch, denn nachdem in 5, 1 festgehalten worden ist, daß Gott den Adam nach dem ṣäläm 'ᵃlohīm erschaffen hat, kann 5, 3 nur sagen wollen, daß Seth die gleiche Gottebenbildlichkeit wie seine Eltern an und in sich trug. Daß die Deutung auf die äußere Gestalt nicht richtig sein kann, beweist aber unwidersprechlich die dritte Stelle, wo in der Priesterschrift von der Gottebenbildlichkeit des Menschen gesprochen wird, Gen. 9, 6. Dort wird mit der Imago-Vorstellung das Verbot, Menschenblut zu vergießen, begründet. Das wäre sinnlos, bestünde jene nur oder doch in erster Linie in der äußern Gestalt; es muß die *innere Würde* des Menschen als Abbild des göttlichen Wesens gemeint sein.

Darüber hinaus sind es vor allem drei Überlegungen, die das Ungenügen der Deutung auf physische Ähnlichkeit eklatant machen. 1. Es leuchtet nicht ein, wieso die Herrschaft des Menschen über die Erde mit ihren Geschöpfen, von der im Zusammenhang mit der Gottebenbildlichkeit so explizit gesprochen wird[13], gerade von der äußern Gestalt des Menschen abhängig sein sollte. Zwar wird man nicht mit Groß geradezu formulieren dürfen, «daß die Gottebenbildlichkeit des Menschen wesentlich in seiner Teilhabe am Herrentum Gottes besteht»[14]. Sie besteht nicht darin, sondern wirkt sich darin aus. Es muß zwischen Sein und Funktion, Wesen und Aufgabe des Menschen unterschieden werden. Aber es ist selbstverständlich, daß die Funktion dem Sein, die Aufgabe dem Wesen entspricht. 2. Das Alte Testament scheut sich zwar nicht, sich in seinem Reden von Gott kühner Anthropomorphismen zu bedienen. Nie aber redet es davon, daß Gott einen Körper hat, geschweige denn daß der Versuch unternommen würde, dessen Gestalt zu beschreiben[15]. Israel kennt nun einmal keine Gottesbilder[16]. Wohl

---

[13] S. dazu auch Ps. 8, der von H. Groß, Die Gottebenbildlichkeit des Menschen: Festschrift für H. Junker (1961), 89–100, S. 94ff., zu Recht mit Nachdruck für die Interpretation der Stelle von der Gottebenbildlichkeit herangezogen worden ist.

[14] Groß (A. 13), S. 98.

[15] Eine Ausnahme macht allerdings Dan. 7, 9, obwohl auch diese Beschreibung zurückhaltend genug ist. Am schärfsten hat P. G. Duncker, L'immagine di Dio nell'uomo (Gen. 1, 26. 27). Una somiglianza fisica?: Bibl. 40 (1959), S. 384–392, die Deutung auf die äußere Gestalt zurückgewiesen. Mit Recht macht er darauf aufmerksam, daß bei allen Anthropomorphismen des Alten Testaments doch nie davon gesprochen wird, «che Iddio abbia un corpo» (S. 389).

[16] W. Herrmann, Gedanken zur Geschichte des altorientalischen Beschreibungsliedes: Zs. atl. Wiss. 75 (1963), S. 176–197, hat neuerdings gezeigt, daß sich im altisraelitischen Schrifttum bis in das qumranische Genesisapokryphon hinein Spuren einer Gattung finden, die letztlich auf die Beschreibung einer Götterstatue zurückgeht. Es ist sehr wohl denkbar, daß

kann man Jahwes Größe und Herrlichkeit sehen (Deut. 5, 24), aber seine Gestalt (t^{e}mūnā) ist auch beim entscheidenden Offenbarungsereignis, als Gott am Horeb aus dem Feuer redete, für menschliche Augen nicht sichtbar geworden (Deut. 4, 12. 15). Es steht andererseits nicht fest, daß ein Jahwebild die Gestalt eines Menschen haben müßte, es könnte auch Abbild irgendeines Tieres (Deut. 4, 17) sein. Ja das Gottesbild könnte die Gestalt von irgend etwas, was oben im Himmel, unten auf Erden oder im Wasser unter der Erde ist, tragen. Es ist nicht einzusehen, wie gerade die Priesterschrift, die sonst in der Verwendung der Anthropomorphismen auffallend zurückhaltend ist und in ihrem Bericht über Jahwes Schöpfungshandeln jede Anschaulichkeit meidet, in 1, 26f. völlig aus der Rolle gefallen wäre und geradezu einer Darstellung Jahwes in Menschengestalt die Tür geöffnet hätte[17]. 3. Es kommt die Schwierigkeit hinzu, daß Gott nicht nur den Mann, sondern auch die Frau als sein Abbild erschafft. Würde die äußere Gestalt intendiert, wäre die absurde Frage unvermeidlich, ob denn Gottes Körper auch weibliche Merkmale an sich trage[18]. So ist Rowley zuzustimmen, daß die Deutung der Gottebenbildlichkeit auf die physische Gestalt völlig unwahrscheinlich ist[19].

Dieses Ergebnis, zu dem wir aus allgemeinen Erwägungen kommen, wird erst dann als gesichert betrachtet werden dürfen, wenn es gelingt, darzutun, wie denn der priesterliche Erzähler zur Vorstellung von der Gottabbildlichkeit des Menschen gekommen ist und was er wirklich mit ihr sagen wollte. So sehr manche Exegeten zum mindesten Bedenken tragen, die Interpretation auf die äußere Gestalt ohne Einschränkung gelten zu lassen, so vage und unter sich differierend und darum fragwürdig sind ihre positiven Versuche, den *Inhalt* der Gottebenbildlichkeit zu bestimmen. Man ist sich zwar in der heutigen Forschung darüber einig, daß Gen. 1, 26 nicht von Wesensgleichheit zwischen Gott und Mensch sprechen will und daß sich die Stelle nicht eignet, die Lehre von der Unsterblichkeit der menschlichen Seele oder von der iustitia originalis zu begründen. Aussagen wie die, daß die Gottebenbildlichkeit die Persönlichkeit des Menschen, seine Partnerschaft, sein Herrentum, seine Verwandtschaft mit Gott, seine einzigartige Beziehung zu

---

Israel die Gattung zur Beschreibung, wenn nicht einer Jahwestatue, so doch Jahwes selbst übernommen hätte. Aber die Gattung ist strikte auf die Beschreibung der Schönheit der Menschengestalt beschränkt.

[17] S. dazu W. Eichrodt, Theologie, 1 (^{5}1957), S. 274.

[18] H. H. Rowley, The Unity of the Bible (1953), S. 75f.

[19] Ebd., S. 75: «By many writers this (die Gottebenbildlichkeit) is understood to mean that man was formed in the physical likeness of God, but this the present writer finds incredible.»

ihm, die ihn vom Tier unterscheidet[20], umschreiben wolle, meinen etwas Richtiges, ohne daß es aber einsichtig wäre, warum das alles und gerade *das* im Begriff des ṣäläm bzw. der d^e^mūt ʾ^ä^lohīm liegen soll.

Ṣäläm kommt im Alten Testament nicht allzu häufig vor. Das Wort findet sich aber schon in vorexilischen Schichten: 1. Sam. 6, 5 und 11 für die «Abbilder» der Beulen bzw. Mäuse, die das Philisterland verheeren[21]. Nach 2. Kön. 11, 18 werden Altäre und ṣ^e^lāmīm im Tempel Baals zu Jerusalem zerstört[22]. Dreimal treffen wir dann das Wort im Ezechielbuch: 7, 20 spricht von ṣalmē tōʿ^a^bōtām, die aus Silber und Gold verfertigt wurden, 16, 17 von ṣalmē zākār, «Mannsbildern», die ebenfalls aus Silber und Gold hergestellt sind und mit denen Jerusalem «gebuhlt» hat. Hier werden kaum Götterbilder oder Statuen gemeint sein; man denkt an phallische Symbole[23]. Darnach wird auch 7, 20 zu interpretieren sein[24]. Ez. 23, 14 schließlich erwähnt Männer in Ritzzeichnung, nämlich ṣalmē kaśdīm[25]. Es muß sich um Figuren handeln, deren Umrißlinien auf einer Wand eingekratzt wurden und deren Fläche man mit Mennige-Rot ausfüllte. Es folgen dann die bereits erwähnten P-Stellen, Gen. 1, 26f.; 5, 3; 9, 6, von denen jedenfalls die letzte beweist, wie frei, losgelöst von jeder anschaulichen Grundlage, der Begriff ṣäläm verwendet werden kann. In Num. 33, 52 sind unter den ṣalmē massēkọ̄t, die man vernichten muß, wohl «Götzenbilder» gemeint, obwohl im weiteren Sinne an Symbole für das Göttliche gedacht sein könnte[26]. Aber wie abgewandelt-metaphorisch das Wort verwendet werden kann, zeigen die beiden Psalmstellen, an welchen es sich findet, 39, 7: Das Menschenleben ist nur ein ṣäläm, «ein Traumbild»

---

[20] Th. C. Vriezen, La création de l'homme d'après l'image de Dieu: Oudt. Stud. 2 (1943), 87–105, S. 104: «C'est le fait d'être-homme lui-même dans sa différence avec l'animal et dans son unique rapport avec Dieu, qui représente en lui l'image de Dieu. La valeur essentielle de l'homme envers toute l'autre création est exprimée dans cette formule comme l'intention de Dieu»; ähnlich W. Eichrodt, Theologie, 2 (⁴1961), S. 81.

[21] In Am. 5, 26 sind Text und Echtheit zu unsicher, als daß daraus Schlüsse zu ziehen wären. Möglicherweise sind Bilder oder Symbole der babylonischen Gottheiten Kewan (kajawānu) und Sakkut gemeint.

[22] S. auch 2. Chron. 23, 17.

[23] G. Fohrer, Ezechiel (1955), z. St.

[24] Das beigefügte šiqqūṣēhäm, das auf Götzenbilder zu beziehen wäre, fehlt in LXX und wird als Glosse zu verstehen sein.

[25] Parallel dazu in V. 15 d^e^mūt b^e^nē-bābäl.

[26] Daneben das wenig bestimmte maśkijjōt, «Schaustück, Gebilde».

(parallel zu häbäl, «Hauch»), und 73, 20, wo mit säläm ebenfalls die flüchtige Traumerscheinung gemeint ist[27].

Angesichts dessen, daß das Alte Testament sehr häufig von Gottesbildern spricht und ṣäläm sich dafür als adäquater Ausdruck anzubieten scheint, ist das ein auffallender Tatbestand. Ṣäläm ist *nicht* das gebräuchliche Wort für Gottesbild oder Gottesstatue. Der Bedeutungsumfang des Wortes ist trotz der wenigen Stellen, die es verwenden, relativ weit und reicht von Abbild im Sinn von Statue über die bildhaft-zeichnerische Darstellung und die Bedeutung Symbol bis hin zum Phantasiebild des Traums. Köhlers Feststellung, daß ṣäläm für den ganzen örtlichen und zeitlichen Bereich der semitischen Sprachen Statue bedeute[28], trifft also für das Alte Testament nur bedingt zu, und man muß sich hüten, bei der Interpretation von Gen. 1, 26 ohne weiteres von dieser Annahme auszugehen[29].

Es fragt sich, ob die *Etymologie* zur Aufhellung des Begriffes etwas beitragen kann. Nöldeke hat ṣäläm mit arab. ṣalama, «abhauen, behauen, schneiden, schnitzen» zusammengestellt[30]. Friedr. Delitzsch hingegen hat arab. ẓalima, «schwarz werden, dunkel sein» als entsprechende Wurzel vorgeschlagen[31]. Humbert gibt im allgemeinen Nöldeke recht, will aber für die beiden Psalmstellen Delitzsch folgen[32]. Linguistisch sind beide Ableitungen möglich, gesichert ist keine. Die Verteilung von hebr. ṣäläm auf zwei Wurzeln ist aber unwahrscheinlich. Nöldeke mag recht haben, aber seine etymo-

---

27 Lies ṣalmō und s. dazu H.-J. Kraus, Psalmen (1961), z. St.

28 Köhler (A. 1), S. 18.

29 Das deutsche *Eben*bild, das sich durch die Übersetzung der neutestamentlichen Stellen durch Luther eingebürgert hat, sollte preisgegeben werden. Keine der genannten Stellen betont irgendwie die Genauigkeit der Entsprechung. – Diejenigen Stellen, an denen das Wort in den Apokryphen aufgenommen ist, helfen zur Deutung von Gen. 1 kaum weiter. Sir. 17, 3: «Mit Macht, wie er sie selber hat, bekleidete er ihn, und nach seinem Bilde schuf er ihn», ist nur Nachklang von Gen. 1. Sap. 2, 23 aber bietet eine Interpretation aus dem Geist des Hellenismus: «Gott hat den Menschen zur Unvergänglichkeit geschaffen und ihn zum Abbild seines eigenen Wesens gemacht».

30 Th. Nöldeke, Zs. Dt. Morg. Ges. 40 (1886), S. 733f. und Zs. atl. Wiss. 17 (1897), S. 1885f.

31 F. Delitzsch, Prolegomena eines neuen Hebräisch-Aramäischen Wörterbuchs (1886), S. 140, Anm. 4.

32 Humbert (A. 4), S. 156; L. Köhler-W. Baumgartner, Lexicon (s. auch Supplementum), stimmen zu.

logische Herleitung darf keineswegs dazu mißbraucht werden, ṣäläm auf die Bedeutung «Bildsäule, Statue» einengen zu wollen. Im Hebräischen existiert kein Verb ṣlm, «abhauen», das die ursprüngliche Bedeutung des Substantivs dem Sprachbewußtsein erhalten hätte[33]. Es fällt auf, daß das Wort in Am. 5, 26, wenn die üblichen Textkorrekturen zu Kewan und Sakkut richtig sind, auf babylonische Gottheiten bezogen und an den drei Ezechielstellen bei der Abwehr babylonischen Einflusses verwendet ist. Das wird nicht Zufall sein, sondern mit dem häufigen Gebrauch von ṣalmu im Akkadischen zusammenhängen. Gewiß bedeutet dieses ṣalmu in vielen Fällen eindeutig Statue[34]. Aber auch das akkadische Wort kann übertragen verwendet werden, so von der Erscheinung in einem Vorzeichen[35]. Das Wort findet sich auch in aramäischen Inschriften, so auf den Stelen für Sîn-zêr-ibni[36] und für Agbar[37] aus Nerab. Hier bedeutet es nicht Statue, sondern Bild, und gemeint ist die Darstellung des Priesters im Flachrelief auf der Stele selbst[38]. Hingegen meint es Statue in zwei Inschriften aus Hatra[39], und dieselbe Bedeutung besitzt das feminine ṣalmā in vier weiteren Inschriften desselben Fundortes[40], indem dort, wo weibliche Personen dargestellt werden, regelmäßig die feminine Form des Substantivs verwendet wird. Es fällt auf, daß das aramäische ṣ^{e}lēm bzw. ṣalmā nur gerade in diesen Inschriften aus Nerab und Hatra verwendet wird. Sonst heißt Stele, Statue, Denkmal im Aramäischen nṣb oder auch swt. Eindeutig Standbild bedeutet das aramäische ṣ^{e}lēm in den aramäischen Teilen des Danielbuches[41] und ebenso im Nabatäischen, Palmyrensischen und Altsüdarabischen[42]. Die Streuung des Vorkommens legt auch hier Einfluß aus dem akkadischen Bereich nahe. – Für die Klärung von Gen. 1, 26f. trägt dieses inschriftliche Material nichts ab.

---

[33] Ṣäläm ist auch mit ṣēl zusammengestellt worden und hätte dann zunächst «Schatten, Schattenbild» bedeutet, woraus sich die übrigen Bedeutungen des Wortes sehr wohl hätten entwickeln können. Aber das gehört in den Bereich völlig unbeweisbarer Vermutungen.

[34] Beispiele bei Köhler (A. 1), S. 18. Es bedeutet aber auch Statuetten, Figürchen, wie sie bei Beschwörungen verwendet werden, und Sterne, die man sich in Menschengestalt dachte; Belege bei Humbert (A. 4), S. 163.

[35] C. Bezold, Babylonisch-assyrisches Glossar. Das Chicago Assyrian Dictionary gibt an Bedeutungen an: a) statue, b) relief, drawing, c) constellation, d) figurine used in cult and black magic, e) body, stature, f) likeness (in transferred meanings).

[36] Text bei H. Donner-W. Röllig, Kanaanäische und aramäische Inschriften, 1 (1962), Nr. 225, 3. 6. 12.

[37] Ebd., Nr. 226, 2.

[38] A. Jirku, Die Welt der Bibel (1957), Tafel 93.

[39] Donner-Röllig (A. 36), Nr. 242, 1; 243, 1.

[40] Ebd., Nr. 239, 1; 248, 1; 249, 1; 250, 2.

[41] Dan. 2 und 3 passim.

[42] Belege bei Köhler (A. 1), S. 17f.

2.

Sowohl der alttestamentliche Befund wie die inschriftliche Bezeugung scheint uns in den *babylonischen Bereich* zu führen. Sollte dort der Ursprung der Vorstellung von der Gottabbildlichkeit des Menschen zu suchen sein?

Manches spricht dafür. Wir stoßen dort auf Namen wie šarru-kima-ili, «der König ist wie Gott», oder šarru-ilī, «der König ist mein Gott»[43]. Im alten Akkad, Ur und Larsa haben sich die Könige häufig das Determinativ «Gott» beigelegt[44]. Es handelt sich demgegenüber um eine Abschwächung, wenn im späteren «Hofstil» der König als Abbild der Gottheit gepriesen werden kann. «Der Vater des Königs, meines Herrn, war das Ebenbild[45] (ṣalam) Bels, und der König, mein Herr, ist Bels Abbild», ist in einem Brief des Beschwörungspriesters und Hofastrologen Adad-šum-uṣur aus der Sargonidenzeit zu lesen[46]. Oder der König wird gepriesen: «šarru bēl mātāti ṣalmu ša dŠamaš šū»[47] und wird angeredet als «šar kiššati ṣalam dMarduk»[48]. Aber auch der Beschwörungspriester (āšipu) kann als Abbild der Gottheit empfohlen werden: «šiptum šipat dMarduk āšipu ṣalam dMarduk»[49]. De Liagre Böhl kann geradezu feststellen, daß die in der Sargonidenzeit «am deutlichsten hervortretende Vorstellung... die des Königs als des Ebenbildes (ṣalmu) oder auch des Schattenbildes (ṣillu) der Gottheit, und zwar vor allem des Sonnengottes Šamaš» ist[50].

Neben ṣillu bieten die akkadischen Texte aber noch weitere Parallelbegriffe zu ṣalmu. In einem anderen Brief des Adad-šum-uṣur steht zu lesen: «ṣil ili amēlu uṣil amēli amēlī amēlu šarru šū kī muššuli ša ili»[51]. Die Deutung dieser Stelle bietet Schwierigkeiten.

[43] Nach A. Jeremias, Handbuch der Altorientalischen Geisteskultur (²1929), S. 103.

[44] H. Frankfort, Kingship and the Gods (1948), S. 224.

[45] Die Übersetzung «Ebenbild» ist offensichtlich in Anlehnung an die Lutherbibel gewählt und läßt sich sachlich nicht rechtfertigen.

[46] R. F. Harper, Assyrian and Babylonian Letters (1892–1914), Nr. 6, 17f.

[47] Harper (A. 46), Nr. 5, rev. 4f.

[48] R. C. Thompson, Reports (1900), Nr. 170, rev. 2f.

[49] Arch. f. Or.f. 14 (1941–44), S. 150. Zu den angeführten Stellen s. auch Chicago Assyrian Dictionary unter ṣalmu.

[50] F. M. Th. de Liagre Böhl, Das Zeitalter der Sargoniden: Opera Minora (1953), 384–422, S. 403. Vgl. dazu auch Jeremias (A. 43), S. 104 Anm. 5.

[51] Harper (A. 46), Nr. 652, rev. 10–13. Der Brief ist besprochen von

Nach de Liagre Böhl, dem wir folgen, zitiert der Schreiber zunächst ein Sprichwort: «Der Schatten Gottes ist der Fürst (so ist amēlu hier zu übersetzen), und der Schatten des Fürsten sind die (übrigen) Menschen.» Und nun fügt der Verfasser als Glossator hinzu: «Fürst bedeutet (in diesem Zusammenhang) den König, der gleich dem Ebenbild (muššulu) Gottes ist.» Die Fortsetzung müßte lauten, daß die gewöhnlichen Menschen Abbilder der Fürsten sind. Das akkadische muššulu entspricht dem Sinn nach durchaus dem hebräischen d^{e}mūt[52]. Das Wort will den unbestimmten und dem Schreiber offensichtlich nicht genügenden Begriff ṣillu modifizieren. Die Stelle ist ein trefflicher Beleg für die Mittlerstellung, die in Assur der König zwischen Gott und Mensch einnimmt.

Wenn wir die letztgenannte Stelle richtig übersetzt haben, kann *nur der Fürst*, bzw. der König, nicht der Mensch überhaupt, Abbild der Gottheit genannt werden. Es ist aber auf weitere Begriffe hingewiesen worden. Im Gilgameschepos wird die Muttergöttin aufgefordert: «Du, Aruru, hast [Gilgamesch] (der, von übermenschlicher Größe, zu zwei Dritteln Gott, zu einem Drittel Mensch ist)[53] geschaffen, nun schaffe auch seinen zikru.»[54] «Als Aruru dies hörte, schuf sie in ihrem Herzen einen zikru des Anu»[55], worauf Enkidu erschaffen wird. Das leider nicht recht durchsichtige zikru dürfte soviel wie «Bild» bedeuten[56]. Hieher gehört wohl auch ein Satz aus der Höllenfahrt der Ischtar, rev. 11: «Ea schuf in seinem weisen Herzen einen zikru, schuf Aṣušunamir, einen Eunuchen.»[57] Der Feuergott Girru wird als «gewaltiger, neu glänzender zikri ilāni kânu» angerufen[58]. Das Enūma-Elisch schließlich weiß zu berichten,

F. M. Th. de Liagre Böhl, Der babylonische Fürstenspiegel, Mitt. altor. Ges. 11, 3 (1939), S. 48f.

[52] Humbert (A. 4), S. 163, will das verwandte tamšilu mit d^{e}mūt in Parallele setzen.

[53] S. das Gilgameschepos I, II, 1.

[54] Ebd., I, II, 31.

[55] Ebd., I, II, 33.

[56] E. A. Speiser in J. B. Pritchard (Hrsg.), Ancient Near Eastern Texts (^{2}1955), S. 74, Anm. 11, übersetzt mit «double» mit der Anmerkung «evocation, image». Anders Hehn (A. 3), S. 46, der erklärt, zikru bedeute auch hier wie anderwärts Name. Vgl. dazu W. Schottroff: «Gedenken» im Alten Orient und im Alten Testament (1964), S. 41.

[57] Pritchard (A. 56), S. 108.

[58] Maqlū II, 125, s. Hehn (A. 3), S. 46, s. auch Maqlū II, 137 (nach CAD zu zikru).

I, 15f.: «Anschar machte Anu, seinen Erstgeborenen, (sich) gleich, und Anu erzeugte als sein Abbild (tamšilašu) Nudimmud (= Ea).»[59]

Zusammenfassend kann gesagt werden: Akkadisch ṣalmu (und auch muššulu) dient zur engen Umschreibung des Verhältnisses des Königs zu seinem Gott. Der Schwerpunkt der Aussage liegt offensichtlich nicht auf dem Wesen des Königs, der durchaus als Mensch verstanden wird, sondern auf seiner Funktion. Das zeigt sich schon darin, daß auch der Beschwörungspriester Abbild seines Gottes sein kann. Dieser kann Kräfte der Beschwörung spielen lassen gleich denen, über welche die Gottheit selbst verfügt. Von der Erschaffung des Königs durch Gott ist in diesen Zusammenhängen nicht die Rede, noch weniger von derjenigen des Menschen. Anders ist es bei zikru (bzw. an der letztgenannten Stelle bei tamšilu). Götter können zikru anderer, höher gestellter Götter sein, dasselbe gilt auch von Halbgöttern. Hier liegt das Gewicht der Aussage eindeutig beim Wesen des zikru, er ist selbst mehr oder weniger göttlicher Art, ja er hat teil an göttlicher Substanz[60]. Es scheint doch recht kühn zu sein, von diesen zikru-Stellen aus eine traditionsgeschichtliche Linie bis zu Gen. 1, 26ff. ziehen zu wollen. In ihnen wird nicht von Menschen, sondern von mythischen Gestalten gesprochen, was auch von der Stelle aus dem Enūma-Elisch gilt. Man verweist zwar auf die Beschreibung der Erschaffung sieben männlicher und weiblicher Wesen durch die Muttergöttin Mami im Mythos von Ea und Atarchasis[61]: sie zeichnet die Gestalten (uṣurāti) der Menschen miḫruša, «als ihr Gegenstück», was soviel heißen würde wie «als ihr Abbild». Doch dürfte maḫruša, «vor ihr», zu lesen sein, womit diese oft zitierte Stelle für unsere Untersuchung entfällt[62].

Dann bleiben also noch diejenigen Stellen, wo vom *König* als dem ṣalmu oder muššulu seines Gottes gesprochen wird. Sie legen die Vermutung nahe, daß Gen. 1, 26–30 letztlich in der Königsideologie des Vordern Orients verwurzelt ist.

---

[59] Pritchard (A. 56), S. 61.

[60] Vgl. V. Maag, Sumerische und babylonische Mythen von der Erschaffung des Menschen: As. Stud. 8 (1954), S. 85–106, s. bes. S. 96.

[61] Assyr. Version, Z. 26; Pritchard (A. 56), S. 100.

[62] Dasselbe gilt von Adapa A 5; Pritchard (A. 56), S. 101 Anm. 1a.

3.

Es ist heute allgemein anerkannt, daß die *alttestamentliche Königstradition* nicht unabhängig von den entsprechenden Vorstellungen im übrigen Alten Orient ausgebildet worden ist, so gewiß im allgemeinen eine auffallende Zurückhaltung bei der Rezeption der Anschauungen vom göttlichen Königtum zu beobachten ist. Das Verhältnis des Königs zu Jahwe ist grundlegend umschrieben in der Nathanverheißung von 2. Sam. 7, 14: «Ich will ihm zum Vater und er soll mir zum Sohn sein.» Aber das Alte Testament ist keineswegs an diese Terminologie «Vater-Sohn» gebunden. Dasselbe Kapitel nennt David Jahwes Knecht (ʿäbäd) und Fürsten (nāgīd) über sein Volk. Es läßt sich aber gerade noch erkennen, daß Israel auch die Bezeichnung «Gott» für den König durchaus bekannt war, wenn sie sich auch gegen den Absolutheitsanspruch des eifernden Jahwe nicht durchsetzen konnte[63]. Aus den Ehrennamen des Messias in Jes. 9, 5 sind Rückschlüsse auf die Titulatur des jerusalemischen Königs möglich, die über das hinausgehen, was wir anderwärts im Alten Testament darüber erfahren[64]. Es ist aber klar, daß auch Titel wie «Sohn» oder gar «Gott» nicht ontologisch, sondern funktional zu verstehen sind: Der König ist Jahwes Repräsentant. Durch ihn handelt Gott an Israel und den Völkern, von ihm strömt göttlicher Segen hinein in das Gottesvolk und hinaus in die Welt. Bei dieser Sachlage wäre durchaus denkbar, daß der König zu Jerusalem, dem neuassyrischen ṣalam ili entsprechend, ṣäläm ʾälohīm genannt würde. Darin käme Verbundenheit und Distanz zwischen Jahwe und seinem Gesalbten recht gut zur Geltung. Daß das nicht der Fall ist, könnte damit zusammenhängen, daß ṣäläm im Hebräischen ein wenig geläufiger Begriff gewesen ist. Vor allem aber wird sich darin auswirken, daß man es vermeiden wollte, den König durch den in Israels Glauben so negativ bewerteten Begriff «Gottesbild» zu belasten.

Bei dieser Sachlage bleibt nur der Versuch, auf indirektem Weg zu zeigen, daß die Vorstellung von der Gottabbildlichkeit von Gen. 1 ihre letzte Heimat in der Königstradition hat, nämlich so, daß

[63] In Ps. 45, 7 ist der König direkt als «Gott» angesprochen, was man nicht durch textkritische oder exegetische Kunstgriffe verwischen sollte, vgl. Kraus (A. 27), z. St.

[64] H. Wildberger, Die Thronnamen des Messias, Jes. 9, 5b: Theol. Zeitschr. 16 (1960), S. 314–332; vgl. aber auch 2. Sam. 14, 17.

wir uns zunächst fragen, ob nicht das Wortfeld von Gen. 1, 26, in das die ṣäläm-d^{e}mūt-Vorstellung eingebettet ist, eindeutig auf die Königstradition zurückweist. Daß der Mensch von Gen. 1 mit der Herrschaftsaufgabe betraut ist, ist natürlich schon immer gesehen worden. Die Frage ist nur, ob das eindeutig mit dem Vokabular, dem wir sonst bei der Beschreibung des königlichen Amtes begegnen, ausgesprochen wird.

Die heutige Forschung ist sich weitgehend darüber einig, daß der Satz, mit dem die Erschaffung der Menschen angekündet wird, «wir wollen Menschen machen», die Vorstellung einer göttlichen Ratsversammlung voraussetzt[65]. Im Alten Testament vernehmen wir sonst von einer solchen Beratung im Kreis göttlicher Wesen im Zusammenhang mit der Berufung und Sendung eines Propheten[66]. Aber König und Prophet sind in ähnlicher Weise Werkzeuge göttlichen Geschichtshandelns[67], und es ist möglich, daß in einer Beratung der «Gottessöhne» auch über die Einsetzung eines Königs gesprochen worden ist.

Ebensowenig wie ṣäläm ᵓ^{ä}lohīm findet sich d^{e}mūt ᵓ^{ä}lohīm im Alten Testament in Texten, die vom König handeln. Inwiefern d^{e}mūt den erstverwendeten Begriff ṣäläm modifiziert oder präzisiert, ist schwer zu sagen. Man sieht in ihm gerne eine Abschwächung des «kühnen» ṣäläm[68]. In 2. Kön. 16, 10, dem wohl ältesten Beleg, bedeutet es soviel wie Nachbildung, Modell. Die zahlreichen Stellen im Ezechielbuch, in denen d^{e}mūt vorkommt[69], zeigen, daß mit seiner Verwendung gerade einer Gleichsetzung gewehrt werden soll. Die lateinische Übersetzung similitudo (aber auch die griechische ὁμοίωσις) trifft den Sinn nicht schlecht. Nie wird das Wort von einer Götterstatue verwendet. Aber auch ṣäläm meint ja keineswegs eine Identität.

Auffallenderweise wird im Alten Testament ausdrücklich verneint, daß es etwas gibt, das Jahwe ähnlich wäre, Jes. 40, 18: «Wem wollt ihr da Gott vergleichen, und was als Abbild ihm an die Seite stellen?» (s. auch 40, 25; 46, 5). Ausgerechnet im Königspsalm 89 ist zu lesen: «Denn wer in den Wolken darf sich neben Jahwe stellen, wer ist Jahwe gleich unter den Gottessöhnen?» (V.7).

---

[65] S. aber z. B. Horst (A. 10), S. 222 Anm. 1. [66] 1. Kön. 22, 20; Jes. 6, 8.

[67] Wie stark die Erzählung von der Berufung Jeremias von der Königsideologie geprägt ist, hat neuerdings H. Graf Reventlow gezeigt, Liturgie und prophetisches Ich bei Jeremia (1963), S. 24ff.

[68] S. u. a. Köhler (A. 1), S. 20f. [69] Ez. 1, 10. 13. 16 u. ö.

Das israelitische Bekenntnis zur Unvergleichlichkeit Jahwes mußte jeden Versuch, den König als d^{e}mūt Jahwes zu proklamieren, ersticken. Und wenn schon der Mensch mit einem andern Wesen verglichen wird, ist festzustellen, daß er dem Tiere gleicht (nimšal) (Ps. 49, 13. 21; vgl. Qoh. 3, 19). Das Alte Testament verrät trotzdem gerade noch, daß Israel der Anspruch des Königs, Gott ähnlich zu sein, bekannt war: Der vermessene König, der sich über den Sternen seinen Thron bauen will, kündet nach Jes. 14, 14 an: «Auf Wolkenhöhen will ich emporsteigen, mich dem Höchsten gleich machen» (ʼäddammā̆ l^{e}ʻäljōn). Bezeichnend, daß hier vom Eljon, nicht von Jahwe die Rede ist: es ist heidnische Selbstvergöttlichung des Königs, die Israel nur als Hybris zurückweisen kann. Dazu kommt Ez. 28, 12. In V. 9 jenes Kapitels wird dem König von Tyrus das Recht bestritten, sich Gott zu nennen. In der ironisch gemeinten Totenklage heißt es aber von ihm, V. 12: «Du warst das ,urbildliche Siegel', voll Weisheit und von vollendeter Schönheit.» Leider sind Text und Deutung unsicher. Doch dürfte am Anfang mit LXX ḥōtam tabnīt zu lesen sein[70]. Tabnīt heißt «Abbild», in 2. Kön. 16, 10 steht es parallel zu d^{e}mūt[71], und LXX übersetzt es an unserer Stelle geradezu mit ὁμοίωσις (die Vulgata mit similitudo, die Peschitta mit d^{e}mūtā). Falls tabnīt wirklich, wie oft angenommen wird, Modell, Urbild[72], bedeutet, dürfte mit der Zürcher Bibel «urbildliches Siegel» übersetzt werden. Dann wäre der König vielleicht als Modell für die übrigen Menschen verstanden, so wie der Fürst im oben erwähnten Brief des Adad-šum-uṣur Urbild für die gewöhnlichen Menschen, oder Adam in Gen. 5, 1. 3, obwohl selbst Abbild Gottes, doch zugleich Modell für seinen Sohn Seth ist. Das schlösse nach diesen Parallelen keineswegs aus, sondern würde geradezu implizieren, daß er selbst auch Abbild der Gottheit ist. Vielleicht bedeutet aber tabnīt nichts anderes als Abbild. Dann dürfte es als genetivus epexegeticus (evtl. als Apposition) zu verstehen sein: «Siegel, das ein Abbild darstellt.»

Von der Herrschaft, die dem Menschen als Gottes Abbild zuge-

---

[70] Gr. ἀποσφράγισμα ὁμοιώσεως.

[71] In Deut. 4, 16–18 ist tabnīt neben päsäl verwendet, übrigens mit zākār als Attribut, vgl. ṣalmē zākār in Ez. 16, 17.

[72] S. die Lexica. Die Bedeutung Urbild ist aber keineswegs gesichert. Auch in Ex. 25, 9. 40 kann durchaus ein Abbild gemeint sein. J. Herrmann übersetzt in Ez. 28, 12: «Siegelabdruck des Ebenbildes», Kommentar, z. St.

sprochen wird, wird unter Verwendung von rdh (Gen. 1, 26), bzw. kbš und rdh (V. 28) gesprochen. Das Verbum rdh ist mit seiner Grundbedeutung «niedertreten» gewiß nicht der naheliegendste Ausdruck für die Herrschaft des Menschen über die Tierwelt. Um so bemerkenswerter ist, daß es gerade in Abschnitten des Alten Testaments auftaucht, in denen anerkanntermaßen die altorientalische Königsideologie nachklingt: Ps. 110, 2, wo der König durch die Zuweisung des Ehrenplatzes zur Rechten Gottes im Akt der Inthronisation «in der Machtsphäre Gottes Anteil an der Streit- und Siegesmacht Jahwes bekommt»[73]. Er wird zum Wesir Gottes erhoben und bekommt damit die Macht, seine Feinde zum Schemel seiner Füße zu machen (V. 1). Ebenso wird das Verbum in der Leichenklage über den gestürzten Weltenherrscher von Jes. 14, auf die wir eben von d^{e}mūt her gestoßen sind, verwendet (V. 6). Ist hier, wie in Ez. 34, 4, das so beschriebene Herrscherbild scharf abgelehnt, so wird doch in Ps. 72, 8 für den israelitischen König um solche Herrschermacht gebetet. Wenn also in Gen. 1 dieses Verbum verwendet wird, so hat sich darin offensichtlich, wenn auch umgebogen auf die Herrschaft des Menschen über die Tiere, ein altes Element der Königsideologie behauptet. Das leuchtet um so mehr ein, als das «machet euch die Erde untertan» an die Herrschaft «bis an die Enden der Erde», die dem König zugesprochen wird, erinnert.

Mit diesen Beobachtungen allein ist gewiß die Herkunft der Vorstellung von der Gottabbildlichkeit des Menschen noch nicht solide bewiesen, und wir werden uns nach weitern Argumenten umzusehen haben. Man kann jedenfalls gegen unsere These nicht einwenden, daß doch in der Königsideologie die *Erschaffung* des Menschen keine Parallele habe. Ps. 2, 7 zeigt, daß die Inthronisation des Königs als dessen Zeugung durch die Gottheit verstanden worden ist. Hingegen gehört die Umdeutung der Herrschaft über die Völker zu derjenigen über die Tiere natürlich zur Adaption der Vorstellung, die sich im Zug der «Demokratisierung», d. h. der Uminterpretation der Vorstellung auf den Menschen vollzogen hat.

---

[73] Kraus (A. 27), z. St.

4.

Es ist nicht daran zu zweifeln, daß zwischen Gen. 1, 26–30 und *Ps. 8* ein traditionsgeschichtlicher Zusammenhang besteht. Die Verwurzelung der anthropologischen Aussagen des Psalms in der Königsideologie ist aber noch deutlicher als in Gen. 1.

Zwar ist im Psalm die Vorstellung von der Gottabbildlichkeit nicht verbaliter aufgenommen. Sachlich jedoch hat diese in V. 6 ihre genaue Entsprechung: «Du hast ihn wenig niedriger als ʾälōhīm gemacht, mit Ehre und Hoheit hast du ihn gekrönt.» Das alte Prädikat für den Pharao «Gott», das auch in Israel als Anrede an den König nicht ganz unbekannt geblieben ist, wurde hier, wenn auch stark abgeschwächt, in das Menschenbild hineingenommen. Die Übersetzung «Engel» für ʾälōhīm sollte ein für allemal preisgegeben werden. Ob ʾälōhīm als Singular oder Plural zu verstehen ist, ist kaum zu entscheiden. Von Haus aus ist der Schöpfergott gemeint, der sich im König ein ihm gemäßes Abbild schafft. Israel allerdings mag, um der Einzigartigkeit Jahwes nicht zu nahe zu treten, bei ʾälōhīm an *Gottwesen* gedacht haben[74]. Nie wieder wird, wenn wir von Gen. 1 absehen, im Alten Testament dem Menschen ein so hoher Rang zugeteilt. Das kann seine Erklärung nur darin finden, daß die Verfasser der beiden Stellen es gewagt haben, einen an sich der altisraelitischen Anthropologie fremden Vorstellungskomplex in ihren Gedankengang einzubauen.

Erst recht zeigt sich der Hintergrund der Königsideologie in der Fortsetzung. «*Krönen*» geht allerdings nicht so eindeutig auf den König, wie man vermuten könnte, indem das Verb sehr leicht im übertragenen Sinn verwendet werden kann[75]. Aber die Objekte kābōd und hādār sichern den Zusammenhang. Daß diese beiden

---

[74] So wohl auch in Gen. 1, 27 und 3, 5.

[75] Die Grundbedeutung des Verbums scheint «umringen» zu sein, das zu ihm gehörige Substantiv ʿaṭārā bedeutet zunächst «Kranz».

Begriffe zur Umschreibung der glanzvollen Erscheinung eines Königs dienen, bedarf keines Beweises[76]. Besonders schlüssig ist das seltenere hādār. Vom irdischen König wird es wieder ausgerechnet in den beiden Psalmen 45 (V. 4f.) und 110 (V. 3) verwendet, deren Beziehungen zu Gen. 1 uns bereits aufgefallen sind[77].

Die *Herrschaft* wird dem Menschen in Ps. 8 durch das Verbum māšal (hi) zugesprochen. Himšīl heißt zum mōšēl machen, und mōšēl ist ein beliebtes Synonym zu mäläk. Dieses Verbum statt des eindeutigeren mālak zu verwenden war bei der Übertragung der Vorstellung auf den Menschen gegeben. Daß es zur Königsideologie gehört, beweisen Ps. 89, 10; 103, 19; Mi. 5, 1; vgl. auch Jes. 14, 5.

Stünde V. 7b: «alles hast du unter seine Füße gelegt» isoliert da, würde man nicht auf den Gedanken kommen, daß sich der Ausdruck gerade nur auf die Herrschaft des Menschen über die Tierwelt bezöge. Das Motiv gehört von Haus aus eindeutig zur Beschreibung der Herrschaftsgewalt des Königs über seine Feinde, so in Ps. 110, 1: «bis ich deine Feinde als Schemel für deine Füße lege» (vgl. Ps. 2, 8. 11, emendierter Text).

Wenn in Ps. 8 mit ähnlichen Wendungen wie in Gen. 1 dem Menschen die Herrschaft über die Tiere zugeschrieben wird, wird man das kaum mit literarischer Abhängigkeit erklären dürfen[78]. Die «Demokratisierung» der Topik der Königstradition wird weder das Werk des Verfassers von P noch dasjenige des Psalmisten sein, sie muß beiden Autoren bereits vorgelegen haben.

---

[76] Vgl. dazu Groß (A. 13), S. 96, der zum Schluß kommt: «Eine Übersicht über Vorkommen, Kontext und Funktion dieser beiden auszeichnenden Prädikationen läßt erkennen, daß sie von Haus aus Eigenschaften des Königtums Gottes sind.» Es wird allerdings ein müßiger Streit sein, ob sie zunächst den menschlichen oder göttlichen König preisen sollen.

[77] Vgl. auch neben Ps. 21, 6 (wo vorher von der Krönung des Königs die Rede war) das fem. hadārā in Prov. 14, 28 und das entsprechende Verb in Prov. 25, 6, ferner Dt. 33, 17. Der hādār des göttlichen Königs wird gepriesen in Ps. 29, 4; 104, 1; 145, 5. 12, hadārā in Ps. 29, 2; 96, 9 (vgl. auch hädär malkūt in Dan. 11, 20). Für Ugarit s. I K 155 und dazu die Ausführungen von Kraus (A. 27) zu Ps. 29, 2.

[78] Bei der notorischen Unsicherheit in der Datierung der Psalmen wäre es übrigens schwierig festzustellen, auf welcher Seite die Abhängigkeit läge. Es geht jedenfalls nicht mehr an, den Psalm in spätnachexilische Zeit anzusetzen, weil er von Gen. 1 abhängig sei. Traditionsgeschichtlich ist Ps. 8 zweifellos älter als Gen. 1, 26ff., und die Verbindung des Gedankenkomplexes mit der Erzählung von der Erschaffung der Welt muß relativ jung sein.

Hingegen wird man beim *Siraciden* mit literarischer Abhängigkeit von Gen. 1 rechnen müssen, Sir. 17, 2b–4:

καὶ ἔδωκεν αὐτοῖς ἐξουσίαν τῶν ἐπ' αὐτῆς.
καθ' ἑαυτὸν ἐνέδυσεν αὐτοὺς ἰσχὺν,
καὶ κατ' εἰκόνα αὐτοῦ ἐποίησεν αὐτούς.
ἔθηκεν τὸν φόβον αὐτοῦ ἐπὶ πάσης σαρκὸς
καὶ κατακυριεύειν θηρίων καὶ πετεινῶν.

Deutlicher als in Ps. 8 ist hier die Ausrüstung des Menschen mit *Macht* herausgestellt. Daß der Mensch *Furcht* auf alle Lebewesen zu legen vermag, ist ein Nachklang jener Furcht, die der gewaltige König über seine Feinde bringt (Ps. 2, 11). So weit folgt der Verfasser der Tradition. Dann aber scheint seine eigene Deutung der Gottabbildlichkeit zu folgen. Gott gab dem Menschen als seiner εἰκών die fünf Sinne, dazu die Gabe der Vernunft und das Wort. Er verlieh ihm ein Herz zum Denken, erfüllte ihn mit Einsicht und Verstand und ließ ihn Gut und Böse erkennen. So sehr man hier das Menschenbild des Hellenismus vor sich zu haben glaubt, so klingen doch noch Motive aus der Königsideologie an (vgl. etwa 1. Kön. 3, 9; Jes. 7, 15; 11, 2). Weisheit, Einsicht und Verstand, zu unterscheiden zwischen Gut und Böse, sind im Alten Testament speziell Begabungen, mit denen der König ausgerüstet ist. Es ist erstaunlich, daß Jesus Sirach dem Menschen gerade das zuspricht, worin Gen. 3 nur frevlerischen Hochmut des Menschen sehen kann. Aber es ist nicht erstaunlicher, als daß neben der Anthropologie von Gen. 1 diejenige von Gen. 3 steht. Wenn die Tradition von der Gottabbildlichkeit des Menschen und seiner königlichen Gewalt im Alten Testament kein weiteres Echo gefunden hat, hängt das doch wohl damit zusammen, daß man der Hybris des Menschen nicht Vorschub leisten wollte. Vielleicht hat aber Hi. 19, 9 eine Spur davon bewahrt, daß das Menschenbild von Gen. 1 und Ps. 8 in manchen Kreisen Israels gepflegt wurde: «Meiner Ehre (kābōd) hat er mich entkleidet[79] und die Krone mir vom Haupt genommen»[80].

5.

Die Befragung der einschlägigen Stellen des Alten Testaments hat unsere Vermutung, daß das Theologumenon von der Gott-

[79] Vgl. dazu das ἐνέδυσεν in Sir. 17, 3.
[80] Vgl. auch Ps. 49, 13. 21.

abbildlichkeit des Menschen letztlich in der altorientalischen Königsideologie wurzle, bestärkt. Es scheint aber doch die Schwierigkeit zu bleiben, daß gerade die entscheidenden Begriffe ṣäläm und d^e^mūt im Alten Testament nicht verwendet werden, wo vom König gesprochen wird. Andererseits begegneten wir in der babylonischen Welt wohl in Texten, die vom König handeln, Entsprechungen der beiden biblischen Begriffe, ohne doch in ihrem Umkreis nähere Beziehungen zum biblischen Wortfeld feststellen zu können.

Hier hilft uns nun aber das uns heute zur Verfügung stehende Material aus *Ägypten* weiter. Auf dem Rosettastein wird der König (Ptolemaios Epiphanes) als εἰκὼν ζῶσα τοῦ Διός bezeichnet[81]. Die Vorstellung begegnet in der griechisch-römischen Epoche Ägyptens sehr häufig. Bei der Zähigkeit, mit der sich gerade in Ägypten solche Titel erhalten haben, ist zum vornherein wahrscheinlich, daß die Vorgeschichte dieser εἰκὼν ζῶσα weit in das ägyptische Altertum zurückreicht. Im Alten und Mittleren Reich scheint sie zwar noch unbekannt zu sein, aber seit der 18. Dynastie ist sie da[82]. Das Material steht heute bequem zur Verfügung in den Urkunden aus der Zeit der 18. Dynastie, die K. Sethe und W. Helck herausgegeben und teilweise übersetzt haben[83].

---

[81] Text bei W. Dittenberger, Orientis graeci inscriptiones selectae, 1 (1903), Nr. 90, S. 142f., Urk. (A. 83), 2, S. 170. Schon Hehn (A. 3) hat auf die Stelle hingewiesen, S. 36 (s. auch S. 50).

[82] H. Brunner, Die Geburt des Gottkönigs: Äg. Abh. 10 (1964), S. 109: «Die Bezeichnung des Königs als tj.t/twt eines Gottes gehört ganz in den Bereich der Theologie des Neuen Reiches; mir sind keine früheren Belege bekannt.» Ähnlich S. Morenz, Ägyptische Religion (1960), S. 160 Anm. 65: «Das Material, das sich aus verschiedenen Worten für ‚Bild', vor allem śḫm, tj.t, twt aufbaut, verdient Sammlung, Ordnung und Deutung. Ich notiere wenigstens, daß der Sachverhalt seit der 18. Dyn. bezeugt ist und dann in der griech.-röm. Epoche am häufigsten begegnet.» In einer neuesten Arbeit, Die Heraufkunft des transzendenten Gottes: Sitz. Sächs. Ak. Wiss. 109/3 (1964), S. 37, verweist er noch auf Koptos 12, 3. 8 («Re hat dich als sein Abbild [ẖntj] eingesetzt») als den ältesten ihm bekannten Beleg (17. Dyn.).

[83] Urkunden des ägyptischen Altertums, IV, 1–16 (1905ff.), hg. von K. Sethe; 17–22 (1955–58), hg. von W. Helck. Einen Teil der Texte aus der früheren Zeit der 18. Dynastie hat K. Sethe bereits 1914 bearbeitet und übersetzt: Urkunden der 18. Dynastie, I, 1–4. Die von W. Helck herausgegebenen Texte sind von ihm auch übersetzt worden: Urkunden der 18. Dynastie, Übersetzung zu den Heften 17–22 (1961). Bei der Zitierung meint im folgenden die erste Seitenzahl jeweils den ägyptischen Text, die zweite die Übersetzung. Der von Sethe herausgegebene Text ist heute allerdings re-

Auf einer Stele Amenophis' II. aus Amada wird der Pharao gepriesen als «sein *geliebter* leiblicher *Sohn* des Re, Herr der Fremdländer... der gute *Gott*, die *Schöpfung* des Re, der *Herrscher*, der bereits stark aus dem Leib gekommen ist; *Ebenbild des Horus* auf dem *Thron* seines Vaters; groß an Kraft...»[84]. Darauf werden seine Herrschermacht, seine Fürsorge für die Tempel und seine kriegerischen Taten gerühmt.

Schon in diesem einen, zufällig herausgegriffenen Text werden zur Bestimmung der Beziehung des Pharao zur Gottheit verschiedene Begriffe verwendet: Sohn, Schöpfung, Ebenbild des Gottes, wobei allen voran die Bezeichnung «Gott» selbst steht. Sie sind von Haus aus nicht genau synonym, sondern spiegeln die Geschichte des ägyptischen Gottkönigtums wieder. Aber «Ebenbild», der neue Begriff der 18. Dynastie, stellt zweifellos den wirklich als adäquat empfundenen Versuch der neuen Zeit dar, das König-Gott-Verhältnis zu erfassen, und ist also der entscheidende Begriff, von dem aus die andern zu interpretieren sind. Wir haben daran erinnert, daß auch im Alten Testament gerade noch etwas davon zu erkennen ist, daß man den König als ein Gottwesen feierte. Daß der Begriff «Abbild» fehlt, schien uns angesichts der scharfen Polemik gegen das «Gottesbild» begreiflich zu sein. Eine nicht unwichtige Rolle hat aber die Bezeichnung «Sohn» gespielt, und sie ist in messianisch-eschatologischer Ausprägung zu großer theologischer Wirkung gekommen. Man beachte auch, daß der Sohn als «geliebter» ausgezeichnet ist (s.u.; S.500). Der Pharao ist «Schöpfung» des Re, wie der inthronisierte Sohn Gottes im Alten Testament von ihm «gezeugt» ist. Als «Ebenbild» ist der Pharao der Herrscher, und seine Macht äußert sich in seinen Siegen über die Völker.

Das gewählte Beispiel wiederholt sich in einer großen Zahl ähnlicher Inschriften. Um einen Eindruck der Vielfalt in der Formulierung und der Konstanz in den Hauptmotiven zugleich zu geben, sei ein weiteres Beispiel aus der Inschrift auf einer Stele aus dem Totentempel Amenophis' III. zitiert (Amun, der König der Götter, spricht): «Mein *geliebter* leiblicher *Sohn*..., mein *lebendes Abbild*, *Schöpfung* meiner Glieder, den mir Mut, die Herrin von Asheru in

---

visionsbedürftig. Weiter sei auf die einschlägigen Texte bei A. Erman, Die Literatur der Ägypter (1923), S. 318ff., verwiesen und auf die Angaben der Wörterbücher zu den verschiedenen Begriffen für Bild, Abbild, Ebenbild etc.

[84] Helck (A. 83), S. 1289/29f.

Theben... geboren hat, und den man auferzogen hat als einzigen *Herrn der Menschen.* Mein Herz jubelt sehr, wenn es deine *Schönheit* sieht...»[85]. Im folgenden wird beschrieben, wie Amun dem König die Völker der vier Weltgegenden unterwirft. Das Motiv der Schönheit des Königs erinnert an Ez. 28, 12. 17 (vgl. Jes. 33, 17).

Was in den Übersetzungen dieser Texte mit Bild, Abbild, Ebenbild und ähnlichen Ausdrücken wiedergegeben wird, wird im *Ägyptischen* mit einer beträchtlichen Zahl verschiedener Vokabeln bezeichnet. Die oben zitierte Inschrift aus Amada sagt für Ebenbild ẖntj, wofür das Wörterbuch[86] die Bedeutung «Statue» angibt, eigentlich wohl die zur Ausfahrt (ẖnt) des Gottes dienende Statue, selten auch «gezeichnetes Bild». Man kann das Standbild einer Privatperson, eines Königs oder auch eines Gottes so benennen. In der Inschrift aus dem Totentempel Amenophis' III. ist für «Abbild» das ägyptische Wort twt[87] verwendet. Es kann sowohl die Statue wie das an der Tempelwand gemalte Bild, selten auch einfach «Gestalt» bedeuten. Als Verbum heißt twt «gleich, entsprechend, ähnlich sein», deckt sich also dem Sinn nach mit hebräisch dmh, von dem d^e^mūt abgeleitet ist. Weitaus am häufigsten erscheint aber in den Texten tj.t. Sein Bedeutungsumfang ist recht weit und umfaßt «Schriftzeichen, Bild, Gestalt» bis hin zu «Symbol»[88]. Seltener ist šsp, nach Erman-Grapow[89] wohl eigentlich sphinxgestaltiges Bild, schon früh aber auch von menschengestaltigen Bildwerken verwendet, und auch es bedeutet gemeinhin «Bild, Abbild, Statue». Im Siegeslied Thutmosis' III.[90] ist das ebenfalls weniger häufige snn verwendet mit einer von den genannten Wörtern nicht klar zu unterscheidenden Bedeutung. Die Begriffe harren aber noch einer umfassenden Analyse, bei der ohne Zweifel eine größere Differenziertheit zum Vorschein käme als die üblichen Übersetzungen ahnen lassen und bei der es möglich sein müßte, auch die zeitliche Streuung zu erfassen. Jede Zeit hat für gewisse Begriffe eine Vorliebe[91]. Man hat sich nie endgültig auf ein bestimmtes Wort festgelegt, ja es können bei der geradezu ermüdenden Plerophorie der Inschriften im selben Text verschiedene Ausdrücke nebeneinander verwendet werden. Teils scheinen sie mehr ṣäläm, teils mehr d^e^mūt zu entsprechen.

---

[85] Helck (A. 83), S. 1655f./198.

[86] A. Erman-H. Grapow, Wörterbuch der ägyptischen Sprache, 3, S. 385.

[87] Erman-Grapow, 5, S. 255; vgl. auch den Königsnamen Tutenchamun (Twt-ʿnḫ-ʾImn) = «lebendes Bild des Amun».

[88] Erman-Grapow, 5, S. 239.

[89] Ebd., 4, S. 536.

[90] Urk. (A. 83), IV, S. 615; Altor. Texte, S. 18; Pritchard (A. 56), S. 374.

[91] Das ägyptische Äquivalent für εἰκὼν ζῶσα auf dem Rosettastein ist nicht erhalten. Es dürfte śḫm sein (so der hieroglyphische Text der Kopie N, Urk. 2, S. 170), das regelmäßig mit εἰκών oder ἱερὸν ἄγαλμα wiedergegeben wird und in der Verbindung «lebendes Bild des Amun» als Bestandteil mehrerer Ptolemäernamen vorkommt (Erman-Grapow, 4, S. 244). Anders

Schon die bereits zitierten Texte zeigen, daß keineswegs bloß ṣäläm und d^emūt in ihnen ihr Gegenstück haben, sondern auch andere Elemente aus deren Wortfeld in ihnen erscheinen.

Einmal das «*Erschaffen*». In der Regel wird der Pharao «Schöpfung» der Gottheit genannt. Es kann aber durchaus auch das Verbum verwendet werden: «Es *schuf* ihn sein Vater Re»[92], gelegentlich kann es auch «*zeugen*» heißen[93], wie es dem Prädikat «Sohn» entspricht. Aber «schaffen» bzw. «Schöpfung» ist viel häufiger, «zeugen» ist zweifellos nur noch Bild[94].

Oft wird natürlich von der machtvollen *Herrschaft* des Pharao gesprochen, und zwar vor allem von seinen Siegen über die Fremdvölker und den Huldigungen, die sie ihm darbringen. Auf einer Stele des Baumeisters Nfr–ḥ꜡.t lesen wir vom Pharao (Thutmose IV?): «Der König, leiblicher (Sohn des Re)... der gute Gott, Abbild (tj.t) des Re, Sohn des Amun, der die Fremdländer *niedertrampelt*»[95]. Das «niedertrampeln» erinnert auffallend an das rdh von Gen. 1 und Ps. 110. Oder wir lesen: «der alle Länder bändigt»[96], «es liegt die Erde unter dir wegen deiner Tüchtigkeit, du guter Herrscher»[97]. Auch die Dedikationsinschrift am Month-Tempel zu Karnak spricht vom Pharao (Amenophis III.) als dem «Ebenbild des Re..., der die Fremdländer niedertrampelt und die Asiaten schlägt» und fügt hinzu: «alle Fremdländer sind *unter seinen Sohlen*»[98]. Und in der

Hehn (A. 3), der an ḫpr «Wesen, Sein» denkt, S. 48. Aus der 22. Dyn. sei noch eine Stelle aus andern gattungsgeschichtlichen Zusammenhängen zitiert. Ein Prophet sagt: O ihr Propheten... des Amun. Ich bin euer Helfer bei eurem Herrn (d. h. dem König), der größer ist als die Götter... Er ist das Abbild des «Leuchtenden» (Re): E. Otto, Die biographischen Inschriften der ägyptischen Spätzeit (1954), S. 135.

[92] Helck (A. 83), S. 1320/43; s. ferner ebenda S. 1687/213: «prächtiges Ebenbild des Atum, den Harachte selbst geschaffen hat; göttlicher König, Herr der großen Doppelkrone; mit schönem Gesicht, wenn er erschienen ist mit der **꜡tf-Krone**; dessen Macht weit ist...» u. a.

[93] Helck (A. 83), S. 1716/225.

[94] Es scheint, daß «krönen» nichts anderes als ein Synonym zu «erschaffen» ist.

[95] Helck (A. 83), S. 1612/176.

[96] Ebd., S. 1694/216.

[97] Ebd., S. 2069/385.

[98] Ebd., S. 1670/205. Die Formeln sind häufig. Auf der Siegesstele Thutmosis' III. aus dem Tempel von Karnak (s. oben Anm. 90) spricht Amon-Re zum Pharao: «Ich lasse deine Siege in allen Ländern umhergehen... ich bin gekommen, daß ich dich *zertreten lasse* die Fürsten von Palästina; ich breite

«Geburtslegende» desselben Herrschers aus Luxor wird verheißen: «Du wirst König von Ägypten und Herrscher der Wüste sein. Alle Länder sind unter deiner Aufsicht, die Bogen liegen vereint *unter deinen Sandalen*»[99]. Damit ist auch das «alles hast du unter seine Füße getan» von Ps. 8, 7 (vgl. Ps. 110, 2) belegt.

Sehr oft ist natürlich, Ps. 8, 6 entsprechend, von der *Krönung* des Pharao durch seinen Gott, bzw. von den Kronen, die dieser ihm verliehen hat, die Rede. In der Pfeilerinschrift Amenophis' II. in Karnak liest man: «Abbild des Amun wie Re», «den Amun in Theben *gekrönt* hat», «den Amun *auserwählt* hat», «den Amun auf dem Thron des Re *gekrönt* hat», «*Abbild* des Amun, dem Leben gegeben werde wie Re ewiglich», «den Amun *auserwählt* hat in alle Ewigkeit»[100]. Häufig ist auch das Epitheton: «Herr der *Kronen*».

Wenn noch Jesus Sirach sagt, daß der Mensch *Furcht* auf alles *Fleisch* lege (17, 4), so sagt schon eine Inschrift am Luxortempel von Amenophis III.: «... der *Furcht* in alle *Leiber* legt, Nb-mꜣ.t-Rꜥ, Abbild-(tj.t)-des-Re»[101].

Auch vom Glanz, der Pracht, der *Herrlichkeit* des Pharao wird gesprochen, so daß auch kābōd und hādār eine Entsprechung haben. Die eben erwähnte Inschrift am Monthtempel zu Karnak nennt den Pharao «Herrn der Strahlen auf das (?) Gesicht des Aton»[102], die Inschrift aus dem Luxortempel «*prächtiges* Ebenbild»[103], und in einer Bauinschrift von Karnak heißt es sogar von seinen Statuen: «Jedes Abbild von ihm ist gemäß der Gestalt der Majestät des Re»[104]. Es ist wesentlich, daß sich dieses Wortfeld durchgehend im Umkreis von «Abbild des Gottes» nachweisen läßt.

Damit ist der Zusammenhang von Gen. 1, 26 mit der altorientalischen Königsideologie gesichert, den bereits eine Durchsicht der akkadischen, speziell der neuassyrischen Texte nahelegte. Die Ver-

---

sie *unter deine Füße*, durch ihre Länder hin. Ich zeige ihnen deine Majestät als den Herrn der Strahlen, du leuchtest als *mein Ebenbild* (snn) vor ihrem Antlitz»; zitiert nach Erman (A. 83), S. 320; s. ferner Helck (A. 83), S. 1708/222.

[99] Helck (A. 83), S. 1716/225.

[100] Ebd., S. 1359/58f.

[101] Ebd., S. 1707/222.

[102] Ebd., S. 1670/205.

[103] Ebd., S. 1687/213. Vgl. auch Sethe (A. 83), S. 275/126 (Hatschepsut).

[104] Helck (A. 83), S. 1724/229. Die Belege für die Begrifflichkeit, welche «Abbild des Gottes» begleitet, ließen sich mit Leichtigkeit vermehren.

bindung von Gen. 1, 26ff. ist aber zweifellos viel enger zum ägyptischen Bereich, wobei natürlich durchaus damit zu rechnen ist, daß auch babylonische Einflüsse zum Zug gekommen sind.

Wo hat sich aber die Übertragung der Vorstellungen vom König auf den Menschen vollzogen? Ist die sog. «*Demokratisierung*»[105] ein entscheidender Beitrag des Jahweglaubens mit seinem tief verankerten Mißtrauen gegenüber der Königsideologie seiner Umwelt und seinem Widerstand gegen deren Rezeption im eigenen Bereich? Von «Demokratisierung» spricht man allerdings gerade in den Darstellungen der ägyptischen Religionsgeschichte. Zunächst wird nur der König als Inhaber göttlicher Würde und Macht nach dem Tode mit Osiris gleichgesetzt. Dann aber haben auch die Fürsten und schließlich alle Schichten des Volkes für sich dieselbe Vergottung in Anspruch genommen. So werden im Lauf der Zeit Texte, die von Haus aus dem König galten, aber auch der ganze Komplex von Riten eines osirianischen Begräbnisses, auf jedermann bezogen[106]. Ebenso hat sich im Lauf der Geschichte eine Popularisierung der zunächst streng dem König reservierten Weisheitslehren vollzogen. Die Vermutung liegt also nahe, daß auch die Vorstellungen über das Verhältnis des Königs zu Gott bereits in Ägypten demokratisiert worden sind.

In der Lehre für Merikare lesen wir: «Wohlversorgt sind die Menschen, das Vieh Gottes. Er hat die Luft gemacht, daß die Nasen der Menschen leben. Sie sind seine *Abbilder*, die aus seinen Gliedern hervorgegangen sind. Er geht am Himmel auf für ihre Herzen, hat die Pflanzen für sie gemacht und die Tiere, Vögel und Fische, um sie zu ernähren. Seine Feinde hat er erschlagen...»[107] Abgesehen vom Begriff Abbild (snn), finden sich hier keine Anklänge an die behandelten Königstexte. Hingegen liegt hier das Motiv der Nahrung für den Menschen, das in Gen. 1, 29f. erscheint, vor.

Ebenso ist auf den Epilog der Lehre des Anii zu verweisen. Er enthält eine Zwiesprache zwischen Vater und Sohn. Dieser ist nicht zufrieden mit der autoritären Erziehungsmethode seines Vaters, der gar nicht auf seine Einwände eingeht. Der Sohn hält ihm entgegen

---

[105] Im Blick auf Gen. 1, 26f. hat, soweit ich sehe, F. Horst (A. 10) zum erstenmal den Begriff «Demokratisierung» verwendet, S. 230.

[106] S. dazu Morenz (A. 82), S. 58 und passim.

[107] Übersetzung aus Frh. W. von Bissing, Altägyptische Lebensweisheit (1955), S. 56; s. auch Pritchard (A. 56), S. 417.

(Anii X, 8ff.): «Ist es nicht dem Menschen eigen, daß er seine Hand sinken läßt und statt dessen (d. h. statt des Schlagens) eine Antwort anhört? Die Menschen sind *Gottes Ebenbilder* in ihrer Gewohnheit, einen Mann mit seiner Antwort zu hören. Nicht der Weise allein ist *sein Ebenbild*, indem die Menge wie lauter Vieh wäre. Nicht der Weise allein ist sein Zögling, indem er allein vernünftig wäre (wörtlich ein Herz habe), die ganze Menge aber töricht.»[108] Der Text berührt sich auffallend mit modernen Interpretationen der Imago-Dei-Lehre, die in der Möglichkeit der Verständigung durch das Wort das spezifisch Menschliche des Menschen sehen[109]. In der sonstigen ägyptischen Weisheit, wie im Alten Orient überhaupt, dürfte es zu dieser Deutung der Gottebenbildlichkeit kaum Parallelen geben. Ein Zusammenhang mit der Königsideologie besteht hier offensichtlich nicht.

Man hat also in der Tat in Kreisen der ägyptischen Weisheit von Menschen als dem Ebenbild des Gottes gesprochen[110]. Die dieses Stich-

[108] Übersetzung aus H. Brunner, Altägyptische Erziehung (1957), S. 137. – Allerdings sind Übersetzung und Verständnis des Textes schwierig; vgl. die Verdeutschung bei von Bissing (A. 107), S. 78, der sich an E. A. W. Budge, The Teaching of Amenemapt (1924), anlehnt. Das Wort, das wir mit «Ebenbild» wiedergegeben haben (śn.nw), heißt eigentlich «der zweite», auch es kann gelegentlich vom König verwendet werden (Erman-Grapow, 5, S. 149). Von Bissing übersetzt es mit «Genosse», E. Suys, La sagesse d'Ani: Anal. Orient. 11 (1935), S. 106, mit «les seconds», A. Volten, Studien zum Weisheitsbuch des Anii (1937), S. 162, mit «(dem Gotte) gleich». Nachher im selben Text verteidigt sich der Sohn nochmals dem Vater gegenüber und redet ihn an: «Du, sein (gemeint ist des Gottes) Ebenbild, du weiser Mann mit der starken Hand...» (X, 15, nach Brunner, S. 138). Diesmal ist das ägyptische Wort mjtt verwendet (Suys, S. 109: «semblable»; Volten, S. 172: «Ebenbild»). Darnach muß also «Ebenbild» ein Ehrenprädikat für den Weisen gewesen sein, und es wird vom Sohn des Anii in der revolutionären Kühnheit des Jugendlichen für den Menschen überhaupt in Anspruch genommen. Das tertium comparationis ist hier natürlich die Weisheit des Weisen, die gleich der Weisheit Gottes ist.

[109] So z. B. K. Barth, Die kirchliche Dogmatik, III, 1 (1945), S. 224. Er will die Gottebenbildlichkeit verstanden wissen als den besonderen «Charakter der menschlichen Existenz, kraft dessen der Mensch Gott gegenüber verhandlungsfähig wird, sein Charakter als von Gott anzuredendes Du und als Gott verantwortliches Ich, aber auch seinen Charakter als Ich und Du in der Koexistenz von Mensch und Mensch, von Mann und Frau». Vgl. Horst (A. 10), S. 231.

[110] Man konnte in Ägypten offenbar auch allgemein vom Sohn als dem Ebenbild des Vaters reden. Bei der Einsetzung des Vezirs Wśr in sein Amt

wort begleitenden Aussagen sind hier aber inhaltlich andere als in der Königsideologie. Bei dieser Sachlage ist es vorläufig nicht zu entscheiden, wo und wie sich die Umdeutung der Königsideologie zu allgemein anthropologischen Aussagen vollzogen hat. Es bleibt möglich, daß das erst in Israel geschehen ist[111].

6.

Es sind im Blick auf Gen. 1, 26f. *noch einige Punkte* zu klären:

a) Was bedeuten *die Präpositionen* in b^{e}ṣalmēnū kid^{e}mūtēnū (Gen. 1, 26)? Bereits Hehn hat erklärt[112]: «Gen. 1, 26f. wird man am besten übersetzen: ‚Laßt uns den Menschen machen *als* unser Bild – Gott schuf den Menschen *als* sein Bild', indem man בְּ als Beth essentiae der Alten faßt, das die Form, die Eigenschaft ausdrückt, in der eine Person oder Sache auftritt.» Die übliche Übersetzung «nach unserm Bilde» müßte, wollte man sie ernst nehmen, voraussetzen, daß es ein (himmlisches oder irdisches?) Abbild der Gottheit bereits gibt, nach welchem die Menschen erschaffen wurden. Von Rad verweist dazu auf die Vorstellung eines göttlichen Wesens, das vor der Menschenschöpfung zuerst einen Riß, ein Bild auf eine Tontafel zeichnet[113]. Aber die ägyptischen Texte, die Gen. 1, 26 weit näher stehen, lassen

---

sagt der König zu dessen Vater, der dieselbe Stellung innegehabt hatte, nun aber entlastet werden soll: «Er möge für dich der Stab des Alters sein... Gut ist ja das Ersetztwerden durch seinesgleichen. Enthülle dein *Ebenbild*, [bilde (o. ä.)] sein Herz. Dein Stellvertreter soll er sein...»; Helck (A. 83), S. 1383/71. Es ist ein Text, der durchaus im Stil der Weisheit verfaßt ist. Man wird also annehmen dürfen, daß in diesem Bereich vom Sohn als dem Ebenbild des Vaters gesprochen worden ist.

[111] Wir erinnern daran, daß in Babylon gelegentlich der Beschwörungspriester ṣalmu Gottes sein konnte (s. oben bei Anm. 49). Auch in Ägypten war es möglich, den Priester mit dem ursprünglich königlichen Prädikat auszuzeichnen. So lautet der Titel eines Priesters vom Memphis aus der Zeit des Neuen Reiches: «geliebtes Bild (snn) des Ptah» (Erman-Grapow, 3, S. 460). Gelegentlich nimmt ein Gouverneur dieses Prädikat in Anspruch wie z. B. Teos II., Gouverneur von Tanis (Ptolemäerzeit): «Ich bin dein (Amonre's) Ebenbild, das aus dir entstanden ist...», zitiert nach Otto (A. 91), S. 187.

[112] Hehn (A. 3), S. 45, Anm. 4.

[113] G. von Rad, Theol. Wörterb., 2 (1935), S. 388; vgl. dazu auch Maag (A. 60), S. 95.

diese Deutung nicht zu. Schon der Wechsel der beiden Präpositionen in Gen. 5, 3 läßt erkennen, daß sie beide faktisch denselben Sinn haben müssen[114]. ʿāśā kᵉ heißt nichts anderes denn «machen zu». Der Satz ist also etwa zu übersetzen: «Lasset uns den Menschen machen als unser Abbild, zu einem Wesen, das uns ähnlich sei.»

b) Gott sagt in Gen. 1, 26 nicht «als mein Abbild», sondern «als *unser Abbild*»[115]. Ebenso ist, wie wir oben ausführten, Ps. 8, 6 zu übersetzen: «Du hast ihn wenig niedriger gemacht denn *göttliche Wesen.*» «Der Mensch ist elohimgestaltig geschaffen.»[116] In Ägypten wird in der Regel Wert darauf gelegt, daß der König Abbild des höchsten Gottes ist[117]. Der Pharao hat wohl Verpflichtungen auch andern Göttern gegenüber[118], aber sein Vater ist allein der Herr der Götter, Re. Immerhin kann auch einmal der Plural verwendet werden. So heißt es auf einer Statuengruppe aus Faras: «Der gute Herrscher, [der Nützliches tut für *seine Väter*, *alle Götter*]; [Sohn des] Amun, der seine Schönheit *schuf* ...Geschöpf [des ...*Ab*]*bild* (tj.t) *der Götter*...»[119]. Die Unbekümmertheit, mit der der Pharao bald als Sohn des *einen* Schöpfergottes, bald als Abbild der Götter

---

[114] Vgl. Hi. 10, 9: kaḥomär ʿᵃśītānī «du hast mich (wie) zu Lehm gemacht». In Jes. 40, 23 sind nātan lᵉ und ʿāśā kᵉ parallel verwendet. Vgl. ferner Ps. 18, 43: wᵉʾäšḥāqēm kᵉʿāphār «ich zermalmte sie zu Staub»; Ps. 105, 12: bihᵉjōtām... kimᵉʿaṭ «als sie (wie) zu wenigen wurden»; u. a. m. Vgl. dazu Vriezen (A. 20), S. 91ff. «Il paraît en tout cas que la force comparative de la particule כְּ est non seulement beaucoup affaiblie, mais en certains cas s'est perdue et comme le בְּ essentiae peut avoir la signification de: en qualité de» (S. 92). Nicht folgen kann ich Vriezen, wenn er an der Übersetzung «d'après l'image de Dieu» festhalten will (S. 94), vgl. Ex. 6, 3, vor allem aber Ps. 39, 7: ʾak kᵉṣäläm jithalläk-ʾīš «nur als Schatten geht der Mensch einher». S. dazu W. Hess, Imago Dei (Gn. 1, 26): Ben. Monatsh. 29 (1953), 371–400, S. 377.

[115] In V. 27 liest MT allerdings bᵉṣalmō, also mit singularischem Suffix. Das Wort fehlt in der LXX und wird zu streichen sein (s. O. Procksch, Komm. z. St.) als Zusatz aus einer Zeit, da man den Sinn des Plurals in naʿᵃśä nicht mehr verstand.

[116] G. von Rad, Theologie des Alten Testaments, 1 (1957), S. 149.

[117] So z. B. auf der Stele Amenophis' II. am 8. Pylon zu Karnak: «Ebenbild des Re, heiliges Abbild *des Herrn der Götter*, der das Königtum des Re im Palast von Karnak ausübt»; Helck (A. 83), S. 1319/43.

[118] Die Fortsetzung des obigen Textes lautet: «es schuf ihn sein Vater Re, um ihnen (d. h. *den Göttern*) ihre Kapellen zu bauen».

[119] Helck (A. 83), S. 2044/373, s. auch Sethe (A. 83), S. 276/127: «(Hatschepsut) die Tochter des Re, das Abbild (tj.t) *der Götter*».

prädiziert werden kann, beweist, daß Begriffe wie Sohn und Abbild metaphorisch zu verstehen sind, und zeigt einmal mehr, daß unter «Abbild» jedenfalls nicht die Ähnlichkeit in der äußeren Gestalt zu verstehen ist.

c) In Ps. 8 wie in Sir. 17 ist nur vom Menschen, nicht von *Mann und Frau* die Rede. Nie wird in den besprochenen ägyptischen Texten etwa die Gemahlin des Pharao neben dem Pharao selbst als Abbild der Gottheit genannt. «Als Mann und Frau erschuf er sie» ist also offenbar eigenes Interpretament und Anliegen des Verfassers der Priesterschrift[120].

d) Vriezen kommt in seiner Untersuchung über die Erschaffung des Menschen zum Schluß, daß der Mensch als Abbild Gottes die Stelle eines *Sohnes Gottes* innehabe[121]. Daß er auf der richtigen Fährte war, wenn er «Abbild» durch «Sohn» interpretieren wollte, liegt nach unserer Zurückführung von Gen. 1, 26ff. auf die Königsideologie auf der Hand. Immerhin ist zu bedenken, daß «Bild» und «Sohn» zwar zwei ähnliche Versuche, das Verhältnis des Königs zu seinem Gott in Worte zu fassen, aber nicht identische Begriffe sind. Es ist gewiß kein Zufall, daß in Gen. 1 der Mensch zwar Abbild, aber nicht Sohn Gottes genannt wird; die Möglichkeit, die Sohnschaft des Menschen physisch zu deuten, lag zu nahe. Man tut allerdings gut daran, zu bedenken, daß die oft nachgesprochene Unterscheidung, in Ägypten werde die physische Sohnschaft des Königs proklamiert, in Ps. 2, 7 jedoch liege eine Adoptionsformel vor, den Sachverhalt nicht richtig darstellt. Die von uns behandelten Texte reden, wie wir sahen, in der Regel nicht von der Zeugung, sondern von der Erschaffung des Pharao, des unbeschadet, daß sie ihn Sohn heißen. Es kann von *vielen* Vätern des Königs gesprochen werden, und «erschaffen» heißt kaum mehr etwas anderes als «krönen» oder «auf den Thron setzen»[122]. Der Pharao wird nicht mehr mit dem Weltengott identifiziert, ist auch nicht mehr der deus incarnatus,

---

[120] Zākār un^{e}qēbā ist ja auch eine spezifisch priesterschriftliche Wendung.

[121] Vriezen (A. 20), S. 104: «Comme le fils représente le père, l'homme représente Dieu; il occupe la place d'un fils de Dieu.» Er weist hin auf P. Volz, Die Würde des Menschen im Alten Testament: Glaube und Ethos. Festschrift für G. Wehrung (1940), 1–8, S. 7. Wenn Volz aber meint, der Ausdruck «Bild Gottes» berühre sich nahe mit der Formel in Act. 17, 28: «seines (Gottes) Geschlechts sind wir ja auch», vermischt er Aussagen, die verschiedener Herkunft sind und scharf auseinandergehalten werden müssen.

[122] Vgl. Ps. 2, 6f., wo «zeugen» und «einsetzen» synonym verwendet sind.

er ist Sohn, und das heißt, daß er seinem mächtigeren Vater verantwortlich, aber allerdings auch in dessen Namen zu handeln befugt ist und seine Befehle ausüben soll. Grundsätzlich sagt «Bild» in der Tat genau dasselbe[123]. Es sagt es aber unbelastet vom Schwergewicht der Mythologie, und darum war es möglich, den Begriff in die israelitische Anthropologie zu übernehmen.

Aber andererseits ist festzuhalten: «Bild» ist im ganzen Alten Orient nicht nur eine Abbildung nach unserem Verständnis, der die Wesenhaftigkeit des Dargestellten, seine Seinsmächtigkeit völlig abgeht. Das Bild hat am Wesen des Abgebildeten teil, das Gottesbild ist immer irgendwie Repräsentation der Gottheit selbst. *Wie* das Verhältnis zu bestimmen ist, das ist allerdings nicht leicht zu sagen – schon darum nicht, weil im Lauf der Geschichte zweifellos auch das Verhältnis zwischen der Gottheit und ihrem Bild nicht immer in gleicher Weise verstanden wurde. Nach Morenz ist der Ausgangspunkt geradezu die Identität von Bild und Gott, während die klare Scheidung sich erst im Lauf der ägyptischen Geschichte vollzogen hat. Von Amun kann gesagt werden: «Seine Gestalt ist jeder Gott»[124], d.h., Amun wohnt in allen göttlichen Gestalten. So kann die Gottheit auch in ihrem Bild Wohnung nehmen. Von Ptah heißt es, daß er den Göttern ihre Heiligtümer zuweist und ihnen ihren Leib so macht, wie sie es wünschen. «So traten die Götter ein in ihren Leib aus allerlei Holz, allerlei Mineral, allerlei Ton und allerlei andern Dingen.»[125] Oder Osiris kommt als Geist, um sich mit seiner Gestalt in seinem Heiligtum zu vereinen. «Er tritt ein in

---

[123] Wobei natürlich in Rechnung zu setzen ist, daß die alten mythologischen Anschauungen im Volk gewiß immer noch sehr lebendig gewesen sind und ad maiorem gloriam des Königs weitertradiert wurden. So berichtet die Geburtslegende Amenophis' III. in Luxor: «Er (Amun) machte seine Gestalt zu der der Majestät dieses Gatten, des Königs... [Er] fand sie, indem sie in der Schönheit ihres Palastes schlief. Sie erwachte vom Gottesgeruch und lächelte seiner Majestät zu. Er ging sofort zu ihr, und er verlangte nach ihr. Da zeigte er sich ihr in seiner Form als Gott, nachdem er zu ihr getreten war. [Sie jubelte,] als sie seine Schönheit sah, und die Liebe zu ihm drang in ihre Glieder...»; Helck (A. 83), S. 1714/224f. Daß diese Aussagen schon traditionell sind, zeigt die z. T. wörtlich gleiche Fassung für Hatschepsut in Dêr el Baḥri; Sethe (A. 83), 219f./102. S. dazu auch Brunner (A. 82), ebd.

[124] Pap. Neschons III 2 (21. Dyn.); Morenz (A. 82), S. 159.

[125] H. Junker, Die Götterlehre von Memphis: Abh. Preuß. Ak. Wiss. 23 (1939), S. 65.

seine geheime Gestalt, läßt sich nieder auf sein Bild... Du umarmst deine Gestalt, die auf der Mauer eingemeißelt ist.»[126] Gewiß wird also, wenigstens in den Kreisen der Priester und der Weisheitslehrer, zwischen dem Gott und seinem Bild unterschieden, aber es ist ebenso klar, daß im Bild die in ihm gegenwärtige und von ihm ausstrahlende Kraft des Gottes, den es darstellt, verehrt wird. Aber nicht das Werk des Künstlers an sich schon kann die Gegenwart der Gottheit verbürgen. Diese muß sich erst mit ihrer «Gestalt», dem Bild vereinen[127]. Die ägyptischen Statuen werden durch das Munderöffnungsritual erst lebendig gemacht.

In analoger Weise muß das Verhältnis des Pharao zu seinem Gott aufgefaßt werden, wenn er dessen Abbild genannt wird. Der König ist streng genommen nicht Gott, aber in ihm ist die Gottheit präsent. Gott handelt für ihn und durch ihn. Er ist nicht nur beauftragt, seines «Vaters» Werke zu tun, er ist dazu auch fähig, weil die Gottheit selbst in ihm Wohnung nehmen kann und durch ihn wirken will.

Zweifellos wirkt diese Gott-Bild-Theologie in Gen. 1, 26ff. noch nach. Die Lehre von der Gottabbildlichkeit des Menschen will wirklich nicht sagen, daß der Mensch göttlich sei, auch nicht ein halbgöttliches Wesen. Eine Statue ist an sich Holz, Marmor, Metall, Ton, auch wenn sie einen Gott darstellt. Und der Mensch ist Mensch, auch wenn er in der Welt des Sichtbaren Gottes Abbild ist[128], aber er ist als solches Gottes Repräsentant. Man kann Gott, so sagt man im Umkreis Israels, nicht anders begegnen denn in seinem Bild, in welchem er gegenwärtig ist. Israel aber will nichts wissen von einem Gott, dem man in Bildern aus Stein oder Holz begegnen kann. Es gibt nur *ein* legitimes Bild, durch das Gott sich in der Welt manifestiert, und das ist der *Mensch*. Es ist von unübersehbarer Tragweite, daß Israel, das alle Bilderverehrung so leidenschaftlich verneint hat, um nicht in Götzendienst zu fallen, und das offenbar auch dem König nicht den Titel ṣäläm ʾ^{ä}lōhīm zu-

---

126 Ders., Die Stundenwachen in den Osirismysterien: Denkschr. Kais. Ak. Wiss., Phil. hist. Kl. 54 (1910), S. 6f., zitiert nach K.-H. Bernhardt, Gott und Bild (1956), S. 28.

127 Von Horus heißt es in Dendera: «Nachdem sein bꜣ vom Himmel kam, um seine Denkmäler (zu sehen), vereinigte sich sein Herz mit seinen Falkenidolen»: Dendera II 73c, zitiert nach Morenz (A. 82), S. 160.

128 Die ṣäläm-Vorstellung von Gen. 1 steht inhaltlich derjenigen von Gen. 2, 7 – der Mensch geformt aus Ackererde, aber belebt durch den göttlichen Odem – also gar nicht so fern.

gestehen wollte, in kühnster Umdeutung der Bildtheologie der es umgebenden Welt den Menschen als die Gestalt, in der Gott selbst gegenwärtig ist, proklamiert. Sind damit aber nicht doch die Grenzen altisraelitischen Jahweglaubens überschritten? Es unterliegt keinem Zweifel, daß der Skopus der Königsinschriften der Lobpreis der Taten des Königs als Vollstrecker des göttlichen Willens ist. Aber der Skopus von Ps. 8 ist doch, so sehr sein Verfasser den Menschen mit Ehre und Herrlichkeit gekrönt sieht, nicht dieser selbst in all seiner Herrschergewalt, sondern Gott, der des Menschen «gedenkt», sich seiner in unerhörter Freundlichkeit annimmt. Grundsätzlich gilt das auch für Gen. 1, 26ff., wenn auch der Lobpreis Gottes nicht explizit zur Sprache kommt. So fallen doch auch diese Stellen nicht aus dem Rahmen des israelitischen Gottesverständnisses heraus.

7.

Nachdem die Vorstellung von der Gottabbildlichkeit des Königs keinen Eingang in die alttestamentliche Königstradition gefunden hat, überrascht es, daß nicht nur die neutestamentliche Anthropologie vom Menschen als dem Abbild Gottes sprechen kann[129], sondern an zwei Stellen *Christus* als εἰκὼν τοῦ θεοῦ bezeichnet wird: 2. Kor. 4, 4; Kol. 1, 15, wobei möglicherweise auch Phil. 2, 6 ins Auge zu fassen ist: ὃς ἐν μορφῇ θεοῦ ὑπάρχων οὐχ ἁρπαγμὸν ἡγήσατο τὸ εἶναι ἴσα θεῷ[130].

Welches ist der traditionsgeschichtliche *Hintergrund* dieser messianischen Würdetitel?

Nach Kittel[131] kommt Paulus dadurch zur Aussage von Christus als der εἰκὼν τοῦ θεοῦ, daß er «auf Grund einer ihm geläufigen

---

[129] 1. Kor. 11, 7; 15, 49; Kol. 3, 10; vgl. auch Jak. 3, 9 (ὁμοίωσις).

[130] Vgl. dazu F.-W. Eltester, Eikon im Neuen Testament (1958), S. 133: Mit ἐν μορφῇ θεοῦ ὑπάρχων und εἶναι ἴσα θεῷ sei sachlich nichts anderes gemeint als das, was Paulus in 2. Kor. 4, 4 mit εἰκὼν τοῦ θεοῦ bezeichne. Vgl. auch E. Käsemann, Kritische Analyse von Phil. 2, 5–11: Exegetische Versuche und Besinnungen, 1 (1960), 51–95, S. 65ff., der auf Corp. Herm. I, 13f. hinweist, wo der Anthropos gottgleich genannt und von ihm ausgesagt wird: ἔδειξε τὴν καλὴν τοῦ θεοῦ μορφήν (S. 69).

[131] G. Kittel, Theol. Wörterb., 2 (1935), S. 394; s. dazu H. Willms, Eikon, 1. Philo von Alexandreia (1935), S. 42ff.

Gleichsetzung Christi mit dem in *Gen. 1, 27* gemeinten Adam» die Vorstellung von der εἰκὼν θεοῦ vom ersten auf den andern Adam überträgt (s. 1. Kor. 15, 45ff.). Die heutige Forschung ist aber geneigt, unter Verzicht auf die Annahme eines traditionsgeschichtlichen Zusammenhangs dieser Christus-εἰκὼν-Stellen mit Gen. 1, 26f. auf die Begrifflichkeit zurückzugreifen, wie sie «von Plato her bei Philo begegnet»[132]. Ebenso wird auf Sap. 7, 24ff. als traditionsgeschichtlichem Hintergrund der beiden Stellen verwiesen.

Bei *Plato* heißt im Schlußsatz des Timaios[133] der Kosmos εἰκὼν τοῦ νοητοῦ θεὸς αἰσθητός, «Abbild des intelligiblen Gottes, ein sichtbarer Gott». Man kann sich fragen, woher Plato diese mythologische Redeweise zugeflossen ist. Da es sich nicht nachweisen läßt, daß die griechische Mythologie vor Plato diese εἰκών-Vorstellung kannte[134], ist vermutet worden, daß sie auf orientalische Mythologie zurückgehen könnte, wobei auf das bei Hehn gesammelte Material hingewiesen wurde[135]. Die Frage wird in der Tat von den Fachgelehrten zu verfolgen sein, wobei aber mehr als bis anhin auch das von uns anvisierte Material aus den ägyptischen Königsinschriften beizuziehen ist, zumal Plato als Parallelbegriff zu «Bild» auch «Sohn» (μονογενής)[136] verwendet, um das Verhältnis der sichtbaren zur unsichtbaren Welt darzutun. Hingegen findet sich bei Plato die Vorstellung vom Menschen als εἰκὼν τοῦ θεοῦ nicht, mag auch «die

---

[132] H. Hegermann, Die Vorstellung vom Schöpfungsmittler im hellenistischen Judentum und im Urchristentum (1961), S. 96. Vgl. weiter J. Jervell, Imago Dei. Gen. 1, 26f. im Spätjudentum, in der Gnosis und in den paulinischen Briefen (1960); E. Larsson, Christus als Vorbild. Eine Untersuchung zu den paulinischen Tauf- und Eikontexten (1962). Herrn Prof. E. Schweizer verdanke ich wertvolle Hinweise auf neuste Literatur.

[133] Plat. Tim. 92c.

[134] Das scheint aber nicht zu gelten von der Vorstellung, daß der Mensch Abbild der Götter sei. Reallex. f. Ant. u. Christ., 4, Art. Ebenbildlichkeit weist auf eine volkstümliche Erweiterung des hesiodischen Mythos hin, die zuerst beim Komödiendichter Philemon nachweisbar ist, aber möglicherweise schon Platon bekannt war (Plat. Prot. 320 D) und von ihm berichtigt wurde, und nach der Prometheus den Menschen aus Erde nach dem Bilde der Götter, der älteren Brüder der Menschen, geschaffen habe.

[135] Eltester (A. 130), 29. Schon Hehn (A. 3), S. 50, hat auf die eikon-Vorstellung bei Plato aufmerksam gemacht und fragte dazu: «Soll man etwa glauben, daß der antike Philosoph, dessen ganze Zeit mythologisch dachte, von Mythologie gänzlich unbeeinflußt philosophiert habe?»

[136] Ebenfalls Plat. Tim. 92c. S. dazu Eltester (A. 130), S. 28ff.

Vorstellung vom Menschen als dem Abbild des Kosmos» sachlich vorliegen[137].

Bei *Philo* ist die platonische Ideenlehre aufgenommen, er nennt an einer Stelle den κόσμος αἰσθητός die εἰκών des κόσμος νοητός[138]. Seine εἰκών-Vorstellung ist aber weit komplexer. Neben dem Kosmos ist die Sophia Gottes Abbild, häufig heißt auch der Logos εἰκὼν τοῦ θεοῦ. Und schließlich wird auch der ἄνθρωπος, ein göttliches Wesen und erstgeborener Sohn Gottes, so genannt, denn der Logos hat viele Namen: καὶ γὰρ ἀρχὴ καὶ ὄνομα θεοῦ καὶ λόγος καὶ ὁ κατ' εἰκόνα ἄνθρωπος ... προσαγορεύεται[139]. Auch in der philonischen Anthropologie schließlich liegt die Vorstellung von der εἰκὼν τοῦ θεοῦ in mannigfacher Abwandlung vor. Dabei knüpft Philo natürlich an Gen. 1 an, wobei der Mensch direkt Bild Gottes, aber auch geschaffen sein kann *nach* dessen Abbild, d. h. εἰκών des Logos ist. Daß Philo auf Plato zurückgreift, ist ebenso klar, wie daß er an das Alte Testament anknüpft. Es wäre aber eine Untersuchung wert, der Frage nachzugehen, inwieweit in den εἰκών-Vorstellungen des Alexandriners die ägyptische Anschauung vom König als dem Abbild Gottes noch nachwirkt[140].

Dasselbe ist auch im Blick auf die *Weisheits*-Spekulation zu bedenken, insbesondere Sap. 7, 25f.:

ἀτμὶς γάρ ἐστιν τῆς τοῦ θεοῦ δυνάμεως, καὶ ἀπόρροια τῆς τοῦ παντοκράτορος δόξης εἰλικρινής ... ἀπαύγασμα γάρ ἐστιν φωτὸς ἀιδίου καὶ ἔσοπτρον ἀκηλίδωτον τῆς τοῦ θεοῦ ἐνεργείας καὶ εἰκὼν τῆς ἀγαθότητος αὐτοῦ.

Aber nun zu den neutestamentlichen Stellen. Am nächsten steht Gen. 1, 26f. die Stelle in *Jak. 3, 9*, nur daß hier nicht von der εἰκών, sondern der ὁμοίωσις des Menschen die Rede ist. Hier liegt durchaus die alttestamentliche Konzeption vor. Anders ist es in gewissem Grad schon bei Paulus in *1. Kor. 11, 7*. Zweifellos knüpft auch er an Gen. 1 an, aber die Stufenreihe Gott-Mann-Weib (in V. 3 gar: Gott-Chri-

[137] Ders., S. 30.

[138] Phil. Op. mund. 25 (I, 7), zitiert nach Eltester (A. 130), S. 32.

[139] Phil. Conf. ling. 146 (II, 257, 4f.), zitiert nach Eltester (A. 130), S. 39.

[140] Man darf ja nicht außer acht lassen, daß auch und gerade in hellenistischer Zeit der ptolemäische König «Abbild Gottes» genannt wurde, s. E. Otto, Gott und Mensch nach den ägyptischen Tempelinschriften der griech.-röm. Zeit: Abh. Heid. Ak. Wiss. 1964, 1 (1964), S. 66: «Er (der König) ist der 'Sohn', das 'lebende Abbild' (šsp ʿnḫ), der 'Zweite', das 'Bild' (ẖntj, twt, snn) einzelner Götter».

stus-Mann-Weib) läßt den Einfluß hellenistischer Spekulation sehr wohl erkennen. Beachtenswert ist, daß in V. 7 neben εἰκών als Parallelbegriff δόξα steht. Die Auskunft, «die synonyme Verwendung von εἰκών und δόξα wird verständlich aus der hellenistischen Umwelt»[141] genügt kaum. Es wäre vielmehr an kābōd und hādār in Ps. 8, 6 zu erinnern und an das, was oben über die Herkunft dieser Vorstellung innerhalb der alttestamentlichen Anthropologie zu sagen war. Paulus wurzelt hier in einem Traditionsgrund, der weit älter als der Hellenismus ist. Auf Kol. 3, 10, wo aus der Gottabbildlichkeit ein soteriologischer Begriff geworden ist, ist hier nicht näher einzugehen.

Was die beiden Stellen *2. Kor. 4, 4* und Kol. 1, 15 anbelangt, wo von Christus als der εἰκὼν τοῦ θεοῦ gesprochen wird, so ist auch im Blick auf sie zu fragen, ob der Verweis auf den Hellenismus genügt. Wir sahen zwar, daß bei Philo sowohl der Logos wie die Sophia und der Anthropos «Abbild» Gottes genannt werden können. Aber Philo steht nicht an einem Anfang. Darum müßte man auch bei der traditionsgeschichtlichen Erhellung der Christus-εἰκών-Stellen versuchen, hinter ihn zurückzugreifen. Einiges an den beiden neutestamentlichen Stellen legt das nahe. Der Christus, εἰκὼν τοῦ θεοῦ, von 2. Kor. 4, 4 ist Träger von δόξα, wie es der König ist. Noch auf dem Rosettastein wird dieser nicht nur Abbild Gottes, sondern auch μεγαλόδοξος genannt[142]. Häufig wird in den ägyptischen Texten auf die leuchtende Erscheinung des Pharao hingewiesen, z. B. auf den Schakalstatuen aus dem Totentempel des Amenophis: «Der gute Gott, Ebenbild (tj.t) des Re, leuchtend beim Erscheinen wie die Sonnenscheibe»[143]. Gewiß ist es bei Paulus nicht die Herrlichkeit des Gottesbildes Christus selbst, die leuchtet und zur Erkenntnis führt, sondern das Evangelium von ihr. Aber das ist paulinische Uminterpretation des überlieferten Motivs.

Ähnlich liegen die Probleme bei *Kol. 1, 15.* Auch hier soll natürlich die hellenistische Prägung, vorab eine solche durch die Spekulation über die Weisheit, nicht geleugnet werden, wie ja das Motiv des Schöpfungsmittlers völlig gewiß macht. Man ist sich in der heutigen Forschung darüber einig, daß 1, 15–20 ein vorchristlicher gnostischer Hymnus zugrunde liegt, der durch Interpolationen nur

---

[141] Eltester (A. 130), S. 155.
[142] Dittenberger (A. 81), S. 141.
[143] Helck (A. 83), S. 1761/245.

leicht verchristlicht ist[144]. Was εἰκὼν τοῦ θεοῦ sagen will, wird aber vorher, in V. 13, interpretiert mit υἱὸς τῆς ἀγάπης αὐτοῦ, in dessen βασιλεία (!) der Glaubende versetzt worden ist. Dem Verfasser muß die Parallele Bild / Sohn Gottes bewußt gewesen sein. Sie findet sich, wie wir sahen, schon in jenen königlichen Inschriften, von denen Gen. 1, 26ff. herkommt. Und gerade in diesen Texten ist zu «Sohn» oft genug das Attribut «geliebt» hinzugesetzt[145]. Wieder noch der Rosettastein sagt, unmittelbar nachdem er den König als «lebendes Abbild des Zeus» gerühmt hat: υἱοῦ τοῦ Ἡλίου, Πτολεμαίου αἰωνοβίου ἠγαπημένου ὑπὸ τοῦ Φθᾶ[146]. Die Vorgeschichte der neutestamentlichen εἰκών-Aussagen ist also zweifellos komplizierter, als heute die Forschung anzunehmen geneigt ist, und es scheint, daß die altägyptische Vorstellung vom König als dem Abbild der Gottheit auch hier noch ihren Einfluß ausübt. Letztlich gehen die anthropologischen und die christologischen εἰκών-Aussagen des Neuen Testaments gewiß auf diese *eine* Wurzel zurück[147].

---

[144] S. dazu vor allem Hegermann (A. 132), S. 88ff.

[145] So z. B. in den Inschriften Amenophis' III. in Luxor: «... der gute Gott, Ebenbild (mjtj) des Re, ... Sohn des [Amun,] [*sein*] *Geliebter*, ... Herr der Kronen, ... sein *geliebter* leiblicher *Sohn* des Re»; Helck (A. 83), S. 1694/216; vgl. auch S. 1715/225, 1749ff./238ff. u. ö.

[146] Dittenberger (A. 81), S. 143. Vgl. auch den Namen jedīdjā «Liebling Jahwes», den Nathan dem Königssohn Salomo gegeben hat. Es wäre wohl lohnend, einmal der Vorgeschichte des Rufes «Du bist mein geliebter Sohn, an dir habe ich Wohlgefallen gefunden» (Mark. 1, 11, vgl. 9, 7) nachzugehen. Er ist eine Komposition von Ps. 2, 7 und Jes. 42, 1, aber das ἀγαπητός ist doch wohl kaum einfach dem bāḥīr (LXX ἐκλεκτός; Luk. 9, 35 ἐκλελεγμένος) von Jes. 42, 1 gleichzusetzen. Es wird auch nicht angehen, hinter ἀγαπητός das hebr. jāḥīd sehen zu wollen, s. dazu aber C. H. Turner, Journ. Theol. Stud. 27 (1926), S. 113–129. Die Königsideologie Ägyptens dürfte auch hier noch einen nicht durch das Alte Testament vermittelten Einfluß auf die neutestamentliche Formulierung ausgeübt haben.

[147] Man sollte meinen, daß innerhalb der christlichen Welt von der imago Dei nur noch in zwiefachem Sinn gesprochen werden könnte: in bezug auf Christus und im Hinblick auf den Menschen. Dem ist aber nicht so, wie eine Durcharbeitung der altkirchlichen und mittelalterlichen Texte zeigen könnte. Hier nur zwei Belege: Beim Ambrosiaster steht zu lesen: «Dei imaginem habet rex sicut et episcopus Christi» (Quaest. 35, vgl. ebenda 45, 5 und 106, 7, zitiert nach Reallex. f. Ant. u. Christ., 4, Art. Eikon D). Und in der mittelalterlichen Reichstheologie spielt der Gedanke, daß der König imago Dei sei, eine wichtige Rolle. So schreibt Bischof Benzo an Heinrich IV.: «Gott machte den Herrscher zu seinem Bilde über den Menschen als einen zweiten

Aber wir sind noch lange nicht so weit, die Geschichte der Imago-Dei-Konzeption wirklich nachzeichnen zu können[148].

Schöpfer», zitiert nach Hess (A. 114), S. 383 Anm. 1. Die altorientalische Königsideologie hat auch an diesem Punkt noch ihr zähes Nachleben unter Beweis gestellt; vgl. dazu F. Heiler, Fortleben und Wandlungen des antiken Gottkönigtums im Christentum: Numen, Suppl. 4. The Sacral Kingship (1959), S. 543–580.

[148] Erst nach Abschluß dieser Arbeit kam mir das Werk von W. H. Schmidt, Die Schöpfungsgeschichte der Priesterschrift (1964), zu Gesicht. Ich freue mich der weitgehenden Übereinstimmung mit meinen Darlegungen, die ich wohl als Bestätigung meiner Ergebnisse betrachten darf.

„GLAUBEN"
ERWÄGUNGEN ZU האמין

Diese knappe Abhandlung, welche den verehrten Jubilar, der so viele Jahre seines Lebens über dem *Lexicon in Veteris Testamenti Libros* (KBL) in nie ermüdender Gelehrtentreue gesessen hat, grüßen möchte, will nur gerade als Beitrag zur grammatikalischen Auffassung und lexikographischen Bedeutung des hi. האמין verstanden werden. Über den Stamm אמן im allgemeinen und dessen hi. im besondern ist in letzter Zeit nicht wenig gearbeitet worden [1]). Trotzdem dürfte angesichts der Divergenz in der Forschung eine erneute Überprüfung notwendig sein.

I

Das Material über die Kognaten in den andern semitischen Sprachen hat Pfeiffer zusammengestellt [2]). Wir können uns hier auf wenige Anmerkungen beschränken:

Das akkadische *ummânu*, „Handwerker, Künstler", zu dem hebr. אָמָן Cant. vii 2 und אָמוֹן Prov. viii 30 gehört, geht auf sume-

---

[1]) L. Bach, *Der Glaube nach der Anschauung des Alten Testamentes*, BFchTh IV/6, 1900, 1-96; — J. Boehmer, „Der Glaube und Jesaja", *ZAW* 41, 1923, 84-93; A. Weiser, „Glauben im Alten Testament", *Festschrift G. Beer*, 1933, 88-99; M. Buber, *Zwei Glaubensweisen*, 1950; J. C. C. van Dorssen, *De derivata van de stam* אמן *in het Hebreeuwsch van het Oude Testament*, 1951; E. Würthwein, „Jesaja vii 1-9. Ein Beitrag zu dem Thema ‚Prophetie und Politik'" *Festschrift K. Heim*, 1954, 47-63; C. A. Keller, „Das quietistische Element in der Botschaft des Jesaja, *ThZ* 11, 1955, 81-97; U. Neuenschwander, *Glaube. Eine Besinnung über Wesen und Begriff des Glaubens*, 1957; Th. C. Vriezen, *Geloven en Vertrouwen*, 1957; E. Pfeiffer, „Der alttestamentliche Hintergrund der liturgischen Formel ‚Amen'", *KuD* 4, 1958, 129-141; ders., „Glaube im Alten Testament", *ZAW* 71, 1959, 151-164; A. Weiser, *Art.* πιστεύω κτλ., *ThW* VI, 1959, 182-191; G. Ebeling, *Was heisst Glauben?*, *Sammlung gemeinverständlicher Vorträge* Nr. 216, 1958; ders., „Jesus und Glaube", *ZThK* 55, 1958, 64-110 = *Wort und Glaube*, 1960, 203-254; ders., „Zwei Glaubensweisen", *Juden, Christen, Deutsche*, hgg. von H. J. Schultz, 1961.

[2]) *A.a.O.* (*KuD*) 129-131.

risch *ummea* zurück [1]). Es ist also bei einer Untersuchung der semitischen Wurzel *'mn* aus dem Spiel zu lassen.

Die Wurzel ist auch im Syrischen heimisch (vgl. das Adjektiv *'amînâ*, „constans, assiduus, continuus") [2]). Aber *hajmen*, „credidit, fidem habuit", ist Lehnwort aus dem Hebräischen und kann darum keinen Beitrag zur Aufhellung des ursprünglichen Sinns von האמין leisten. Ebenso geht arab. *'mn* IV, „glauben", letztlich auf das hebr. hi. האמין zurück, und nicht anders verhält es sich gewiß mit äth. *'amna* I, 1, das unter anderm „confidere, fidem habere, credere" bedeutet [3]).

Zu den in KBL genannten Kognaten ist noch aram. אמין, adj. oder part. pass. mit der Bedeutung „fest, dauerhaft" zu stellen [4]).

Die אמן entsprechenden Vokabeln in den andern semitischen Sprachen lassen zusammen mit dem alttestamentlichen Befund keinen Zweifel darüber bestehen, daß die Grundbedeutung der Wurzel „fest, sicher, zuverlässig" ist. Ebenso gewiß ist die Sonderbedeutung, die das hi. in der religiösen Sprache des Alten Testaments gewonnen hat, eine Sonderentwicklung innerhalb des Hebräischen.

II

Das qal ist im Hebräischen nur gerade durch das substantivierte part. act. אֹמֵן „Pfleger, Vormund" bzw. אֹמֶנֶת „Amme" vertreten [5]). Im übrigen wird die Grundbedeutung durch das ni. zum Ausdruck gebracht. Dieser Tatbestand läßt es zum vornherein als fraglich erscheinen, das hi. als Kausativum irgendwelcher Nuance eines zu postulierenden qal anzusehen. In seiner grundlegenden, immer noch durchaus lesenswerten Arbeit *Der Glaube nach der Anschauung des Alten Testamentes* ist L. Bach zum Ergebnis gekommen, daß האמין ein Intransitivum sei. Durch das Wort werde „die von Gott mitgeteilte, vom Menschen hingenommene Festigkeit des Lebens beschrieben" [6]). Die Auffassung als Intransitivum hat sich in

---

[1]) S. W. F. Albright, *JBL* 60, 1941, 210; *VTSuppl.* III, 1955, 8 Anm. 4; *BASOR* 94, 1944, 18 Anm. 28.

[2]) C. Brockelmann, *Lexicon Syriacum*, ²1928, 25.

[3]) C. F. A. Dillmann, *Lexicon linguae Aethiopicae*, 1865, 735-739.

[4]) In einem Papyrusfragment aus Saqqara, ca. 600 v. Chr., s. H. Donner-W. Röllig, *Kanaanäische und aramäische Inschriften*, 1962-64, Nr. 266 Zeile 3; C. F. Jean-J. Hoftijzer. *Dictionnaire des inscriptions Sémitiques de l'ouest*, 1965, 16: „sûr, certain".

[5]) S. KBL.

[6]) *A.a.O.* 88.

weiten Kreisen der alttestamentlichen Wissenschaft durchgesetzt [1]). Dem gegenüber glaubt aber PFEIFFER [2]) das hi. als deklarativ-aestimativ auffassen zu sollen und geht von der Grundbedeutung „für fest, sicher, zuverlässig erklären oder halten" aus. Andere nehmen eine Zwischenstellung ein. So kommt WEISER zum Schluß: „Glauben" bedeutet „gegenüber einem Wort, Bericht, Kunde einerseits ein Erkennen und Fürwahrhalten des Berichteten, andererseits zugleich auch ein dieser Sache entsprechendes Verhalten des Glaubenden" [3]).

Wäre האמין wirklich ein kausatives hi., sei es faktitiver, aestimativer oder deklarativer Bedeutung, müßte erwartet werden, daß es den Akkusativ regiert [4]). Das ist nur an einer einzigen alttestamentlichen Stelle der Fall, Ri. xi 20: ולא־האמין סיחון את־ישׂראל עבר בגבלו. Aber der Text ist zweifellos, wie BHK³ und KBL vorschlagen, in וַיְמָאֵן zu ändern [5]). Als Stelle mit Akkusativobjekt gibt KBL allerdings statt dessen Hab. i 5 an: כי־פעל פעל בימיכם לא תאמינו כי יספר. Doch müßte das Objekt erst noch ergänzt werden. PFEIFFER [6]) glaubt mit GESENIUS-BUHL, es liege eine Ellipse vor, BROWN-DRIVER-BRIGGS und ZORELL jedoch rechnen die Stelle zum absoluten Gebrauch [7]). Die Übersetzungen pflegen ein „es" zu er-

---

[1]) Vgl. etwa O. PROCKSCH, *Theologie des Alten Testaments*, 1950, 604: „Da die intransitive Bedeutung des Qal auch im Hipʿil erhalten bleibt, das Hipʿil in solchen Fällen aber gern das Werden und den Eintritt des betreffenden Zustandes ausdrückt, so wird man auch hier an den Vorgang der Bewährung und Treue zu denken, also auf ‚bewährt werden', ‚treu werden' zu schließen haben." Ähnlich G. VON RAD, *Theologie des Alten Testaments* I, ⁵1966, 185 (zu Gen. xv 6): „Glauben heißt im Hebräischen ‚sich fest machen in Jahwe' (daher die Präposition בְּ nach הֶאֱמִין)". C. SIEGFRIED-B. STADE, *Hebräisches Wörterbuch zum Alten Testament*, 1893, 48, verzeichnet für das hi. die Bedeutungen „a) standhalten (nur Hi. xxxix 24), b) vertrauensvoll sein, vertrauen". A. SCHLATTER, *Der Glaube im Neuen Testament*, ⁴1927, 557, definiert הֶאֱמִין als „die Betätigung der innerlichen Festigkeit durch Zuversicht und Vertrauen".

[2]) A.a.O. (*ZAW*) 152.

[3]) *Festschrift G. Beer*, 1933, 90 f. Aehnlich W. EICHRODT, *Theologie des Alten Testaments* II, ⁴1962, 190, der neben die Bedeutung „für fest, zuverlässig halten" die andere „Zuverlässigkeit finden bei" stellt, aber auch die Übersetzung mit „als gesichert ansehen" bzw. „Sicherheit finden bei" für möglich hält (ebenda Anm. 40).

[4]) S. dazu H. BAUER-P. LEANDER, *Historische Grammatik der hebräischen Sprache* I, 1922, § 38 r"und u".

[5]) Der Versuch PFEIFFERS (a.a.O. (*ZAW*) 162), am überlieferten Text festzuhalten, überzeugt nicht.

[6]) A.a.O. (*ZAW*) 156.

[7]) W. GESENIUS-F. BUHL, *Hebräisches und aramäisches Handwörterbuch über das Alte Testament*, ¹⁶1915, 48; F. BROWN-S. R. DRIVER-C. A. BRIGGS,

gänzen. Dazu haben wir, wenn sonst nie der Akkusativ zu belegen ist, kein Recht. Da האמין an andern Stellen, wo es absolut verwendet ist, im Gegensatz zu ירא „sich fürchten" oder ähnlichen Begriffen steht, liegt es nahe, in Hab. i 5 zu übersetzen: „ihr werdet nicht standzuhalten vermögen", oder: „ihr werdet alle Zuversicht verlieren, wenn es erzählt wird". Nicht Unglaubliches, sondern Schreckliches (אים ונורא) wird angekündigt (i 7) [1]). Ob sich diese Übersetzung wirklich rechtfertigen läßt, wird der Fortgang der Überlegungen zeigen müssen. Jedenfalls ist zunächst festzuhalten: Es gibt keine sichere alttestamentliche Stelle, an welcher auf האמין ein Akkusativobjekt folgt.

III

Das hi. האמין findet sich im Alten Testament 51 mal. BACH bietet eine detaillierte Übersicht [2]). Er rechnet 18 Stellen dem „gemeinen", 33 dem „heiligen" Sprachgebrauch zu. Sieht man von Ri. xi 20 ab, so ist das Verbum 7 mal absolut verwendet [3]), mit ב konstruiert findet es sich 24 mal, davon 17 mal mit Personen und 7 mal unpersönlich [4]); mit ל ist es 14 mal verbunden, je zur Hälfte persönlich und unpersönlich [5]), mit einem Infinitiv 2 mal [6]) und mit einem כי-Satz 4 mal [7]).

Bei unserer These, daß האמין ein intransitives hi. sei, haben wir vom absoluten Gebrauch auszugehen, und dazu, da die religiöse Bedeutung sich als eindeutig innerhebräische Entwicklung erwiesen hat, von der profanen Verwendung der Verbalform. Dabei bieten sich uns zwei Hiobstellen an, die KBL zur Gruppe der unklaren

---

A Hebrew and English Lexicon of the Old Testament, ²1955, 53; F. ZORELL, *Lexicon Hebraicum et Aramaicum Veteris Testamenti*, 1961, 64; vgl. ferner W. GESENIUS-E. KAUTZSCH, *Hebräische Grammatik*, ²⁸1910, § 117g. Auch durch 1QpHab II, 6f. wird die transitive Übersetzung nicht gestützt.

[1]) Vgl. dazu BACH a.a.O. 76 ff.

[2]) a.a.O. 30.

[3]) Ex. iv 31; Jes. vii 9, xxviii 16; Hab. i 5; Ps. cvi 10; Hi. xxix 24; xxxix 24.

[4]) Mit Personen: Gen. xv 6; Ex. xiv 31; xix 9; Nu. xiv 11; xx 12; Dt. i 32; 1 Sam. xxvii 12; 2 Kö. xvii 14; 2 Chr. xx 20(bis); Jer. xii 6; Jon. iii 5; Mi. vii 5; Ps. lxxviii 22; Prov. xxvi 25; Hi. iv 18, xv 15. Unpersönlich: Dt. xxviii 66; Ps. lxxviii 32; cvi 12, cxix 66; Hi. xv 31; xxiv 22; xxxix 12.

[5]) Mit Personen: Gen. xlv 26; Ex. iv 1, 8; Dt. ix 23; 2 Chr. xxxii 15; Jes. xliii 10; Jer. xl 15. Unpersönlich: Ex. iv 8, 9; 1 Kö. x 7 = 2 Chr. ix 6; Jes. liii 1; Ps. cvi 24; Prov. xiv 15.

[6]) Ps. xxvii 13; Hi. xv 22.

[7]) Ex. iv 5; Hi. ix 16; xxxix 12; (mit ב und einem -כי-Satz) Thr. iv 12.

Fälle rechnet: Zunächst Hi. xxxix 24: ולא־יאמין כי־קול שׁופר. Der Vers gehört zur Beschreibung des Streitrosses. Die Zürcher Bibel übersetzt: ,,Mit stürmischem Ungestüm schlürft es die Strecke; es hält nicht still beim Schall der Posaune''. HÖLSCHER hält diese Übersetzung für unmöglich und will sich an die geistreiche Konjektur von DUHM halten: ולא יֵימִין ולא ישׂמאיל [1]). Aber in der neuern Phase der Forschung ist man wieder zum MT zurückgekehrt, indem man zugesteht, dass hier intransitiver Gebrauch des hi. vorliege [2]). Gemeint ist entweder, daß das dahinstürmende Schlachtroß nicht zum Stillstand zu bringen ist, auch wenn das Horn zum Abbruch der Schlacht bläst, oder aber, daß es nicht mehr zu halten ist, wenn das Signal zum Angriff ertönt [3]). Schwieriger ist das Verständnis von Hi. xxix 24: אשׂחק אלהם לא יאמינו. Für לא יאמינו emendiert DUHM וַיֵּאָמֵנוּ ,,sie waren getrost'', aber diese Bedeutung hat das ni. von אמן sonst nicht. Manche der Neuern begnügen sich damit, לֹא zu streichen, so FOHRER, der übersetzt: ,,Lächelte ich ihnen zu, so faßten sie Vertrauen'' [4]). Andere wieder versuchen den überlieferten Text zu halten, was aber z.T. zu gezwungenen Deutungen führt [5]). Die wahrscheinlichste Lösung liegt darin, לא יאמינו als Relativsatz zu אלהם aufzufassen. Dann kann mit der Zürcher Bibel übersetzt werden: ,,Ich lächelte ihnen zu, wenn sie verzagten'' [6]). האמין ist an dieser Stelle also etwa so zu verstehen wie in Hab. i 5. Von diesem profanen Gebrauch her wird Ps. cxvi 10, eine Stelle, die den Auslegern nicht wenig Mühe bereitet hat [7]), durchaus verständlich, indem etwa übersetzt werden kann: ,,Ich habe das Vertrauen bewahrt (oder: ich verzagte nicht), auch wenn ich sprechen mußte: Ich bin tief gebeugt'' [8]). Ps. cxvi ist ein Danklied, in

---

[1]) G. HÖLSCHER, *Hiob, HAT* I/17, ²1952, 92 f.; B. DUHM, *Das Buch Hiob, KHC* XVI, 1897, 192.

[2]) S. A. WEISER, *Das Buch Hiob, ATD* 13, ⁴1963, 248 und Anm. 1; G. FOHRER, *Das Buch Hiob, KAT* XVI, 1963,; vgl. auch VAN DORSSEN a.a.O. 18 und PFEIFFER a.a.O. (*ZAW*) 154.

[3]) Vgl. zum Hornblasen als Zeichen für den Beginn des Kampfes Jer. li 27, für die Sammlung der Krieger am Ende der Schlacht 2 Sam. ii 28; xviii 16, xx 22.

[4]) A.a.O. 401, ähnlich HÖLSCHER.

[5]) S. z.B. WEISER, a.a.O. *Hiob* 205, der übersetzt: ,,Lacht' ich im Scherz, glaubten sie's nicht'', d.h., wenn Hiob eine Sache belächelt habe, hätten auch andere nicht mehr daran geglaubt (a.a.O. 207).

[6]) Vgl. auch VAN DORSSEN a.a.O. 28 und PFEIFFER a.a.O. (*ZAW*) 161.

[7]) Vgl. H. GUNKEL, *Die Psalmen, HK* II/2, ⁴1926, 503.

[8]) Ähnlich die Kommentare von F. DELITZSCH (*KD* ⁵1894, 700), R. KITTEL, (*KAT*, 1929, 367) A. WEISER (*ATD* 14/15, 1966, 494) und H.-J. KRAUS (*BK* XV/2, 1961, 792).

welchem der Beter auf die Zeit der Not zurückschaut. Ps. xxviii 13 zeigt, daß man tatsächlich im Klagelied seine Zuversicht unter Verwendung des Verbums האמין bezeugen konnte. So ist es durchaus verständlich, daß Jesaja in einem Heilsorakel[1]) zum Vertrauen aufruft, indem er sich des Verbums האמין bedient. Die Situation ist der in Hab. i 5 ins Auge gefaßten durchaus analog: In Jerusalem ist eine Kunde eingetroffen, angesichts derer man innerlich nicht „standhält". Niemandem fällt es ein, hier, wie es dort meistens geschieht, zu übersetzen: „Wenn ihr *es* nicht glaubt ..." Dennoch wird der hier geforderte Glaube vorschnell auf die vorangehende Verheißung (V. 7 f.) bezogen [2]). PFEIFFER lehnt es auch für diese Stelle ab, dass die Konstruktion, obwohl objektlos, intransitiv oder innerlich transitiv sei, man habe auch hier von der Grundbedeutung „für fest, zuverlässig halten" auszugehen [3]). Gewiß ist der von Jesaja geforderte Glaube nicht beziehungslos, sondern gründet in Jahwe. Und nach dem Zusammenhang ist es ja auch klar, daß der Aufruf zum Glauben faktisch durch die Konfrontation mit der Verheißung seine Dringlichkeit erhält [4]). Aber „Glaube" bei Jesaja ist, um es zugespitzt zu sagen, nicht Glaube an Gott und auch nicht Glaube an das prophetische Wort, sondern eine aus dem Wissen um Gott und seine Verheißungen [5]) sich ergebende Haltung der Festigkeit, der Zuversicht und des Vertrauens angesichts der Bedrohlichkeit der konkreten Situation. Jesaja kämpft in vii 9 nicht darum, daß der „Glaube" sich auf Jahwe richte oder ein

---

[1]) Als solches ist Jes. vii 4-9 gattungsmässig zu beurteilen, vgl. vor allem das „Fürchte dich nicht!" zu seinem Beginn.

[2]) Vgl. W. EICHRODT, *Der Heilige in Israel. Jes. i-xii*, 1960, und H. W. WOLFF, *Immanuel, Bibl. Stud.* 23, 1959, 19; ders., *Frieden ohne Ende, Bibl. Stud.* 35, 1962, 23.

[3]) A.a.O. (*ZAW*) 160.

[4]) Wenn O. KAISER, *Der Prophet Jesaja, ATD* 17, [2]1963, 75 feststellt: „Der Glaube ist streng auf die Verheißungen des in der Geschichte wirkenden und sich in dem prophetischen Wort enthüllenden Gottes bezogen", ist das zwar nicht falsch, erweckt aber doch den Eindruck, als ob Glauben nun einfach im Ja-sagen zur ergangenen Verheißung bestünde, vgl. die Übersetzung von WOLFF: „Wer kein Amen erklärt, der kein Amen erfährt" (a.a.O. 19 bzw. 23). EBELING sagt im Blick auf die jesajanischen Stellen mit Recht, daß „gerade durch den absoluten Gebrauch deutlich gemacht wird, inwiefern Glauben notwendig ist, ... was denn dieses Glauben eigentlich zu tun hat mit der Existenz und warum die Relation zu Gott den Charakter des Glaubens haben muß" (a.a.O. (*ZThK*) 75 bzw. 215).

[5]) Hinter der konkreten Verheißung von Jes. vii 4 ff. steht das Theologumenon von der Erwählung der Davididen, vgl. V. 9 mit 2 Sam. vii 16 und s. Jes. lv 3; vgl. auch M. BUBER a.a.O. 27 f. und 21 f.

Fürwahrhalten des prophetischen Wortes sei, sondern daß er sich existentiell als Zuversicht bewahrende Lebenshaltung zeige. LESLIE interpretiert treffend, daß der Glaube (faith) sich ausdrücke „in staith, that is steadiness, through confidence in God's presence and power" [1]). Durch תאמינו nimmt Jesaja die Grundforderung des Heilsorakels אל־תירא von V. 4 auf, die dort bereits mit השקט, השמר und לא־ירך לבבך umschrieben ist. Damit soll nicht gesagt werden, daß das jesajanische האמין nicht mehr als diese durch die Formensprache des Heilsorakels angebotenen Parallelbegriffe in sich schließe. Aber von ihnen zu trennen ist es nicht. Das beweist die andere Stelle, wo sich bei Jesaja האמין, und zwar wiederum absolut verwendet, findet, nämlich xxviii 16: המאמין לא יחיש. Das Wort ist hier in seinem Inhalt bestimmt durch den Gegenbegriff יחיש. Es ist bekannt, daß dessen Übersetzung Mühe bereitet und darum der Text selbst nicht unangefochten ist [2]). J. LINDBLOM, der die Stelle ausführlich untersucht hat, möchte beim überlieferten Wortlaut bleiben und übersetzt: „Wer den Glauben hat, der braucht nicht wegzueilen" [3]). Vielleicht hat aber doch DRIVER recht, der von andern semitischen Sprachen her die Übersetzung begründet: „shall not be agitated" (bzw. „show agitation") [4]). Doch spielt für unsere Erwägungen diese Unsicherheit keine Rolle.

Die Chronik hat die Aufforderung Jesajas zum Glauben dem König Josaphat in den Mund gelegt: האמינו ביהוה אלהיכם ותאמנו האמינו בנביאיו והצליחו 2 Chr. xx 20. Die Modifikation in der Formulierung ist bemerkenswert. Durch ביהוה ist sie theologisch abgesichert und durch הצליחו ist das schlichte תאמנו Jesajas überhöht. In der Parallelisierung von ביהוה durch בנביאיו aber kündet sich ein anderer Glaubensbegriff an: Glauben heißt jetzt den Propheten oder ihrem Wort Vertrauen schenken. Man beachte aber, daß noch diese Aufforderung Josaphats zum Glauben im Grunde einfach die Imperative des vorangehenden prophetischen Heilsorakels unterstreichen will (אל־תיראו ואל־תחתו v. 17) [5]).

---

[1]) E. A. LESLIE, *Isaiah*, 1963, 48.

[2]) S. BHK³ und die Kommentare.

[3]) J. LINDBLOM, *Der Eckstein in Jes. xxviii 16*, Festschrift S. Mowinckel, 1955, 123-132, s.S. 127.

[4]) G. R. DRIVER, *JThSt* 32, 1931, 253 f. Es verdient Beachtung, dass die Peschitta mit *lâ nedḫal* übersetzt.

[5]) In Ex. iv 31 liegt nur scheinbar absoluter Gebrauch vor; gemeint ist, daß das Volk auf die Zeichen hin Mose Glauben schenkte, s.u. unter Abschnitt V.

IV

Da האמין ein Intransitivum ist, mußten wir es ablehnen, von einer Ellipse zu sprechen, wenn es absolut verwendet wird. Aber natürlich muß es möglich sein, auszudrücken, welches das Gegenüber ist, im Blick auf das, oder welches der Grund ist, in dem wurzelnd ruhiges Vertrauen zu gewinnen und zu bewahren ist. Wo das letztere zutrifft, verwendet das Alte Testament die Präposition ב. Auch das kann durchaus beim profanen Gebrauch des Verbums der Fall sein. Wieder bietet das Hiobbuch dafür gute Beispiele: xxiv 22 יקום ולא־יאמין בחייו [1]). Der Kontext ist leider unsicher, aber offensichtlich soll der Gewalthaber geschildert werden, der selbst in Todesgefahr scheinbar nicht unterzukriegen ist. Demgemäß dürfte etwa zu übersetzen sein: „am Leben schon verzagend, steht er auf" [2]). Interessant sind auch hier die Parallelen in V. 23: יתן־לו לבטח וישען (emend. Text), also wiederum Intransitiva. לא האמין בחייו muss eine Redensart sein, sie findet sich nochmals in einem völlig anderen Zusammenhang in Dt. xxviii 66: ולא תאמין בחייך „und deines Lebens wirst du dich nicht sicher fühlen" (Zürcher Bibel) [3]). Man beachte auch hier die Parallelbegriffe in den Versen 65-67! — Innerhalb einer Schilderung der Gottlosen in Hi. xv 31 fällt der Satz: אל־יאמן בשו נתעה. Der Text gilt als unsicher; man pflegt zu übersetzen: „er traue nicht auf Eitles" und erklärt ihn auf Grund dieses Verständnisses als Glosse [4]). Man versteht tatsächlich nicht, warum an die Gottlosen eine solche Mahnung zu richten sein sollte, zumal vor- und nachher nicht Jussive, sondern Indikative, die das Schicksal des Gottlosen beschreiben, verwendet sind. Immerhin ist es möglich, daß man übersetzen muß: „Er möge keine Festigkeit erreichen können im Nichtigen, in dem er irre geht" [5]).

Unter denjenigen Stellen, wo האמין ב in theologisch relevanten Zusammenhängen erscheint, ist Gen. xv 6 die wichtigste: והאמן

---

[1]) Zur Emendation בְּחַיָּיו für -בְּחַיִּין s. die Kommentare.

[2]) S. Weiser a.a.O. (*Hiob*) 179 und Fohrer a.a.O. 372. Zürcher Bibel: „er steht wieder auf, wenn er am Leben schon verzweifelt".

[3]) Weisers Feststellung (*ThW* VI 186, s. auch Anm. 109), dass האמין im Alten Testament nur für ein personhaftes Verhältnis verwendet werde, läßt sich nicht halten, so gewiß im religiösen Sprachgebrauch die Beziehung auf Gott selbst wenigstens latent immer vorhanden ist.

[4]) So Hölscher und Fohrer in ihren Kommentaren.

[5]) Auf andere Stellen einzugehen, fehlt hier der Raum, vgl. die Zusammenstellung S. 375 Anm. 4.

ביהוה ויחשבה לו צדקה. Leider sind die Fragen der Quellenanalyse trotz neuerer Versuche immer noch ungeklärt [1]). Kaiser [2]) hat aber doch mit Recht herausgearbeitet, daß mit xv 1b ein Heilsorakel beginnt, das seinen Sitz im Leben im Heiligen Krieg zu haben scheint. Offenbar ist mit האמין auch hier wieder auf die Grundaufforderung eines solchen Orakels, אל־תירא, Bezug genommen. Abraham hat „Festigkeit", d.h. „Zuversicht" und „Vertrauen" gewonnen, nachdem er von so schwerer Sorge bedrängt gewesen war. Die Stelle steht also traditionsgeschichtlich derjenigen von Jes. vii 9 sehr nahe. Ein dem jesajanischen Wort an Ahas vergleichbares Heilsorakel liegt übrigens auch in Ex. xiv 13 f. vor: „Fürchtet euch nicht! Haltet stand, ... seid nur stille!" [3]). Ausdrücklich war zuvor [4]) festgestellt worden, daß Israel sich sehr fürchtete. Aber am Schluss der Erzählung wird betont, daß es nun Jahwe fürchtete und in Jahwe und in Mose seinem Knecht Zuversicht gefunden hatte: ויאמינו ביהוה (xiv 31). Die übliche Übersetzung: „... und sie glaubten an den Herrn ..." ist zum mindesten mißverständlich. Neben Jahwe ist hier als „Glaubensgrund" Mose, sein Knecht, gestellt. Das erinnert an die oben erwähnte Weiterung in 2 Chr. xx 20. Mose ist Jahwes עבד schlechthin, wie die Propheten seine עבדים genannt werden. Nie aber wird sonst irgendein Repräsentant des Jahwevolkes mit האמין ב als „Glaubensgrund" namhaft gemacht.

Hingegen gibt es Fälle, wo mit ב der „Glaube" als im Wort Jahwes verankert bezeichnet wird: Ps cvi 12: ויאמינו בדבריו (vgl. cvi 24: לא־האמינו לדברו), wozu Ps. cxix 66 (במצותיך) gestellt sei. Beide Psalmen sind jung, sie setzen die abgeschlossene Pentateucherzählung voraus [5]). Ps. cvi 12 nimmt offensichtlich Ex. xiv 31 auf, aber — und das ist bezeichnend für den späteren Gebrauch von האמין — er ersetzt ביהוה und במשה durch בדבריו. In ähnlicher Weise greift V. 24 auf Nu. xiv 11 zurück. Statt „Jahwe verachten" heißt es nun: „seine חֶמְדָּה, das köstliche Land, verachteten sie",

---

[1]) S. O. Kaiser, „Traditionsgeschichtliche Untersuchung von Genesis 15, *ZAW* 70, 1958, 107-126; H. Cazelles, „Connexions et structures de Gen. xv", *RB* 69, 1962, 321-349; H. Seebass, "Zu Genesis 15", *Wort und Dienst* 7, 1963, 132-149.

[2]) A.a.O. 111.

[3]) Der Text gehört zu J, vgl. M. Noth, *Das zweite Buch Mose, ATD* 5, [2]1961, 83 f.

[4]) Ex. xiv 10.

[5]) E. Sellin-G. Fohrer, *Einleitung in das Alte Testament*, [10]1965, 316 und Kraus a.a.O. 728. 823.

und statt „sie setzten ihr Vertrauen nicht auf Jahwe“: „sie setzten es nicht auf sein Wort“. Ähnlich spricht Ps. lxxviii 32 vom „Glauben“ an seine Wunder, was aber gewiß nicht heißen wird, daß sie nicht glaubten, daß Wunder geschehen waren, sondern daß sie trotz der geschehenen Wunder nicht die erwartete Glaubenshaltung einnahmen. — Ps. cxix 66 aber läßt eine nochmalige Verschiebung erkennen, indem dort der „Glaube“ auf die Gebote (מצות) bezogen ist [1]). Nach der Parallele אמרתך שמרתי (V. 67) ist „glauben“ hier in die Nähe des Gesetzesgehorsams gerückt: Glauben heißt nun, seine Zuversicht auf die Gebote setzen, was bedeuten wird: auf die Verheißungen, die auf dem Halten der Gebote liegen.

V

האמין kann aber auch mit ל konstruiert sein. Dieser Unterschied darf auf keinen Fall als bedeutungslos übergangen werden. Gleich das erste Vorkommen im Alten Testament ist beachtenswert, Gen. xlv 26: ויפג לבו כי לא־האמין להם „Da blieb sein Herz kalt, denn er glaubte ihnen nicht“, vgl. dazu Jer. xl 14 und 2 Chr. xxxii 15. Daß man solche Stellen kaum anders denn mit „jem. glauben, ihm Vertrauen schenken“ übersetzen wird, liegt auf der Hand. Es fragt sich nur, wie diese Bedeutung zu erklären ist. Nach Bauer-Leander (§ 38b''' und d''') gehört האמין zur Gruppe von Verben, bei denen das hi. sowohl denominal als auch deverbal ist, und er stellt es mit Fällen wie האיר „leuchten“ und „leuchten machen“, החזיק „stark sein“ und „stark machen“ zusammen. So bedeutet האמין für ihn einerseits als Denominativ „fest sein“, dann mit ב „auf etwas fest sein, darauf vertrauen“, andererseits „für fest halten, trauen“. Aber im Unterschied zu jenen Verben wird האמין nie mit dem Akkusativ konstruiert. Man hat also auch bei der Konstruktion mit ל von der intransitiven Bedeutung auszugehen: „Festigkeit, Vertrauen gewinnen im Blick auf eine Person oder eine Sache“. Das bedeutet, daß auch in diesen Fällen ein Satz mit האמין nicht zuerst vom Gegenüber reden will, nämlich daß es glaubwürdig sei, sondern vom Subjekt selbst feststellt, daß es Glauben gewonnen habe, wenn auch gewiß im Erwägen dessen, wer oder was dieses Gegenüber ist. Es scheint übrigens, daß man האמין ל dort verwendet, wo es sich um die Frage handelt, ob man in einer bestimmten Situation Vertrauen schenken darf, während

---

[1]) Kraus a.a.O. 826: „Der צדיק macht sein Leben fest in den Weisungen Gottes, nachdem er zuvor irreging“.

האמין ב eher ein grundsätzliches Vertrauensverhältnis bezeugen will, vgl. etwa Jer. xii 6 oder auch Mi. vii 5; 1 Sam. xxvii 12 [1]). Bei diesem Sachverhalt wäre zu erwarten, daß, wo von Gott gesprochen wird, האמין ל nicht in Frage kommt. An zwei Stellen ist das aber doch der Fall: Einmal Dt. ix 23, aber dort handelt es sich um den Ungehorsam gegenüber einem bestimmten Befehl, und es begegnen ganz andere Parallelausdrücke als beim absoluten Gebrauch [2]). Ein Fall für sich ist Jes. xliii 10. Gewiß ist dort an einen umfassenden Glaubensakt gegenüber Jahwe gedacht. Aber es wird zu bedenken sein, daß Jes. xliii 10 zu einer „Gerichtsrede" gehört, in der naturgemäß nur das Vertrauen hinsichtlich der strittigen Angelegenheit in Frage steht. Dennoch kann nicht übersehen werden, daß sich an dieser Stelle eine Modifikation des Begriffes האמין abzeichnet, indem die interpretierenden Parallelbegriffe ידע und הבין sind und letzteres neben sich den Objektsatz כי אני הוא hat, der nach dem Zusammenhang meint: „daß ich allein Israels Helfer und Retter, ja ich allein Gott bin". Gewiß besteht das Anliegen Deuterojesajas nicht darin, Israel zur Zustimmung zu seinem Monotheismus zu bewegen, sondern es zum Vertrauen in Jahwe als den souveränen Herrn der Geschichte zu führen. Aber dieser Akt des Glaubens schließt doch offenbar eine bestimmte „Lehre" über Gott in sich. Es wird klar, daß „Glauben" von einer spezifischen Gotteserkenntnis nicht zu trennen ist.

Damit wenden wir uns den Stellen zu, wo האמין mit ל der Sache konstruiert ist. In Ex. iv 9: אם־לא יאמינו גם לשני האתות האלה ולא ישמעון לקלך soll nach PFEIFFER Glaube an Wunderzeichen gefordert sein [3]), und man übersetzt dementsprechend etwa: „wenn sie aber sogar diesen beiden Zeichen nicht glauben sollten. . ." [4]). Das ist nicht richtig, wie auch hier der Parallelismus zeigt. Es geht nicht um den Glauben an das Wunder, sondern darum, daß Israel angesichts dessen, was Mose sagt, Vertrauen gewinnt. Es ist also mit der Zürcher Bibel u.a. [5]) zu übersetzen: „wenn sie aber auch auf diese beiden Zeichen hin nicht glauben . . ." An Zeichen hat

---

[1]) S. WEISER a.a.O. (*ThW* VI) 186: „wobei die Verbindung mit לְ oder כִּי (auch לְ mit Inf.) mehr den Akt, die mit בְּ mehr die Gesamthaltung in den Vordergrund rückt".

[2]) Es liegt ein ähnlicher Gebrauch vor wie in Ps. lxxviii 32, wo das Parallelwort חטא ist.

[3]) A.a.O. (*ZAW*) 155.

[4]) S. NOTH a.a.O. 18, vgl. G. BEER, *Exodus*, *HAT* I/3, 1939, 34.

[5]) Z.B. H. HOLZINGER, *Das zweite Buch Mose*, *HSAT* I, [4]1922, 104.

man nicht zu glauben, sondern Zeichen sieht man; sie machen zum Glauben Mut und geben zum Glauben Kraft (s. Jes. vii 11; Gen. xv 5).

Nach dem masoretischen Text ist aber in 1 Kön. x 7, allerdings in einem profanen Zusammenhang, doch vom Glauben an einen Sachverhalt im Sinne des Fürwahrhaltens die Rede: ולא־האמנתי לדברים, was durch den vorangehenden Vers bestätigt wird (אמת היה הדבר אשר שמעתי) [1]. Ein ähnlicher Gebrauch liegt in Jes. liii 1 vor: מי האמין לשמעתנו „Wer hat geglaubt, was von uns vernommen ward". Natürlich schließt auch hier האמין ein Verhältnis zum Offenbarungsmittler in sich, doch tritt hier der Glaube an das ergangene Gotteswort in Sicht.

VI

Ist nicht dieselbe Beziehung auch gegeben, wenn sich an האמין ein כי-Satz anschließt? Da ist zunächst Ex. iv 5 zu beachten: „... damit sie glauben, daß dir Jahwe erschienen ist". Der Vers ist zweifellos ein Zusatz [2], der ursprüngliche Text redet vom Vertrauen, das Israel dem Mose schenken soll (V. 1, vgl. auch V. 8). Die Formulierung im Zusatz ist eine bezeichnende Modifikation der ursprünglichen Aussage: das Interesse gleitet vom Subjekt des Glaubensaktes auf den zu glaubenden Sachverhalt. Die Glosse zeitlich zu fixieren ist unmöglich. Anders ist es mit Thr. iv 12, wo — im profanen Gebrauch — ebenfalls ein Objektsatz zu האמין vorliegt: „Nicht geglaubt hätten die Könige der Erde ..., daß Gegner und Feinde einzögen in Jerusalems Tore" [3]. Schließlich bleibt noch Hi. ix 16 zu erwähnen, womit schon alle Beispiele genannt sind. Objektsätze mit כי sind also selten und tauchen erst in nachexilischer Zeit auf.

Gelegentlich ist mit האמין eine Infinitivkonstruktion verbunden. Hi. xv 22 scheint ein solcher Fall zu sein: לא־יאמין שוב מני־חשך. Ist der Text richtig erhalten [4], ist zu übersetzen: „Er glaubt nicht,

---

[1] Man pflegt zu übersetzen: „ich (die Königin von Saba) habe es nicht glauben wollen". LXX liest zwar οὐκ ἐπίστευσα τοῖς λαλοῦσίν μοι, wird aber damit kaum recht haben, s. auch die Parallele in 2 Chr. ix 6.

[2] S. Noth a.a.O. 32; vgl. dagegen G. Fohrer, *Überlieferung und Geschichte des Exodus*, *BZAW* 91, 1964, 44 f., der iv 1-9 einheitlich seiner Quelle N zuweist.

[3] Der Satz bezieht sich zweifellos auf die Eroberung Jerusalems im Jahre 587. Die Zeit der Abfassung des Liedes lässt sich allerdings nicht näher feststellen, s. H.-J. Kraus, *Klagelieder*, *BK* XXII, 1956, 68 f.

[4] S. Fohrer a.a.O. (*Hiob*) 262, anders Hölscher a.a.O. 138.

der Finsternis entkommen zu können". Sicherer ist Ps. xxvii 13: לולא האמנתי לראות בטוב־יהוה בארץ חיים ,,wenn ich nicht die Zuversicht hätte, die Güte Jahwes zu schauen . . .". Hier ist האמין zu einem Verbum des Hoffens geworden; das mit V. 13 ausgesprochene Bekenntnis der Zuversicht besitzt in V. 14 seine Entsprechung im Mahnwort: ,,Harre Jahwes, sei getrost und unverzagt und harre Jahwes!" [1]).

VII

Versuchen wir, die Ergebnisse dieses tour d'horizon zusammenzufassen:

1. Es ist bei der Untersuchung der Bedeutungsnuancen des hi. האמין von der intransitiven, absolut verwendeten Grundbedeutung auszugehen [2]).

---

[1]) Die zeitliche Einordnung des Psalmes ist schwierig; KRAUS a.a.O. (*Psalmen*) 223 und SELLIN-FOHRER a.a.O. 310 halten vorexilische Abfassung für möglich.

[2]) Da das qal der Wurzel אמן nur gerade durch das part. act. vertreten zu sein scheint, läßt es sich fragen, ob האמין nicht als sog. ,,Pseudo-hifil" zu verstehen sei (der Terminus bei P. JOÜON, *Grammaire de l'Hébreu biblique*, [2]1947, § 54 f.). Es ist längst erkannt, daß es im Hebräischen Imperfekt-Formen gibt, die traditionellerweise als impf. hi. aufgefaßt werden (und oberflächlich betrachtet, auch so aussehen), die aber in Wirklichkeit als i-Imperfekte des qal zu erklären sind. Schon J. BARTH, ,,Vergleichende Studien III: Das ĭ-Imperfect im Nordsemitischen", *ZDMG* 43, 1889, 177-191, ist den Spuren solcher verkannter Imperfekte mit Scharfsinn und Sorgfalt nachgegangen. In vielen Einzelfällen ist die Arbeit gewiß überholt, im wesentlichen aber immer noch von grundlegender Wichtigkeit und wohl zu wenig zur Geltung gekommen; s. dazu aber BAUER-LEANDER § 38h'' und 40b; GESENIUS-BERGSTRÄSSER II, [29]1928 § 19c und 14h; G. BEER-R. MEYER, *Hebräische Grammatik* II, [2]1955 § 68. 2a, 71. 1 i und 73. 2a. So existiert z.B. von אטם neben Formen des aktiven und passiven part. qal (vgl. אמן) nur noch das impf. יַאְטֵם (Ps. lviii 5), das von KBL, im Gegensatz zu E. KÖNIG, *Hebräisches und aramäisches Wörterbuch zum Alten Testament*, [4.5]1931, 14 und BROWN-DRIVER-BRIGGS 32 und ZORELL 39, als impf. qal registriert ist. In diesen und ähnlichen Fällen (s. dazu GES.-BERGSTRÄSSER § 14h) deutet das Fehlen der mater lectionis noch an, daß qal zu lesen ist. So bildet ישר ein impf. יַיְשִׁרוּ (Prov. iv 25), das doch wohl (gegen KBL) intransitiven Sinn hat und in Wirklichkeit impf. qal sein dürfte und von BAUER-LEANDER § 40b 55c[1] im Gefolge von BARTH a.a.O. 180 auch so verstanden wird. Dasselbe i-Imperfekt des qal dürfte sich auch noch zeigen bei ערם in Prov. xv 5, xix 25; 1 Sam. xxiii 22 (immer יַעְרִם); Sir. vi 32 (תערם). Diese Formen haben alle intransitive Bedeutung und sind denn auch von KBL unter das qal eingeordnet, während יַעֲרִימוּ in Ps. lxxxiii 4 transitiv ist und darum unter dem hi. erscheint. KBL sieht auch, gewiß mit Recht, in dem impf. von פרח, ob יַפְרִיחַ oder יַפְרִחַ vokalisiert, qal-Formen (s. auch L. KÖHLER, *OLZ* 20, 1917, 173). Nicht unwichtig für unsern Fall ist die Beobachtung von

2. Der ursprüngliche, durchaus noch konkrete Sinn der Wurzel אמן ist „fest, zuverlässig", die Bedeutung des hi. demnach „fest sein (oder werden), Festigkeit haben oder gewinnen".

3. Im profanen Bereich bedeutet das hi. des Verbums, absolut verwendet, „fest sein, stille stehen, stand halten", dann, im übertragenen psychologischen Sinn, „ruhig bleiben, innere Festigkeit, Ruhe, Zuversicht gewinnen oder bewahren".

4. Wo das absolut verwendete Verbum zur Beschreibung der Haltung des Menschen vor Gott dient, gewinnt es die Bedeutung „Glauben haben, bzw. halten" im Sinn von „Festigkeit, Ruhe, Zuversicht in sich tragen", nämlich in der Gewißheit, von Jahwe geschützt und gehalten zu sein. Sicher datierbar begegnen wir dieser Verwendung erst bei Jesaja. Es stellt sich die Frage, ob der Prophet diesen Sprachgebrauch aus dem Kult übernommen hat (s. Ps. cxvi 10) [1].

5. האמין mit ב bedeutet profan verwendet „sich fest machen in, sein Vertrauen setzen auf" o.ä. Wo האמין ב mit Bezug auf Jahwe oder seinen Offenbarungsmittler bzw. ein Offenbarungswort verwendet ist, gewinnt es die Bedeutung „glauben an", aber nicht im Sinn von „für existent, wahr, zuverlässig erachten", sondern in der Bedeutung „sein Vertrauen setzen auf", wobei Zuversicht und Gehorsam mit eingeschlossen sind.

6. Mit ל gewinnt האמין die Bedeutung „jem. oder einer Sache Glauben schenken" im Sinne eines Vertrauensaktes in einer bestimm-

---

Barth a.a.O. 190, daß das i des impf. qal sich mit Vorliebe behauptete, „wenn das Präfix aus irgendwelcher Ursache *ă* hatte". Als Beispiele nennt er יַאְטֵם, יֹאבֵד, יֹאחֵז, יֹאכֵל, וַיֵּגֶל, (יַאֲמֵץ?), יֶעְרַם. Bei dieser Sachlage ist zu erwägen, ob nicht auch das impf. יַאֲמִן im Grunde ein qal ist. Das perf. wäre dann erst sekundär nach dem als hi. verstandenen impf. gebildet worden. Es scheint allerdings näher zu liegen, das intransitive hi. האמין als Denominativum zu erklären. Wie neben אָדֹם „rot" das perf. אָדְמוּ „sie sind rot" Thr. iv 7 und das impf. יַאְדִּימוּ „sie haben rote Farbe" Jes. i 18 (s. KBL) und neben מָתוֹק „süß" das qal מָתַק „süß sein, werden" und das hi. (nur impf.!) „süß schmecken" steht, könnte neben אָמֵן „fest, sicher" das denom. hi. האמין „fest, sicher sein, sich fühlen" stehen. Es müßte aber einmal der Frage systematisch nachgegangen werden, ob diese sog. denominativen hi.-Bildungen in Wirklichkeit nicht doch qal-Formen sind, die man erst sekundär als hi.-Formen verstanden hat, wodurch dann auch die Bildung eines Perfekts des hi. möglich wurde. Es bedarf jedenfalls der Erklärung, daß neben einem perf. qal ein impf. hi. von ungefähr derselben Bedeutung stehen kann. Die Alternative denominatives hi. oder i-impf. qal könnte also letztlich gegenstandslos sein.

[1] S. dazu Weiser a.a.O. (*ThW*) 189 Anm. 121.

ten Situation. Aber auch in dieser Verwendung wird mit האמין primär eine Aussage über das Subjekt des Satzes gemacht.

7. Eine letzte Stufe der im Alten Testament gerade noch erkennbaren Bedeutungsentwicklung ist es, wenn האמין faktisch den Sinn von „für wahr halten" (mit ל oder einem Objektsatz mit כי) oder von „erwarten, hoffen" (mit כי oder inf.) annimmt. Zudem beginnt der von Haus aus klare Unterschied zwischen האמין ב und האמין ל zu verschwinden. Der absolute Gebrauch der sich in der profanen Verwendung [1]) mit auffallender Zähigkeit hält, geht dem religiösen Sprachgebrauch verloren.

8. האמין als Glaubensbegriff gehört offensichtlich nicht an den Anfang der israelitischen Religionsgeschichte und taucht als solcher nur in gewissen Schichten des Alten Testamentes auf. Die Differenziertheit in seiner Verwendung darf nicht übersehen werden.

---

[1]) Vgl. die oben besprochenen Stellen des Hiobbuches.

»Glauben« im Alten Testament *

In der dritten Auflage des für die deutschsprachige Theologie maßgebenden Lexikons »Die Religion in Geschichte und Gegenwart« ist unter dem Stichwort »Glaube im Alten Testament« als erste Feststellung zu lesen: »Der Begriff ›Glaube‹ im AT kann nicht von einer bestimmten Wortprägung her entfaltet werden. Das AT ... sagt das, was wir mit Glaube meinen, mit mannigfaltigen Ausdrucksformen, in deren Zusammenklang die Sache transparent wird.«[1] So namhafte Werke zur alttestamentlichen Theologie wie diejenigen von Vriezen und Jacob[2] haben sich, offensichtlich auf Grund dieses Tatbestandes, nicht veranlaßt gesehen, den Glaubensbegriff des Alten Testaments explizit zu entfalten. Es liegt tatsächlich auf der Hand, daß das Alte Testament Wesentliches von dem, was für uns die Vorstellung »glauben« umschließt, mit Begriffen wie ירא[3], ידע[4], דרש אלהים bzw. יהוה[5], aber auch mit בטח, חסה, קוה, יחל u. a. zum Ausdruck bringt. Und wenn auch die Bedeutung von הֶאֱמִין nicht verkannt wird, so gilt es doch vielen Lexikographen als eine ausgemachte, nicht mehr zu diskutierende Tatsache, daß im Hebräischen kein Substantiv mit der Bedeutung »Glaube« und kein Adjektiv, das mit »glaubend« oder »gläubig« übersetzt werden könnte, existiert[6].

---

* Erweiterte Fassung einer Gastvorlesung vor der Exegetischen Gesellschaft in Uppsala.

[1] So F. BAUMGÄRTEL, der im genannten Artikel (RGG³ II, 1588–1590) die alttestamentliche Glaubensvorstellung definiert als »Haltung im Angesicht Gottes, ... im Sinne des Ergriffenseins durch Gott (Passivität) *und* zugleich des willentlich-tätigen Aufgeschlossenseins gegenüber dem andringenden Willen Gottes (Aktivität)«.

[2] TH. C. VRIEZEN, Theologie des Alten Testaments in Grundzügen, 1956; E. JACOB, Théologie de l'Ancien Testament, Neuchâtel 1955.

[3] Vgl. S. PLATH, Furcht Gottes (Arbeiten zur Theologie II/2), 1963; J. BECKER, Gottesfurcht im Alten Testament (AnBibl 25), 1965.

[4] G. J. BOTTERWECK, »Gott erkennen« im Sprachgebrauch des Alten Testaments, 1951; H. W. WOLFF, »Wissen um Gott« bei Hosea als Urform von Theologie (EvTh 12, 1952/53, 533–554).

[5] Vgl. C. WESTERMANN, Die Begriffe für Fragen und Suchen im Alten Testament (KuD 6, 1960, 2–30).

[6] KBL kennt für אֱמוּנָה die Bedeutungen »Festigkeit, Zuverlässigkeit, Redlich-

Für das große Gewicht, das der Wortwurzel אמן zukommt, spricht aber von vornherein, daß sie über das *πιστεύειν* der Septuaginta hinweg dem neutestamentlich-kirchlichen Glaubensbegriff zugrunde liegt und damit zu weittragender Wirksamkeit gekommen ist. *Πιστεύειν* dient bekanntlich in der griechischen Übersetzung keineswegs zur Wiedergabe beliebiger Begriffe, in denen Aspekte der Glaubensvorstellung zu finden sein mögen, sondern ist mit *einer* Ausnahme, wo der hebräische Text שמע liest[7], Äquivalent für den Wortstamm אמן. Diese Präzision der Entsprechung kann nicht Zufall sein; wenn *πιστεύειν* mit den ihm zugehörenden nominalen Ableitungen *πίστις* und *πιστός* eine solch eruptive Gewalt bewiesen hat, kann das alttestamentliche Grundwort nicht eine theologisch farblose Vokabel neben vielen andern sein[8]. So soll hier erneut האמין nachgegangen werden, wobei die gattungsgeschichtlichen Bereiche, in denen das Verb beheimatet ist, und im Zusammenhang damit die Nuancen in der Bedeutung spezielle Beachtung finden sollen. Als Kontrast dazu werden auch die verwandten Begriffe heranzuziehen sein[9].

---

keit, Treue, Amtspflicht«, jedoch nicht »Glaube«; im deutsch-hebräischen Teil des Supplements zu KBL fehlt das Substantiv. Das nur im Plural vorkommende Adjektiv אמונים gibt KBL[1] mit »Redliche« oder »Redlichkeit« wieder (KBL[3]: »zuverlässig«) und nennt wiederum im deutsch-hebräischen Teil die Adjektive »gläubig« oder »glaubend« nicht. Die übrigen Lexika vertreten keine wesentlich andere Sicht. Apodiktisch erklärt J. BARR: »Es gibt im hebräischen Alten Testament kein Wort, das Gläubigkeit oder Glauben bedeutete, d.h. es gibt keine Nominalform, die den durch das Verb *hä'ᵃmîn*, glauben, ausgedrückten Vorgang nominal darstellte. Das ist eine allseitig bekannte und anerkannte Tatsache.« (J. BARR, Bibelexegese und moderne Semantik, 1965, 175; engl. Original: The Semantics of Biblical Language, Oxford 1961, 173.)

[7] Jer 25, 8. Umgekehrt übersetzt LXX האמין 45mal mit *πιστεύειν*, 5mal mit *ἐμπιστεύειν*, 1mal mit *καταπιστεύειν* und 1mal mit *πείθεσθαι* (s. A. WEISER, ThW VI, 186, 24f). Dieser Befund zeigt (anders BAUMGÄRTEL), daß man über die alttestamentliche Glaubensvorstellung nicht sprechen kann, ohne האמין und seine Derivate genau untersucht zu haben.

[8] Rein statistisch gesehen kommt anderen Begriffen die Präponderanz zu: Nach WEISER (aaO 183, 3ff) findet sich im Alten Testament בטח quantitativ an erster Stelle (57mal in religiösem, 60mal in profanem Sinn), חסה 34mal religiös, 5mal profan, קוה 32mal auf Gott bezogen, 11mal profan. Von den 51 Stellen, an denen sich האמין findet, rechnet L. BACH 18 dem »gemeinen«, 33 dem »heiligen« Sprachgebrauch zu (L. BACH, Der Glaube nach der Anschauung des Alten Testamentes [BFChTh 4, 6], 1900, 30).

[9] Literatur s. bei H. WILDBERGER, »Glauben«. Erwägungen zu האמין (Festschr. f. W. Baumgartner [VT Suppl. 16], 1967, 372–386). Vgl. ferner: A. GAMPERT, La foi d'Esaïe (RThPh NS 10, 1922, 263–291) – A. SCHLATTER, Der Glaube im Neuen Testament, 1927, 551–561 – S. VIRGULIN, La »fede« nel profeta Isaia (Bibl 31, 1950, 346–364) – P. MICHALON, La Foi, rencontre de Dieu et engagement envers Dieu, selon l'Ancien Testament (NRTh 85, 1953, 587–600) – J. GUTMAN, Con-

I

Wir wählen als Einstieg Jes 7, 9: אם לא תַאֲמִינוּ כי לא תֵאָמֵנוּ. Die Stelle hat sehr stark auf die Theologiegeschichte eingewirkt[10]. Jeder, der sich mit האמין befaßt, wird auf sie eingehen. Sie hat den Vorzug, daß wir den Autor[11], dessen Zeit und geistige Heimat kennen und darum wissen, von welchem Hintergrund her der Satz zu verstehen ist.

Zunächst fällt an der Formulierung auf, daß das Verb ohne Objekt und ohne adverbiale Ergänzung konstruiert ist[12]. Die Chronik hat Jesajas Wort König Josaphat in den Mund gelegt und dabei das Verständnis durch Ausweitungen in ihrem Sinn gesichert: הַאֲמִינוּ ביהוה אלהיכם וְתֵאָמֵנוּ האמינו בנביאיו והצליחו (2Chr 20, 20). Hier ist alles klar: »Glauben« heißt, an Jahwe als seinen Gott glauben, und das wiederum bedeutet faktisch, an die Propheten glauben, was nach dem Zusammenhang nur meinen kann: dem Orakel Glauben schenken, das gleich zuvor der Prophet Jahasiel, als Jahwes Geist über ihn gekommen war, verkündet hatte[13]. Auf ebendieser

---

fidence and the »Will to Power« from Isaiah to Nietzsche (RR 19, 1955, 131 bis 135) – A. G. Hebert, »Faithfulness« and »Faith« (Theology 58, 1955, 373 bis 379) – J. B. Bauer, Der Glaube im Alten Testament (Bibel und Liturgie 23, 1955/56, 226–230) – E. Vogt, Ostracon hebraicum saec. 7 A. C. (Bibl 41, 1960, 183f) – S. Porúbčan, La radice *'mn* nell'A. T. (Rivista Biblica 8, 1960, 324 bis 336; 9, 1961, 173–183. 221–234) – Barr, aaO (s. Anm. 6), engl. Ausg. 161 bis 205, dt. Übers. 164–206 – S. Virgulin, La »Fede« nella Profezia d'Isaia, Mailand 1961.

[10] Mehr noch als der MT ist allerdings die Übersetzung der LXX: *ἐὰν μὴ πιστεύσητε, οὐδὲ μὴ συνῆτε* (Vet. Lat.: nisi credideritis non intelligetis; vgl. Peschitta und s. dazu E. Nestle, ZAW 25, 1905, 213–215) wirksam geworden.

[11] J. Boehmer, Der Glaube und Jesaia (ZAW 41, 1923, 84–93) hat zwar den Versuch unternommen, das Wort »glauben« Jesaja abzusprechen, einerseits, »weil eine bedingte Ermutigung keine Ermutigung« sei, andererseits, weil der Satz den Plural verwende, während sich der Prophet »zu Beginn seiner Ansprache der singularischen Anredeform bediene« (86). Aber in der konditionalen Form des Satzes liegt gerade eine bezeichnende prophetische Abwandlung des Heilsorakels (s. u. S. 133). Der Plural jedoch ist neben dem Singular darum möglich, weil nicht Ahas allein, sondern das »Haus Davids« (s. V. 2 und 13) angeredet wird. Boehmer hat denn auch kaum Gefolgschaft gefunden.

[12] Es ist bezeichnend, daß vorgeschlagen wurde, nach תאמינו statt כִּי unter Verschiebung des Akzentes בִּי zu lesen (s. dazu Nestle, aaO 214 und BHK[3]). Das wäre nur diskutierbar, wenn der absolute Gebrauch von האמין sonst nicht zu belegen wäre. Aber auch die LXX hat in Jes 28, 16 übersetzt: *ὁ πιστεύων ἐπ' αὐτῷ*, vgl. Röm 9, 33; 10, 11; 1Petr 2, 6.

[13] Zum Verhältnis der chronistischen Fassung zu Jesaja ist G. v. Rad, Die levitische Predigt in den Büchern der Chronik (Festschr. O. Procksch, 1934, 113–124 = Ges. Studien zum AT [ThB 8], 1958, 248–261), 119 bzw. 255 zu vergleichen: »Wer so wie hier den Glauben an Gott verbinden kann mit einem epigonischen

Linie interpretieren manche modernen Exegeten auch Jes 7, 9, wie etwa die Umschreibung durch Wolff zeigt: »Hältst du das verkündete Wort nicht für zuverlässig, dann hast du deine Existenz verspielt.«[14] Aber wie an anderer Stelle dargelegt worden ist[15], handelt es sich bei Jesaja keinesfalls um eine Ellipse[16], denn האמין ist ein Intransitivum. Es ist so, wie Buber es formuliert hat: Die Hinzufügung von »daran« oder auch »an Gott« würde »dem Begriff seinen eigentlichen Charakter nehmen ... Die absolute Konstruktion vermittelt uns ... die Absolutheit des Gemeinten.«[17] Jesaja hat damit keinen neuen Sprachgebrauch initiiert, aber der absolute Gebrauch kommt bei ihm theologisch, soviel wir sehen, erst wirklich zum Zug. Im profanen Bereich heißt das absolut verwendete האמין »stille halten« (Hi 39, 24), »Vertrauen fassen, nicht verzagen« (Hi 29, 24) u. ä.[18]. Bei Jesaja liegt grundsätzlich keine andere Bedeutung vor, das bestätigt und erläutert des näheren der Zusammenhang[19]: Mit der Aufforderung zu glauben nimmt der Prophet die vorangehenden Imperative des Jahwewortes auf (7, 4): השמר והשקט אל־תירא ולבבך אל־ירך. Die Haltung des Glaubens hätte an die Stelle jener Erschrockenheit zu treten, die gleich dem Beben der Bäume des Waldes im Wind das Haus Davids bei der Kunde vom Herannahen der Feinde befallen hatte. Nicht *das* steht zur Diskussion, ob Ahas an Jahwe glaubt oder nicht, und nicht einmal das ist wesentlich, ob er auf das prophetische Wort hört und es für glaubwürdig hält. Wichtig ist nur, daß er sich in der bedrohlichen Situation des Tages als Glaubender *bewährt*.

Glauben an die Gottesboten und *daran* das Heil knüpft, der zeigt, daß er zwar in großer Pietät ›der Schrift‹ und den irdischen Organen Jahwes gegenüber steht, daß ihm aber von den wahren Dimensionen des zitierten Prophetenwortes wenig mehr bekannt ist.« Vgl. auch NESTLE, aaO.

[14] H.W. WOLFF, Immanuel – Das Zeichen, dem widersprochen wird (BSt 23), 1959, 19; s. auch DERS., Frieden ohne Ende (BSt 35), 1962, 23f.

[15] WILDBERGER, aaO (s. Anm. 9) 374f.

[16] Anders E. WÜRTHWEIN, Jesaja 7, 1–9 (Theologie als Glaubenswagnis. Festschr. f. K. Heim, 1954, 47–63), 60.

[17] M. BUBER, Zwei Glaubensweisen, 1950, 21.

[18] Vgl. zu diesen und ähnlichen Stellen WILDBERGER, aaO 376. Im Blick auf die etymologische Urbedeutung der Wurzel אמן »fest, sicher, zuverlässig sein« (s. dazu WILDBERGER, aaO 372f) wie auf den absoluten Gebrauch in der profanen Verwendung des Verbums können wir WEISER (ThW VI, 189) nicht zustimmen, daß der absolute Gebrauch eine Weiterbildung und Vertiefung sei, die auf Jesaja zurückgehe. Trotzdem ist es natürlich nicht Zufall, daß Jesaja gerade auf den absoluten Gebrauch zurückgegriffen hat.

[19] Derselbe absolute Gebrauch liegt auch in Hab 1, 5 vor, wo der Satz כי־פעל פעל בימיכם לא תאמינו כי יספר etwa zu übersetzen ist: denn ein Werk habe ich in euren Tagen vollbracht, ob dem euch alle Zuversicht entschwinden wird, wenn euch davon erzählt wird.

Das Wort bildet den Abschluß des durch die Formeln zu Beginn von V. 3 und 4 eingeführten Heilsorakels. Das אל־תירא in V. 4 ist für diese Gattung ein klares Indiz[20]. Man kann allerdings einwenden, daß V. 9b ein Konditionalsatz und ein bedingtes Heilsorakel kein Heilsorakel sei. Das hat Würthwein[21] und Wolff[22] dazu verführt, von einem Mahnwort zu reden, und Boehmer[23] veranlaßt, 9b Jesaja abzusprechen. Tatsächlich ist diese Modifikation Zeichen dafür, daß Jesaja die durch die Tradition gegebene Form nicht unbesehen verwendet hat. Er ist nicht ein Prophet, der unbedingtes Heil ankünden könnte. Es ist längst erkannt und durch Würthwein[24] herausgearbeitet worden, daß das תֵּאָמֵנוּ von 9b die Zusage ewigen Bestandes an das Haus Davids aufgreift[25]: Die grundsätzliche Verheißung, die über dem Davidshause steht, wird angesichts der Kriegsgefahr aktualisiert. Aber die Heilszusage wird an die Bewährung des Glaubens durch das Davidshaus gebunden[26]. Damit ist die alte Form des Heilsorakels in der Tat entscheidend variiert: Die Heilsprophetie ist gezügelt, aber die Gültigkeit der göttlichen Zusage an sich ist nicht in Frage gestellt; die Unheilsprophetie ist in Schranken gewiesen, ohne daß die Berechtigung ihres Anliegens überfahren wäre. Heil und Glaube gehören zuhauf[27].

Der Bestand der davidischen Dynastie ist aber nur ein einzelnes Motiv des Heilsorakels. Von Rad hat klargemacht, daß der jesajanische Aufruf zum Glauben im Zusammenhang steht mit dem Gedankenkreis des heiligen Kriegs[28]. Man spricht geradezu von der Gattung der Kriegsansprachen[29], wie uns eine solche z.B. in Dtn 20, 3f erhalten ist. Es begegnen dort Übereinstimmungen des Gedankengehalts bis in den Wortlaut hin-

---

[20] Vgl. dazu J. Begrich, Das priesterliche Heilsorakel (ZAW 52, 1934, 81–92), 85f (jetzt auch ThB 21, 1964, 217–231). Deutlich für die Gattung eines Heilsorakels spricht auch der Satz לא תקום ולא תהיה in 7b, s. Jes 14, 24. Parallelen im Kriegsorakel s.u. S. 134.

[21] AaO 51.

[22] AaO (BSt 23) 15f.

[23] AaO (s. Anm. 11).

[24] AaO 58ff.

[25] Vgl. 2Sam 7, 16 נֶאְמַן ביתך וממלכתך עד־עולם לפניך. Vgl. auch 1Sam 25, 28; 2Sam 23, 5; 1Kön 11, 38; Ps 78, 37; 89, 4f. 29; Jes 55, 3.

[26] In ganz anderer Weise bindet der Deuteronomist den Bestand des Hauses Salomos an den Gesetzesgehorsam, 1Kön 11, 38.

[27] Man muß gerade in dieser Hinsicht den Graben sehen, der Jesaja von Amos, der Israel das Gericht ankündet, trennt, und zwar auch dann, wenn man den Ausführungen von R. Smend, Das Nein des Amos (EvTh 23, 1963, 404–423) nicht in jeder Hinsicht folgen kann.

[28] G. v. Rad, Der Heilige Krieg im alten Israel, 1951, 7ff.

[29] Wolff, aaO (BSt 23) 15.

ein[30]. Um »Ansprachen« handelt es sich allerdings nicht. Zwar finden sich in solchen Abschnitten Mahnungen, die von einem Repräsentanten Jahwes[31] zu Beginn der Schlacht ausgesprochen werden. Aber אל־תירא oder wie die Ausdrücke, die zur Furchtlosigkeit aufrufen, auch lauten mögen, beweist, daß es sich nicht nur um gutgemeinten Zuspruch handelt, sondern um bevollmächtigte Zusage, z. B.: Angst braucht ihr nicht zu haben, denn »Jahwe, euer Gott, zieht mit euch« (Dtn 20, 4), oder: »Ich gebe den König von Ai... in deine Hand« (Jos 8, 1) u. ä.[32].

Von Glauben oder Vertrauen wird allerdings an den eben zitierten Stellen explizit nicht gesprochen. Daß האמין aber im Zusammenhang solcher Kriegsorakel beheimatet war, zeigt Ex 14. Dort ruft Mose das Volk ganz so zur Zuversicht auf, wie es Jesaja gegenüber dem König tut: »Fürchtet euch nicht! Haltet stand!, so werdet ihr Jahwes Hilfe schauen... Jahwe wird für euch streiten, ihr aber seid nur stille.«[33] Nach der Schilderung des göttlichen Eingreifens wird dann festgestellt: »Da *glaubten* sie an Jahwe und an seinen Knecht Mose.«[34] Hier ist der Glaube allerdings als Folge der bereits erfahrenen göttlichen Hilfe gesehen und nicht als Vertrauenshaltung angesichts der scheinbar ausweglosen Notlage selbst. Aber analog dazu wird in Dtn 1, 32 im Anschluß an ein Kriegsorakel festgestellt, daß Israel trotz der ihm gewährten Hilfe den Glauben an Jahwe, seinen Gott, nicht bewahrte. Da auf das Orakel von

---

[30] Vgl. die Formulierungen אל־ירך לבבכם, אל־תיראו, dem Sinn nach auch אל־תחפזו und אל־תערצו מפניהם in V. 3, schließlich das an den Namen Immanuel anklingende עמכם in V. 4 (s. auch 2Chr 20, 17). – Vgl. ferner Jos 8, 1 (אל־תירא ואל־תחת); 10, 8 (אל־תירא ... לא־יעמד איש); 10, 25; 11, 6 und Ex 14, 13 mit 2Chr 20, 14ff. S. ferner die Ausführungen zu אל־תירא bei PLATH, aaO (s. Anm. 3) 113–122, und BECKER, aaO (s. Anm. 3) 50–55.

[31] In Dtn 20, 3 ist es der Priester, in 2Chr 20, 14 ein Levit.

[32] Wesentlich ist die Ankündigung, daß Jahwe für die Wende in der Schlacht sorgen wird. Der Chronist (2Chr 20, 17) unterstreicht das: »Nicht euch liegt es ob, in dieser Sache zu kämpfen. Stellt euch nur auf und bleibt stehen und seht, wie Jahwe euch Rettung schafft.« Aber man darf gewiß nicht in falscher Weise systematisieren. Die Zusage der göttlichen Hilfe schließt die Aufforderung zu tapferem Kampf nicht aus (Jes 10, 25), so gewiß es eine menschliche Aktivität gibt, die aus der Angst geboren ist und vor der der Prophet den König warnen muß (הִשָּׁמֵר Jes 7, 4; s. dazu C. A. KELLER, Das quietistische Element in der Botschaft des Jesaja [ThZ 11, 1955, 81–97]). Daß das »Kriegsorakel« eine fest geprägte Gattung mit ihrer präzisen Formensprache war, zeigen des weiteren Stellen wie Dtn 1, 20f. 29–32; 3, 22; 7, 17–24; 31, 6; Jos 1, 9; vgl. auch Num 14, 9.

[33] Ex 14, 13f. Die Stelle gilt allgemein als jahwistisch, s. M. NOTH, Überlieferungsgeschichte des Pentateuch, 1948, 32; G. FOHRER, Überlieferung und Geschichte des Exodus (BZAW 91), 1964, 99.

[34] V. 31b. Vgl. NOTH, aaO (s. Anm. 33).

Gen 15, 1b hin in V. 6 ebenfalls vom Glauben gesprochen wird (s. dazu unten S. 142–147), dürfte feststehen, daß האמין zur Formensprache solcher Orakel gehört.

II

Zur Erhärtung und genaueren Erfassung dieser These werfen wir einen Blick auf die Umwelt Israels. Kaiser[35] und Cazelles[36] haben in ihren interessanten Aufsätzen zu Gen 15 auf vielfältiges Vergleichsmaterial aus dem alten Orient hingewiesen, das zum Jahwewort Jesajas an König Ahas in engem Zusammenhang steht. Es seien einige Belege herausgegriffen: Ein Orakel der Ištar von Arbêla an Asarhaddon lautet: »*Fürchte dich nicht* (lā tapalaḫ), König, sprach ich zu dir, ich habe dich nicht verworfen; ich flößte dir *Zuversicht* ein, nicht werde ich dich zuschanden werden lassen... Asarhaddon, in Arbêla bin ich dein gnädiger *Schild!*«[37] Oder Assurbanipal berichtet: »Die Göttin Ištar hörte meine Seufzer und: ›*Fürchte dich nicht!*‹ sagte sie und füllte mein Herz mit *Vertrauen*...«[38] Daß solche Heilsorakel auch im aramäischen Bereich wohlbekannt waren, belegt die ZKR-Inschrift von Afis: »BʿLŠMJN [sprach zu mir:] *Fürchte dich nicht;* denn ich habe [dich] zum Kön[ig gemacht...] ... und ich werde dich erretten vor allen [diesen Königen,...]...«[39] Für ähnliche Orakel in Ägypten sei beispielsweise auf die Traumoffenbarung Thutmoses IV. verwiesen, welche diesem zuteil wurde, als er neben der Sphinx schlief[40]. Wie eng der Aufruf, sich nicht zu fürchten, mit der Feststellung verbunden ist, daß einer glaubt oder glauben sollte, bzw. zum Glauben befähigt oder mit Vertrauen und Zuversicht beschenkt worden ist, zeigt ein Brief Suppiluliumas an Niqmadu von Ugarit: »Wenn auch Nuḫaš und Mukiš mit mir im Krieg liegen, so *fürchte du,* Niqmadu, *sie nicht* (lā tapalaḫšunu);

---

[35] O. Kaiser, Traditionsgeschichtliche Untersuchung von Genesis 15 (ZAW 70, 1958, 107–126).

[36] H. Cazelles, Connexions et structure de Gen. XV (RB 69, 1962, 321–349).

[37] Vgl. H. Gressmann, AOT², 1926, 282, s. auch die beiden Orakel an denselben Assyrerkönig in AOT² 281.

[38] Vgl. J.B. Pritchard, ANET², 1955, 451 oder das Orakel Nr. 8 bei E.J. Banks, Eight Oracular Responses to Esarhaddon (AJSL 14, 1897/98, 267–277): »Fürchte dich nicht (lā tapalaḫ), Esarhaddon, ich bin Ištar von Arbêla... Die früheren Worte, die ich zu dir gesprochen habe, konntest du dich nicht auf sie verlassen? Nun, in Zukunft habe Vertrauen (tazāzma) und ehre mich.« Das Material ist aber damit längst nicht ausgeschöpft (s. auch Cazelles, aaO 326ff).

[39] H. Donner-W. Röllig, Kanaanäische und aramäische Inschriften, 1962–64, Nr. 202 (A).

[40] ANET² 449.

hab Vertrauen zu dir selbst (itti ramānika lū putqudāta)... Wenn du, Niqmadu, dich an die Worte des großen Königs, deines Herrn, hältst, ... wirst du, o König, die Gunst schauen, womit der Großkönig, dein Herr, dich beschenken wird... Dann wirst du, Niqmadu, in Zukunft in die Worte des Großkönigs, deines Herrn, *Vertrauen haben* (amāte ša šarri rabī bēlika taqāp).«[41] Der Großkönig des Hethiterreiches, die Sonne, spricht hier zu seinem Vasallen wie sonst die Gottheit zum König – und wie Jahwe durch Jesaja zu Ahas oder, in Gen 15, 1ff, wie Jahwe zu Abraham[42].

Jesaja lehnt sich also in seinem Wort an König Ahas an die allgemein altorientalische Form eines Heilsorakels an einen König in Kriegsnot an, zu dessen Elementen auch der Aufruf zum Glauben gehört. Das Bindeglied bildet die sogenannte Kriegsansprache innerhalb der Tradition vom Heiligen Krieg[43].

III

Wenn die »Kriegsansprache«, um diesen Terminus einmal zu gebrauchen, zur Gattung der Heilsorakel gehört, ist zu vermuten, daß האמין allgemein in Heilsorakeln verwendet worden ist und Spuren dieses Gebrauchs auch in denjenigen Gattungen des Kultliedes zu finden sind, die mit dem »priesterlichen Heilsorakel« in Beziehung stehen, d.h. dem Klage- und Danklied[44]. Tatsächlich begegnet האמין in Ps 27 als Element des Vertrauensmotivs. Der Dichter fleht zu Gott, ihn vor seinen Drängern zu erretten, und fährt dann nach dem sogenannten »Stimmungs-

---

[41] Vgl. J. Nougayrol, Le Palais Royal d'Ugarit IV, Paris 1956, 35f.

[42] Vgl. dazu ZAW 67, 1955, 265.

[43] Im Zusammenhang mit einem Kriegsorakel findet sich האמין vielleicht auch in Num 14, 11. Doch ist es fraglich, ob V. 9 und V. 11 derselben Quellenschicht angehören. Noth schreibt V. 9 P zu (aaO [s. Anm. 33] 19), V. 11a J, V. 11b dagegen einem Nachtrag zu J, während er E keinen Anteil an der Kundschaftergeschichte zugesteht. Nach O. Eissfeldt (Einleitung in das Alte Testament, 1964³) sind jedoch an Num 13f LJE und P beteiligt, nach E. Sellin–G. Fohrer (Einleitung in das Alte Testament, 1965) NJEP. Da die einzelnen Stränge nur bruchstückhaft erhalten sind, ist es immerhin möglich, daß schon dem jetzigen Konglomerat ein Bericht zugrunde liegt, in dem mit der Aufforderung zum Nichtfürchten diejenige zum Glauben bzw. die Feststellung des Unglaubens Israels verbunden war. Es wird doch kaum nur dem Zufall der Quellenkombination zuzuschreiben sein, wenn die beiden Elemente, die sonst zum selben Wortfeld gehören, hier nebeneinander erscheinen.

[44] Vgl. Begrich, aaO (s. Anm. 20) 90 und Sellin-Fohrer, aaO 287–291.

umschwung«[45] fort: לולא האמנתי לראות בטוב־יהוה בארץ חיים[46] »wenn ich nicht die Zuversicht gewonnen hätte, mich der Güte Jahwes im Land der Lebenden erfreuen zu dürfen...«[47] Und auf dieses gute Bekenntnis hin ruft man ihm zu: »Harre Jahwes, sei getrost und unverzagt und harre Jahwes.«[48] Gegen die Bedrohung von außen und die Anfechtung von innen setzt der wahrhaft Fromme seine Glaubenszuversicht. Im Blick auf eine ähnliche Situation, aber innerhalb des Dankes, den der Gerettete abstattet, ruft der Beter seinen Brüdern in Ps 31, 24f zu: »Liebet Jahwe, all seine Frommen; die den Glauben bewahren (אֱמוּנִים), behütet Jahwe... Seid getrost und unverzagt, ihr alle, die ihr Jahwes harrt.«[49] Und der Dichter von Ps 116 bekennt (V. 10): »Ich bewahrte den Glauben (האמנתי), auch wenn ich dachte: ich bin tief gebeugt.«[50]

Diese Stellen bestärken wohl unsere Annahme, daß von האמין im Heilsorakel gesprochen wird, aber es sind ihrer nicht viele und vor allem: es sind keine *direkten* Zeugen für das Heilsorakel, von dem bekanntlich im Psalter nur Spuren zu entdecken sind. Immerhin zeigt das spärliche Material, daß האמין in der Kultsprache einen präzisen, wohl definierbaren Sinn besitzt. Die Parallelbegriffe sind in Ps 27 חזק, בטח, לא ירא, קַוֵּה אל־יהוה und אַמֵּץ לב (vgl. auch Ps 31, 25). Das deckt sich ziemlich genau mit dem

---

[45] Vgl. dazu H. Gunkel-J. Begrich, Einleitung in die Psalmen, 1933, 246f; Begrich, aaO (s. Anm. 20) 81.

[46] V. 13. Der Text, besonders לולא zu Beginn des Verses, ist nicht unangefochten, s. BHK³, die Versionen und Kommentare, doch berührt diese Unsicherheit die obigen Ausführungen nicht.

[47] ראה ב meint ein »Sehen« mit innerer Anteilnahme: »seine Lust sehen an«, z.B. Gen 34, 1; 1Sam 6, 19; Ob 12; Ps 22, 18.

[48] H. J. Kraus, Psalmen (BK XV), 1966³, 227 erwägt, ob nicht dieser Schlußvers des Psalms als Heilsorakel zu verstehen sei.

[49] Das Wortfeld ist dasselbe wie bei Ps 27: neben אמונים steht חזק und אַמֵּץ לבב, und die אמונים stehen nicht nur in Parallele zu den חסידים, sondern auch zu den מיחלים, so daß nicht einzusehen ist, warum das Adjektiv hier mit »treu« und nicht mit »Glauben haltend« oder »die Zuversicht bewahrend« zu übersetzen ist. Das bedeutet, daß die allgemeine Auffassung, wonach das Alte Testament kein Adjektiv für »glaubend« kenne, zu modifizieren ist. Die von Weiser (ThW VI, 190f) für אמוני ישראל in 2Sam 20, 19 postulierte Bedeutung »Getreue Israels« (im Sinne der Angehörigen des Jahwebundes) ist zu unsicher, als daß man dem Ausdruck das Gewicht verleihen könnte, das Weiser ihm zuschreibt.

[50] Möglicherweise ist auch Ps 37 beizuziehen. Man sieht in ihm einen Weisheitspsalm, in dem Lebensprobleme reflektiert, Ermahnungen, Weisungen und Verheißungen vorgetragen würden (Kraus, aaO [s. Anm. 48] 287f). In Wirklichkeit handelt es sich um eine predigtartige Mahnrede, die auch liturgische Elemente aufnimmt. בטח in V. 3a steht in Parallele zu רעה אמונה, so daß 3f doch wohl zu übersetzen ist: »Vertraue auf Jahwe und tue, was gut ist; bleibe im Lande und übe *Glauben*, so wirst du deine Wonne an Jahwe haben, und er wird dir geben, was dein Herz begehrt.«

jesajanischen Gebrauch[51]. Vertrauen, Ruhe, Zuversicht sprechen sich hier im Glauben aus. Nicht zu übersehen ist das Moment der Geborgenheit, das im Wort חסה zum Ausdruck kommt und durch manche andere Wendung des Klage- und Dankliedes unterstrichen wird: Der Beter bekennt, daß sein Gott ihm Schutz, Schirm, Zuflucht, Fels und Burg ist[52]. Er kann zwar von seinem Glauben sprechen, ohne bestimmten Erwartungen Ausdruck zu geben; sich geborgen zu wissen ist ihm genug. Er kann aber auch die Hoffnung äußern, sich an Jahwes Güte erfreuen zu können. Doch wichtiger als das speratum ist ihm offensichtlich die spes selbst, von der er sich tragen läßt: das Hoffen, Warten, Harren in innerer Spannung und doch in einer Abgeklärtheit, in der sich alle Unruhe glättet, dem entgegensehen, womit Gott den »Gerechten« beglücken wird. Nie ist solche Glaubenshaltung, sofern sie echt ist, eine Selbstverständlichkeit, und keineswegs entspringt sie einem Optimismus, der auf leichtfertiger Beurteilung der Lage beruht. Es ist innere Gewißheit, die vom Beter angesichts der nüchtern und klar erkannten Härte der Wirklichkeit erkämpft worden ist und durchgehalten wird. Daß solcher Glaube verflachen und schließlich zur Farce werden kann, ist wohl wahr, darf uns aber nicht veranlassen, diese Kultfrömmigkeit nur im Licht der prophetischen Kritik zu sehen und von vornherein negativ zu beurteilen.

Was gibt dem Beter die Möglichkeit einer solchen Glaubenshaltung? Bei Ahas ist es das Jahwewort, das der Prophet an ihn richtet. Es wird unterstützt durch das Angebot eines Zeichens. Bei den Kultliedern ist es das kultische Erlebnis, unter dessen Eindruck sich der Gast im Heiligtum zur Haltung des Glaubens durchfindet. Wie das im einzelnen vor sich ging, bleibt undeutlich. Es ist anzunehmen, daß das Heilsorakel[53] auch hier von Zeichen begleitet war. Daß es im Kultteilnehmer starke Kräfte auslöste, ist gewiß, und es ist festzuhalten: Glaubenszuversicht ist nicht eine geistige Haltung, zu der sich der religiöse Mensch aus sich selbst erhebt. Sie wird dem geschenkt, der sich die bevollmächtigte Anrede seines Gottes durch dessen Vertreter im heiligen Bezirk – aber, wie Jes 7 zeigt, auch außerhalb des Heiligtums gefallen läßt.

---

[51] Es läßt sich nicht strikte beweisen, daß die genannten Psalmstellen älter als Jesaja sind. Aber es ist kaum daran zu zweifeln, daß er diesen Gebrauch von האמין im kultischen Bereich kannte.

[52] Vgl. Ps 27, 5.

[53] Daß mit solchen priesterlichen Heilsorakeln, die im Kult vergeben wurden, zu rechnen ist, ist längst anerkannt, s. Gunkel-Begrich, aaO (s. Anm. 45) 245f, oder etwa Sellin-Fohrer, aaO 287–292. Wir haben oben Anm. 48 darauf hingewiesen, daß Kraus Ps 27, 14, einen Vers, den manche meinen streichen zu sollen, als ein solches Heilsorakel beurteilt.

IV

Zunächst sind zwei weitere Stellen, an denen im Zusammenhang mit einem Heilsorakel vom Glauben gesprochen wird – es sind die wichtigsten Belege des Alten Testamentes überhaupt –, ins Auge zu fassen. Wie Jesaja sich der Gattung bediente, so tut es Habakuk in 2, 1–4. Der Abschnitt bietet bekanntlich der Übersetzung und Auslegung mancherlei Schwierigkeiten. Aber so viel ist klar: Der Prophet soll eine Offenbarung niederschreiben. Das ist, wie die vorangehende Klage erkennen läßt, nötig geworden, weil das Ausbleiben des Heils, konkret: der Bestrafung der Treulosen, schwere Beunruhigung hervorgerufen hat. Der Prophet kann in seinem Orakel bezeugen, daß trotz der Verzögerung die Ereignisse dem Ende zueilen. »Der Aufgeblasene« findet Jahwes Wohlgefallen nicht[54], aber »der Gerechte wird auf Grund seiner אמונה das Leben haben«. Glücklicherweise steht der Wortlaut dieses entscheidenden letzten Sätzchens fest: וצדיק באמונתו יחיה. Der Abschnitt ist zweifellos als Heilsorakel zu verstehen. Es ist in schwere politische Bedrängnis hineingesprochen, also in eine Situation, welche der von Jes 7 nicht unähnlich ist[55]. Bekennt der Beter von Ps 27 seine Zuversicht, die Güte Jahwes im Land der *Lebenden* schauen zu können (V. 13), und derjenige von Ps 116, vor Jahwe im Lande der *Lebenden* wandeln zu dürfen (V. 9), so verheißt hier der Prophet dem Gerechten, das Leben zu haben. In Jes 7, 9 wäre demnach zu erwarten: wenn ihr glaubt, habt ihr das Leben. Um des Wortspiels willen und zugleich um dem König die Nathanweissagung vor Augen zu stellen, hat Jesaja seinen eigenen Wortlaut gewählt. Sachlich bedeutet die Variation keine wesentliche Veränderung[56].

Damit ist aber auch klar, daß אמונה mit »Glaube« zu übersetzen ist. Das Substantiv nimmt im Wortfeld des Orakels dieselbe Stelle ein wie האמין in Jes 7, 9. Das wird bestätigt durch die Parallele חכה in V. 3; אמונה

---

[54] V. 2, 4a dürfte in הַנֶּעְפָּל לֹא רָצְתָה zu emendieren sein (s. BHK[3], gestützt auf LXX: *οὐκ εὐδοκεῖ ἡ ψυχή μου ἐν αὐτῷ*). Möglicherweise ist עפלה aber Korruption aus einer Form von עלף (vgl. K. Marti, Dodekapropheton [KHC XIII], 1904, z. St.), d. h. etwa von נֶעֱלָף, »ohnmächtig«. Falls dieses Wort an der vorliegenden Stelle im Sinn von »verzagt, haltlos« interpretiert werden dürfte, hätten wir damit ein ausgezeichnetes Gegenstück zu אמונה. Doch bleibt jede Rekonstruktion des Textes unsicher.

[55] Nach allgemeiner Auffassung ist das Heilsorakel Antwort auf das in 1, 12–17 vorangehende Klagelied.

[56] Marti, Dodekapropheton, z. St.: »Leben hat hier den prägnanten Sinn von ›verschont werden im Gericht, Rettung, Heil erfahren‹, und die Aussage von V. 4b faßt das jesajanische Wort 7, 9 zusammen...«

meint vertrauensvolle Zuversicht unter dem Druck der bösen Zeit[57]. Die weitverbreitete Auffassung, daß das Wort auch hier nichts anderes als Treue heiße, muß vom überlieferungsgeschichtlichen Standpunkt aus revidiert werden. Das heißt nicht, daß man den Abstand der Habakukstelle zu Röm 1, 17 verwischen soll: אמונה ist nicht *πίστις* im umfassenden Sinn des terminus technicus des Neuen Testaments. Aber wenn man האמין mit *πιστεύειν* = glauben übersetzt, ist auf alle Fälle nicht einzusehen, warum hier אמונה nicht mit *πίστις* = Glaube wiederzugeben ist[58]. Daß das Alte Testament kein Substantiv für Glaube kenne, gilt also im Blick auf diese Stelle nicht[59].

Nun ist wohl zu beachten, daß nach Habakuk der »Glaube« das konstitutive Merkmal eines צדיק ist. Es ist dem Propheten mit 2, 4b eine Formulierung von einmaliger Bedeutung gelungen, die vom Neuen Testament mit sicherem Griff herausgegriffen worden ist. Der Satz beruht auf der Kombination zweier verschiedener Traditionselemente:

---

[57] Man beachte, daß auch Habakuk nicht vom Glauben an Jahwe oder dem Glauben an seine Offenbarung spricht, sondern von Glauben schlechthin. – Der Habakukkommentar von Qumran interpretiert 2, 4 bezeichnenderweise (VIII, 1ff): »Seine Deutung bezieht sich auf alle Täter des Gesetzes im Hause Juda, die Gott erretten wird aus dem Hause des Gerichtes um ihrer Mühsal und ihrer Treue willen [so wird אמונה *hier* zu übersetzen sein] zum Lehrer der Gerechtigkeit.«

[58] SCHLATTER, aaO (s. Anm. 9) 558 erklärt: »אֱמוּנָה besagt mehr als הֶאֱמִין, besagt aber dieses auch. ... Da die Prophetie den Menschen vor Gott in die empfangende Stellung setzt, sodaß seine Treue gegen Gott wesentlich darin besteht, daß er ihm vertraut, kann auch in אֱמוּנָה das Vertrauen zum Hauptbegriff werden«, was in Hab 2, 4 der Fall sei. Wir haben es aber keineswegs mit einer typisch prophetischen Prägung des Wortes zu tun. Klar hat W. EICHRODT, Theologie des Alten Testaments II/III, 1964[5], 196 erkannt, daß אמונה »Standfestigkeit« hier nach dem Zusammenhang »nur das religiöse Verhalten des unerschütterlichen Vertrauens, den Glauben bedeuten kann«. Vgl. auch die Ausführungen von J. C. C. VAN DORSSEN, De derivata van de stam אמן in het Hebreeuwsch van het Oude Testament, 1951, 129, wo er für die Übersetzung »faith« plädiert.

[59] Natürlich erhebt sich von dieser Feststellung her die Frage, ob אמונה (und eventuell auch אמת) auch sonst gelegentlich den Sinn von »Glauben« gewonnen hat, zumal wir oben (S. 137) für das Adjektiv אמונים die Bedeutung »Glaubende« postuliert haben. Da ist zunächst Jes 11, 5 ins Auge zu fassen: »Da wird Gerechtigkeit der Gurt seiner Lenden und die אמונה der Gürtel seiner Hüften sein.« Man gibt das Wort im allgemeinen mit »Treue« wieder. Aber das Wortfeld, d. h. die Parallelität mit צדק legt im Blick auf die Zusammengehörigkeit von האמין und צדקה in Gen 15, 6 und von אמונה und צדיק in Hab 2, 4 die Übersetzung »zuversichtliches Vertrauen« nahe. Die Stelle ist mit Jes 7, 9 zusammenzusehen, d. h. dem anzukündenden Davididen der Heilszeit wird das Vertrauen zugeschrieben, das der Gesprächspartner Jesajas, Ahas, vermissen läßt, das aber ganz allgemein im alten Orient die Orakel dem König zugesprochen haben.

der Verheißung des Lebens, welches das Heilsorakel dem Glaubenden zuspricht, dann der deklaratorischen Formel, die bei Ezechiel begegnet: צַדִּיק הוּא חָיֹה יִחְיֶה[60]. Bei jenem Propheten ist nachzulesen, über wen dieses deklaratorische Urteil zu ergehen pflegte: »Wenn einer nicht auf den Bergen ißt und nicht seine Augen erhebt zu den Götzen Israels, nicht das Weib seines Nächsten schändet...«[61] usw., *der* ist ein צדיק, über dem die Verheißung des Lebens aufleuchten kann. Habakuk schiebt *dieses* Bild des Gerechten mit großartiger Geste beiseite. Anwärter des Lebens ist *der*, welcher in Vertrauen und Zuversicht durchzuhalten weiß. Daß damit der Begriff des Gerechten völlig neu gefüllt ist, war Habakuk wohl nicht voll bewußt. Hätte er aber nicht an die alte Deklarationsformel anknüpfen wollen, hätte er einfach, ähnlich wie es in Jes 28, 16 geschieht, sagen können: הַמַּאֲמִין יִחְיֶה[62].

Daß der Satz trotzdem noch weit von seinem paulinischen Gehalt entfernt ist, liegt nicht so sehr am Verständnis von אמונה, wie es durch den Zusammenhang erfordert ist, sondern an der Vorstellung des Lebens[63]. Die übliche Übersetzung »am Leben bleiben« trifft die Gefülltheit des alttestamentlichen Lebensbegriffes nicht, bloßes Verschontwerden von Gericht und Tod ist nicht gemeint. Auch die Übersetzung »das Leben haben«, zu der man notgedrungen greifen wird, kann nicht befriedigen. »Leben« ist an sich schon ein Zustand des Heils, wie der Tod ein solcher des Unheils ist. Man kann alttestamentlich gesprochen durchaus noch am Leben sein und ist doch schon in den Bereich von Scheol und Tod eingetreten[64]. Wer das Leben hat, kann die Güte Jahwes schauen, wie es

---

[60] Zum Begriff »deklaratorische Formel« vgl. G. v. RAD, Die Anrechnung des Glaubens zur Gerechtigkeit (ThLZ 76, 1951, 129–132 = Ges. Studien [s. Anm. 13], 130–135); s. auch R. RENDTORFF, Die Gesetze in der Priesterschrift (FRLANT NF 44), 1954, 74–76.

[61] Ez 18, 9.

[62] W. ZIMMERLI, »Leben« und »Tod« im Buch des Propheten Ezechiel (ThZ 13, 1957, 494–508) rechnet Hab 2, 4 zu den konditionalen Lebensaussagen. Jesaja bindet in 7, 9 in ähnlicher Weise den Bestand des Davidshauses an die conditio des Glaubens. Er unterstreicht das, indem er die negative Formulierung wählt. Wir haben dort festgestellt, daß dadurch die Form des Heilsorakels entscheidend variiert wird; das Wort, das als Heilsorakel beginnt, läuft in eine Warnung aus. Habakuk will nicht warnen, sondern trösten. Das Heil ist im Verzug, aber der Gerechte soll wissen, daß er als Glaubender das Leben haben wird. Daß der צדיק im Glauben durchhält, scheint ihm keine Frage zu sein.

[63] Vgl. dazu G. v. RAD, »Gerechtigkeit« und »Leben« in der Kultsprache der Psalmen (Festschr. A. Bertholet, 1950, 418–437 = Ges. Stud., 225–247), und ZIMMERLI, aaO.

[64] Vgl. CHR. BARTH, Die Errettung vom Tode in den individuellen Klage- und Dankliedern des Alten Testaments, 1947, 91ff und passim.

der Glaubende von Ps 27 für sich erhofft (V. 13). Man wird sich im Blick auf den Kontext, in dem Hab 2, 4 steht, aber hüten müssen, das חיה im Sinn mystischer Lebensgemeinschaft mit Gott verstehen zu wollen[65]. Es geht zwar nicht nur, aber doch immer auch um die Erhaltung der physischen Existenz, und die Heilsgüter sind zunächst durchaus materieller Art.

Wie in Hab 2, 4 sind Glaube und Gerechtigkeit an der anderen, für die Entstehung des neutestamentlichen Glaubensbegriffes nicht weniger wichtigen Stelle, Gen 15, 6, im selben Satz miteinander verknüpft: וְהֶאֱמִן ביהוה וַיַּחְשְׁבֶהָ לו צדקה. »Das Kapitel Gen. 15 gehört zu denjenigen Stücken im Pentateuch, bei deren redaktioneller Komposition anscheinend so außergewöhnliche Umstände mitgewirkt haben, daß eine einigermaßen sichere Analyse mit den sonst im Pentateuch bewährten Mitteln nicht gelingen will.«[66] Von Rad meint[67], daß wenigstens so viel klar sei, daß in diesem Kapitel die Quellenschrift E einsetze und daß wir es offensichtlich mit zwei verschiedenen Quellen zu tun hätten, wobei die Fuge zwischen den Versen 6 und 7 liege. Aber gerade die Verteilung des Stoffes auf zwei Quellenschriften ist nach wie vor sehr umstritten, und die Trennung des Kapitels in zwei ursprünglich selbständige Erzählungen ist durch neuere Arbeiten wieder in Frage gestellt. Für unseren Zweck genügen formgeschichtliche Beobachtungen, die sich auch hier aufdrängen und die dann vielleicht doch auch in der Frage des Aufbaus des Kapitels weiterführen können.

V. 1b enthält wiederum ein Heilsorakel, und wie bei Jes 7 ist auch hier die Verwandtschaft mit außerisraelitischen Kriegsorakeln frappant. Besonders eng ist die Parallelität von Gen 15 mit dem oben (S. 135) zitierten Orakel der Ištar an Asarhaddon, in dem sich die Gottheit als *Schild* des Orakelempfängers bezeichnet. »Schild« ist ein altes Bild für

---

[65] Vgl. v. Rad, aaO (s. Anm. 63) 431 bzw. 240ff.

[66] So Noth, aaO (s. Anm. 33) 29.

[67] G. v. Rad, Das erste Buch Mose (ATD 2–4), 1961[6], 153. Vgl. auch L.A. Snijders, Genesis XV (OTS 12, 1958, 261–279), der darin J. Hoftijzer (Die Verheißungen an die drei Erzväter, Leiden 1956, 23) zustimmt, und Cazelles, aaO (s. Anm. 36), der allerdings den Stoff auf die beiden Quellen E und J aufteilt; s. auch H. Seebass, Zu Genesis 15 (WuD NF 7, 1963, 132–149). Kaiser (aaO, s. Anm. 35) hingegen sieht zwar das ganze Kapitel als literarische Einheit an, da der zweite Teil den ersten voraussetze, betrachtet aber die Verse 1–6 als ein der Pentateuchüberlieferung sekundär zugewachsenes Stück, das eine deuteronomistisch beeinflußte Hand verrate (118). Von der Frage nach der ursprünglichen Unabhängigkeit des Stoffes von 7–21 von demjenigen von 1–6 ist die Frage nach der Aufteilung des Kapitels auf die beiden Quellen J und E zu trennen. Mit Cazelles meine ich, daß beide Quellen in beiden Teilen des Kapitels beteiligt sind, glaube aber den Stoff anders verteilen zu sollen (s. u. S. 146).

den göttlichen Schutz, der einem König zuteil wird[68]. Modell der Verheißung an Abraham ist also wieder das Heilsorakel an einen König oder Heerführer. Damit berührt sich Gen 15 gattungsgeschichtlich aufs engste mit Jes 7. Andererseits ist das Orakel an Asarhaddon (s. o. S. 135) darum besonders instruktiv, weil die Fortsetzung des obigen Zitats lautet: »Zu deiner Rechten lasse ich Rauch aufsteigen, zu deiner Linken lasse ich Feuer brennen.« Das erinnert an den rauchenden Ofen und die Feuerfackel von Gen 15, 17, so daß 15, 7ff doch wohl nicht eine erst sekundär mit 1–6 verknüpfte Erzählung ist. Mit großer Sicherheit aber kann sowohl von Jes 7, Hab 2 und anderen alttestamentlichen Stellen wie von den orientalischen Parallelen her geschlossen werden, daß der uns hier vor allem interessierende V. 6, der vom Glauben Abrahams spricht, quellenmäßig vom Orakel in V. 1 nicht getrennt werden darf. Dasselbe ergibt eine weitere Überlegung: Es fügt sich gut in die Formensprache eines Orakels an einen Heerführer (oder Nomadenschech) ein, daß Abraham großer Lohn verheißen wird. Denn Kaiser und Cazelles haben sicher recht, wenn sie »Lohn«, שָׂכָר, in diesem Zusammenhang als »Sold«, den der Krieger erwarten darf, verstanden wissen wollen[69]. Vornehmlichster »Lohn« eines Heerführers aber ist Landbesitz[70], wie Ez 29, 19 belegt. Das hat Abraham sicher nicht anders verstanden. Aber es gehört zum Stil solcher Orakel, daß der Angesprochene seine Einwände erhebt[71]. Glaube ist keine Selbstverständlichkeit, auch nicht beim »Vater des Glaubens«, Abraham. Im alten Israel ist Landbesitz Erbbesitz; was soll einer damit anfangen, wenn er keinen Sohn hat[72]? Aber Jahwe beruhigt

---

[68] Cazelles, aaO 328.

[69] Kaiser, aaO 115; Cazelles, aaO 328. Zur Bedeutung »Sold« vgl. Ez 29, 19, aber auch Jes 40, 10 und 62, 11. שָׂכִיר in der Bedeutung »Söldner« in Jes 16, 14; 21, 16; Jer 46, 21; Hi 7, 1, vgl. 14, 4. śkr in der Bedeutung »Sold« auch in der Keret-Legende I, 97f.

[70] Natürlich kann die »Belohnung« des Kriegers auch in einem Beuteanteil bestehen, aber die wesentliche Abfindung von verdienten Söldnern geschieht durch Lehen, vgl. 1Sam 8, 15 und s. dazu A. Alt, Kleine Schriften zur Geschichte des Volkes Israel III, 1959, 357ff. Unsere Auffassung widerlegt also nicht unbedingt die Feststellung von G. v. Rad (aaO [s. Anm. 67] 154), daß das Wort von der freien Gabe Gottes gebraucht werden kann: »Jedenfalls ist es nicht im Sinne einer göttlichen Gegenleistung gebraucht, denn dem Gefälle der Erzählung nach folgt ja die Bewährung Abrahams erst...« Im freien Ermessen des Kriegsherrn liegt allerdings nicht der Sold an sich, sondern die Großzügigkeit, in der er ausgeteilt wird, vgl. Mt 20, 1–16; s. dazu u. S. 144.

[71] Vgl. Ex 4, 10; Ri 6, 13; Jer 1, 7.

[72] Zum Heilsorakel an einen König gehört auch die Verheißung, daß der Königssohn seine Herrschaft werde ausüben können, vgl. das Orakel an Asarhaddon AOT[2] 282f, aber auch 2Sam 7, 12 (אשר יֵצֵא מִמֵּעֶיךָ wie in Gen 15, 4).

Abraham (V. 4), und daraufhin stellt der Erzähler fest: »Und er glaubte an Jahwe, und das rechnete ihm dieser als Gerechtigkeit an.« Wieder ist der Fromme mit einer höchst schwierigen Situation konfrontiert, aber er erweist seine »Gerechtigkeit«, indem er glaubt.

Man wird den Satz nicht viel anders wiedergeben können, als wir es eben getan haben, obwohl auch in diesem Fall die Übersetzung unzulänglich ist. Die Septuaginta und das Neue Testament übersetzen: *ἐπίστευσεν δὲ Ἀβρααμ τῷ θεῷ*, sie verwenden also den Aorist. Danach ist vorgeschlagen worden[73], den masoretischen Text in וַיַּאֲמֵן zu emendieren. Zu Unrecht, denn der Text will nicht sagen, daß Abraham zum Glauben kam, sondern: er verhielt sich in dieser höchst undurchsichtigen, rational nicht zu bewältigenden Situation so, wie es sich für einen an Gott Glaubenden geziemt. Auch darin ist die Septuagintaübersetzung fragwürdig, daß sie *πιστεύειν* mit dem Dativ verbindet: Das Hebräische verwendet nicht die Präposition לְ, sondern בְּ. Gemeint ist: Er bewies Festigkeit, zeigte Zuversicht, indem er in Gott gründete[74].

Nun aber die Anrechnung des Glaubens zur Gerechtigkeit: שָׂכָר, ob man es mit »Lohn« oder mit »Sold« übersetzt, scheint den Verdienstgedanken nahezulegen. Aber beides sind mißverständliche Übersetzungen. Nach dem Krieg überreicht der Kriegsherr seinen Getreuen nicht eine Soldabrechnung, sondern macht ihnen großzügige Geschenke. Zwar scheint auch חשב, das die Septuaginta mit *λογίζεσθαι* wiedergibt, den Lohngedanken im Auge zu haben. *λογίζεσθαι* ist in der Profangräzität ein terminus der Handelssprache[75], und in der rabbinischen Theologie wird der Satz ebenfalls in dieser Richtung interpretiert: »Der Glaube wird verdientermaßen, d.h. weil er diesen Wert tatsächlich besitzt, als Gerechtigkeit gebucht.«[76] Und doch ist Paulus mit seiner Deutung, es handle sich um ein *λογίζεσθαι κατὰ χάριν* (Röm 4, 4), durchaus im Recht[77]. Nach Ausweis von Stellen wie Lev 7, 18; 17, 4 und Num 18, 27

---

[73] C. J. Ball, Genesiskommentar, in: SBOT, 1896, zit. nach H. Holzinger, Genesis (KHC I), 1898, XIV und 149, der zum Perfekt auf Gesenius-Kautzsch, Hebräische Grammatik, § 112 ss verweist.

[74] H. Gunkel, Genesis, 1922, 180 übersetzt (unter Berufung auf Ges.-K. § 112 g, dd, ss) והאמין als perf. frequentativum: »Er glaubte Jahve auch dies Mal«. Aber der Text will doch von Abrahams *Verhalten* in dieser Situation berichten. Vgl. dazu Holzinger, aaO, unter Verweis auf Ges.-K. § 112 ss. Auf keinen Fall ist, so wenig wie in Jes 7, einfach Glauben an die Zuverlässigkeit der eben ergangenen Verheißung gemeint.

[75] H.W. Heidland, ThW IV, 287.

[76] Ders., aaO 293, 18f.

[77] Vgl. auch H.W. Heidland, Die Anrechnung des Glaubens zur Gerechtigkeit (BWANT IV, 18), 1936, der in bezug auf Gen 15, 6 zum Schluß kommt, der allgemeine Gebrauch von חשב zeige, daß der Beurteilende entsprechend seiner

wird חשב als Terminus der Kultsprache bei der Qualifizierung von Opfern verwendet[78]. Es wird erklärt, daß ein Opfer »angerechnet« werde. Das ist aber ein souveräner priesterlich-juridischer Akt, nicht das Verrechnen einer Leistung im Rahmen eines kommerziellen Geschäftes[79]. Es handelt sich nicht um eine erworbene, sondern um eine zugesprochene Gerechtigkeit. Ez 18 und 33 lassen erkennen, daß das Prädikat der Gerechtigkeit (und die Zusage des Lebens) solchen Heiligtumsbesuchern zugesprochen wurde, welche gewissen grundlegenden Forderungen der Jahwegemeinde Genüge getan hatten[80]. Aber wieder liegt in Gen 15 dieselbe Uminterpretation wie in Hab 2 vor: Das Urteil צדיק הוא ergeht über den, der seinen Glauben bewahrt und bewährt hat. Natürlich liegt dem Verfasser von Gen 15 wie Habakuk der Gedanke an eine Polemik gegen Werkgerechtigkeit fern; die paulinische Rezeption der alttestamentlichen Stellen involviert eine Aktualisierung, die durch die Auseinandersetzung mit den Juden oder Judenchristen seiner Tage bestimmt ist. Aber die Konfrontation dieser Stellen mit Ezechiel macht klar, daß sich bereits in Gen 15 ein entscheidender Bruch mit einer Frömmigkeit kultischer Observanz angebahnt hat.

Aber nun die *»Gerechtigkeit«!* Cazelles in seinem in mancher Hinsicht hilfreichen Aufsatz zu Gen 15 meint, »cette justice peut très bien être une prospérité politique, une victoire« und verweist als Beleg für diese Auffassung auf Jes 41, 2 und Ps 72, 1ff[81]. Doch gesteht er zu, daß der Begriff der צדקה offensichtlich doch umfassender sei. Gewiß würde sein Verständnis gut zu einem solchen »texte guerrier«, wie sich Cazelles aus-

---

Gesinnung gegenüber der Person werte, deren Tat zu beurteilen ist. Ebd. 79: »So entspringt auch Gn 15, 6 das Urteil Jahves seinem freien Willen, und dieser Wille ist Gnade, da das Urteil ein Lob ist. In der Gnade also, nur in der Gnade empfängt der Glaube sein Gerechtigkeitsurteil. Wohl geht Jahve auf das Vertrauen Abrahams ein; *daß* er darauf eingeht, ist nicht Pflicht, sondern Gnade.«

[78] G. v. Rad, aaO (s. Anm. 60) 130 bzw. 131.

[79] Cazelles, aaO (s. Anm. 36) 333f verweist auf 2Sam 19, 20: »Que Monseigneur ne me considère pas (c'est-à-dire ne me traite pas) comme pécheur«; vgl. auch Ps 32, 2.

[80] Vgl. die »Torliturgien«, Ps 15; 24; Jes 33, 14–16. In Ps 24, 6 sind die einzelnen Anforderungen zusammenfassend mit dem Satz umschrieben: »Das ist das Geschlecht derer, die nach ihm fragen, die dein Angesicht suchen, Gott Jakobs.«

[81] Cazelles (aaO 334 Anm. 58) verweist auch auf das Keret-Epos aus Ugarit, in dem (I, 12) ṣdq sich auf die Fruchtbarkeit der Ehefrau beziehe. – Man wird aber doch zu beachten haben, daß in Jes 41, 2 צדק und nicht צדקה steht und dazu noch die Bedeutung »Sieg« fragwürdig ist. Ps 72 läßt wohl erkennen, daß צדקה einmal auch von der Fruchtbarkeit des Landes verwendet werden konnte, faktisch ist aber doch die richterliche Gerechtigkeit gemeint.

drückt, passen. Wenn aber Gen 15, 6 im Zusammenhang mit Hab 2, 4 und der deklaratorischen Formel צדיק הוא zu verstehen ist, ist uns diese Deutung verbaut. Die »Anrechnung« des Glaubens zur צדקה ist zu verstehen als Anerkennung dessen, daß der Glaubende als solcher im richtigen Verhältnis zur Jahwegemeinde bzw. zu ihrem Gott steht. Neuere Untersuchungen haben ergeben, daß צדקה in ihrem ursprünglichen Sinn vom Ordnungsdenken des alten Orients her zu verstehen ist. Wir können also interpretieren: Indem Jahwe den Glauben Abrahams sieht, anerkennt er, daß dessen Verhalten »in Ordnung« ist. Durch seinen Glauben liefert Abraham den Beweis, daß er im Ordnungssystem der Welt den ihm zukommenden Platz gefunden hat. Noch einmal wird klar, daß der Gedanke an ein meritum völlig fehl am Platz wäre. Den rechten Platz im Ordnungsgefüge einzunehmen ist nicht verdienstlich, sondern sollte selbstverständlich sein. Aber es ist allerdings *heilvoll*[82]. Darum darf der im Glauben Gerechte auf שׂכר im oben beschriebenen Sinn hoffen. Der zweite Teil des Kapitels stellt das in extenso fest. Auch hier könnte der Satz stehen, daß der »Gerechte« um seines Glaubens willen das Leben haben werde. Aber »das Leben haben« ist hier im Sinn der Gabe des Landes spezifiziert, was durchaus sinnvoll ist, weil erst das Wohnen im Land Leben in vollem Sinn ermöglicht[83].

Wir halten dafür, daß der von uns besprochene Hauptstrang von Gen 15 dem Jahwisten zuzurechnen ist[84]. Man mag dagegen einwenden, daß Jes 7 und erst recht Hab 2 doch jünger als der Jahwist seien und daß zumal die »Wortereignisformel« von V. 1 den Prophetismus bereits voraussetze. Aber der hier herausgestellte Typus des Heilsorakels an einen König oder Führer im Krieg geht im alten Orient in sehr frühe Zeiten zurück[85], und die »Wortereignisformel« findet sich immerhin schon in 1Sam 15, 10; 2Sam 7, 4 und 24, 11. Der Begriff מחזה in V. 1 spricht

---

[82] Vom Utilitarismus der Weisheit zu sprechen ist ein Mißverständnis ihrer Grundintention, vgl. u.a. H. Gese, Lehre und Wirklichkeit in der alten Weisheit, 1958, 7ff.

[83] Vgl. Barth, aaO (s. Anm. 64) 46f. Die Wüste ist Bereich des Todes, s. ebd. 86f.

[84] Über die verschiedenen Lösungsversuche referiert u.a. Kaiser, aaO 108 Anm. 4; s. im übrigen die Kommentare und Einleitungen. Für jahwistisch halte ich die Verse 1. 2. 4. 6. 7–12. 17. 18 (s. dazu Noth, aaO [s. Anm. 33] 29). Der Rest des Kapitels besteht aus Bruchstücken von E oder aus späteren Zusätzen.

[85] Vgl. dazu das Belegmaterial bei Cazelles, aaO 326ff. – Nach Kaiser (aaO 110 Anm. 12) begegnet die Formel, wenn auch in anderer Verwendung, zum ersten Mal in Jes 28, 13. Aber die oben erwähnten Stellen zeigen, daß sie weit älter sein muß. Der Prophetismus hat eine Vorgeschichte, die für uns wenig überschaubar ist.

nach der Meinung vieler für den Elohisten[86]. Er könnte Zusatz zur jahwistischen Formulierung sein, aber von unserer Stelle abgesehen findet er sich zum ersten Mal ausgerechnet in den Bileamsprüchen von Num 24 (V. 4 und 16), die allgemein dem Jahwisten zugeschrieben werden[87]. Auch das Heilsorakel von Ex 14, im Zusammenhang mit welchem vom Glauben die Rede ist (s. V. 13f und V. 31), gehört zur jahwistischen Quellenschrift[88]. Es bestätigt sich, daß Jesaja den Glaubensbegriff aus alter kultischer Tradition seines Volkes geschöpft hat[89]. Er hat ihn aber in seinem theologischen Gewicht wie kein anderer zur Geltung gebracht[90].

V

Das wird noch einmal deutlich bei der zweiten Stelle, an der Jesaja das Wort האמין verwendet, 28, 16: הַמַּאֲמִין לֹא יָחִישׁ. Der Abschnitt Jes 28, 14–22, in dessen Mitte das Wort vom kostbaren Eckstein steht, ist in seiner Gesamtheit ein Drohwort; wir begegnen also für diesmal der Glaubensvorstellung nicht im Zusammenhang eines Heilsorakels. Aber es handelt sich um ein Drohwort gegen Führer des Volkes, die leichtfertig und ohne innere Vollmacht vom Heil reden. Jesaja nennt sie in V. 14 אנשי לצון und משלי העם הזה, was etwa mit »großsprecherische Maulhelden« und »Sprüchemacher in diesem Volk da« zu übersetzen ist[91].

[86] So etwa Gunkel, der sonst V. 1 J zuschreibt. Man pflegt zu argumentieren, E betrachte Abraham als einen Propheten (s. Gen 20, 7).

[87] Abgesehen von diesen Stellen findet sich מחזה nur noch in Ez 13, 7.

[88] S. o. Anm. 33.

[89] Kaiser (aaO 113), der feststellt, daß die Selbstprädikation der Gottheit »ich bin dein Schild« in den Raum der Kriegsideologie verweise, schwankt, ob die Bezeichnung Jahwes als des Schildes schon in vorköniglicher Zeit in der Tradition des Heiligen Krieges beheimatet war oder erst auf dem Weg über den Königskult in Israel eindrang. Das mag in der Tat bei diesem Sondermotiv nicht zu entscheiden sein. Aber wie Dtn 20 und Ex 14 zeigen, gehört das Heilsorakel angesichts einer bevorstehenden kriegerischen Auseinandersetzung zum Ideenkreis des Heiligen Krieges, der seine Wurzeln in der vorköniglichen Zeit Israels hat.

[90] Bei Jesaja treten auch sonst Vorstellungen, die anderswo in den uns erhaltenen Überlieferungen Altisraels nur spärlich vorkommen, ins volle Licht theologischer Relevanz. So ist das Gottesepitheton מלך zweifellos alt und auch schon in alter Zeit auf Jahwe übertragen worden (s. H. Wildberger, Jahwes Eigentumsvolk, 1960, 80f), aber erst mit Jesaja tritt die Vorstellung sozusagen ins Licht der Geschichte.

[91] לצון heißt nicht, wie gewöhnlich angenommen wird, »Spott«, sondern »großtuerisches Geschwätz«. Und משלי העם הזה bedeutet in Parallele zu אנשי לצון keinesfalls: »die ihr über dieses Volk da herrscht«, wie oft übersetzt wird. Wenn auch V. 14ff ein eigenständiges Stück ist, ist doch die Front, gegen die sich der Prophet wendet, dieselbe wie in 28, 7–13, s. »Priester und Prophet« in V. 7.

Gemeint sind offensichtlich Priester und Propheten, von denen V. 7 sagt, daß sie verwirrt sind von Wein, schwankend beim Urteilsprechen, die aber nach V. 9 den Anspruch erheben, die rechte Erkenntnis zu besitzen und die legitimen Künder der Offenbarung zu sein. Jesaja charakterisiert sie, indem er sie sprechen läßt (V. 15b): »Wir haben Lüge zu unserer Zuflucht gemacht und im Trug uns geborgen.« In Wirklichkeit haben sie natürlich nicht so gesprochen, sondern Sicherheit, Rettung, Heil – man könnte sagen: Leben – für Jerusalem proklamiert. Die Begriffe, die Jesaja sie verwenden läßt, מחסה, נסתר (und סתר V. 17b), gehören zum Wortschatz der Jerusalemer Tempeltheologie: sie begegnen gerade in den Psalmen 27 und 31, auf die wir von האמין aus gestoßen sind[92]. חסה ist bis zu einem gewissen Grad ein Parallelwort zu האמין und kann sehr wohl mit »vertrauen« übersetzt werden[93]. Und die Ableitungen von der Wurzel סתר stehen ihrerseits diesem Verbum nicht fern. Aber für Jesaja ist die Proklamation solcher Geborgenheit nichts als Illusion, Lüge, Trug! Daß der Zion in Jerusalem liegt und dort der Tempel steht, ist an sich in keiner Weise Garantie für Sicherheit. Der »Fundamenteckstein«[94], auf dem Geborgenheit allein wirklich gründen könnte, ist der Glaube. Das muß der Sinn des berühmten Sätzchens sein: המאמין לא יחיש. יחיש bereitet den Exegeten Schwierigkeiten. Vermutlich ist aber der Text zu belassen, und vielleicht darf etwas frei übersetzt werden: »Wer glaubt, läuft nicht ängstlich davon.«[95] Wie in Jes 7, Gen 15 und Hab 2 ist der Glaube auch hier Kriterium wahrer religiöser Haltung und Voraussetzung weiteren Bestandes. Ausdrücklich ist vom Prüfstein[96] die Rede, und dieser Prüfstein ist der Glaube. An ihm entscheidet sich Heil und Unheil, Leben und Tod.

---

[92] Vgl. Ps 27, 5. 9 und Ps 31, 2. 20.

[93] Vgl. die Übersetzung der Zürcher Bibel in Ps 31, 2. 20.

[94] פנת יקרת מוסד, vgl. dazu J. Lindblom, Der Eckstein in Jes. 28, 16 (Festschr. S. Mowinckel, 1955, 123–132), 126.

[95] S. dazu Lindblom, aaO 126f. Der Übersetzung der LXX zu folgen besteht kein Anlaß. Textemendationen wie ימוש (s. K. Marti, Das Buch Jesaja [KHC X], 1900, 208 und BHK³) sind viel zu unsicher, als daß man sich auf sie verlassen wollte. G. R. Driver, JThS 32, 1931, 253 (der übrigens יחיש als qal betrachtet), weist auf akkad. ḫāšu hin, das nicht nur »eilen« bedeute, sondern auch »to be agitated« or »troubled«, ähnlich arab. ḥawwasa = »troubled« und äthiop. ḥōs, commotus, agitatus fuit. Es ist sehr wohl möglich, daß Targum (לָא יִזְדַעְזְעוּן; hitpalp. von זוע, erregt werden, zittern) keinen anderen Text als M gelesen hat.

[96] בֹּחַן ist wohl ägyptisches Fremdwort. Das ändert aber nichts daran, daß der Hebräer bei בֹּחַן an בָּחַן, »prüfen«, speziell an das Prüfen von Gold (Sach 13, 9) dachte, zumal der bekhen-Stein in Ägypten als Probierstein verwendet worden ist (s. F. Dreyfus, RSPhTh 39, 1955, 375 Anm. 35).

Zweierlei Überlegungen sind hier noch anzuknüpfen. Einmal: Wir haben zwar festgestellt, daß האמין auch der Kultfrömmigkeit nicht unbekannt war, wenn das Wort von ihr auch nur spärlich verwendet wird. Viel häufiger finden sich Begriffe, die ungefähr dasselbe auszusagen scheinen, wie vor allem בטח. Aber nun kommt es an den Tag, daß האמין von Jesaja keineswegs synonym mit diesen Begriffen des Vertrauens und Sichgeborgenwissens verwendet wird. Dort, bei seinen Gegnern, Vertrauensseligkeit, einer frei schwebenden Seifenblase gleichend, die beim ersten Windhauch platzt, hier Glaube, als tragfähiges, kostbares Fundament, auf dem gründend der wahrhaft Fromme in der Stunde der Erprobung durchhält. – Und das andere: Prüfstein ist der Glaube, aber »Meßschnur« und »Waage« – und das sind doch dem Sinn nach Synonyma zu Prüfstein – sind Recht und Gerechtigkeit (V. 17). Glaube liegt auf derselben Ebene wie Recht und Gerechtigkeit. Darin also unterscheidet sich אמונה fundamental von jener Haltung, die mit נסתר, חסה, בטח u.ä. ins Auge gefaßt wird, daß zu ihr unabdingbar Recht und Gerechtigkeit gehört[97]. Jesaja hebt den Glaubensbegriff aus einer Reihe ähnlicher Vokabeln heraus und zeichnet ihn durch scharfe Abgrenzung gegen die »Parallelbegriffe« aus.

Von hier aus läßt sich nun auch gut verstehen, warum die Propheten vor, neben und nach Jesaja, sieht man von der besprochenen Habakukstelle ab, kaum vom Glauben sprechen[98], obwohl es sich herausgestellt hat, daß der Begriff האמין Altisrael nicht unbekannt gewesen sein kann. Das Gefühl der Sekurität, wie es im Kult gepflegt wurde, war der prophetischen Bewegung verdächtig – und mehr als das: erschien ihr als tödliche Gefahr für Israel. Sie hat nun einmal ihren Auftrag nicht darin sehen können, zum Vertrauen aufzurufen, sondern wußte sich gesandt, Gericht anzukünden[99]. Das zeigt sich nicht nur im Fehlen von האמין, sondern auch im Gebrauch, den die Propheten von dessen Parallelbegriffen machen. Nie reden sie davon, daß Israel Grund habe, zuversichtlich zu sein, kaum je sagen sie, daß Israel sich in Jahwe oder an der Stätte seiner Offenbarung geborgen wissen könne[100]. Sie protestieren vielmehr mit Leidenschaft gegen die Religion der Vertrauensseligkeit. Allen voran Amos (6, 1): »Weh den Sorglosen in Zion, den Vertrauensseligen (בטחים)

---

[97] צדק und משפט stehen auch in Hos 2, 21 f in Parallele zu אמונה (dieses allerdings im Sinn von Treue), vgl. auch Jes 59, 4.

[98] S. aber Jes 43, 10 (dazu vgl. unten S. 154 f).

[99] Vgl. die neueste Diskussion um Amos: E. JENNI, Die alttestamentliche Prophetie (ThSt[B] 67), 1962, 11 ff; SMEND, aaO (s. Anm. 27) 415 f; H.W. WOLFF, Amos (BK XIV, 6), 123 f.

[100] Zu Jes 14, 30. 32 s. unten S. 151.

auf dem Berg Samariens.« Und genauso Jesaja: »Erzittert, Sorglose, erbebt, Vertrauensselige« (בטחות, 32, 11; vgl. 32, 9). Jeremia tadelt die, welche sich auf täuschende Worte verlassen (בטח): »Der Tempel Jahwes ist dies« (7, 4; vgl. auch 7, 8 und 14). Statt anzukünden, bei Jahwe bzw. am heiligen Ort sei Zuflucht und Schutz (סתר) zu finden[101], reden die Propheten, unter Verwendung derselben Wortwurzel, davon, daß Mitleid vor Jahwe verborgen sei (Hos 13, 14) oder daß er sein Antlitz vor Jakob verberge (Jes 8, 17). Sie klagen Israel an, daß es sich auf Wagen und Krieger verlasse (בטח, Hos 10, 13, s. Jes 31, 1), auf krumme Wege[102] vertraue und sich darauf stütze (Jes 30, 12, vgl. Jer 13, 25[103]). Die Religion des Vertrauens hat in ihren Augen allen Kredit verloren, sie ist nichts als eine gefährliche Illusion. Nicht nur das Vertrauen auf Menschen ist verwerflich, sondern auch das Vertrauen auf Gott[104] – so wie nun eben einmal »Gottvertrauen« sich faktisch in Israel manifestiert[105].

Darum lautet die positive Forderung der Propheten nicht: glaubt, oder: habt Vertrauen, sondern: »Suchet das Gute und nicht das Böse, damit ihr lebt, und Jahwe, der Gott der Heere, wird so mit euch sein, wie ihr sagt« (Am 5, 14). Was im Heilsorakel der glaubenden Zuversicht zugesagt wird, das Leben, ist hier allein dem Suchen des Guten verheißen. »Tut weg eure bösen Taten, mir aus den Augen. Hört auf, Böses zu tun, lernt Gutes tun!« (Jes 1, 16f; vgl. Jer 7, 5f) Fast sieht es so aus, als ginge die Frömmigkeit im Tun des Guten, in der Verwirklichung der Gerechtigkeit völlig auf. Aber das ist doch nicht einmal bei Amos der Fall. Er kann auch sagen: »Suchet mich, auf daß ihr lebet.« (5, 4; vgl. 5, 6) Es ist ausgeschlossen, daß er sagen könnte: Habt Vertrauen! Aber דרש את־יהוה o. ä. ist für ihn offensichtlich eine Möglichkeit, das Verhältnis Israels zu seinem Gott auf eine Weise zu umschreiben, die nicht sofort mißverstanden werden muß. Die anderen Propheten sind ihm darin gefolgt (Hos 10, 12; Jes 9, 13; 31, 1; Jer 10, 21; 30, 14), sei es daß sie Israel auffordern, Jahwe zu suchen, oder es beklagen, daß das nicht geschehen ist. Das ist eigentlich merkwürdig, denn auch דרש את־יהוה ist ein Ausdruck der Kult-

---

[101] Ps 17, 8; 27, 4f; 31, 3ff. 21; 64, 3. In einem weiteren Sinn ist hier auch auf die Zionspsalmen hinzuweisen (Ps 46; 48; 76; 84; 87).

[102] בְּעָקֵשׁ für בְּעֹשֶׁק.

[103] וַתִּבְטְחִי בַּשָּׁקֶר. Die Echtheit der Stelle ist allerdings umstritten, s. die Kommentare von Duhm und Volz z. St.

[104] Das ändert allerdings nichts daran, daß die Propheten von ihrem eigenen Vertrauen in Jahwe sprechen: Jes 8, 17 (קִוָּה und חִכָּה); Jer 17, 17 (מחסי־אתה), vgl. 20, 12.

[105] Falls Jer 17, 5–7 jeremianisch ist, hat sich in der »Seligpreisung« dessen, der Jahwe traut, einfach die weisheitliche Tradition, von der Jeremia dann abhängig ist, gegen die sonstige prophetische Konzeption gehalten.

frömmigkeit und steht in manchen Fällen sogar בטח nahe[106]. Aber das Verbum muß den Propheten besser als andere geeignet erschienen sein, die Verpflichtung zum Ausdruck zu bringen, die auf dem Gottesvolk liegt. Ps 24, 6 zeigt, wie sehr »Jahwe suchen« die Erfüllung konkreter sittlicher Forderungen in sich schließt[107].

Aber nun tritt noch einmal Jesajas Überlegenheit und innere Freiheit aufs schönste zutage. So sehr er die Bedenken der anderen vorexilischen Propheten gegen die Frömmigkeit des Vertrauens teilt, genügt ihm doch die Forderung, Jahwe zu suchen, nicht, wo es gilt, die Tiefe der Gottesbeziehung auszuloten. Er greift zu האמין, gibt dem Wort aber eine Deutung, in welcher das, was »Gott suchen« meint, wohl aufgehoben ist. Er ist allerdings an dieses Wort nicht gebunden – es ist ja noch keineswegs ein fest geprägter theologischer Terminus, ohne den man die gemeinte Sache nicht mehr umschreiben kann. Er redet von den Armen des Volkes, die sich auf dem Zion, den Jahwe gegründet hat, bergen (חסה, 14, 32), von den Bedürftigen, die sich dort in Sicherheit (לָבֶטַח) lagern (14, 30). Es gibt also bei aller Fragwürdigkeit bloßer Heilsprophetie ein legitimes Wissen um Geborgenheit in Gott und auf seinem heiligen Berg, das theologisch durchaus gerechtfertigt ist und dem Wesen des Jahweglaubens entspricht. Und wenn er auch über die בטחות in 32, 9–11 das Wehe ausruft, so hat er es doch gewagt, die Glaubenshaltung, die Juda einnehmen müßte, mit den Worten zu umschreiben: בְּשׁוּבָה וָנַחַת תִּוָּשֵׁעוּן בְּהַשְׁקֵט וּבְבִטְחָה תִּהְיֶה גְּבוּרַתְכֶם[108] (30, 15). Deutlich klingt auch

---

[106] Vgl. Ps 9, 11 (par. zu בטח); 14, 4; 22, 27; 24, 6 (par. zu בִּקֵּשׁ); 34, 5. 11; 69, 33; 77, 3; 78, 34 (par. zu שִׁחֵר).

[107] Vgl. dazu WESTERMANN, aaO (s. Anm. 5), bes. 30: »Es zeigt sich, daß ... das persönliche Sich-Wenden an Gott *in einem Wort* als für das Gottesverhältnis wesentlich angesehen wurde. Es ist bedeutsam, daß neben ›Gott fürchten‹ sich weder die Begriffe ›Gott lieben‹ oder ›glauben‹ noch ausgesprochen kultische Begriffe durchsetzten, sondern die vom Befragen Gottes herkommenden Bezeichnungen. Wenn das bei Jesaja klassisch geprägte, absolut gebrauchte ›glauben‹ diese allgemeine Bedeutung einer Bezeichnung des Gottesverhältnisses in der Folgezeit nicht bekam, so liegt das wohl daran, daß für das Gottesverhältnis im AT die Vokabel geeigneter ist, die in ihrer Grundbedeutung eine actio, die Hinwendung, das Angehen Gottes in einem Wort zum Ausdruck brachte.«

[108] G. FOHRER, Das Buch Jesaja II, 1967², 101 will נַחַת nach der Bedeutung des Verbums נוח in Jes 7, 2 (verträglich sein, ein Übereinkommen treffen) verstehen und übersetzt mit »Vertragstreue«. Darum glaubt er, daß das vorhergehende שובה – es ist Hapaxlegomenon – nicht »Ruhe, Einkehr, Umkehr« heißen könne, sondern nach Mi 2, 8 als »abgewandt vom Kriege« zu verstehen sei. Aber abgesehen davon, daß die für Jes 7, 2 postulierte Bedeutung von נוח keineswegs gesichert ist und als singulär betrachtet werden müßte (נחת ist Synonym zu השקט, genauso wie in Jes 14, 7 die Verben נוח und שקט synonym verwendet sind), legt

dieser Satz an Formulierungen im Kriegsorakel an[109]; er umschreibt, was 7, 9 in האמין zusammengefaßt ist. Aber die Vorsicht in der Formulierung ist nicht zu verkennen: Jesaja verwendet nicht das suspekte Verb בטח, nicht einmal das geläufige Substantiv מבטח, sondern das Hapaxlegomenon בטחה. Er hat offensichtlich nach einem unbelasteten Wort gesucht. Vor allem aber: er hat das durch die Tradition gebotene Wortfeld mit dem in keiner Weise vorgegebenen בשובה, »durch Umkehr«, unter ein Vorzeichen gestellt, unter welchem die Legitimität des Vertrauens keinem Zweifel mehr unterliegen konnte. Wie in 14, 32 die Geborgenheit auf dem Zion keine Selbstverständlichkeit ist, sondern allein den »Armen seines Volkes« gilt, so gilt hier die Rettung nur für die Umkehrenden. Oder: wie das »Bestand haben« von 7, 9 an den Glauben gebunden wird, so hier die Hilfe an die Umkehr. Der »Rest, der umkehrt« (שאר ישוב), tritt in Sicht. Jesaja ist Prophet und hat als solcher wie jeder andere seine schweren Bedenken gegen die Volksfrömmigkeit seiner Zeit. Aber er wirft die Werte der Israel gegebenen Heilstraditionen nicht kurzerhand über Bord, sondern nimmt sie, indem er sie behutsam gegen Mißbrauch absichert, in seine Verkündigung hinein[110].

---

sich die Bedeutung »Vertragstreue« für נחת nirgends nahe. Sicher ist שובה von שוב und nicht von ישב abzuleiten. שׁוּבֵי מלחמה, »abgekehrt vom Kriege« in Mi 2, 8 ist textlich ganz unsicher, vor allem aber fehlt in Jes 30, 15 מלחמה. Es wäre ohnehin befremdend, wenn Jesaja direkt zu Vertragstreue gegen Assur aufrufen würde, *sein* Anliegen ist die Treue zu Gott. Es wird also bei der traditionellen Übersetzung bleiben müssen. Aber: es ist allerdings nicht Umkehr im Sinn von Bekehrung gemeint, sondern eine religiöse Haltung, die sich in einer politischen und militärischen Neuorientierung zu manifestieren hat.

[109] שובה und נחת sind singulär, also wohl Jesajas eigene Interpretation im Blick auf die konkrete Situation. Zu תושעון vgl. הושיע in Dtn 20, 4, wo es von der Zürcher Bibel geradezu mit »den Sieg geben« übersetzt wird, und ישועה in Ex 14, 13 (vgl. הושע in V. 30), ferner Ps 21, 2. 6; Ri 6, 15f. Zu השקט vgl. Jes 7, 4 und הֶחֱרִישׁ in Ex 14, 14. Zu בטחה ist auch בֹּטֵחַ Ps 21, 8a zu vergleichen (vgl. die Parallele בל־ימוט in V. 8b).

[110] Es ist zu fragen, ob Jesaja die Sache, die er mit »Glauben« meint, wenn er schon zum Begriff בטחה greifen kann, nicht auch durch andere Verben zum Ausdruck bringt. Bereits ist darauf hingewiesen worden, wie er angesichts des Widerstandes, der ihm begegnet, seine Glaubenshaltung mit Verben, die בטח nahestehen, umschreibt: Harren will ich auf Jahwe ... und will auf ihn hoffen. In 5, 12 spricht er von der Glaubenslosigkeit Israels mit den Worten: »Das Werk Jahwes beachten sie nicht, und das Tun seiner Hände sehen sie nicht.« Wohl nicht Jesaja selbst, sondern ein Jesajaschüler hat den Glauben des Restes Israels mit den Worten umschrieben (10, 20): »Sie werden sich stützen (נשען) auf Jahwe, und zwar באמת.« Es liegt nahe, in diesem Zusammenhang, der offensichtlich an Jes 7, 9 anknüpft, אמת nicht wie üblich mit »Treue« zu übersetzen, sondern mit »Glauben«. Das Problem ist ähnlich gelagert wie bei אמונה in Hab 2, 4b.

VI

Die bis jetzt untersuchten Vorkommen von האמין standen alle irgendwie im Zusammenhang mit dem Heilsorakel. Das relativ einheitliche Wortfeld, in welches das Wort regelmäßig eingebettet war, sicherte ihm seine einheitliche Bedeutung. Entweder war es absolut oder dann mit בְּ konstruiert. Aber es gibt andere Fälle, wo האמין, meist mit לְ konstruiert, »jemandem Vertrauen, Glauben schenken« meint. Zunächst sei ein Beispiel aus dem profanen Bereich genannt: Von Jakob wird berichtet: וַיָּפָג לבו כי לא־האמין להם (Gen 45, 26)[111]. Es leidet keinen Zweifel, daß auch hier von der Grundbedeutung »Festigkeit, Vertrauen haben«, nämlich im Blick auf eine Person oder Sache, auszugehen ist. Faktisch wird man aber die zitierte Stelle doch zu übersetzen haben: »Da blieb sein Herz kalt, denn er glaubte ihnen nicht.« Nicht darum glaubt Jakob nicht, weil er sich nicht zu einer zuversichtlichen Glaubenshaltung aufschwingen kann, sondern weil er seinen Gesprächspartnern kein Vertrauen entgegenzubringen vermag bzw. das von ihnen Berichtete für unglaubwürdig hält.

In diesem Sinn ist das Verb gleich sechsmal in Ex 4, 1–9 und 31 verwendet[112]. Es handelt sich um die Frage, ob Israel Mose als von Jahwe gesandt anerkennen werde, d. h. es geht nicht direkt um den Glauben an Jahwe selbst. Auch der abschließende Satz in V. 31 a, ויאמן העם, kann nach dem Zusammenhang doch wohl nur bedeuten, daß das Volk nach den geschehenen Zeichen die Autorität des Mose anerkennt[113]. Soweit ein Parallelausdruck verwendet wird, erscheint שמע בקל פלני (V. 1, bzw. לקל V. 9). Genauso ist האמין auch in Ex 19, 9 verwendet.

Ähnlich ist der Gebrauch von האמין auch an einigen Stellen, wo der Mensch *Gott* zu seinem Gegenüber hat. So in Dtn 9, 23: »Da wart ihr widerspenstig gegen den Befehl Jahwes, eures Gottes, und ihr glaubtet ihm nicht und hörtet nicht auf seine Stimme.« Das heißt zwar nicht geradezu, daß die Angesprochenen der Meinung waren und diese auch äußerten,

---

111 Die Stelle gehört zur J-Schicht, vgl. Noth, aaO 31 und Sellin-Fohrer, aaO 161.

112 Noth (aaO 31f Anm. 103f) betrachtet die uns hier interessierenden Verse 4, 1–9 und 30f als Bestandteil eines Zusatzes zu J (in seinem Kommentar [ATD 5, 1961², 32. 36f] rechnet er allerdings die Stücke zu J, betrachtet aber V. 5 und 8f als späteren Zusatz). Hingegen zählt Fohrer (aaO [s. Anm. 33] 29ff) 4, 1–9. 19–20a. 24–26. 30b–31a zu seiner Quelle N. Wie man sich auch bei der immer noch nicht gesicherten Quellenanalyse entscheiden mag, jedenfalls ist in Ex 4 האמין ganz anders verwendet als in Ex 14, 31a, wo J das Wort haben dürfte.

113 Die Übersetzung von V. 8b: »...so werden sie doch der Stimme des zweiten Zeichens glauben« und von 9a: »Wenn sie aber sogar diesen beiden Zeichen nicht glauben...« ist mißverständlich; es handelt sich um das Vertrauen, das das Volk auf Grund der Zeichen *Mose* schenken soll.

daß Gott kein Vertrauen entgegenzubringen und sein Wort unglaubwürdig sei, aber daß sie sich so verhielten, als ob man Gott keinen Glauben entgegenbringen könne. Der Gegensatz zum Glauben ist hier nicht Furcht oder Verzagtheit, sondern Trotz gegen Gott. Es ist frappant, wie anders als bisher hier das Wortfeld um האמין ist; Unglaube ist Ungehorsam, Widerspenstigkeit gegen Gott (המרה). Gemeint ist die Nichtbefolgung eines bestimmten konkreten Befehls in einer entscheidenden Situation der Wüstenwanderung. Derselbe Gebrauch liegt in 2Kön 17, 14 vor: »Sie gehorchten nicht, sondern waren halsstarrig wie ihre Väter, die Jahwe ihrem Gott nicht glaubten.« Das Wortfeld ist ganz ähnlicher Art, möglicherweise ist sogar auf Dtn 9, 23 Bezug genommen[114]. Die Stelle gehört zur grundsätzlichen Reflexion des Deuteronomisten über die Ursache des Zusammenbruchs Israels. Der eigentliche Grund ist der Unglaube als Widerspenstigkeit gegen Gott. Und dieser Unglaube ist nicht ein momentanes Versagen, sondern ein Dauerzustand, der schon zur Zeit der Wüstenwanderung aufgebrochen ist. Die Propheten klagen Israel der falschen Vertrauensseligkeit an, Deuteronomiker und Deuteronomist sehen den großen Schaden darin, daß es Jahwe nicht vertraute. Ein Widerspruch ist das letztlich nicht, aber der Unterschied in den beiden Konzeptionen der Glaubensvorstellung könnte nicht deutlicher sein.

VII

Weder der jesajanische noch der deuteronomistische Glaubensbegriff hat im Alten Testament Schule gemacht. Die noch verbleibenden Stellen zeigen vielmehr, daß das Verständnis von האמין der allgemeinen Entwicklung der Religionsgeschichte Israels gefolgt ist. Das zeigt sich schon bei Deuterojesaja (43, 10): לְמַעַן תֵּדְעוּ וְתַאֲמִינוּ לִי[115] וְתָבִינוּ כִּי־אֲנִי הוּא. האמין steht hier in einem völlig neuen Zusammenhang, innerhalb einer fiktiven Gerichtsrede, bei der es sich um die Auseinandersetzung zwischen Jahwe und den Völkern bzw. deren Göttern handelt. Das Verb bedeutet auch hier: Jahwe Glauben schenken[116], aber nicht in dem Sinn, daß man

---

[114] Es fällt allerdings auf, daß in Dtn 9, 23 האמין mit לְ, in 2Kön 17, 14 aber mit בְּ konstruiert ist. Das wird als Hinweis darauf zu werten sein, daß die verschiedenen Bedeutungen von האמין sich auszugleichen beginnen.

[115] Die 2. pers. pl. des MT ist nicht unangefochten und wird von vielen Exegeten durch die 3. pers. ersetzt (s. BHK[3] und vgl. die Kommentare von P. Volz, J. Steinmann, G. Fohrer, C. Westermann und Ch. R. North).

[116] Es ist gewiß nicht Zufall, daß האמין hier nicht mit בְּ, sondern wie in Ex 4, wo es um die Glaubwürdigkeit des Mose geht (s. oben S. 153), mit לְ konstruiert ist.

seinem Befehl nachkommt, sondern so, daß man die Zuverlässigkeit seines Wortes anerkennt. Die Zeugen, welche die Völker stellen mögen, sollen, wie es gleich vorher in V. 9 hieß, sprechen: אמת, »es ist wahr«. Wo Zeugen aufgerufen werden, geht es in der Tat um die Eruierung der Wahrheit[117]. Bezeichnenderweise erscheinen an dieser Stelle noch einmal ganz andere Parallelbegriffe: das intransitiv verwendete ידע, »Erkenntnis gewinnen«, und הבין, »erkennen, verstehen«, und zwar mit dem Objektsatz: כי־אני הוא[118]. Das Anliegen Deuterojesajas besteht allerdings nicht, wie oft ausgeführt wird, darin, Israel den Monotheismus beizubringen. Nach dem Grundanliegen seiner Botschaft muß das Sätzchen כי־אני הוא vielmehr dahin verstanden werden, daß Jahwe allein Israels Helfer und Retter ist. Das heißt, Deuterojesaja will das Volk zum Vertrauen in Jahwe als den souveränen und allmächtigen Herrn der Geschichte führen[119]. Aber der Akt des Glaubens schließt damit doch ein bestimmtes Wissen um Gott in sich, was die Parallelbegriffe an dieser Stelle deutlich genug zu erkennen geben: Glauben ist von einer bestimmten Gotteserkenntnis unablösbar. Damit wird auch verständlich, warum Deuterojesaja האמין nicht häufiger gebraucht: Was er zum Thema »glauben« nach *unserem* Verständnis beizutragen hat, sagt er mit Begriffen des Erkennens, wie ידע und הבין, die bei ihm auffallend häufig sind[120].

Dann ist Ps 78 zu nennen, ein Weisheitslied oder ein Geschichtspsalm, der, wenn auch eine genaue zeitliche Fixierung unmöglich ist, doch bestimmt relativ spät anzusetzen ist[121]. Er setzt bereits die deuteronomistische Schule voraus[122]. V. 21f nimmt auf die Thabera-Erzählung von

[117] Daß der Begriff האמין nicht zufällig in einer Gerichtssache auftaucht, sondern auch im forensischen Bereich verwurzelt ist, beweist der Zusammenhang, in welchem האמין in Hi 9, 16 verwendet wird.

[118] Und zwar ist es ein Objektsatz, durch den, zumindest formal gesehen, eine bestimmte theologische Erkenntnis ausgedrückt wird, also ganz anderer Art als der infinitivische Objektsatz von Ps 27, 13; vgl. auch Ex 4, 5; Hi 9, 16; 39, 12; Klgl 4, 12.

[119] C. Westermann, ATD 19, 1966, 101 formuliert das so: »Gott ist für sie jetzt der, der aus einer zerbrochenen Vergangenheit Zukunft zu schaffen vermag. ... Es ist ... ein völlig personales, allein in der Begegnung sich vollziehendes Erkennen...« Das ändert nichts daran, daß sich dieser Glaube auf eine forensisch zu ermittelnde Wahrheit richtet bzw. eine bestimmte Gotteserkenntnis voraussetzt.

[120] 40, 21 (par. שמע und הבין); 40, 28 (par. שמע); 41, 20 (par. השכיל); 41, 22 (par. שים לב) und öfters. Vgl. dazu die Bedeutung, die *γιγνώσκειν* im Johannesevangelium zukommt, s. R. Bultmann, ThW I, 711ff.

[121] Sellin-Fohrer, aaO 314: spätvorexilisch (Zugehörigkeit zur deuteronomistischen Schule). Ähnlich Kraus, aaO (BK) 541.

[122] Vgl. H. Junker, Die Entstehungszeit des Ps. 78 und das Deuteronomium (Bibl 34, 1953, 487–500), bes. 493.

Num 11, 1–3 Bezug[123], begründet dann aber in selbständiger Weise das Losbrechen des göttlichen Zorns: כִּי לֹא הֶאֱמִינוּ בֵּאלֹהִים וְלֹא בָטְחוּ בִּישׁוּעָתוֹ. Grund des göttlichen Zorns ist der Zweifel Israels an seinem Gott: »Ist Gott imstande, uns in der Wüste den Tisch zu decken?« (V. 19) Hier sind die beiden Verben האמין und בטח ohne Sicherung einander gleichgesetzt. האמין ist mit בְּ konstruiert, und scheinbar ist wieder Zuversicht gefordert angesichts einer ausweglosen Situation. Und doch sind wir gegenüber dem sozusagen klassischen Gebrauch von האמין in eine neue Welt versetzt. Das zeigt V. 32 desselben Psalms: בְּכָל־זֹאת חָטְאוּ־עוֹד וְלֹא־הֶאֱמִינוּ בְּנִפְלְאוֹתָיו[124]. An der pentateuchischen Grundstelle dieses Satzes ist zu lesen: »Wie lange glauben sie nicht an mich trotz aller Zeichen, die ich in ihrer Mitte getan habe?«[125] Im Psalm aber kann nur gemeint sein, daß Israel die Wunder Jahwes nicht für wahr oder für möglich gehalten hat.

Ähnlich ist es bei einem weiteren Weisheitslied oder Geschichtspsalm, 106. Auch er ist spät, die Endgestalt des Pentateuch ist bereits vorausgesetzt[126]. Nachdem die Errettung am Schilfmeer geschildert wurde (V. 7–11), fährt der Psalmist in V. 12 fort: »Da glaubten sie an seine Worte und sangen seinen Ruhm.« Die Anspielung auf das Schilfmeerlied im zweiten Teil des Satzes stellt sicher, daß in der ersten Hälfte Ex 14, 31 b, der Vers, mit dem die Schilfmeererzählung abschließt, aufgenommen ist. Aber wieder ist die Modifikation bezeichnend: Aus dem Glauben an Jahwe – und seinen Knecht – ist hier der Glaube an »die Worte Jahwes« geworden. Der Glaube ist ein Fürwahrhalten dessen, was Gott in bestimmten Worten geoffenbart hat. Genau das ist auch die Meinung der Chronikstelle, auf die oben hingewiesen worden ist[127].

Noch einmal anders ist der Gebrauch im ebenfalls zweifellos späten Psalm 119[128]: טַעַם וָדַעַת לַמְּדֵנִי כִּי בְמִצְוֺתֶיךָ הֶאֱמָנְתִּי (V. 66). Aus den דברים sind hier die מצות geworden. Gemeint ist allerdings nicht bloß, daß der Dichter des Psalms die Gebote für »wahr« hält. »Glauben an die Gebote Jahwes«

---

[123] Der Abschnitt ist jahwistisch (s. Noth, aaO [s. Anm. 33] 34 und 135).

[124] Die Stelle ist bemerkenswert, weil »glauben« hier im Gegensatz zu »sündigen« steht.

[125] Num 14, 11: עַד־אָנָה לֹא־יַאֲמִינוּ בִי בְּכֹל הָאֹתוֹת. Zur Stelle s. o. Anm. 43.

[126] Vgl. Sellin-Fohrer, aaO 316; Kraus, aaO 728.

[127] 2Chr 20, 20, s. o. S. 131. Im profanen Gebrauch liegt diese Verwendung bereits 1Kön 10, 7 vor: לֹא־הֶאֱמַנְתִּי לַדְּבָרִים.

[128] Sellin-Fohrer (aaO 316f) charakterisiert den Psalm treffend: »späte Gesetzesfrömmigkeit mit Einwirkung der deuteronomistischen Theologie und der Weisheitslehre, nichtkultische gelehrte Dichtung«. Abfassungszeit nach Kraus (aaO 823): »Terminus a quo ist die Veröffentlichung des Deuteronomiums. Es ist nicht unbedingt erforderlich, in der Ansetzung bis in die Zeit des Siraciden herabzugehen.«

heißt nach dem ganzen Tenor des Psalms: der Überzeugung sein, daß das Halten der Gebote zu rechter Bewältigung der Lebensprobleme führt und reichen Segen mit sich bringt[129]. Man könnte wohl in Abwandlung von 1Joh 5, 4 sagen, daß der Glaube an die Gebote zum Sieg führt, der die Welt überwindet.

VIII

Die theologische Relevanz des האמין-Begriffes im Alten Testament liegt nach dieser tour d'horizon auf der Hand. Es hat tatsächlich seine guten Gründe, wenn die Septuaginta האמין durch die konstante Übersetzung mit *πιστεύειν* eine Sonderstellung einräumt und die neutestamentlichen Zeugen bei der Entfaltung ihres Glaubensbegriffes mit erstaunlicher Treffsicherheit auf ein paar wenige, dafür um so gewichtigere alttestamentliche Stellen zurückgegriffen haben.

Es hat sich uns ergeben, daß האמין in seiner religiösen Verwendung keineswegs einen einheitlichen Sinn hat, was damit zusammenhängt, daß das Wort in verschiedenen Bereichen des Alten Testaments zu Hause ist, aber auch den Gang der alttestamentlichen Religionsgeschichte widerspiegelt.

Am häufigsten findet sich האמין im Zusammenhang mit einem Heilsorakel und bedeutet dann: Zuversicht gewinnen, Vertrauen bewahren o. ä., und zwar angesichts einer höchst bedrohlichen Situation, die scheinbar nur Raum zum Verzagen frei läßt. Sowohl hinsichtlich der Zahl der Stellen wie ihres inneren Gewichts im weiteren Kontext wie im Blick auf die Auslegungsgeschichte ist האמין in dieser Verwendung der zentrale alttestamentliche Glaubensbegriff und für die Glaubensvorstellung konstitutiv. Theologisch bedeutsam ist die vorsichtige Absicherung der Glaubensvorstellung gegenüber einer kultisch verankerten Glaubenssekurität durch den Prophetismus. Sie wird in der negativen Bewertung von בטח sehr deutlich sichtbar. Aber ebenso bemerkenswert ist die theologische Sicherheit, mit der Jesaja trotzdem האמין und sogar verwandte Begriffe wie בִּטְחָה aufgenommen und in seine prophetische Verkündigung eingebaut hat.

Die deuteronomistische Verwendung läßt klar erkennen, wie zentral die Verpflichtung Israels gegenüber dem Gotteswillen in den Glaubensbegriff hineingenommen ist: Glaube und Hingabe an den geoffenbarten Gotteswillen sind eins.

---

[129] Vgl. dazu H. J. Kraus, Freude an Gottes Gesetz (EvTh 10, 1950/51, 337–351); A. Deissler, Psalm 119 (118) und seine Theologie (MThS I, 11), 1955.

Erst in späteren Stücken des Alten Testaments ist im religiösen Sprachgebrauch האמין greifbar als Ausdruck des Vertrauens auf Jahwe im Sinn des Vertrauens auf sein Wort bzw. sein Gesetz und des Glaubens an Wundertaten. Bei Deuterojesaja hat sich ein Sprachgebrauch wenigstens angekündigt, in welchem die Anerkennung gewisser religiöser Wahrheiten, speziell einer bestimmten Lehre über Gott, in das Vertrauen zu Jahwe eingeschlossen ist[130].

Für das heutige theologische Gespräch, in dem versucht wird, zwischen der Botschaft der Bibel und dem weltanschaulichen Rahmen, in welchem das Kerygma laut wird, zu unterscheiden, ist die Erkenntnis von Bedeutung, daß sich der Glaube im Alten Testament nie, genau besehen nicht einmal bei Deuterojesaja, auf sogenannte Glaubenswahrheiten, Sätze irgendeines Credo richtet. Man spricht heute in der alttestamentlichen Wissenschaft viel vom »kleinen geschichtlichen Credo«. Die Bedeutung seiner Entdeckung durch G. von Rad[131] soll nicht in Frage gestellt werden. Aber die Bezeichnung ist irreführend: um ein Credo im Sinn eines Glaubensbekenntnisses handelt es sich nicht. Das zeigt sich schon daran, daß alttestamentliche Autoren, wie gerade etwa Jesaja[132], aber auch die meisten Psalmendichter, ihre Botschaft ohne Bezugnahme auf diese Reihe von heilsgeschichtlichen Ereignissen zur Darstellung bringen können[133]. Israel wird nicht aufgerufen, sich ein bestimmtes Dogma anzueignen, aber *glauben* soll es, glauben in jenem umfassenden Totalitätsakt, wie er bei Jesaja oder in der Abrahamperikope sichtbar wird. Israels Glaube gründet gewiß in seinen Gotteserfahrungen, aber diese »Erfahrungen« bzw. die Traditionen, in denen sie sich spiegeln, können ganz verschiedener Art sein: die heilsgeschichtlichen Überlieferungen der Frühzeit, aber auch das Wissen um die dem Zion, Jeru-

---

[130] Sowohl in der ökumenischen Auseinandersetzung wie im Gespräch mit dem Judentum von heute, die sich doch an zentraler Stelle mit der Frage: »Was heißt glauben?« beschäftigen müssen, kann es nur nützlich sein, die Differenziertheit der biblischen Glaubensaussagen wohl zu bedenken. Zum Gespräch mit Israel ist Martin Bubers Schrift (s. Anm. 17) eine wesentliche Hilfe. Zur Auseinandersetzung mit ihm vgl. G. Schrenk, Martin Bubers Beurteilung des Paulus in seiner Schrift »Zwei Glaubensweisen« (Judaica 8, 1952, 1–23); E. Brunner, Dogmatik III, 1960, 186ff; G. Ebeling, Zwei Glaubensweisen? (in: Juden – Christen – Deutsche, hg. v. H. J. Schultz, 1961, 159–168).

[131] G. v. Rad, Das formgeschichtliche Problem des Hexateuch (BWANT IV, 26), 1938 (= Ges. Studien, 9–86); vgl. dazu Wildberger, aaO (s. Anm. 90) 99ff.

[132] Vgl. dazu Th. C. Vriezen, Essentials of the Theology of Isaiah (Israel's Prophetic Heritage. Essays in Honor of J. Muilenburg, ed. B. W. Anderson-W. Harrelson, New York 1962, 128–146), 128f.

[133] Das gilt nicht nur von den Schöpfungspsalmen, sondern in der Hauptsache auch den Klage- und Dankliedern.

salem und den Davididen gegebenen Verheißungen, oder das kultische Erlebnis, das hinter dem Heilsorakel steht. Schließlich ist nicht zu leugnen, daß auch die für Gottes Herrlichkeit transparente Schöpfung Glaubensgrund Israels sein kann[134]. Bei dieser Vielfalt bedeutet es keinen grundsätzlichen Bruch mit dem Alten Testament, wenn die christliche Gemeinde bekennt, daß hinter ihrem Glauben das Christusereignis steht.

Es sei mit zwei letzten Beobachtungen geschlossen: Nie wird im Alten Testament in bezug auf »andere Götter« auch nur negativ von האמין gesprochen[135]. Das heißt: האמין ist kein reiner Formalbegriff und kann darum nicht neutral verwendet werden. Als theologischer Terminus ist das Wort für die Begegnung mit dem Gott Israels reserviert. Das bedeutet: Wer an andere Götter »glaubt«, glaubt eben nicht. Ebenso interessant ist eine weitere Feststellung im Sprachgebrauch von האמין: Man kann sagen, daß Israel Gott von ganzem Herzen lieben soll. Man sagt unter Verwendung der Wurzel בטח in genauer Parallele dazu, daß man ihm von ganzem Herzen vertrauen möge (בכל־לב Spr 3, 5). Zum *Glauben* von ganzem Herzen wird nie aufgerufen, gewiß nicht, weil beim Glaubensakt das Herz nicht mit dabei sein müßte, sondern weil האמין ein solch totaler Akt des Einsatzes der persönlichen Existenz ist, daß jede Mahnung zur Integration oder Intensivierung des Glaubens sinnlos wäre. Es ist mit האמין ein Letztes, Unüberbietbares gesagt.

---

[134] Das gilt von der deuterojesajanischen Schöpfungstheologie, s. Ph.B. Harner, Creation Faith in Deutero-Isaiah (VT 17, 1967, 298–306).

[135] Vgl. Weiser, ThW VI, 188, 33ff.

Korrekturnachtrag: Der Aufsatz von R. Smend, Zur Geschichte von האמין (Hebräische Wortforschung. Festschr. f. W. Baumgartner [VT Suppl. 16], 1967, 284 bis 290) lag erst beim Lesen der Korrekturen vor; die Auseinandersetzung mit ihm muß hier unterbleiben.

23
Die Neuinterpretation des Erwählungsglaubens Israels in der Krise der Exilszeit

Überlegungen zum Gebrauch von bāḥar

Der verehrte Jubilar, den diese Zeilen grüßen sollen, hat sich intensiv mit der Frage nach der Erwählung Israels beschäftigt, thematisch in den beiden Werken: Israel in der Weissagung des Alten Testaments, und: Gottes Ruf im Alten Testament, beide 1951 erschienen. So mag es sinnvoll sein, im Folgenden zu zeigen, wie das Israel der Exilszeit angesichts des Zusammenbruches der überkommenen staatlichen Ordnung und seiner religiösen Ideale den Glauben an seine Erwähltheit durch Jahwe durchgehalten und dabei zugleich neu verstanden hat. Dabei ist es allerdings unerläßlich, zunächst in Kürze darzustellen, welches seine vorexilischen Anschauungen über Erwählung gewesen sind.

Wir lassen uns bei unserer Untersuchung leiten vom *Gebrauch* von בחר. Das Verbum ist eine der seltenen alttestamentlichen Vokabeln, die man als termini technici einer theologischen Begriffssprache im Alten Testament ansehen kann. Es findet sich allerdings auch in profaner Verwendung, und diese ist zweifellos älter als der theologische Gebrauch.[1] Die Aufspaltung des Begriffes in die zwei Bereiche zeigt sich instruktiv an der Verwendung der beiden Verbaladjektive בָּחוּר und בָּחִיר. Wird jenes fast nur profan verwendet (die zum Kriegsdienst auserwählte Jungmannschaft[2]), so dieses nur theologisch: der בחיר ist ausnahmslos der Auserwählte Jahwes. – Natürlich ist aber die Sache der Erwählung im Alten Testament älter als die Verwendung der Wurzel im theologischen Sinn und ist auch, nachdem sich die Vokabel durchgesetzt hatte, keineswegs an deren Gebrauch gebunden.[3] Zumal die Bundesvorstellung, von der aus Walther Eichrodt die alttestamentliche Theologie aufgebaut hat, ist in den Dienst des Erwählungs-

[1] Zur Wortstatistik und zu den Einzelheiten sei verwiesen auf den Artikel בחר im demnächst erscheinenden Theologischen Handwörterbuch zum Alten Testament, herausgegeben von E. Jenni und C. Westermann.

[2] Daß בָּחוּר «Jungmannschaft» von der Wurzel בחר «wählen» zu trennen ist (s. KBL), ist unwahrscheinlich. LXX übersetzt בחור meistens mit *νεανίσκος*, gelegentlich auch mit *ἐκλεκτός*, בחיר *immer* mit *ἐκλεκτός*.

[3] Siehe u.a. K. Galling, Die Erwählungstraditionen Israels, BZAW 48, 1928; H. Wildberger, Jahwes Eigentumsvolk, ATANT 37, 1960.

gedankens gestellt worden. Andererseits ist der Gebrauch von בחר so wesentlich und ist das Verbum über LXX (*ἐκλέγειν* und vor allem *ἐκλέγεσθαι*) so wirksam geworden, daß bei einer Untersuchung seiner Verwendung die zentralen Aspekte der alttestamentlichen Erwählungsvorstellung durchaus faßbar werden.[4]

I

Unter Verwendung von בחר ist in Israel offensichtlich zunächst von der *Erwählung des Königs* gesprochen worden. Die alten Berichte über Sauls und Davids Aufstieg sind ja auch zweifellos der Tendenz entsprungen, die legitime Stellung des Königs durch den Hinweis auf seine Erwähltheit durch Jahwe zu untermauern. Da das Verbum schon in der Ladeerzählung (2Sam 6,21)[5] und in der Thronfolgegeschichte (2Sam 16,18) verwendet wird, ist anzunehmen, daß wohl bereits zu Lebzeiten Davids von seiner Erwählung durch Jahwe gesprochen wurde. Ob das in Auseinandersetzung mit einem ähnlich formulierten Erwähltheitsanspruch Sauls geschah, muß angesichts der Quellenlage offenbleiben. In etwas späteren Überlieferungen ist jedenfalls auch von der Erwählung Sauls die Rede (s. 1Sam 10,24[6] und 2Sam 21,6[7]). – Mit diesem alttestamentlichen Befund stimmt gut überein, daß im mesopotamischen Bereich häufig und seit jeher von der Erwählung des Königs durch die Gottheit gesprochen wird, dagegen nie von derjenigen des Volkes.[8] Gelegentlich ist auch von der Erwählung

[4] Th. C. Vriezen, Die Erwählung Israels nach dem Alten Testament, ATANT 24, 1953; H. H. Rowley, The Biblical Doctrine of Election, 1950; K. Koch, Zur Geschichte der Erwählungsvorstellung in Israel, ZAW 67, 1955, 205–226; R. Martin-Achard, La signification théologique de l'élection d'Israël, ThZ 16, 1960, 333–341; P. Altmann, Erwählungstheologie und Universalismus im Alten Testament, BZAW 92, 1964; ferner die Lexikonartikel von G. Quell in ThWB IV, 148–173 (Lit!) und G. E. Mendenhall in IDB II, 76–82 (Lit!).

[5] Siehe dazu A. Weiser, VT 16, 1966, 338.344.

[6] Die Losorakelerzählung lag dem Deuteronomisten ohne Zweifel bereits vor, s. H. Wildberger, ThZ 13, 1957, 456 und H. Seebass, ZAW 79, 1967, 169f.

[7] Der Text (בחיר יהוה) ist allerdings umstritten und das Alter nicht sicher zu bestimmen.

[8] Dem hebr. בחר am nächsten steht die akkadische Wurzel *(w)atû(m)* (sum. Ideogramm *PÁD*): «ersehen, erwählen, berufen.» Das Verb ist häufig von der Erwählung von Königen durch Götter verwendet (s. R. Labat, Le caractère religieux de la royauté assyro-babylonienne, 1939, 45). Schon von Gudea von Lagaš heißt es: «Der Herr Ningirsu hat Gudea in sein reines Herz berufen», A. Falkenstein/W. v. Soden, Sumerische und akkadische Hymnen und Gebete, 1953 (= SAHG), 161, vgl. ZA 50, 1952, 64f (= SAHG 115). Und noch bei Nebukadnezar wird häufig von seiner *itûtu* (Erwählung) gesprochen, s. die Belege in CAD A/1, 317, ferner ZA 49, 1949, 108 = SAHG 109.

des Heiligtums die Rede, aber natürlich nicht von der Erwählung eines einzigen Heiligtums im Sinn der jerusalemischen Kultuszentralisation. Meist geschieht das aber nur indirekt, nämlich insofern der König speziell dazu erwählt ist, das Heiligtum zu bauen oder zu betreuen.[9] Der Begriff der Erwählung, wie er in der Verwendung von בחר seinen Ausdruck findet, dürfte demnach von Israel mit der «Königsideologie» aus seiner Umwelt übernommen worden sein.[10] Entscheidend ist allerdings, wie die Vorstellung in Israel ausgeformt worden ist.

Das wird nun sofort in den *Überlieferungen über Saul* deutlich. Sie sprechen nicht nur von der Erwählung Sauls, sondern auch von seiner Verwerfung – und zwar nicht erst in der dtn. Reinterpretation: 1Sam 15,23.26.[11] Natürlich ist zu beachten, daß es nicht derselbe Erzähler ist. Aber wer von Verwerfung spricht, setzt geschehene Erwählung voraus. Und die Redaktoren, denen wir die Verbindung der verschiedenen, den Samuelisbüchern zugrunde liegenden Traditionen verdanken, haben es offensichtlich nicht für unmöglich gehalten, daß ein Erwählter Jahwes auch wieder verworfen werden kann. Das Problem, das dadurch entsteht, daß ein Erwählter Jahwes wieder aus dessen Gunst herausfallen kann, wird mit dem Hinweis auf das Versagen des Königs beantwortet. Damit drängt sich allerdings die neue Frage auf, wie es denn geschehen könne, daß ein Erwählter Jahwes so versagt. Aber eindrücklich findet in der Verwerfung Sauls die Erkenntnis ihren Ausdruck – sie ist für das Alte Testament grundlegend – daß Erwählung durch Gott Antwort in der Bewährung des Erwählten erfordert. So gewiß beim Erwählungsgeschehen Gott das erste Wort spricht, ist Erwählung nicht ein monologischer, sondern ein dialogischer Akt. *Erwählung* des Königs involviert dessen *Inpflichtnahme* für den Dienst an Jahwe. Die typische Struktur, die der alttestamentliche Erwählungsglaube damit angenommen hat, dürfte bedingt sein durch die alttestamentliche Gottesvorstellung: Jahwe ist der Gott Israels, Israel ist Jahwes Volk.[12]

[9] «Eninnu, gutes Ziegelwerk, dem Enlil gutes Schicksal bestimmt», SAHG 166; «Ningirsu hat das Heiligtum ... ins Herz berufen», SAHG 176; ein Nanše-Tempel trägt den Namen «ins Herz berufen» ([é]sag$_4$-pàd[-da]), E. SOLLBERGER, ZA 50, 1952, 13. In einer Tempelinschrift Assurbanipals heißt es: «[Zur] Herstellung von Ê-ḫulḫul berief meinen Namen Sin, der mich für die Königswürde erschaffen hatte...», M. STRECK, VAB VII/2, 1916, 217, s. dazu R. LABAT, aaO 43f.

[10] So auch VRIEZEN, aaO 46.

[11] Zum Alter der Tradition 1Sam 15, s. A. WEISER, 1Sam 15, ZAW 54, 1936, 1–28; M. NOTH, Überlieferungsgeschichtliche Studien, 1943, 62, Anm. 1 und 4; A. WEISER, VT 16, 1966, 326.

[12] Siehe dazu W. EICHRODT, Theologie des Alten Testaments I (1962^7), 8ff; R. SMEND, Die Bundesformel, ThSt(B) 68, 1963.

Im Gegensatz zu den Nachkommen Sauls blieben *die Davididen* an der Macht und ihre Erwähltheit stand fest. Von der Verwerfung des Davidshauses haben nicht einmal die Propheten gesprochen. Aber daß die Davididen ihr Amt nicht auftragsgemäß verwalteten und nicht den Erfolg buchen konnten, der für sie als Erwählte Gottes zu erwarten gewesen wäre, hat gewiß nicht erst den Deuteronomisten beschäftigt. In den Königspsalmen 78 (V. 67) und 89 (V. 4 und 20) wird David (d.h. seine Dynastie) als Erwählter und damit als Knecht Jahwes[13] angesprochen, wobei beide Male offensichtlich die Vorstellungen vom König als Mandatar Jahwes aufgenommen werden, welche in der sogenannten Nathanweissagung (2 Sam 7) formuliert sind.[14] Aber Psalm 89 ist ein ergreifendes Zeugnis dafür, wie leidenschaftlich, ja verzweifelt in Juda traditionsgebundene Gläubige mit der Frage nach der Gültigkeit der Erwählung der Davididen gerungen haben. Die Erwählung wird dabei als Bund zwischen Jahwe und seinem Knecht David verstanden (V. 4), es wird nicht nur von Gottes Zusage an den König, sondern von dem ihm geleisteten Schwur gesprochen (V. 4.36.50), die Treue Jahwes wird hervorgehoben (2.3 u.ö.), Beständigkeit, Dauerhaftigkeit, ja Ewigkeit des Bundesverhältnisses werden unterstrichen (V. 5.22.29f.37). Einen Moment lang meint der Dichter feststellen zu sollen, daß Jahwe seinen «Gesalbten» verstoßen (זנח), verworfen (מאס) und den Bund preisgegeben habe, eine unfaßliche Möglichkeit, die er nicht einfach als letztes Wort hinnehmen kann, die jedenfalls die Erwählung nicht zu revozieren vermag.

Fragt man nach dem *Sinn der Erwählung* der Davididen, lautet die Antwort in Ps 78: «daß er weide sein Volk Jakob und sein Eigentum Israel» (V. 71, vgl. 2 Sam 7,7). Der König hat als Erwählter einen Auftrag an Jahwes Volk. Mit größerer Konstanz begegnet die Auskunft, daß er Jahwes Knecht (עֶבֶד) sei. עֶבֶד ist geradezu Parallelbegriff zu בחיר. Der König soll Sachwalter Gottes, und zwar nicht nur in seinem Volk, sondern

[13] Ps 78 und 89 dürften beide spätvorexilisch sein. O. EISSFELDT (Das Lied Moses Deuteronomium 32,1–43 ..., BAL 104/5, 1958, 36f) kommt zum Schluß, als terminus ad quem für Ps 78 sei die Zeit um 930 v.Chr. anzunehmen, während H. JUNKER (Bibl 34, 1953, 493) im Verfasser des Psalms einen aktiven Mitarbeiter an der Reform Josias sieht. Für Ps 89 erwägt G. W. AHLSTRÖM, Psalm 89, 1959, sogar kanaanäische Herkunft, zieht aber auch Entstehung in der Zeit Davids in Betracht (s. S. 182ff).

[14] עֶבֶד und בָּחִיר stehen gern in Parallele und sind beinahe Synonyme geworden, s. Jes 45,4; 65,9; Ps 105,6 (= 1 Chr 16,13), ferner עבד mit einer Form des Verbs: Jes 41,8(bis); 43,10; 44,1f(bis); 49,7; Ps 78,70; 89,20; 105,26. Wenn auch die Parallelbegriffe später an Stellen vorkommen, wo vom Volk, dem Gottesknecht, den Erzvätern oder Mose (bzw. Aaron) gesprochen wird, dürfte doch kein Zweifel bestehen, daß die Zusammenstellung von Haus aus ihren «Sitz» in der Königsideologie hat.

auf Erden überhaupt sein.[15] Es ist bemerkenswert, daß man in Jerusalem trotz aller Enttäuschungen so zäh an der Erwähltheit der Davididen festgehalten hat[16] und dann gar in diesem gefüllten Sinn. Darin wirkt sich die theologische Erkenntnis aus, daß einmal geschehene Erwählung durch Jahwe, der ein Gott der Treue ist, nicht annulliert werden kann. Die Spannung zur Sicht der Saulstradition liegt auf der Hand.

II

Kein Buch des Alten Testaments spricht so prononciert von Erwählung wie *das Deuteronomium*. Merkwürdigerweise ist aber der Topos der Erwählung des Königs kaum aufgenommen, und was das Buch über Erwählung sagt, liegt auf zwei völlig getrennten Ebenen, indem es einerseits auf die *Erwählung Israels,* andererseits auf diejenige *des Zion* verweist, auf jene in der zweiten Einleitungsrede, auf diese im Gesetzesteil.[17] Der locus classicus für die Erwählung Israels ist 7,6–8:

> «Du bist ein Jahwe, deinem Gott, heiliges Volk; dich hat Jahwe, dein Gott, aus allen Völkern des Landes sich zum Eigentum erwählt...»

Israel ist von Jahwe erwählt, das sieht wie eine Distanzierung aus vom früheren Bekenntnis, daß der König von Jahwe erwählt sei.[18] Man wird gut daran tun, gerade an diesem Punkt zu bedenken, daß das Deuteronomium aus dem Nordreich stammt, wo man – es sei nur an Hosea erinnert – am Königtum irregeworden ist. Nicht darauf will man den Glauben abstützen, daß man einen König hat, dem die Würde eines עבד יהוה zugesprochen ist; Israel selbst ist Jahwes בחיר, und seine Erwählung sieht man fest verankert in der Geschichte des auserwählten Volkes mit seinem Gott.[19] Um diesem deuteronomischen Erwählungsgedanken seinen rich-

[15] Vgl. Ps 2,8ff; 72,8ff; 89,26.28; 110,6.

[16] Das gilt auch von Jesaja, der in 7,8a.9 auf die Königsideologie zurückgreift, sie aber allerdings unter die Bedingung des Glaubens stellt, s. H. Wildberger, Jesaja, BK X z. St.

[17] Einerseits 7,6f, 10,15 (wozu 14,2 kommt); andererseits 12,5.11.14.18.21.26; 14,23.24.25; 15,20; 16,2.6.11.15; 17,8.10; 18,6; 26,2, zu 4,37 s. u. S. 316.

[18] Der Abschnitt ist eingebettet in die Paränese 7,1–11(16?) (zur Abgrenzung s. G. von Rad, Das fünfte Buch Mose, ATD 8, 1964, 49). Der pluralische Teil 7.8a dürfte gegenüber dem singularischen 6.8b sekundär sein, s. C. Steuernagel, Das Deuteronomium, ²1923, z. St.

[19] Das ist um so wahrscheinlicher, als das Deuteronomium, abgesehen von 17,15, nicht von der Erwählung des Königs spricht, ja den König nur gerade in 17,14–20 erwähnt. Die Stellung des «Königsgesetzes» im Deuteronomium ist ein Problem für sich.

tigen Stellenwert zu geben, ist wohl zu beachten, daß 7,6–8 Teil eines paränetischen Abschnittes ist; Erwählung ist nicht thematisch, es wird von ihr nur gesprochen, um den Anspruch Jahwes an Israel als wohl begründet und unabweisbar darzutun. Bei den andern dt. Stellen liegt ein ähnlicher Zusammenhang vor. In 10,12ff dient der Hinweis auf Israels Erwählung geradezu der Motivation von Jahwes umfassender Gehorsamsforderung: ihn zu fürchten, in seinen Wegen zu wandeln, ihn zu lieben und ihm von ganzem Herzen und von ganzer Seele zu dienen. Die theologische Sorgfalt des Deuteronomikers zeigt sich auch darin, daß er expressis verbis den Verdienstgedanken verneint.[20] Erwählung ist allein begründet in der unergründlichen und unbegründbaren Liebe Jahwes (7,7).[21]

Neben dieser eindrücklichen und theologisch so verantwortlich durchreflektierten Konzeption von der Erwählung Israels begegnet im Deuteronomium in seltsamer Unverbundenheit dazu das Theologumenon von der *Erwählung der Stätte des einen Heiligtums*. Da von ihr mit der stereotypen Formel הַמָּקוֹם אֲשֶׁר יִבְחַר יְהוָה אֱלֹהֵיכֶם o.ä.[22] gesprochen wird, wird man folgern dürfen, daß man längst vor der Promulgation des Deuteronomiums von der Erwählung des Zion bzw. Jerusalems gesprochen hat. Die doch wohl vorexilischen Psalmen 78 und 132 bestätigen es übrigens (78,68, 132,13).[23] Das kann nur in Jerusalem selbst geschehen sein, die Formel ist zweifellos im Zug der jerusalemischen Überarbeitung des aus dem Nordreich stammenden Gesetzesbuches in dieses eingetragen worden.[24]

Man hat sich also auch in Jerusalem nicht auf den Gedanken an die Erwählung des Königs beschränkt, hat dann aber nicht die Erwählung Israels, sondern diejenige der Tempelstätte substituiert. Auch auf dieser Ebene wird festgehalten, daß die Erwählung dem freien Willen Jahwes

Jedenfalls ist die Funktion des Königs in ihm so eingeschränkt, daß das Dogma von der Erwählung des Königs seine ursprüngliche Bedeutung eingebüßt hat. (Zur Analyse des Textes s. R. P. Merendino, Das deuteronomische Gesetz, BBB 31, 1969, 179–182.)

[20] Siehe dazu W. Caspari, Beweggründe der Erwählung, nach dem Alten Testament, NKZ 32, 1921, 202–215, besonders 211.

[21] Siehe auch 10,15 und 9,4–6 («nicht um deiner Gerechtigkeit [Zürcher Bibel: ‹deines Verdienstes›] willen..., denn du bist ein halsstarriges Volk»).

[22] Die Formel kann erweitert sein mit «aus all euren Stämmen» oder «in all euren Stämmen» (12,5.14), aber auch durch die Zweckbestimmung «um dorthin seinen Namen zu legen» לָשׂוּם (אֶת־) שְׁמוֹ שָׁם, 12,5.21 oder «um dort seinen Namen wohnen zu lassen» (... לְשַׁכֵּן), 12,11 (s. auch 5); 16,2.6.11.

[23] «um seinen Namen dahin zu legen» oder «wohnen zu lassen» ist allerdings typisch für das Deuteronomium. Ps 132 sagt: «zu seinem Wohnsitz (מוֹשָׁב) und seiner Ruhestatt (מְנוּחָה). Daß die dtn. Formulierung jünger ist, bedarf keines Beweises.

[24] Siehe dazu G. von Rad, aaO 67, und jetzt ausführlich Merendino, aaO 382–397.

entspringt (Ps 78,68, 132,13). Was aber beinhaltet hier Erwählung? Der Tempel ist der Ort der schützenden und segnenden Gegenwart Gottes. Indem Jahwe inmitten seines Volkes «wohnt», erweist er sich als אֱלֹהֶיךָ oder als אֱלֹהֵיכֶם. In gewisser Weise ist also die Rede von der Erwählung des Zion einfach eine besondere Aussageform für die Erwählung Israels. Aber der Unterschied zur ersten Aussagereihe darf auf keinen Fall verwischt werden. Nach ihr wird Israel seiner Erwähltheit gewiß im vergegenwärtigenden Bedenken der Heilsgeschichte, dort aber, wo die Erwählung der heiligen Stätte zur Sprache kommt, offensichtlich durch die Teilnahme am Kult, wie er im Tempel zelebriert wird. Dort bedeutet Erwähltheit In-Pflicht-genommen-Sein, hier Eröffnung der Möglichkeit, sich des Schutzes Jahwes zu vergewissern und sich seinen Segen zu sichern.[25] Es liegt auf der Hand, daß diese Tempeltheologie für das Deuteronomium als Ganzes nicht repräsentativ ist, nicht einmal für das Gesetzeskorpus 12–26. Sie ist dem dt. Gesetz übergestülpt. Aber daß es diese Tempeltheologie, deren Kernstück die Erwählung des Tempels war, wirklich gab, ist auch aus der Polemik der Propheten gegen die sich auf das ordnungsmäßige Funktionieren des Kultes stützende Heilsprophetie zu erschließen.[26] Sie ist an der *Verobjektivierung der Erwählung* interessiert, weil es ihr um die absolute *Sicherung des Heiles* geht.[27]

III

Das Deuteronomium als Ganzes ist ein grandioser Versuch, das Israel der späteren Königszeit dabei zu behaften, daß es Volk Jahwes ist und die nötigen Konsequenzen in Gottesfurcht, Gehorsam und Liebe zu Jahwe aus dieser seiner Grundsituation zu ziehen hat.[28] Daß Israels Erwählung hinfällig werden könnte, liegt nicht in seinem Horizont. Das Oppositum zu בחר, מאס, fehlt bezeichnenderweise im ganzen Werk. Noch weniger liegt

[25] Auf derselben Linie liegt es, wenn im Dt zweimal von der Erwählung des Stammes Levi zum Priesterdienst gesprochen wird: 18,5; 21,5; zur rechtmäßigen Kultstätte gehört die legitime Priesterschaft, wenn Heil gesichert sein soll. Beides sind allerdings Zusätze (s. Steuernagel, aaO z. St. und Merendino, aaO 188 bzw. 237f, zu 21,5 auch A. Bertholet, Deuteronomium, 1899, z. St.) aus späterer Zeit.

[26] Vgl. etwa Jes 28,14ff; Jer 7,4ff; Mi 3,11f.

[27] Auf die Vorbehalte gegenüber dieser gefährlichen Verobjektivierung des Heils wird es zurückzuführen sein, daß bei den vorexilischen Propheten samt und sonders der theologische Gebrauch von בחר fehlt.

[28] In den Fluchandrohungen von Kap. 28 sind allerdings die harten Folgen des allfälligen Ungehorsams Israels deutlich genug angekündet, ohne daß jedoch «Verwerfung» zur Sprache käme.

die Annullierung der Erwähltheit des Zion in seinem Blickfeld.[29] Aber dann ist die grauenhafte Katastrophe der Eroberung Jerusalems durch die Babylonier über Juda hereingebrochen. Das Königtum ist an sein Ende gekommen, der Tempel in Flammen aufgegangen, Israel zum einen Teil deportiert, zum andern in trostlose Armut unter der Herrschaft von Fremden abgesunken. Wie kann und darf da weiter von Erwählung gesprochen werden? *Nach dem Ende des Nordreiches* hatte man einst in Jerusalem die kühle Konsequenz gezogen:

> «Er verwarf Josephs Zelt, den Stamm Ephraim erwählte er nicht, sondern den Stamm Juda erwählte er» (Ps 78,67).

Soll nun, *nach dem Ende Judas,* die Auskunft lauten, daß die prophetische Drohung der Verwerfung (Hos 4,6, 9,17; Jer 2,37, 6,30 u.ö.) nun eben Tatsache geworden sei? Leben und Tod waren Israel vorgelegt gewesen (Dt 30,15). War nun nicht nüchtern festzustellen, daß sich Israel den Tod gewählt hat? Es wird nicht an Stimmen gefehlt haben, die meinten, Verwerfung als Tatsache hinnehmen zu sollen (s. Jer 33,23ff). Man wird also mit Spannung darauf achten, was die maßgeblichen Zeugen des Exils hier zu antworten haben.

IV

Die erste hier zu besprechende Quelle ist *das deuteronomistische Geschichtswerk.* Man darf natürlich bei ihrer Auswertung nicht übersehen, daß ihr Verfasser ihm vorgegebene Überlieferungen benützt, die keineswegs immer seine eigene Sicht wiedergeben. Um so sorgfältiger ist darauf zu achten, wie er das ihm zur Verfügung stehende Material kommentiert.

Der Deuteronomist hat zunächst das Fazit aus dem *Zusammenbruch des Königtums* gezogen. Er spricht überhaupt nicht mehr von Erwählung und Verwerfung Sauls, denn nach ihm hat sich Israel in Verwerfung Jahwes (1Sam 8,7) selbst einen König gewählt (V. 18). Diese Wahl ist nach V. 8 geradezu dem Götzendienst Israels gleichzustellen;[30] Jahwe allein könnte doch König Israels sein (12,12). Der Verfasser kann und will allerdings nicht leugnen, daß Samuel, wenn auch widerstrebend, so doch auf ausdrückliches Geheiß Gottes hin, dem Volk seinen Willen getan hat (8,9). Trotzdem: erwählt hat nicht Jahwe, sondern das Volk (12,13); Gott hat ihn nur über sie «gesetzt». Man spürt deutlich, wie sehr das Problem dem Deuteronomisten auch sprachlich Mühe gemacht hat. Aber er spricht es

[29] Nach Ps 132,14 hat sich Jahwe den Zion «auf ewig» erkoren.

[30] Das Alte Testament spricht gelegentlich davon, daß sich Israel falsche Götter «erwählt» habe: Jos 24,15; Jdc 10,14; Jes 41,24; vgl. auch Jes 1,29; 66,3.

unmißverständlich aus, daß jene «Setzung» des Königs durch Jahwe heilsgeschichtlich bedeutungslos ist: Heil oder Unheil hängt allein an Israels eigenem Verhältnis zu Gott. Schwieriger war es natürlich, mit der Erwählung der nun doch auch gestürzten Davididen zurechtzukommen. Die Aussagen über die Erwählung Davids sind durchaus, und zwar ohne Kommentar, in das Geschichtswerk hineingenommen worden.[31] Der Deuteronomist kann sogar von sich aus von der Erwählung Davids sprechen (1Reg 11,34),[32] aber seine Distanz gegenüber den Davididen tritt immer wieder zutage.[33] Nie wird der einzelne Davidide «Erwählter Jahwes» genannt. Auffallend ist in dieser Hinsicht das Gebet Salomos zu Gibeon. Salomo bezeichnet in ihm David wie sich selbst als «Knecht» Jahwes, vermeidet aber den naheliegenden Begriff der Erwählung und spricht dafür von Israel als dem Volk, «das du erwählt hast» (1Reg 3,8).[34] Man hat den Eindruck, daß ihm die Gestalt Davids sakrosankt geblieben ist. Die «Gnaden Davids» scheinen sich ihm aber sozusagen erschöpft zu haben. Aber es bleibt dabei, daß das Verdikt «verworfen» nicht ausgesprochen wird, und man wird entlassen mit der Frage: Gilt nun eigentlich die Erwählung Davids noch oder gilt sie nicht?

Noch schärfer stellt sich das Problem bei der *Erwählung der Stätte des Heiligtums*. Der Deuteronomist spricht auch von sich aus von ihr (1 Reg 8,16, s. dazu aber oben Anm. 32; 11,13.32.36, 14,21; 2Reg 21,7, 23,27), und es kann, wie im Deuteronomium, hinzugefügt sein: «um dahin meinen Namen zu legen» o.ä. In 2Reg 21,7 wird sogar ergänzt: «ewiglich»! Aber in 23,17 wird unmißverständlich von der Verwerfung Jerusalems bzw. des Tempels gesprochen. Man mag das als Nachtrag aus zweiter Hand auffassen. Aber jedenfalls ist die Spannung zu den früheren Aussagen nicht ausgeglichen.

[31] Samt der «Nathanweissagung» von 2Sam 7, in der doch David dauernder Bestand seiner Dynastie verheißen wird (V. 16).

[32] Zu 11,34 s. M. Noth, Könige, BK IX/1, 1968, 246. 8,16 gehört vielleicht auch dem Deuteronomisten an; deutlich ist auf die Nathanweissagung Bezug genommen. Möglicherweise sprach aber der Text ursprünglich nur davon, daß Jahwe zwar keine der Städte im Gebiet anderer Stämme, wohl aber Jerusalem erwählt habe.

[33] Dabei ist die Formel «um meines Knechtes David willen» 1Reg 11,13.32.34; 2Reg 8,19; 19,34; 20,6 zu beachten. Wenn die Davididen an der Herrschaft bleiben, liegt das weder an ihrer Tüchtigkeit noch an ihrer Treue gegen Jahwe, sondern an der Treue Jahwes zu seinem gegebenen Wort.

[34] 1Reg 3,4–15 ist zwar ein alter Bericht aus höfischem Milieu; ob die Erwählungsaussage wirklich deuteronomistisch ist (s. dazu Noth, aaO BK IX 45), muß allerdings offen bleiben.

Hingegen wird abgesehen von der erwähnten Stelle im Gebet Salomos zu Gibeon und dem unten zu besprechenden Passus Dt 4,37ff[35] vom Deuteronomisten selbst nicht von der *Erwählung Israels* gesprochen. Das offenbar darum, weil ihm das nach dem Deuteronomium geforderte Korrelat zur Erwählung durch Jahwe, die Furcht Israels gegenüber seinem Gott und seine Liebe zu ihm, gänzlich zu fehlen schien. Tatsächlich spricht er von der Verwerfung des Nordreiches Israel (2Reg 17,20),[36] wobei er in seine Beurteilung bereits schon Juda miteinschließt (V. 13.19). Und in 23,27 spricht er noch einmal explizit vom Hinwegtun Judas von seinem Angesicht, «wie ich Israel hinweggetan habe». Man wird kein Gewicht darauf legen dürfen, daß er dabei das Verbum הֵסִיר und nicht das präzisere מאס verwendet, denn im gleichen Atemzug spricht er von der Verwerfung Jerusalems.[37] Damit scheint das düstere Bild abgerundet zu sein: Israel hat die unerhörten Möglichkeiten, die ihm die Setzung der Davididen zur Statthalterschaft auf Erden, die Erkürung des jerusalemischen Tempels zur Wohnstatt Jahwes und damit zum Quellort von Heil und schließlich und vor allem seine Erwählung aus den Völkern zu Jahwes Sondereigentum und Erbbesitz anboten, gründlich vertan.

Es bleibt aber die Frage, wie das harte מאס zu interpretieren sei. Ist es ganz simpel die *Negierung der Erwählung?* Ist das dtn. Geschichtswerk einfach die Geschichte vom Scheitern einer großen Utopie? Davon kann nun doch keine Rede sein. Der Schluß des ganzen Werkes, die Erzählung von der freundlichen Wende in Jojachins Geschick, scheint dem Hause Davids noch Zukunft eröffnen zu wollen.[38] Und das «ewiglich» in 2Reg 21,7 könnte doch andeuten, daß es für Jerusalem auch nach seiner Verwerfung noch Heil geben wird.[39] – Deutlicher wird der Deuteronomist beim Thema «Erwählung Israels». Einmal erwähnt er sie an ausgezeichneter Stelle und in wohlabgewogener Form:

[35] Siehe S. 202.

[36] Die Verwerfung Israels durch Jahwe wird in V. 15 mit der Verwerfung der göttlichen Gebote durch das Volk begründet, speziell aber mit dem Götzendienst.

[37] Wo zwei dtn. Überarbeitungen der Königsbücher angenommen werden, sind die beiden letztgenannten Stellen natürlich der zweiten Hand zuzuschreiben. Die genannte Annahme würde gewisse Spannungen in den Erwählungsaussagen des gesamten Geschichtswerkes leichter verständlich machen, dürfte aber kaum unumgänglich sein.

[38] Darauf weist ja auch die relative Breite hin, die der davidischen Tradition eingeräumt wird, und die positive Beurteilung, die David selbst erfährt. G. von Rad (Theologie I, 342) spricht geradezu davon, daß die Thematik der Königsbücher eine messianische sei.

[39] 2Reg 21,7 gehört kaum der dem Deuteronomisten vorliegenden Tradition an, s. R. Kittel, Die Bücher der Könige, 1900, z. St. und M. Noth, aaO (UeSt) 85f.

«Weil er deine Väter geliebt und ihre Nachkommen erwählt und dich herausgeführt hat aus Ägypten, er selbst durch seine große Kraft ... so sollst du jetzt erkennen, daß Jahwe allein Gott ist ... und sollst seine Satzungen halten» (Dt 4,37ff).

Der Abschnitt stellt offensichtlich eine Adaption von 7,6–10 an die neue Situation dar. Auch hier ist «Erwählung» nicht thematisch, sondern eingebaut in eine Predigt, die aufruft zur Umkehr (4,29f), zur Treue gegen Jahwe, der Herr ist oben im Himmel wie unten auf Erden. Das Korrelat zur Erwählung durch Jahwe ist nun aber nicht mehr nur Gehorsam und Gottesfurcht, sondern radikaler: die Erkenntnis, daß Jahwe allein Gott ist und keiner sonst (V. 35). Der Horizont hat sich Israel seit dem Deuteronomium gewaltig erweitert.[40] Ebenso fällt im Vergleich mit 7,6 auf, daß jetzt auf die Liebe Jahwes zu den *Vätern* als Grund der Erwählung zurückverwiesen wird. Man will die Erwählung tiefer in der Geschichte verwurzeln. Hat Israel versagt, so bleibt doch Jahwes Liebe zu den Vätern unberührt und bildet ein nicht zu erschütterndes Fundament für Hoffnung. Interessant ist auch, daß, während 7,6 die alte Formel aufnahm, Jahwe habe sich Israel zu seiner סְגֻלָּה erwählt, hier gesagt wird, die Erwählung habe sich darin manifestiert, daß Jahwe Israel das Land zur נַחֲלָה gab (נחלה ist ein Parallelbegriff zu סגלה). Der Besitz des Landes ist fraglich geworden und muß durch den Rückgriff auf die Väter gesichert werden.

Es bleibt also für den Deuteronomisten dabei, daß Israel erwählt ist, aber es muß seine Erwählung in neuer Form realisieren.[41] An dieser Stelle sind die beiden Vorkommen von בחר in *Jos 24,15.22* einzuordnen. Das Kapitel, das eine Sondertradition bietet, dürfte deuteronomistisch überarbeitet sein.[42] Dieser Schicht gehören gewiß auch die Verse 15 und 22 an. Man interpretiert die Stelle oft dahin, als wäre hier Israel vor die freie Wahl zwischen Jahwe und den Göttern gestellt.[43] Aber man muß den Vers aus der Situation der Exilszeit heraus verstehen. Damals wurde die Frage erneut akut, ob man sich nicht andern Göttern anschließen sollte, nachdem Jahwe in der Verteidigung seines Volkes, seines Tempels und seines

[40] Siehe dazu G. von Rad, aaO (ATD 8), 37f.

[41] Das «jetzt» von V. 39 darf nicht überhört werden. Die Erwählung selbst ist nicht dahingefallen, aber es gilt «jetzt», wo nach dem großen Zusammenbruch ein Neuanfang gemacht werden soll, endlich zu begreifen, was es eigentlich bedeutet, daß Israel Jahwes Volk sein darf. Man wird an Jes 55,6 erinnert: «Suchet Jahwe, *jetzt,* da er sich finden läßt, rufet ihn an, jetzt, da er nahe ist.»

[42] Zur Komposition von Jos 24 vgl. J. L'Hour, L'alliance de Sichem, RB 69, 1962, 5–36.161–184.350–368, ferner M. Noth, Josua, HAT 7, z. St.

[43] Siehe z.B. L. Köhler, Theologie des Alten Testaments, ⁴1966, 65f und G. Quell, ThWB IV, 153.

Königs so eindeutig seine Schwäche bewiesen habe. In diese Situation der Erschütterung aller bisherigen Fundamente hinein hält nun der Deuteronomist seine Geschichtspredigt:

> «Ihr seid Zeugen gegen euch selbst, daß ihr euch Jahwe erwählt habt, ihm zu dienen» (V. 22).

Das «wählt euch heute, wem ihr dienen wollt» von V. 15 kann also nicht meinen, daß der Deuteronomist seine Zeitgenossen zu freier Wahl auffordert; er beschwört sie durch die Erzählung von der längst *vollzogenen* Wahl, diese nun auch in der makabren Situation der Gegenwart zu realisieren. Israel wird hier, nach dem großen Zusammenbruch, einfach bei seiner eigenen Wahl behaftet und auf sie festgenagelt.[44] Darum wird ihm Josua als Leitbild vor Augen gestellt mit seinem kompromißlosen: «Ich und mein Haus, wir dienen Jahwe.»

Über *die Gültigkeit der Erwählung* diskutiert der Deuteronomist also nicht. Obwohl er sich nicht scheut, von Verwerfung zu sprechen, steht sie ihm unbezweifelbar fest. Aber er sagt das so indirekt, daß moderne Interpreten seines Werks den Eindruck erhalten konnten, die Geschichte Jahwes mit Israel sei nach ihm an ihr Ende gelangt. Josua 24 macht klar, warum er so zurückhaltend ist: Er möchte nicht, daß durch seine Betonung der Erwählung Israels durch Jahwe das eigentliche Gebot der Stunde verdeckt werde, nämlich daß Israel zutiefst in sich gehe und erkenne, wozu es als erwähltes Jahwevolk gerufen ist. Nicht die Gültigkeit der Erwählung ist das große Problem, sondern *das fehlende Engagement Israels* gegenüber seinem Gott.

V

Ungefähr zur selben Zeit wie der Deuteronomist muß *der zweite Jesaja* mit seiner Wirksamkeit begonnen haben. Sein Standort ist aber keineswegs derselbe, und es ist zum vornherein anzunehmen, daß sich das auch in der Weise auswirkt, wie er das Thema Erwählung aufnimmt. Der Deuteronomist steht offensichtlich noch voll unter dem Eindruck der nationalen Katastrophe, Deuterojesaja sieht die Möglichkeit von Heimkehr und Wiederaufbau. Der Deuteronomist fühlt sich verpflichtet, darzulegen, wie sehr Israel als Gottesvolk versagt und sein geistiges Erbe vertan hat. Er will darum nicht zu rasch auf die Erwähltheit Israels zurückverweisen, um den notwendigen Prozeß der Besinnung und Reinigung nicht zu unterbrechen. Dem zweiten Jesaja hingegen ist es erstes Anliegen, seinen Zuhörern vor Augen zu halten, daß sich Israel unbedingt darauf verlassen

[44] Siehe dazu H. W. WOLFF, Das Kerygma des deuteronomistischen Geschichtswerks, ZAW 73, 1961, 171–186 = Ges. Stud., ThB 22, 1964, 308–324.

darf, daß es erwählt *ist*. Die beiden Zeugen gehören aber auch verschiedenen Traditionskreisen an: Der Deuteronomist kommt geistig vom Deuteronomium her, Deuterojesaja von den spezifischen Traditionen Jerusalems und seines Heiligtums. Das zeigt sich gerade auch darin, daß jener von Erwählung mit Vorliebe innerhalb der paränetischen Predigt spricht, dieser im Heilsorakel, am ausgeführtesten in 41,8–10:

«Du aber, Israel, mein Knecht,
Jakob, den ich erwählt habe,
du Sproß Abrahams, meines Freundes,
du,[45] den ich ergriffen habe von den Enden der Erde,
gerufen von ihren Säumen her,
zu dem ich sprach: Mein Knecht bist du,
dich habe ich erwählt und nicht verworfen.
Fürchte dich nicht, denn ich bin mit dir,
blicke nicht ängstlich, denn ich bin dein Gott...»

Wie der Deuteronomiker und der Deuteronomist spricht also auch der zweite Jesaja von der *Erwählung Israels*. Er nennt Israel zugleich Jakob und verweist bereits damit auf die Väter zurück. Das hat auch der Deuteronomist und vor ihm schon der Deuteronomiker getan, neu aber ist die spezielle Bezeichnung Israels als «Sproß (זֶרַע) Abrahams». Die *Erwählung Israels in Abraham* tritt in Sicht.[46] Das Verbum אהב, das zum Wortfeld von Erwählungsaussagen gehört, erscheint hier in der Verbindung אֹהֲבִי אַבְרָהָם.[47] Auch nach Deuterojesaja hat sich die Erwählung Israels in einem geschichtlichen Akt realisiert: «Jahwe hat Israel ergriffen von den Enden der Erde, gerufen von ihren Säumen her.» Wahrscheinlich ist damit aber nicht auf den Auszug Israels aus Ägypten, sondern auf die Berufung Abrahams aus Mesopotamien angespielt. Das ist sinnvoll, weil das Israel, zu dem Deuterojesaja spricht, in der mesopotamischen Welt lebt.[48] Neu ist auch, daß Israel, als von Jahwe erwählt, mit dem Titel «*mein Knecht*» angesprochen wird. Die Kombination von עבד und בחיר ist uns im Zusammenhang mit der

[45] Streiche אֲשֶׁר zu Beginn der Zeile.

[46] Siehe auch Ps 105,6 und ausdrücklich in Neh 9,7.

[47] Man pflegt אֹהֲבִי mit «mein Freund» zu übersetzen. C. R. North (The Second Isaiah, 1964) übersetzt zwar auch mit «my friend», deutet aber «him whom I loved (z. St.); Westermann (Das Buch Jesaja, Kap. 40–66, ATD 19, 1966) übersetzt: «den ich liebte» (anders in der Erklärung S. 60). Man wird in der Tat in Rechnung setzen müssen, daß das Partizip אֹהֵב substantiviert ist und daß damit die Liebe Gottes zu Abraham zum mindesten mit umfaßt ist, s. auch B. Duhm, HAT, und P. Volz, KAT, je z. St.

[48] Siehe dazu Westermann, aaO (ATD) 60; Duhm und Volz z. St.

Erwählung des Königs begegnet, und es kann nicht zweifelhaft sein, daß der Titel dort seinen ursprünglichen Sitz hat.[49] Deuterojesaja ist also in der «Demokratisierung» der Vorstellung von der Erwählung des Königs noch einen Schritt weiter gegangen als das Deuteronomium.[50] Mit der Übernahme des Titels ist Sinn und Ziel der Erwählung gegenüber dem Deuteronomium modifiziert: Israel als עבד יהוה übernimmt die Funktion als Mandatar Gottes in der Welt. Es hat den Anspruch Jahwes, der Gott Himmels und der Erde ist, unter den Völkern geltend zu machen.[51]

Die übrigen Stellen, an denen Deuterojesaja explizit von der Erwählung Israels spricht, ergänzen die in 41,8–15 greifbare neue Konzeption. In 43,20f wird עַמִּי בְחִירִי gedeutet als «das Volk, das ich mir gebildet (יצר) habe». D.h.: die Erwähltheit Israels ist bereits gegeben mit seinem Eintreten in die Existenz. Einer ähnlichen Schau begegnet man in 44,1f. Es ist aber symptomatisch, daß im Gegensatz zum Perfekt in 43,21 in 44,2 zeitlose Partizipien verwendet sind (יֹצֶרְךָ, עֹשְׂךָ). Das Schöpfungswerk an Israel ist nicht abgeschlossen und ebensowenig der Akt der Erwählung. 43,18 mahnt geradezu, nicht mehr des Früheren zu gedenken, weil Jahwe Neues schaffen werde. Und im Anschluß an 44,1.2 folgen in 3.4 Verheißungen von Heil. Die Gewißheit der Erwählung eröffnet Israel Zukunft. Um des erwählten Israel willen hat Jahwe den Kyros mit dem Amt der Völkerherrschaft betraut, 43,4. Jahwe, der Israel erwählt hat, ist auch sein Erlöser; in triumphalem Siegeszug führt er Israel, «den Abscheu der Völker», heim, 49,7.[52]

Deuterojesaja spricht nicht mehr von der Erwählung Jerusalems bzw. des *Zion*. Das heißt nicht, daß es für ihn keine Hoffnung mehr für die Gottesstadt gäbe und der Tempel in Trümmern liegenbleiben müßte (s. 44,26, 49,17.23). Aber schon die räumliche Distanz zu Jerusalem wird ihn daran gehindert haben, den Glauben Israels auf die Erwählung Jerusalems abstützen zu wollen. Und die harte Kritik der vorexilischen Propheten an der Kultfrömmigkeit war bei ihm gewiß unvergessen.

Noch deutlicher hat die prophetische (und deuteronomistische?) Kritik am *Königtum* ihre Wirkung getan. Für die Davididen sieht er keine Zukunft. Die חַסְדֵי דָוִד gelten dem *Volk* (55,3), und eben darum hat der zweite Jesaja auch die Freiheit, den Titel עבד auf Israel zu übertragen. Die Königsideologie ist aber zum Teil auch in das Bild vom *Gottesknecht* aufgenommen

[49] Siehe o. S.195 unten.

[50] Dem entspricht es, daß in 55,3 die חסדי דוד auf das Volk bezogen werden, s. Volz z. St. und G. von Rad, aaO (Theologie) II, 250.

[51] Vgl. etwa Jes 41,1ff; 42,1–4; 45,18ff; 49,6.22; 51,4.

[52] In 48,10 ist statt בְּחַרְתִּיךָ wohl בְּחַנְתִּיךָ zu lesen; andernfalls würde בחר an dieser Stelle die Bedeutung «prüfen» haben, s. KBL³ 115.

worden. Der עבד יהוה, in dem doch wohl eine Einzelgestalt, vermutlich Deuterojesaja selbst, zu sehen ist, ist wie Israel Jahwes Knecht, weil auch er Jahwes Erwählter ist. Wie der König (s. Jes 11,2), ist er ausgerüstet mit Jahwes Geist. Er soll die Wahrheit[53] «hinaustragen» (42,1), soll Licht der Völker sein (49,6). Wer auch die Gestalt des Gottesknechtes sein mag, jedenfalls kann es nicht Zufall sein, daß er wie Israel, das Volk, Jahwes Knecht und Erwählter genannt wird. Er verkörpert das wahre Israel, und was über ihn gesagt wird, macht deutlich, was Israels Auftrag ist. Ganz unerwartet aber kommt der Gedanke, daß sich seine Erwählung im stellvertretenden Leiden erfüllt. Damit sind alle bisherigen Gedanken über den עבד יהוה gründlich transzendiert und die alttestamentlichen Erwählungsaussagen noch einmal in ein völlig neues Licht gestellt.

VI

Neben dem Deuteronomisten und dem zweiten Jesaja melden sich noch einige andere Stimmen aus der Exilszeit. Zunächst *Ezechiel:* Auch er rekurriert nicht auf die Erwählung der Davididen und des Tempels, obwohl beide in seinem Zukunftsbild eine bedeutende Rolle spielen.[54] Noch mehr fällt aber auf, daß er nur einmal expressis verbis von der Erwählung Israels spricht (20,5). Und dies eine Mal tut er es nur, um Israel zu bezichtigen, daß es die Konsequenz der Erwählung, die Beseitigung der Götzen, nicht gezogen habe.[55] Andererseits ist es doch bemerkenswert, daß Ezechiel zwar immer wieder von der Verwerfung der Gebote Jahwes durch Israel spricht (5,6, 20,13.16.24), doch verbaliter nie sagt, daß Jahwe Israel verworfen habe; d.h. er hat die letzte Konsequenz, die sich scheinbar aus seiner Kritik an Israel mit Notwendigkeit ergibt, nicht gezogen, während der Deuteronomist von Verwerfung gesprochen hat, aber doch nicht meint, daß die Erwählung Israels einfach dahingefallen sei.

Daß aber das Problem der Verwerfung Israels in aller Schärfe gesehen wurde, zeigt die bereits oben erwähnte Stelle *Jer 33,24:*[56]

[53] Wie die Übersetzungen und Kommentare zeigen, bereitet die Wiedergabe von מִשְׁפָּט Schwierigkeiten: North: «my law», Fohrer: «die Wahrheit», Westermann: «Rechtsurteil», J. Begrich, Studien zu Deuterojesaja, BWANT 77, 1938, 161f: «Urteil, Gerichtsentscheidung».

[54] Siehe W. Zimmerli, Ezechiel, BK XIII/1, 1969, 99*f.

[55] Siehe W. Zimmerli, aaO 445 (zu 20,7): «Jahwes Erwählung ist aber nicht nur ein Verhängnis der Gnade. Sie ist antwortheischender Ruf.»

[56] Die Stelle ist doch wohl exilisch, jedenfalls spricht sie den Zweifel an der Erwähltheit aus, der nach dem Deuteronomisten auch nach dem Untergang des alten Jerusalem Israel bedrückt haben muß.

«Hast du nicht gesehen, wie diese Leute reden: Die zwei Geschlechter, die Jahwe erwählt hatte, die hat er verworfen, und wie sie mein Volk verachten, daß es ihnen nicht mehr als Volk gilt? So spricht Jahwe: So gewiß ich Tag und Nacht geschaffen und die Ordnungen des Himmels und der Erde festgesetzt habe, so gewiß werde ich auch die Nachkommen Jakobs und meinen Knecht David nicht verwerfen...»

Hier wird also auch an der Erwählung *Davids* festgehalten: Israel *und* sein Königshaus bleiben erwählt – nicht etwa, weil sie sich bewährt hätten, aber weil Jahwe «ihr Geschick wendet und sich ihrer erbarmt» (V. 25). Daß in manchen Kreisen tatsächlich gerade am Glauben an die Erwähltheit der Davididen festgehalten wurde, zeigt Jer 49,19 = 50,44 (sofern am überlieferten Text festzuhalten ist):[57] Man erwartet den Zusammenbruch der bestehenden staatlichen Ordnung und hofft, daß Jahwe seinen «Erwählten» als Herrscher einsetzen werde. Daß Haggai und Sacharja dieser Hoffnung konkrete Gestalt zu verleihen suchten, ist bekannt.[58]

Als eine letzte Stimme zum Thema Erwählung Israels aus der Zeit des Exils wird *Jes 14,1* zu hören sein:

«Jahwe wird sich Jakobs erbarmen und Israel noch einmal erwählen und sie in ihr Land versetzen. Die Fremdlinge werden sich ihnen anschließen und sich in Jakob eingliedern.»

Mit dem Deuteronomisten (s. Dt 4,38) teilt dieser Zeuge die Meinung, daß sich die Erwähltheit Israels in seinem Besitz des Landes bekundet – genauer sagt er allerdings: daß sich *die Wiedererwählung* in erneuter Besitznahme des Landes manifestieren werde. Von ihm ist «Verwerfung», wie sie in den Ereignissen um den Fall Jerusalems zutage trat, als Aufhebung der Erwähltheit verstanden worden, und darum proklamiert er eine neue Erwählung. Man wird das wohl als eine theologische Fehlleistung bezeichnen müssen (die aber an der Verwerfung des erwählten Saul eine Parallele hat).[59] Er hat sich doch wohl kaum überlegt, was für Konsequenzen sich ergeben, wenn man damit rechnet, daß Erwählung aufgehoben, dann aber auch wieder erneuert werden kann. So sehr sich die andern Zeugen des Exils dessen bewußt waren, daß Israel auf Jahwes Gnadenzuwendung nicht die gebührende Antwort gegeben hatte, so sehr war für sie der Gedanke, daß die Erwählung Israels außer Kraft gesetzt sei, unvollziehbar. Wie wir es oben formulierten: Das Problem ist nicht die Erwähltheit Israels durch Jahwe, sondern die ungenügende Antwort des erwählten Israel. In *einem* allerdings weist der Verfasser von 14,1f in die Zukunft: Dem Israel der neuen Erwählung werden auch «Fremde» eingegliedert sein. Man ahnt,

[57] Der Text ist ungewiß, s. die Kommentare.

[58] Siehe Hag 2,23; Sach 4,14 und 6,9ff im ursprünglichen Überlieferungsstand.

[59] Siehe aber das עוד in Sach 1,17; 2,16.

daß die Frage, was es um *die Größe Israel* ist, der die Erwählung durch Jahwe gilt, noch des Nachdenkens bedürfen wird.

VII

Aufs Ganze gesehen ist zu sagen: Das Israel der Exilszeit hat der schweren Erschütterung, in die sein Erwählungsglaube hineingeworfen war, standgehalten. Und indem es die Krise bewältigte, hat es *umfassender und differenzierter* erfaßt, was Erwählung bedeutet. Man konnte und wollte nicht mehr von Erwählung reden, wie das die Hof- und Tempeltheologie der vorexilischen Zeit getan hatte. Der Deuteronomist, der vom Deuteronomium herkommt, unterstreicht: Erwähltheit heißt: Sich engagieren lassen. Er hat seinem Volk einen gewaltigen Dienst getan: Es soll das Gericht ernst nehmen, das über einen leichtfertigen Erwählungsglauben hereingebrochen ist. Es darf nicht geschehen, daß ein unverantwortbares «Trösten» die so nötige Besinnung über den Grund der Katastrophe erstickt.

Anders Deuterojesaja: Ihm liegt gerade alles daran, Israel, Jahwes Volk, zu «trösten», es wieder aufzurichten und ihm klar zu machen, daß die Zukunft Gottes seiner wartet. Und er tut das, indem er ihm so nachdrücklich wie möglich sein Erwähltsein vor Augen hält. *Der Unterschied zwischen dem Deuteronomisten und Deuterojesaja* ist ein eindrückliches Zeugnis dafür, daß zwei Zeugen in derselben Zeit die Akzente ihrer Botschaft recht verschieden setzen können, ohne daß der eine gegen den andern auszuspielen wäre. Er erklärt sich gewiß zum Teil aus der Verschiedenheit der beiden Persönlichkeiten und ihrer traditionsmäßigen Verwurzelung. Man wird aber auch an den unterschiedlichen geistigen Habitus *der Adressaten* zu denken haben. Die Leser, die sich der Deuteronomist vorstellt, müssen in der Gefahr gestanden haben, nicht zu realisieren, was geschehen war, und vor allem: was dieses Geschehene für Israel bedeutete. Deuterojesajas Zuhörer müssen schwer erschüttert, mutlos und voller Zweifel der Zukunft Israels entgegengesehen haben. Sie waren, wie das לֹא מְאַסְתִּי in 41,9 verrät, wirklich von der Frage geplagt, ob der Glaube Israels nicht endgültig zusammengebrochen sei. Unter ihnen hieß es: «Mein Recht entgeht meinem Gott» (40,27). Israel kommt sich als «Wurm» und «winzige Made» (41,14), als «Abscheu» der Völker (49,7) vor. – Man mag sich einen Augenblick fragen, ob Deuterojesaja nicht wieder auf die Linie der vorexilischen Heilspropheten eingeschwenkt sei. Ist es da nicht nun doch wieder zu jener verhängnisvollen Verobjektivierung der Gnade gekommen, gegen welche die großen Schriftpropheten so energisch aufgetreten waren? Das ist schon darum völlig ausgeschlossen, weil die durch das reibungslose Funktionieren des Kultes genährte euphorische Stimmung der vorexilischen Epoche zu Deuterojesajas Zeit gründlich verflogen war. Dafür, daß auch er gegenüber der Gefahr einer Verobjektivierung der Gnade durchaus sensibel war, ist die Tatsache der beste Beweis, daß sich sein so lebendiger Glaube an die Zukunft Israels nicht auf die Erwähltheit Jerusalems gründet und weder die Institution des Königtums noch die einer etablierten «rechtmäßigen» Priesterschaft zur Absicherung des Heils herangezogen wird.[60] Und es hat sich gezeigt: Das Moment der Inpflichtnahme Israels fehlt bei ihm keineswegs. In auffallender sachlicher Übereinstimmung mit dem Deuteronomisten (Dt 4,39) kann er sagen:

> «Ihr seid meine Zeugen, spricht Jahwe,
> und mein Knecht,[61] den ich erwählt habe,
> damit ihr[62] Erkenntnis gewinnt und mir Glauben schenkt
> und zur Einsicht kommt, daß ich es bin» (43,10).

Wenn er von Erwählung spricht, ist das als *Zuspruch* gemeint, der aufrichten soll, *nicht* als *Dogma,* das zu Sorglosigkeit einlädt. Und wenn sich beim Gottesknecht das Erwähltsein in der Bereitschaft zum stellvertretenden Leiden erfüllt, ist damit die Gefahr einer verhängnisvollen Sekurität wahrlich gebannt.

Caspari hat einst seinen Aufsatz über die Beweggründe der Erwählung mit dem Satz begonnen: «Der Gedanke der Erwählung durch Gott setzte sich in den alttestamentlichen Gottesgläubigen annähernd damals durch, als ihr Volkstum zu Grabe getragen worden war.»[63] Man wird aber doch feststellen müssen, daß er bereits im Deuteronomium in klassischer Gestalt formuliert worden war. Aber Caspari hat recht, wenn er auf die große Bedeutung des Untergangs des davidischen Reiches für den Erwählungsgedanken hinweist. Er hat sich in der Feuerprobe der Exilszeit bewährt, und es ist eindrücklich, zu sehen, wie er damals in neuen Ansätzen zu seiner Formulierung an Tiefe und Klarheit gewonnen hat.

[60] Das ist anders in der Priesterschrift, die von der Erwählung Aarons spricht (Num 16,5.7; 17,20), nicht aber von der des Königs oder des Volkes. Das Heil ist damit gesichert, daß die rechten Männer vor Jahwe ihren rechtmäßigen Dienst vollziehen. Und wenn auch das chronistische Geschichtswerk die alten Erwählungstraditionen nicht gestrichen hat (von der Erwählung des Volkes spricht allerdings auch es nicht), so ist es doch wesentlich nur am rechten Funktionieren des Tempeldienstes interessiert.

[61] 𝔐 liest עַבְדִּי, Syr, dem viele Ausleger folgen, den Plural עֲבָדַי. Von der Traditionsgeschichte her ist der Singular vorzuziehen.

[62] Manche Ausleger wollen die 3. Pers. Plur. lesen: יֵדְעוּ, יַאֲמִינוּ und יָבִינוּ (Marti, KHC, Duhm, HAT, je z. St.). Das ist möglich, und die Aufgabe, die im Begriff «Zeugen» liegt, wäre dann mit den genannten Verben umschrieben: Israel hat die Völker zu Jahweerkenntnis zu führen, s. aber Volz z. St., North, aaO 122, und Westermann z. St.

[63] aaO 202.

19. Sonntag nach Trinitatis 2. Mose 34, 4b-10

I *Der jahwistische Bericht über die Gesetzgebung am Sinai*

2. Mose 34, 1–28 ist nach der allgemein anerkannten Auffassung der Exegeten seinem Grundbestand nach Teil der jahwistischen Quelle und stellt einen Bericht dar über die Gesetzgebung am Sinai. In seiner jetzigen Gestalt redet der Abschnitt allerdings von der *Erneuerung der Gesetzestafeln,* nachdem Mose die ersten angesichts des zügellosen Treibens des Volkes um das goldene Kalb zerschmettert hatte. Das ist ein redaktioneller Versuch, zu einem Ausgleich mit der Parallele Ex 19–24 zu gelangen, theologisch aber ein überaus belangvoller und kühner Wurf. 34, 28 redet von zehn Worten. Wäre die Konzeption von der Wiederherstellung der ersten Gebotstafeln ursprünglich, dann müßten, wie es 34, 1 supponiert, die „zehn Worte" von Kap. 34 mit den zehn Worten des Dekalogs von Ex 20 identisch sein. Das ist aber nicht der Fall. In Wirklichkeit spricht der jahwistische Grundbestand von Kap. 34, 1–28 von der ersten und einen Sinaigesetzgebung. „Wie die ersten waren" (*kārīšônīm*) in V. 1a und 4b gehört also samt V. 1b zur redaktionellen Naht, durch welche aus der erstmaligen eine erneuerte Gesetzgebung wird.

Es ist hier nicht Raum, eine alle Einzelheiten begründende Analyse des Kapitels durchzuführen (s. dazu die Kommentare von M. Noth, ATD 5, 1961², und G. Beer, HAT 3, 1939; ferner H. P. Müller, GPM 20, 1965/66, S. 387ff.). Es herrscht über seinen Aufbau und seine Geschichte auch keine völlige Übereinstimmung. Doch ist so viel klar, daß der jahwistische Text, auch von den bereits erwähnten Fällen abgesehen, kommentiert ist. V. 6 schließt nicht glatt an V. 5 an. Nach V. 5 ist Jahwe in der Wolke herabgefahren und hat sich neben Mose aufgestellt – so wie man sich eben zu jemandem hinbegibt, mit dem man sprechen will. Aber nach V. 6 fährt Jahwe an Mose vorüber. V. 5b–9 bilden offensichtlich eine Erweiterung. Ebenso ist V. 10 aβb Erweiterung zu V. 10 aα und V. 11 aβb zu V. 11 aα. Mit V. 12 beginnt dann die Reihe der Gebote. Der Versuche, hier einen Dekalog wiederherzustellen, sind viele. (Bekanntlich sah Goethe in *dieser* Gebotsreihe den ursprünglichen Dekalog vom Sinai und hat damit bis zum heutigen Tag mancherlei Nachfolger gefunden; z. B. *H. H. Rowley, From Joseph to Josua*, 1950, S. 157; zu Goethe vgl. K. Galling, Goethe als theologischer Schriftsteller, EvTheol 8, 1948/49, S. 529–545.)

Ob man überhaupt mit einem „jahwistischen" *Dekalog* rechnen kann, ist ungewiß, weil der Ausdruck „die zehn Worte" am Schluß von V. 28 von der sekundären Interpretation des Berichtes als einer Erneuerung der ursprünglichen Gesetzestafeln herzuleiten ist. Aber jedenfalls ist auch der Gesetzesteil nicht mehr intakt. Hingegen bilden V. 27 + 28, wenn man „die zehn Worte" in V. 28 und wohl auch „und mit Israel" in V. 27 wegläßt, den einleuchtenden Abschluß des Berichtes von der Gesetzgebung am Sinai. Er dürfte einmal gelautet haben:

„Und Jahwe sagte zu Mose: Hau dir zwei Tafeln aus Stein zurecht und halte dich für den kommenden Morgen bereit, auf den Berg Sinai zu steigen und stell dich dort auf der Spitze des Berges hin für mich. Da hieb er sich zwei Tafeln aus Stein zurecht. Und am andern Morgen in der Frühe stieg Mose auf den Berg Sinai, wie ihm Jahwe geboten hatte und nahm die zwei Tafeln aus Stein in seine Hand. Da stieg Jahwe in der Wolke herab und stellte sich dort neben ihn hin. Darauf sagte er: Siehe, ich schließe einen Bund. Beachte genau, was ich dir heute gebiete. Du sollst keinen andern Gott anbeten (es folgen in V. 14b–26 die übrigen Gebote, wobei auch hier die Zusätze auszuscheiden wären). Darauf sprach Jahwe zu Mose: Schreibe dir diese Worte auf; denn auf Grund dieser Worte schließe ich mit dir einen Bund. Und er blieb dort bei Jahwe vierzig Tage und vierzig Nächte, Brot aß er nicht und Wasser trank er nicht. Aber auf die Tafeln schrieb er die Worte des Bundes."

II *Abgrenzung und theologische Mitte der Perikope*

Aus dem ganzen Abschnitt 34, 1–28 nur gerade V. 4b–10 als Text für die Predigt auszuwählen, scheint nach dem Gesagten sehr willkürlich zu sein. Es liegt nahe, einer Predigt den ganzen Abschnitt, eventuell unter Weglassung von V. 11b–26, zugrunde zu legen. Aber es ist doch auch sinnvoll, sich auf die vorgeschlagenen Verse 4b–11 zu beschränken, wobei allerdings dem Prediger wie der Gemeinde der Rahmen, in welchen diese Verse hineingestellt sind, präsent sein muß. Das hat den Vorteil, daß man nicht der Versuchung unterliegt, ganz allgemein vom Sinn der Gesetzgebung zu reden – wozu ja eine große Zahl anderer Texte des Alten Testaments ebenfalls Anlaß geben –, sondern speziell auf die Verse 6–9 eingehen kann. Wir haben bereits festgestellt, daß sie ein Zusatz sind. Aber ein Zusatz von großer Bedeutung, indem er die Gesetzgebung in bestimmter Weise zum Verstehen bringt und *expressis verbis* ins Bewußtsein hebt, von welchem Gottesverständnis her das Gesetz zu verstehen ist.

Wir bleiben also im folgenden bei der üblichen Perikopenabgrenzung. Dazu ist allerdings noch zweierlei zu bedenken: Einmal das, daß V. 6 zurückverweist auf 33, 18–22. [Auch dort handelt es sich um einen sekundären (seinerseits um V. 19b und V. 20. erweiterten) Zusatz zur jahwistischen Quelle.] 34, 6 aα („und Jahwe ging vor seinem Angesicht vorüber") entspricht 33, 19 aα, 34, 6 aβb erfüllt die Ankündigung von 33, 19 aβ („ich will den Namen Jahwes vor dir ausrufen"). Das bedeutet, daß sich im Geschehen von 34, 6 f. die Bitte von 33, 18 („Laß mich deine Herrlichkeit schauen") erfüllt. Es ist darum verständlich, wenn O. Weber (GPM 12, 1957/58, S. 246 f.) erklärt: „Der Text hat seine Mitte deutlich in den Versen 6 und 7. Hier geht in Erfüllung, was 33, 19 ff. angekündigt ist: Dem entmutigten Mann, der ein ›halsstarriges‹ Volk ... der fernen und vorerst einzig in Jahwes Verheißung gegründeten Heimat entgegenführen soll, dem Mann, der soeben (Kap. 32) die härteste Enttäuschung erlitten hat, erscheint Jahwe in seiner Herrlichkeit", oder wenn H. Gollwitzer seine Überlegungen zum Text mit der Feststellung beginnt, daß der Prediger Menschen vor sich habe, die mit der Bitte des Mose: „Laß mich deine Herrlichkeit schauen" in den Gottesdienst gekommen seien (GPM 14, 1959/60, S. 294). Aber so gewiß die Verklammerung von 34, 6 f. mit 33, 18 ff. zu beachten ist, so sehr ist es andererseits ernst zu nehmen, daß 34, 6 ff. eben doch nicht direkt an 33, 22 anschließt, sondern in den Bericht von der Erneuerung der Gesetzestafeln eingebaut ist und damit nicht einfach sagen will, wie Mose dessen gewürdigt wurde, Gott zu schauen (das könnte in der Tat ein Predigtthema für sich ergeben), sondern die Frage beantwortet, *was das für ein Gott ist, der mit Mose und damit mit Israel erneut einen Bund schließt* bzw. ihm das Gesetz gibt.

III *Der Neuanfang*

Daß der Jahwist von der erst- und einmaligen Gesetzesgebung am Sinai sprechen wollte, haben wir festgehalten. Aber nun ist der Redaktor in seinem kühnen Unternehmen ernstzunehmen, die Gesetzgebung, wie sie der Elohist (in Ex 19–24) berichtet hatte, durch die Fassung des Jahwisten zu überhöhen. Israel ist dessen gewürdigt worden, von seinem Gott eine Lebensordnung zu empfangen, die ihm Heil und Segen gebracht hätte, s. 23, 22 ff. Es hat sich aber in vollem Bewußtsein und also in voller Verantwortlichkeit von Gott losgesagt und sich seinen eigenen Gott gemacht (32, 1 ff.). Damit ist der Bund Gottes mit seinem Volk von diesem selbst zerschlagen; Jahwe, der sich seinem Volk gegenüber verpflichtet hat, ist seiner Bundestreue (*ḥěsěd*) enthoben. Nein, kündet der hier das Wort erhebende Zeuge, es gibt noch einmal einen *Neuanfang!*

Wir wissen leider nicht, wann dieser Mann gewirkt hat. Es könnte die Zeit gewesen sein, da der Prophet Hosea seinem 3. Sohn den Namen Nicht-mein-

Volk (*lō' 'ămmī*) gegeben hat, „denn ihr seid nicht mein Volk, und ich bin nicht euer Gott" (1,9) und es doch gewagt hat, von der Schließung eines neuen Bundes zu reden (2,18) und auf die Zeit hinauszuschauen, da Gott zum Nicht-mein-Volk sagen werde: Mein Volk bist du!, und dieser antworten werde: Mein Gott! (2,23, s. auch etwa 11,8). Es gibt einen Neuanfang auch nach dem radikalen Bruch. Es ist der heutigen Forschung klargeworden, daß die Erzählungen des Alten Testaments von den Bundesschlüssen Jahwes mit Israel nach Staatsverträgen gestaltet sind, wie wir sie aus dem assyrischen, aramäischen und vor allem dem hethitischen Bereich kennen (s. auch oben S. 375). Sie kennen schwerste Sanktionen für den Fall des Bundesbruches. Und eine eventuelle Erneuerung des Bundes könnte praktisch nur mit tiefster Demütigung des fehlbaren Partners verbunden sein. Aber gerade an diesem Punkt ist die Analogie scharf durchbrochen. Jahwe ist nicht irgendein Bundespartner, sondern der Gott Israels.

Damit tritt zutage, was nicht ohne weiteres auf der Hand liegt, nämlich daß der *Bundesschluß ein Akt der Gnade,* – in diesem neuen Zusammenhang sogar geradezu ein Akt der Begnadigung ist. Gott schenkt dem in die Irre gegangenen Israel, das seine Lebensordnung, seine eigene *raison d'être,* zerstört hat, gnädig wieder die Möglichkeit der Gemeinschaft mit ihm. Man spricht im Blick auf Ex 34 vom kultischen Dekalog im Gegensatz zu demjenigen von Ex 20 und Dt 5, den man als den ethischen bezeichnet. Das ist in der Regel abwertend gemeint. Aber es hat doch seinen guten Sinn, daß eben *dieser* kultische Dekalog (oder diese Gebote kultischer Art, falls man nicht auf die Zehnzahl von Geboten kommen sollte) an *dieser* Stelle, welche von der Erneuerung des Bundes handelt, seinen Ort gefunden hat. Es geht bei den Geboten um Gewährung und Sicherung der Gemeinschaft mit Jahwe. Und damit ist zugleich der letzte Sinn des Gesetzes aufgedeckt. Göttliche Gesetzgebung ist nicht Promulgation eines Moralstatuts und ist nicht nur vordergründige Sicherung des Zusammenlebens einer menschlichen Gesellschaft. *„Gesetzgebung" ist Gewährung* der Möglichkeit *von Leben,* wo Tod die Konsequenz der Verirrungen des Menschen ist.

IV *Das Schauen der Herrlichkeit Gottes*

In 33,18 hatte Mose gebeten: Laß mich deine Herrlichkeit (*kābôd*) schauen. Und in 33,19 hatte ihm Gott geantwortet, er werde mit all seiner Pracht (*ṭūb*, manche übersetzen das Wort mit „Schönheit", aber auch „Güte" ist zu erwägen) vorüberziehen lassen. 34,6 berichtet dann, daß Jahwe an Mose vorüberging. Daß damit die Erfüllung der Bitte des Mose bzw. der Zusage Gottes erzählt werden will, haben wir oben bereits festgestellt. Aber die Begriffe *kābôd* und *ṭūb* sind hier nicht noch einmal verwendet. Das wird damit zusammenhängen, daß eben vorher vom Herabsteigen Jahwes in der Wolke die

Rede ist. So hat sich nun einmal der Jahwist das Erscheinen Jahwes vorgestellt. Gott bleibt verhüllt, indem er sich offenbart (ein Anliegen, das in 33, 22 mit der andern Vorstellung gewahrt ist, daß Jahwe seine Hand schützend über Mose halte, wenn er vorübergehen werde). *Gottes Geheimnis* bleibt auch in seinem Offenbarwerden und auch gegenüber seinem Knecht Mose *gewahrt.*

Aber es geht doch um mehr als um den Ausgleich zweier Schichten der Überlieferung. Das so begreifliche Verlangen des Mose nach der härtesten Enttäuschung seines Lebens und angesichts der scheinbar ganz unmöglichen Aufgabe, dieses „halsstarrige Volk" (V. 9) zu seinem Ziel zu bringen, Gottes „Schönheit" oder „Güte" schauen zu dürfen, wird durch die Erfüllung leise *korrigiert.* Es gibt ein Schauen Gottes, das dem Menschen auf Erden nicht gewährt werden kann (s. 33, 20). Auch die Gemeinde des Neuen Testaments sieht die Herrlichkeit Gottes nicht direkt, sondern erkennt sie nur „auf dem Angesicht Christi" (2 Kor 4, 6), und es bleibt Gegenstand der Hoffnung, Gott schauen zu dürfen „von Angesicht zu Angesicht" (1 Kor 13, 12; 2 Kor 5, 7). Man ist, wenn man Kap. 33 gelesen hat, auf spektakuläre Ereignisse oder Erlebnisse bedacht. Nach der vorliegenden Stelle aber besteht das Schauen der Herrlichkeit Gottes, das Mose gewährt wird, darin, daß er noch einmal Bundesmittler sein darf. So endet die Erzählung in großer biblischer Nüchternheit. Was Mose auf seine Bitte hin zuteil wird, ist das: Er darf *Künder erneuter Gemeinschaftsstiftung* mit Israel sein, das sein Vorrecht, Gottes Volk zu sein, verscherzt hat.

V *Der Bundesgott*

Der Bundesschluß, wie er hier erzählt ist, hat seinen theologischen Schwerpunkt in der Selbstvorstellung Jahwes von V. 6 f. Aber handelt es sich wirklich um eine Selbstvorstellung? Jahwe zieht vorüber und ruft: *„Jahwe, Jahwe, ein gnädiger und barmherziger Gott."* Man kann sich fragen, ob nicht vielmehr Mose Subjekt des *wăjjĭqrā'* („und er rief") sei, da man ja, sofern Gott ruft, erwarten würde, daß er sagt: „Ich bin ein gnädiger und barmherziger Gott". Aber in 33, 19 hatte Gott angekündigt, daß er beim Vorbeiziehen den Namen des Herrn (also auch hier nicht *„meinen* Namen") vor Mose ausrufen werde. Es handelt sich also tatsächlich um eine Selbstvorstellung Gottes. Sie steht am selben Ort und übt dieselbe Funktion aus wie die Einleitung zum Dekalog von Ex 20: „Ich bin Jahwe, dein Gott, der ich dich aus dem Lande Ägypten, aus dem Sklavenhaus, herausgeführt habe." Es hängt alles davon ab, daß man weiß, wer dieser Gott ist, der Israel sein Gesetz gibt.

Aber warum ist dann nicht wie in Ex 20,1 die erste Person verwendet? Offenbar, weil der Erzähler die „Selbstvorstellung" Gottes nicht eigenständig formuliert hat, sondern ein allgemein geläufiges *Bekenntnis zu Jahwe* aufgenommen hat. Das ergibt sich daraus, daß es sich fast wörtlich genau an einer Reihe weiterer Stellen des Alten Testamentes findet: Nm 14,18; Jon 4,2 und Nah 1,3, ferner, wenn auch nur der erste Teil: Neh 9,17; Ps 86,15; 103,8; 145,8 und Joel 2,13, vgl. auch Ex 20,5f. (= Dt 5,9f.); Dt 7,9f.; 2 Chr 30,9b; Jr 30,11b = 46,28b und Jr 32,18. Man hat im Blick auf diese Stellen geradezu von einem „Credo" Israels gesprochen (s. *R. C. Dentan, The Literary Affinities of Exodus,* XXXIV 6f., VT 13, 1963, S. 34–51, s. auch J. Scharbert, Formgeschichte und Exegese von Ex 34,6f. und seiner Parallelen, *Biblica* 38, 1957, S. 130–150).

Anders als im sogenannten kleinen geschichtlichen Credo (s. etwa Dt 26,5b–9; 6,21–24 und Jos 24,2b–13), anders auch als in der Selbstvorstellungsformel von Ex 20,1 werden in diesem Bekenntnis nicht Gottes Taten aufgezählt, sondern ist der Versuch unternommen, sein *Wesen* zu beschreiben, ein Versuch, der von der Struktur des alttestamentlichen Glaubens her, der an der Geschichte Gottes mit Israel orientiert ist, eher überrascht. Man hat darum schon (s. Dentan a.a.O.) vermutet, daß es Männer der Weisheit gewesen seien, die es auf diese Weise unternommen hätten, davon zu sprechen, wie Gott seinem Wesen nach sei. Wo aber auch der Ursprung der Formel liege, jedenfalls ist sie von Israel als Ausdruck seines Glaubens angenommen worden und wurde mit dem Gedankenkreis der Sinaioffenbarung verknüpft, s. z. B. Ps 103,7–9. Der zweite Teil hat eine Parallele an Ex 20,5f., während dort anstelle des ersten Teils „ich Jahwe, dein Gott, bin ein eifersüchtiger Gott" steht, vgl. dazu Ex 34,14, ferner Jos 24,19. Es scheint, daß schon sehr früh im Zusammenhang mit dem ersten Gebot (s. W. Zimmerli, Das zweite Gebot, in: Gottes Offenbarung, Ges. Aufs., 1963, S. 234–248) von Jahwe als dem „eifersüchtigen Gott", der die Schuld der Väter heimsucht, gesprochen worden ist, während der Satz von Jahwe dem gnädigen und barmherzigen ... aus einem andern Traditionsbereich stammt. Der Redaktor aber, der in Ex 34,6ff. das Wort hat, hat dreierlei Umstellungen vollzogen: Er hat die Rede vom eifersüchtigen Gott durch das Bekenntnis zu Jahwe als dem barmherzigen und gnädigen, langmütig und reich an Huld und Treue (*'ēl răḥūm w^{e}ḥănnūn, 'ĕrĕk 'ăppăjim w^{e}răb ḥĕsĕd wĕ'^{e}mĕt*) ersetzt. Das bedingte, daß er auch den Satz von der Vergeltung der Schuld der Väter an den Kindern neu formulieren mußte (s. unten). Und drittens hat er den Gedankenkreis nun als Selbstvorstellung Jahwes der Gebotsoffenbarung vorangestellt. Es liegt klar zutage, daß diese Umstellungen damit im Zusammenhang stehen, daß der Verfasser von einer zweiten Gesetzgebung und das heißt faktisch von der neuen Chance für Israel reden wollte. Vom Gedanken des eifersüchtigen Gottes aus wäre eine zweite Bundesschließung nach dem Bruch der ersten nicht wohl zu begründen gewesen.

In all dem ist die vorliegende Stelle ein ergreifendes und hoch bedeutsames Zeugnis für das Ringen Israels um das Verständnis seines Gottes. Die „Intoleranz" Jahwes, sein Ausschließlichkeitsanspruch, wie er im ersten Gebot formuliert ist, seine Eifersucht, von der auch Ex 34 trotz allem noch spricht (V. 14) gehört gewiß unabdinglich zur Gottesvorstellung des Alten Testaments. Wie wollte Gott *Gott* sein, wäre er nicht auf seine Ehre bedacht. Wie wäre er glaubhaft der *wahre* Gott, wenn er nicht leidenschaftlich reagierte, wenn Gemeinschaftspflicht und Bundestreue angetastet werden. Aber das schließt seine Güte, seine Gnade, seine Geduld, seine Barmherzigkeit, seine Vergebungsbereitschaft nicht aus. Es ist völlig ungerechtfertigt, an dieser Stelle das Neue Testament gegen das Alte ausspielen zu wollen.

VI *Die Gnade Jahwes*

Was die Begriffe *răḥūm, ḥănnūn, 'ĕrĕk 'ăppăjīm* und *răb ḥĕsĕd wĕ'emĕt* konkret beinhalten, kann nicht allgemein gesagt werden. Sie werden gefüllt je aus dem Zusammenhang, aus dem heraus sie laut werden. Im vorliegenden Kontext besteht Jahwes Treue darin, daß er Israel noch einmal als Bundespartner annimmt. Die so schwer wiederzugebenden Begriffe *ḥĕsĕd* und *'emĕt* stehen hier damit inhaltlich unserm deutschen „Gnade" sehr nahe, wie ja V. 7 ausdrücklich von der Verzeihung von Schuld und Missetat spricht. Aber *Vergebung der Sünden* ist keineswegs nur ein rückwärts gewandtes Geschehen. Es eröffnet Zukunft, nimmt wohl die Last der Vergangenheit ab, aber um den Aufbruch zu neuen Zielen möglich zu machen. Vor allem aber: Gnade als Vergebung der Sünden ist nicht anders denkbar denn als Beanspruchung zu neuer Gemeinschaft mit Gott und darum zu neuem Gehorsam. Neutestamentlich gesagt: die Verkündigung des Reiches ist zugleich Ruf in die Nachfolge. Oder: Proklamation der Rechtfertigung ist Freimachung zur Herrschaft der „Gnade durch die Gerechtigkeit zum ewigen Leben" (Röm 5, 21).

Wie sehr der Verfasser des vorliegenden Abschnittes zum Künder der göttlichen Gnade geworden ist, zeigt die Vergleichung von V. 7 mit dem entsprechenden, traditionsgeschichtlich bestimmt älteren Satz von Ex 20, 5 b + 6: „der die Schuld der Väter heimsucht an den Kindern derer, die mich hassen, der aber Gnade (*ḥĕsĕd*) übt bis ins tausendste Geschlecht an den Kindern derer, die mich lieben und meine Gebote halten." Er spricht zuerst von *ḥĕsĕd*, und sagt nicht, Gnade *üben* (*'āśāh*), sondern *bewahren* (*nāṣăr*), was dem entspricht, daß der Bundesbruch vorangegangen ist. Und schließlich denkt er *ḥĕsĕd* als Verzeihung von Schuld (*'āwōn*), Abfall (*pĕšă'*) und Verfehlung (*ḥăṭṭā'āh*). Die drei Begriffe meinen alle ungefähr dasselbe. Die Zusammenstellung von *ʿāwōn* und *ḥăṭṭāʾāh* ist geläufig, das weit seltenere *pĕšāʿ* aber ist die der Situation angemessene Vokabel, von der her die andern zu verstehen sind. Das Wort bezeichnet im politischen Bereich die Empörung, den Abfall: „Israel empörte sich gegen das Haus Davids" (1 Kg 12, 19). Dieses Israel aber hatte einen Bund mit David geschlossen (2 Sm 5, 3). *pĕšāʿ* ist also der Bundesbruch (s. 2 Kg 1, 1; 3, 5.7; 2 Chr 10, 19), der die Fluchandrohungen der Bundesurkunde in Kraft setzt, somit das Gegenteil von *ḥĕsĕd* und *ʾemĕt*. Dieser Abfall Israels wird ihm „verziehen". Das im Hebräischen verwendete Verbum *nāśāʾ* ist aber anschaulicher: er wird aufgehoben. Und das ist ein unerhörtes Geschehen. Denn nach dem Denken der Alten wirkt sich Sünde automatisch in Schuld und Strafe aus, was sich unter anderm gerade darin zeigt, daß *ʿāwōn* und *ḥăṭṭāʾāh* je Sünde, Schuld und Strafe zugleich bedeuten können. Aber Jahwe ist imstande, diesen Automatismus zu durchbrechen.

Das erstaunlichste aber ist, daß der hier sprechende Zeuge Ex 20, 6 b, d. h. *leʾōhabăj ūlešōmerê miṣwôtāj* kurzerhand weggelassen hat. Der Satz ist wohl nicht, wie es in der Regel geschieht, zu übersetzen: „an den Kindern derer, die mich lieben ...", sondern „an denen, die mich lieben ...", s. Scharbert, a.a.O., S. 146. Aber wie er auch wiederzugeben sei, nachdem eben das „Treue bewahren" als Vergebung gedeutet worden ist, mußte der Nachsatz, nämlich daß die Treue denen gilt, die Jahwe lieben und seine Gebote halten, fallen. Das Verständnis der göttlichen Gnade ist in geradezu neutestamentlichem Sinne radikalisiert, sie wird zur *iustificatio impii*.

Es läge in der Logik des Gedankenganges, daß der Verfasser auch den zweiten Teil, der von der *Heimsuchung der Schuld der Väter* bis ins dritte und vierte Geschlecht spricht, fallengelassen hätte. Das ist nicht geschehen. War der Verfasser doch noch zu stark der Vergangenheit verpflichtet? Hat er sich gescheut, die nötigen letzten Konsequenzen seiner Erkenntnis zu ziehen? Gerade das nicht! Man darf den Satz „aber nicht ungestraft läßt" gewiß nicht als Einschränkung der Gnade, sozusagen aus dem Erschrecken des Verfassers über seine eigene Kühnheit heraus verstehen. Es geht ihm aber um ein sehr ernstes Anliegen, das keineswegs unausgesprochen bleiben durfte und um das auch der Predigthörer von heute nicht betrogen werden soll. Das begnadete Israel, das einen Neuanfang machen darf, soll nicht meinen, es habe keine Folgen des Verhaltens der Väter zu tragen. Die Schuld der Väter wie die eigene Schuld wirken sich nun einmal aus im Gericht, das man nicht abschütteln kann, sondern durch das hindurchzugehen ist, durch das man aber, wo man der Gnade gewiß ist, in fröhlichem Glauben hindurchgehen kann.

Das *leśōneʾăj* von Ex 20, 5 ist genau wie das *leʾōhabăj* von V. 6 weggelassen, *mußte* weggelassen werden, denn diese Einteilung Israels bzw. der Menschen in Gott Liebende und Hassende kann der Verfasser nicht mehr mitmachen. Wer in Israel ist denn eigentlich nicht schuldig? Und wer hätte, ganz empirisch gesehen, denn eigentlich nicht an der Schuld der Väter zu tragen? Das „alle haben ja gesündigt" von Röm 3, 23 tritt in Sicht.

Wie aber kann auch dieser Verfasser von der Heimsuchung der Schuld der Väter an den Kindern sprechen? Wenn die oben vorgeschlagene Übersetzung des *leʾōhabăj* von Ex 20, 6 richtig ist, will parallel dazu die Hinzufügung von *leśōneʾăj* geradezu dem primitiven Mißverständnis wehren, als hätten Kinder und Kindeskinder nur gerade zu leiden, weil die Väter gesündigt haben. Dagegen müßte sich ja wohl das Gerechtigkeitsempfinden des Menschen aufbäumen. Empörung ist aber in jedem Fall völlig fehl am Platz. Die Kinder und Kindeskinder, die auch nach der vorliegenden Stelle nicht ungestraft davonkommen, sind keine weißen Raben, keine Edelmenschen, die einfach Unglück haben, der „Haß" gegen Jahwe ist auch ihnen nicht fremd. Im übrigen ist *Solidarität in der Schuld* nicht eine Behauptung des Alten Testaments, sondern eine Erfahrungstatsache des Lebens. Mose selbst stellt sich in diesen Solidaritätszusammenhang hinein: „Vergib *uns unsere* Schuld und Sünde und mache *uns* zu deinem Eigentum" (V. 9).

Mose ist nach V. 9 offensichtlich von der Sorge geradezu gequält, ob das so kühne Gnadenangebot Gottes nicht scheitern müsse. Israel ist nun einmal ein „halsstarriges" Volk (*qešê-ʿōrĕp,* wörtlich „mit steifem Nacken", vgl. 32, 9; 33, 3.5; 9, 6.13). Wie soll das „Experiment Gottes" gelingen? Jedenfalls nur, wenn Gott mitzieht, wenn Vergebung ausmündet in unlösbare Verbundenheit; „mach uns zu deinem Eigentum!": Das Hebräische verwendet das Verbum *nāḥăl.* Aber wer es hört, ist daran erinnert, daß Israel doch Jahwes *naḥălāh,* sein Erbbesitz (Dt 4, 20; 9, 29; Jr 10, 16; Ps 78, 71), oder seine *segŭllāh* (Ex 19, 5; Dt 7, 6; 14, 2; 26, 18; Ps 135, 4), sein Sondereigentum, ist. Mose genügt hier das Wissen um die Erwählung Israels, das in dieser Begrifflichkeit ja ausgesprochen ist, nicht. Erwähltheit kann verscherzt werden, Gott muß sie neu „realisieren", wenn Israel nicht scheitern soll. In V. 10 sagt Jahwe das ausführlich zu. Hat der Mensch Bedenken, so wagt *er* es, er schließt erneut den Bund. Und dieser Bund besteht nicht nur darin, daß Israel unter die Gebote Jahwes gestellt wird. *Vor* jeder Forderung findet er seine Erfüllung darin, daß Israel „Wunder" mit Jahwe erleben darf, „wie dergleichen nicht gewirkt worden sind auf der ganzen Erde und unter allen Völkern". Es sind die Wunder eines neuen, nicht zu erwartenden, aber geschenkten Lebens aus der Gemeinschaft mit Gott.

GOTTESNAMEN UND GOTTESEPITHETA BEI JESAIA

Prof. Dr. H. Wildberger

Es ist der Forschung der letzten Jahrzehnte von Schritt zu Schritt klarer geworden, dass der altisraelitische Prophetismus keine einheitliche Bewegung war. Gewiss sind sich die grossen Propheten vor allem der vorexilischen Zeit im Letzten durchaus eins: im Kampf um die Anerkennung JHWHs als des Gottes Israels, in der Anprangerung der Missachtung des Gotteswillens durch das Volk und seine Führer, in der Kritik der Institutionen, die Recht und Sicherheit, Freiheit und Heil des Volkes gewährleisten sollten. Dabei sind die beiden Säulen, die sonst überall im Alten Orient als Garanten geheiligter Ordnung galten, das Königtum und der von der Priesterschaft betreute Kult, nicht ausgenommen. Einig sind sich die Propheten auch in der Ankündigung des Gerichtes, das um der Treulosigkeit Israels willen unabwendbar geworden war. Der Satz von Jes. 5, 16 ויגבה יהוה צבאות במשפט והאל הקדוש נקדש בצדקה könnte sehr wohl als das *eine* Thema der prophetischen Predigt gelten. Aber Einheit im Letzten heisst nicht Einheitlichkeit in den Einzelvorstellungen. Das ist begründet in der Persönlichkeitsstruktur der betreffenden Propheten, es ist aber zweifellos auch bedingt durch den jeweiligen geschichtlich-geographischen Standort. Es ist nicht zu verkennen, dass Jesaja in spezifisch jerusalemischen Traditionen zu Hause ist. Und doch ist auch der Jerusalemer Jesaja ein treuer Zeuge der altisraelitischen Gotteserfahrung. Es soll in den folgenden Zeilen, die den hochverehrten Jubilar, Freund und Förderer biblischer Forschung, zu seinem Fest grüssen möchten, gezeigt werden, dass und wie sich das auch in den Namen und Gottesepitheta widerspiegelt, unter derer Verwendung er von Gott spricht.

I

Es ist selbstverständlich, dass bei Jesaja wie bei allen Propheten *JHWH* als Bezeichnung Gottes das Feld beherscht. Sie ist der eigentliche und völlig unangefochtene Name des Gottes, dem er sich verpflichtet weiss. In den 39 Kapiteln des ersten Teiles des Jesajabuches findet sie sich 240 Mal, in den darin von Jesaja selbst herzuleitenden Abschnitten um die 70 Mal[1]. Irgendeinen bedeutsamen Unterschied im Gebrauch von JHWH zwischen den jesajanischen und nachjesajanischen Partien des Buches wird man kaum feststellen können. Ueber die Bedeutung und Herkunft des Gottesnamens dürfte sich Jesaja kaum Gedanken gemacht haben; der Name ist für ihn Chiffre für das, was ihm und seinem Volk präsent war, wenn von Gott gesprochen wurde. Das zeigt sich darin, dass Jesaja dem Gottesnamen in auffallender Häufigkeit Appositionen beifügt. Er sagt: יהוה צבאות in 1,9 2,12 5,7.9.24 6,3 8,13.18 9,6.12.18(?) 14,24.27 17,3 19,12 22,5.12.14.15 28,5.22.29 29,6 31,4.5, vielleicht auch 37,32.

Er kann JHWH parallelisieren mit קדוש ישראל 1,4 31,1, und tut das auch bei יהוה צבאות 5, 24.

Oder er kann erweitern: zu האדון יהוה צבאות 3,1, zu האדון יהוה צבאות אביר ישראל 1,24, zu אדני יהוה צבאות 3,15 oder auch zu המלך יהוה צבאות 6,5.

Er kann aber auch JHWH mit אדני parallelisieren 3,17 oder אדני יהוה sagen 7,7 28,16.21.22.

Er kombiniert: קדוש ישראל mit יהוה צבאות 5,24 oder אדני יהוה קדוש ישראל 30,15.

Schliesslich setzt er JHWH in Parallele mit אלהינו 1,10, mit אלהי יעקב 2,3 oder gar mit צור ישראל 30,29.

Gewiss ist vieles in dieser Zusammenstellung, sowohl was die Textüberlieferung als was die Herkunft von Jesaja anbelangt, unsicher. Das ändert nichts daran, dass Jesaja zweifellos in verhältnismässig vielen Fällen dem blossen Gottesnamen durch Epitheta mehr Gewicht oder auch mehr Transparenz zu geben

1. Zur Frage der "Echtheit" der in 1—39 des Jesajabuches enthaltenen Abschnitte sind die Kommentare und die Einleitungen zum Alten Testament zu vergleichen. Die Stellung des Verfassers ist aus den bisher erschienenen Lieferungen seines Kommentars zu ersehen (Biblischer Kommentar, Altes Testament, X/1, Jesaja, 1. Teilband, 1972, 2. Teilband, 1978).

suchte, wobei diese Appositionen sich gelegentlich, vor allem im Parallelismus, verselbständigen und zu eigentlichen Gottesbezeichnungen werden konnten.[2]

II

Natürlich war der Gottesname JHWH für Jesaja durch sein von Tradition und Erfahrung geformtes Gottesbewusstsein gefüllt, sein Verständnis Gottes muss der Gesamtheit seiner Botschaft entnommen werden. Trotzdem ist auch dem Gebrauch der Gottesnamen und Epitheta Bedeutsames über sein spezifisches Gottesverständnis abzugewinnen. Bezeugt die Verwendung des Tetragramms an sich schon, dass er sich völlig in die Glaubensüberlieferungen Israels eingebettet weiss, so wird doch dieser Tatbestand daran explizit, wie er *die Gattungsbezeichnung* אלהים verwendet. Andere Völker wenden sich an je ihre Götter (vgl, 8,19), Israel aber an JHWH. JHWH ist aber nicht einfach Gott, so gewiss er der Gott der Welt ist. Das zeigt sehr schön die "Lehreröffnungsformel"[3] von 1,10: "Hört auf das Wort JHWHs. . ., merkt auf die Weisung von אלהינו". Das Gesetz des Parallelismus membrorum zwingt den Propheten, nach einem synonymen Ausdruck für JHWH zu suchen — und damit gibt er uns eine Definition dessen, was ihm JHWH ist: JHWH ist אלהינו, der an und in Israel offenbare Gott.— Inhaltlich gefüllter ist die Parallele von 2,3 אלהי יעקב. Es überrascht allerdings, dass Jesaja nicht אלהי ישראל sagt[4], und zwar darum, weil sonst nichts darauf hinweist, dass er mit den Traditionen

2. So steht אדני in 6,1.8.11 allein, ist also (sofern der Text ursprünglich ist, s. dazu u.) bereits zum Gottesnamen geworden; in 7,7 sagt er אדני יהוה, in 7,14 aber steht אדני allein; es ist also bereits deutlich, dass יהוה einmal durch אדני abgelöst werden wird. קדוש ישראל ist in 30,15 nur Apposition: כה אמר אדני יהוה קדוש ישראל; in 1,4 steht das Epitheton wenigstens noch in Parallele zu יהוה, ebenso in 31,1, in 5,24 zu יהוה צבאות; aber anderwärts steht auch dieser Ausdruck wie ein Name für sich, 5,19, 30,11.12; es ist deutlich dass in diesen Fällen קדוש ישראל JHWH vorgezogen wurde, weil das Epitheton besser als der Name das Wesen Gottes ins Bewusstsein zu rufen vermag. — Zur Statistik der Gottesbezeichnungen ist zu vergleichen: P. Vetter, Die alttestamentlichen Gottesnamen, ThQ 85, 1903, S.12—47, dort S.28f.

3. Zu diesem Terminus s. H.W. Wolff, Hosea, BK 14/1, 122f.

4. s. aber 17,6.

über den Erzvater Jakob vertraut war und ja auch keineswegs zu erwarten ist, dass gerade ein Jerusalemer vom Gott Jakobs spricht. Aber wie das auch zu erklären sein mag, jedenfalls kann Jesaja "Jakob" durchaus als Synonym für Israel verwenden, sogar an erster Stelle im Parallelismus (s. 9,7); er spricht vom Hause Jakobs (2,6 8,17, s. auch Mi.4,2)[5]. Im Ausdruck כבוד יעקב von 17,4 scheint "Jakob" allerdings das Nordreich zu bezeichnen (s. "Ephraim" und "Israel" in V.3), aber es leidet keinen Zweifel, dass an den andern Stellen "Jakob" einfach Parallelbegriff zu Israel, und zwar zu Israel als Volk JHWHs ist. Von Haus aus waren die Jakobstraditionen und damit auch der Name "Gott Jakobs" zweifellos bei den Ephraimstämmen des Nordreiches beheimatet; Jakob ist mit den Heiligtümern zu Sichem und Pniel[6] verbunden. Aber die im Alten Testament nicht häufige Bezeichnung אלהי יעקב erscheint in ihm an ausgezeichneter Stelle, nämlich in der Erzählung von der Berufung des Mose (Ex. 3,6.15.16). Aber daneben auch in einem Zusammenhang, wo man keineswegs darauf gefasst ist, in den "letzten Worten Davids" (2.Sam.23,1—3), die ja zweifellos die jerusalemische "Königsideologie" repräsentieren (der König wird משיח אלהי יעקב genannt, par. נעים זמרות ישׂראל). Dass die Gottesbezeichnung tatsächlich mit Vorliebe verwendet worden sein muss, wenn man vom davidischen König sprach, zeigt das Vorkommen im "Königspsalm" 20 (V.2). Darüber hinaus muss aber der Name überhaupt in der spezifisch jerusalemischen Theologie verankert gewesen sein, wie dem Zionspsalm 46 (s.V.8.12) und dem Wallfahrtslied 84 (V.9) zu entnehmen ist. Von diesen Stellen abgesehen findet sich die Bezeichnung nur noch in 4 Psalmen (75,10 76,7 81,2.5 94,7), die sämtlich aus Jerusalem stammen dürften. אלהי יעקב gehört also eindeutig der Kultsprache des Tempels zu Jerusalem an. Dorther muss sie Jesaja bekannt gewesen sein, umsomehr als ihm offensichtlich gerade die Ideenkreise um die religiöse Stellung des Königs und die Bedeutung des Zion als des Gottesberges wohl vertraut gewesen sind. Er mag sie aufgenommen haben, weil sie noch deutlicher als אלהי ישׂראל zum Ausdruck bringt, dass es in

5. Vgl. auch die wohl nachjesajanischen, aber sich durchaus in der jesajanischen Begrifflichkeit bewegenden Stellen 10,20.21.

6. Zu Sichem s. Gen. 33,18—20 35,4 und Jos. 24,32, zu Pniel Gen. 32,31.

Jerusalem um den Gott geht, der im Erlebnishorizont der Frühgeschichte Israels offenbar geworden ist. Das Heiligtum dieses Gottes steht wohl auf dem Zionsberg, aber es ist nicht allein das Heiligtum der Jerusalemer oder des dortigen Königshauses. Da aber die Bezeichnung zweifellos nicht von Jesaja zum ersten Mal verwendet wurde und auch nicht in Jerusalem entstanden sein wird, stellt sich die Frage, woher denn sie dorthin gekommen sei.

Es hat sich der Forschung seit langem aufgedrängt, dass אלהי יעקב wohl nur eine verallgemeinernde Form des ursprünglicheren und spezifischeren Namens אביר יעקב ,"der Starke Jakobs", ist[7]. Das älteste Vorkommen dieser Bezeichnung findet sich im "Jakobssegen" (s. Gen. 49,24)[8]. Dass dort der Name gerade im Josephsspruch verwendet wird, ist gewiss kein Zufall, er muss an den lokalen Haftpunkten der Jakobsüberlieferungen zu Hause gewesen sein, die im Gebiet der Josephstämme lagen, wo bei den "בני יעקב"[9] die Erinnerung an den Erzvater wach gehalten wurde. Aber nun ist es wiederum ein auffallender Tatbestand, dass sich von der erwähnten Stelle abgesehen der alte Name nur in Zusammenhängen gehalten hat, die eindeutig nach Jerusalem weisen, im "Ladepsalm" 132 (V.2 und 5), dazu in Jes. 49,26 und 60,16. Nach H. -J. Kraus[10] gehört der Psalm zum "königlichen Zionsfest", bei dem die Einholung der Lade gefeiert wurde. Es ist wiederum gewiss nicht zufällig, dass in ihm David selbst gelobt, in Jerusalem für JHWH, und das heisst konkret für die Lade, eine Wohnstatt zu schaffen. Nimmt man die oben erwähnte Stelle 2.Sam.23,1 hinzu, wo David als משיח אלהי יעקב bezeichnet wird, möchte man annehmen — wenn auch die Basis für den Beweis nur sehr schmal ist —, dass David oder doch die Davididen in ihrem Kampf um die Anerkennung durch Gesamtisrael bewusst zu dieser alten Gottesbezeichnung gegriffen haben; sie fühlten sich und bekannten sich als

7. s. dazu A. Alt, Der Gott der Väter, 1929 (BWANT III 12 = Kl. Schr.I 1—78) und A.S. Kapelrud, ThWAT I Sp. 43—46.

8. s. dazu H.-J. Kittel, Die Stammessprüche Israels, Diss. Berlin 1959.

9. s. dazu V. Maag, Der Hirte Israels, Schw. Theol. Umschau, 28, 1958, S. 2—28, bes. S. 7f. und A. Jepsen, zur Überlieferung der Vätergestalten, Wiss. Zs. der Karl Marx Univ. Leipzig, Ges. und sprachw. Reihe 3, 1953/54, S. 139—155, bes. S. 147f.

10. s. BK, Psalmen XV/2 882f. und Die Königsherrschaft Gottes im Alten Testament, 1951,27ff.

"Gesalbte", irdische Repräsentanten des Gottes, der in der Vorzeit dem Stammvater erschienen war. Und ebenso kann man wenigstens vermuten, dass der Name mit der Lade zusammen, die einst im ephraimitischen Silo gestanden hatte, nach Jerusalem gekommen ist.

Ueber die ursprüngliche Bedeutung des Namens braucht hier nicht gesprochen zu werden[11]. Was aber der Name Israel faktisch bedeutete, sagen die Parallelen in Gen. 49,24f.[12]: רעה ישׂראל und אל אביך. Man wird רעה ישׂראל wohl kaum, wie V. Maag vermutet hat[13], als Namen einer weiteren, ursprünglich selbständigen "Vätergottheit" betrachten dürfen, es ist wohl einfach eine Modifikation für אביר יעקב, genau wie das auch für אלהי יעקב anzunehmen ist. Kaum belanglos dürfte in Gen. 49,25 die Beifügung ויעזרך sein, zumal sowohl Jes. 49,26 als auch 60,16 der "Starke Jakobs" Israel als sein מושׁיע und גאל vor Augen gehalten wird. Mit אביר יעקב scheint im besondern der Gedanke verbunden gewesen zu sein, dass JHWH für sein Volk der Helfer ist, der es in die Freiheit führt.

Angesichts der erwähnten Modifikationen des Namens אביר יעקב kann es nicht überraschen, dass Jesaja in 1,24 von אביר ישׂראל spricht. Wenn er anderwärts statt des sonst üblichen אלהי ישׂראל, vermutlich ohne jeden Unterschied in der Bedeutung, אלהי יעקב sagen kann, musste es auch ohne weiteres möglich sein, den alten Namen אביר יעקב durch אביר ישׂראל zu ersetzen. Die Austauschbarkeit der beiden Namen beweist, dass sie für Jesaja und seine Umwelt zu absoluten Synonyma geworden waren[14]. Man darf auch nicht übersehen, dass אביר ישׂראל nicht als selbständiger Gottesname erscheint, sondern Interpretament des vorausgehenden האדון יהוה צבאות ist. Das heisst: was auch אביר יעקב einmal an spezifischen Vorstellungen beinhaltete, so ist doch dieser ursprüngliche Sondergehalt in die allgemein jesajanische Gottesvorstellung

11. s. dazu A. S. Kapelrud in ThWAT I 43—46.
12. Der Text in V.24b ist leidei unsicher. Vermutlich ist zu lesen: בשם רעה ישראל. Zu "Hirte Israels" vgl. auch Gen. 48,15.
13. V. Maag, Der Hirte Israels, Schweiz. Theol. Umschau 28 (1958) 2—28.
14. In 9,7ff., wo Jakob nicht nur mit Israel, sondern auch mit Ephraim in Parallele steht, ist aber zweifellos das Nordreich gemeint.

hineingenommen. Das ist immerhin ein bemerkenswerter Befund, gerade weil sonst bei Jesaja die "Vätertraditionen" nicht greifbar sind[15]. Der "Gott der Väter" ist zur Zeit Jesajas in Jerusalem so integriert, dass nur noch sein Name daran erinnert, dass sich einmal ein für Israels Glaube wesentlicher Vorgang der Synthese vollzogen hat.

III

Es ist längst beobachtet worden, dass *die Bezeichnung* יהוה צבאות bei Jesaja eine besondere Rolle spielt. Das ist schon der Fall im Blick auf deren relativ häufiges Vorkommen. Sie findet sich im Alten Testament 285mal, davon im ersten Teil des Jesajabuches 56mal. Von den 56 Stellen dürften nicht weniger als 27 auf Jesaja selbst zurückgehen. In den Kapiteln 40—66 erscheint sie nur gerade 6mal. Das ist ein auffallender Tatbestand, weil sonst יהוה צבאות nur noch im Jeremiabuch häufig verwendet wird[16]. Im Ezechielbuch fehlt der Name vollständig, obwohl Ezechiel doch auch Jerusalemer gewesen ist. Diese offensichtliche Vorliebe für die Bezeichnung einerseits wie die konsequente Ablehnung andererseits wird kaum nur traditionsgeschichtliche Gründe haben, sondern auf bestimmten theologischen Reflexionen beruhen[17].

Aus dem Vorkommen von יהוה צבאות bei Jeremia[18], bei welchem diese Erweiterung des Gottesnamens vornehmlich in Formeln

15. Weder von Abraham noch von Isaak ist die Rede (29,22 stammt zweifellos nicht von Jesaja) und nirgends verrät der Prophet, dass er die Väterüberlieferungen gekannt hat.
16. s. dazu Fr. Baumgärtel, Zu den Gottesnamen in den Büchern Jeremia und Ezechiel, Festschr. Rudolph, 1961, S.1—29, zum Vorkommen in den einzelnen Schriften des Alten Testaments die dortige Tabelle auf S.1.
17. Die vorliegende Uebersicht über die Gottesnamen ergibt, dass Jesaja auffallend stark von denjenigen Traditionen beeinflusst worden sein muss, die mit der Lade zusammenhängen. Auf die Frage, warum Ezechiel יהוה צבאות meidet und die Bezeichnung auch in den sogenannten geschichtlichen Büchern bis auf Samuel fehlt, weiss die Forschung keine Antwort, s. dazu Fr. Baumgärtel, a.a.O. S.26—29.
18. Im ganzen Jeremiabuch findet sich יהוה צבאות 82mal, davon in 55 Fällen als Subjekt von כה אמר (Zahlen nach Fr. Baumgärtel, a.a.O. S.1). Daneben findet es sich mit שְׁמוֹ und נאם zusammen und 4mal auch in der Anrede, in freien Fügungen aber nur 8mal. Das ist ein wesentlich anderes Bild, als es das Jesajabuch bietet, wo die Verwendung in den Formeln relativ selten, hingegen in freiem Gebrauch 46mal festzustellen ist.

vorkommt, welche das Offenbarungsgeschehen beschreiben, und aus der Beobachtung, dass im Alten Testament in 85 von 285 Fällen dieser Name als Subjekt von כה אמר erscheint, meinte Baumgärtel schliessen zu können, dass in ebendieser Einleitungsformel der ursprüngliche Sitz von יהוה צבאות zu suchen sei. Er sieht diese These darin bestätigt, dass יהוה צבאות in besonders enger Verbindung zur Lade stehe. Zwar sieht er wohl, dass die Orakelmitteilung nicht direkt mit der Lade verbunden war, "das Zelt war die Orakelstätte,die Lade ist von ihm getrennt als der Thron Jahwes"[19]. Aber da Zelt und Lade doch miteinander verbunden sind, habe sich die Orakelmitteilung im Namen des Gottes der Lade vollzogen. Ein deutlicher Beleg dafür scheint ihm 1.Sam.3.3ff. zu sein[20].

Gegen diese an sich scharfsinnige Deutung spricht nun aber doch gerade der Befund bei Jesaja, und das hat darum doppeltes Gewicht, weil Jesaja älter als Jeremia ist. Von den 56 Stellen mit יהוה צבאות in Jes. 1—39 finden sich nach Baumgärtel selbst[21] nur gerade 10 in den von ihm berücksichtigten Formeln. In den etwa 26 der 56 Stellen, die auf Jesaja selbst zurückgehen werden, begegnet zwar יהוה צבאות auch in solchen Einleitungssätzen[22], aber doch keineswegs in der zu erwartenden Ueberzahl[23]. Noch mehr ins Gewicht fällt, dass יהוה צבאות im ganzen Pentateuch fehlt — auch dort, wo vom Zelt der Begegnung und der Lade gesprochen wird. In den Samuelisbüchern mit ihren Ladetraditionen findet sich der Name 11 Mal, aber davon nur 2mal als Subjekt von כה אמר (1.Sam.15,2 2.Sam. 7, 8, also an Stellen, an denen nicht von der Lade die Rede ist). Hingegen ergibt das Vorkommen von יהוה צבאות in den eigentlichen Ladetraditionen die enge Verbindung, die zwischen der Lade und diesem Gottesnamen bestanden haben muss (s. 1.Sam.4,4 2.Sam.6,2.18); die Lade wird geradezu ארון יהוה צבאות ישב הכרבים genannt (1.Sam.4,4[24], vgl. 2.Sam.6,2). Die ursprüngliche Zugehörigkeit des Namens zur Lade wird dadurch bestätigt, dass er

19. a.a.O.S.22
20. s. dazu K. Budde, ZAW 39, 1921, 35, Anm.1.
21. a.a.O.S.1
22. s. dazu 1,24 3,15 5,9 14,24 17,3 22,14f.
23. Wenig günstig für Baumgärtels These ist die Beobachtung, dass noch im Sacharjabuch der Gebrauch von יהוה צבאות ausserhalb der Orakelformeln häufig ist (an 22 von 53 Stellen).
24. ברית nach ארון ist zu streichen, s. BHK³.

auch in der zweifellos in Silo beheimateten Tradition 1.Sam.1,1ff. (s.V.3.11) verwendet wird.

Daraus ergibt sich der Schluss: wenn יהוה צבאות gerade bei Jesaja in auffallender Häufigkeit erscheint, so ist das darin begründet, dass in Jerusalem die Lade stand. Dort wurden die Ueberlieferungen von der Lade hochgehalten, dort hat also der Name JHWH der Heere eine Heimat gefunden. An einem solchen Detail zeigt sich einmal mehr, wie stark die Verkündigung Jesajas dadurch geprägt ist, dass er in Jerusalem zu Hause war. Die enge Verbindung, die dieser Gottesname gerade mit spezifisch jerusalemischen Traditionen eingegangen war, verrät sich in gewissen Formulierungen, in denen der Name bei Jesaja erscheint, so in 8,18: יהיה צבאות השכן בהר ציון. Der Zusammenhang erfordert nicht, dass der Prophet gerade hier auf das "Wohnen" JHWHs der Heerscharen auf dem Zion zu sprechen käme[25], es muss sich also um eine feste Redeform handeln, die in der Liturgie des jerusalemischen Tempels verwendet worden sein wird. Jedenfalls ist die Formulierung kaum von Jesaja selbst geschaffen worden, war ihm doch die Sicherheit, in der manche seiner Zeitgenossen sich darauf verliessen, dass JHWH auf dem Zion wohne, suspekt[26]. Aber sie war ihm so geläufig, dass sie sich ihm wie von selbst auf die Lippen legte.

Die starke Verwurzelung des Namens JHWH der Heerscharen in bestimmten Ueberlieferungen, die im Kult des jerusalemischen Tempels gepflegt wurden, bestätigt sich, wenn man die Streuung des Namens im Psalter beobachtet. In den 150 Psalmen findet sich יהוה צבאות, wenn man die elohistische Redaktion in Rechnung stellt, 15mal. Das sind weniger Stellen, als man erwartet, der Befund verrät noch deutlich, dass der Name nicht allgemein gebräuchlich war, aber an einzelnen Stellen fest verankert ist. Bezeichnenderweise erscheint er im "Ladepsalm" 24 (V.10) und in den "Zionspsalmen" 46 und 48 (im Kehrreim von 46,8 und 12, der sicher auch nach V.4 zu ergänzen ist[27]), ferner in 48,9, wo Jerusalem geradezu als עיר יהוה צבאות bezeichnet wird. Es ist dabei zu

25. Zum Wohnen JHWHs auf dem Zion s. BK X, Jesaja S. 348.

26. s. 28,16, wo Jesaja die Vorstellung an die Gegenwart Jahwes auf dem Zion an den Glauben bindet.

27. s. BHK³ und die Kommentare.

beachten, dass Ps.24 (V.6 in der Septuaginta, die hier gewiss die ursprüngliche Lesart bietet) zugleich, wie Jesaja das tut, JHWH als אלהי יעקב bezeichnet und im Kehrvers von Ps.46 יהוה צבאות jedesmal mit eben dieser Umschreibung des Gottesnamens parallelisiert ist. Das Wallfahrtslied Ps.84, das in so ergreifender Weise von der Sehnsucht nach dem Tempel zu Jerusalem Zeugnis gibt, spricht gleich 4 Mal von יהוה צבאות (V. 2.4.9.13)[28]. Nun taucht יהוה צבאות allerdings auch in Psalmen auf, bei denen die Bindung an spezifisch jerusalemische Vorstellungen nicht so stark in die Augen springt. So fordert der Beter von Ps.59 Gott heraus: "Du bist doch JHWH der Heerscharen (streiche אלהים), der Gott Israels" (V.6). Doch erweist es sich, dass gerade dieser Psalm auch sonst das Vokabular der Zionspsalmen verwendet. So bekennt er in V.10: אלהים משגבי, "Gott ist meine Burg" (parallel zu עז). Dass JHWH eine "Feste" oder "Zufluchtsstätte" ist, gehört aber zu den typischen Aussagen der Zionspsalmen (vgl.46,8.12 und 48,4) und der Gedanke ist eng mit den Namen יהוה צבאות und אלהי יעקב verknüpft[29].

Da der Name JHWH der Heerscharen wenigstens in gewissen Traditionskreisen in Jerusalem so sehr beliebt gewesen sein muss, stellt sich auch hier die Frage, ob er vielleicht im Südreich[30] oder gar speziell in Jerusalem gebildet worden sei. Nach 2.Sam. 6,2 machten sich David und seine Leute auf, um die Lade Gottes von Baala zu holen (להעלות מִשָּׁם את ארון האלהים אשר נקרא שֵׁם שֵׁם יהוה צבאות ישב הכרבים עליו). Leider ist der Text, der für die gestellte Frage entscheidend sein könnte, unsicher. Die Septuaginta bietet keine Entsprechung für das erste שֵׁם, und manche hebräische Handschriften lesen dafür שָׁם[31]. In diesem Fall könnte übersetzt werden: "...welcher dort benannt wurde JHWH der Heerscharen, der auf den Keruben thront". Dann wäre also die Lade in Jerusalem erstmalig mit dem Namen יהוה צבאות verbunden

28. Man beachte, dass der Psalm JHWH auch den Titel "König" gibt, V. 4.

29. Man beachte die ähnliche Vorstellung bei Jesaja, dass JHWH allein erhaben (נשגב) sein werde an jenem Tag, 2,17 (s. auch 2,11).

30. Im Amosbuch findet er sich 9mal, im Hoseabuch nur in 12,6, wo es sich um eine Glosse zu handeln scheint.

31. S. BHK^3.

worden, weil sie speziell dem in Jerusalem so bezeichneten Gott übereignet worden wäre[32]. Aber diese These ist schwierig. Man müsste annehmen, dass die volle Gottesbezeichnung יהוה צבאות ישב הכרבים erst in Jerusalem in die alte Ladeerzählung eingefügt worden oder diese überhaupt erst in Jerusalem entstanden wäre. Zudem ist die Textänderung von שֵׁם in שָׁם fragwürdig, viel eher handelt es sich doch einfach um eine Dittographie. Zudem: wenn dem Redaktor (bzw. dem Verfasser) der Ladeerzählung bekannt war, dass die Lade erst in Jerusalem nach יהוה צבאות benannt wurde, hätte er sie doch nicht bereits in 4,4 so nennen können. Man wird also doch wohl der Lesart der Septuaginta zu folgen haben und übersetzen müssen: "...die nach JHWH der Heerscharen benannt ist...". Dann aber haben wir umgekehrt in 2.Sam.6,2 den ausdrücklichen Beleg dafür, dass der Name יהוה צבאות mit der Lade nach Jerusalem gekommen ist.

Dafür, dass der Name JHWH der Heerscharen nicht genuin jerusalemisch ist und sich auch nicht sonstwo im Südreich gebildet hat, sprechen auch einige Stellen in den Psalmen. Da ist Ps. 80, in welchem יהוה צבאות gleich 4 Mal erscheint (V.5.8.15.20, dazu nach der Peschitta wohl auch in V.4 für blosses אלהים zu lesen). Daneben verwendet der Psalm auch den alten Gottesnamen "der Hirte Israels" (mit der Beifügung: "der Joseph wie eine Herde leitet"), und in der 2.Vershälfte setzt er das Epitheton "Kerubenthroner" hinzu. Nach V.3 ist er in einer Situation harter Bedrängnis der Stämme Ephraim, Benjamin und Manasse hineingesprochen. Leider ist das Alter des Psalmes umstritten[33]; faktisch werden von den modernen Exegeten alle Möglichkeiten zwischen dem 9. und 7. Jahrhundert erwogen. Sicher ist nur, dass er nach der Lostrennung des Nordreiches von Juda entstanden ist. Da er von JHWH der Heerscharen, dem Kerubenthroner, spricht, wird er in der Regel dahin

32. F. Stolz vertritt die These, dass יהוה צבאות zur jerusalemischen Interpretation gehöre (Jahwes und Israels Kriege, ATHANT 60 1972, s. s. 53f.).

33. G. Fohrer betrachtet ihn als spätvorexilisch (möglicherweise in der Zeit Josias), s. Einleitung in das Alte Testament[10], 1965, S.314. O. Eissfeldt, Altfestschr. 1953, S. 78 (= Kl. Schr. III, S.232): zwischen 732 und 722. Ders., Psalm 80 und Psalm 89, WdO III/1 (1964) 27—31 (= Kl. Schr. IV, 132—136).

gedeutet, dass er die Anteilnahme, die man in Juda jenen Bruderstämmen darbrachte, zum Ausdruck bringe. Aber das "Wir", das im Psalm spricht, zumal der Kehrvers von 4.8.20, in welchem JHWH der Heerscharen angefleht wird: "stell uns wieder her, lass uns leuchten dein Antlitz, dass uns Heil widerfahre", ist dieser Auffassung nicht gerade günstig. Es ist zweifellos ungezwungener, ihn aus dem Nordreich selbst herzuleiten; Eissfeldt denkt an die Zeit zwischen 732 und 722. Das setzt voraus, dass auch im Nordreich der Gott Israels als יהוה צבאות ישב הכרובים bekannt war.

Dass der Psalter im übrigen Zion/Jerusalem als Ort der Bezeichnung JHWH der Heerscharen bezeugt, darf nicht zu voreiligen Schlüssen verleiten. Schliesslich stammen die meisten seiner Lieder aus Jerusalem. Wären mehr Psalmen aus dem Nordreich auf uns gekommen, könnte sich uns ein völlig anderes Bild darbieten. Dieser Vermutung gibt die Tatsache Gewicht, dass von den 5 Stellen, wo in den Königsbüchern יהוה (bzw. אלהי) צבאות vorkommt, deren 3 den Elia-, eine den Elisaerzählungen angehören (s. 1.Kön.18,15 19,10.14[34] 2.Kön.3,14). Wenn schon die Königsbücher sonst nicht von JHWH der Heerscharen sprechen, so ist es schlechterdings ausgeschlossen, dass in Jerusalem gerade in die Prophetentraditionen aus dem Nordreich diese Gottesbezeichnung im Zug einer jerusalemischen Ueberarbeitung eingetragen worden sein sollte. Dasselbe gilt aber auch vom Befund in den Samuelisbüchern, wenn wir einmal von den oben besprochenen Ladetraditionen, die zum mindesten ihre *jetzige* Gestalt in Jerusalem erhalten haben werden, absehen. Bei 1.Sam.1,3.11 ist die Annahme einer interpretatio Hierosolymitana unmöglich, ebenso bei 15, 2[35]. Jerusalemisch hingegen sind die übrigen Stellen, die bezeichnenderweise alle im Zusammenhang mit der Person Davids stehen, 1.Sam.17,45 2.Sam.5,10 7,8.26.27.

Wir kommen also zum Schluss, dass die Bezeichnung JHWH der Heerscharen nicht genuin jerusalemisch ist, so gewiss sie in späterer Zeit als typisch jerusalemisch empfunden werden musste. Wie

34. Die Verse 19,10 und 14 sind allerdings identisch.

35. Zur Komposition von 1.Sam. 15 s. H. Seebass, ZAW 78, 1966, S. 150; G. Wallis, Geschichte und Ueberlieferung, 1968, S. 97f., J.H. Grønbaek, Die Geschichte vom Aufstieg Davids, 1971, S. 45—47.

O. Eissfeldt immer wieder herausgestellt hat[36], muss sie zusammen mit der von David nach Jerusalem überführten Lade dort heimisch geworden sein, weil sie bereits in Silo fest mit der Lade verknüpft war. Es ist aber durchaus damit zu rechnen, dass man nicht nur in Silo, sondern auch sonst unter den mittelpalästinensischen Stämmen von JHWH der Heerscharen als dem Gott Israels sprach. Da weder die Frühgeschichte der Lade[37] noch die usprüngliche Bedeutung von צבאות im Zusammenhang mit JHWH mit Sicherheit zu erhellen ist[38], muss es beim Gesagten sein Bewenden haben. Für die Jesajaforschung ist die Erkenntnis aber auch so bedeutsam, dass der Prophet zwar auch an diesem Punkt verrät, wie sehr er ein Sohn Jerusalems ist, aber damit doch einen Gottesnamen aufgegriffen hat, der zum alten Glaubensgut Israels gehört. Dass "Zebaoth" wie "Kerubenthroner" letztlich allerdings Vorstellungen sind, die nach Kanaan zurückweisen, ist möglich, ja wahrscheinlich[39], aber ihre Integration fand nicht erst in Jerusalem statt und trennt Jerusalem nicht vom übrigen Israel.

Es bleibt aber noch einmal die merkwürdige und im Grunde nicht erklärte Tatsache zu bedenken, dass "JHWH der Heerscharen" durch die ganze Breite des Ezechielbuches hindurch nicht verwendet wird, obwohl dieser Prophet wie Jesaja, und ausgesprochener als Jeremia, ein Jerusalemer war. Man konnte also offenbar in Jerusalem von Gott auch ohne Verwendung dieses Namens sprechen, ja gewisse Kreise haben doch wohl bewusst auf ihn verzichtet. Das ist übrigens nicht nur vom Ezechielbuch her zu schliessen: Wenn auch das Deuteronomium nicht in Jerusalem entstanden ist, so wurde es doch dort überarbeitet und redigiert. Und die sogenannte Priesterschrift ist doch, auch wenn sie in Babylon entstanden sein sollte, gewiss von ausgesprochen jerusalemischen Traditionen bestimmt. Aber JHWH der Heerscharen fehlt

36. O. Eissfeldt, Jahwe Zebaoth, Miscell. Acad. Berol. II/2, 1950, S.128—150 = Kl.Schr. III, 1966, S. 103—123. Ders. Silo und Jerusalem, VT Suppl.4, 1957, S.138—147 = Kl.Schr.III, S. 417—425.

37. s. E. Kutsch, Artikel Lade in RGG³ IV 197—199.

38. s. dazu BK X S.28f. O. Eissfeldt, a.a.O. (Misc.), V. Maag, Jahwäs Heerscharen, Schw. Theol.Umschau 20,1950, 27—52.

39. Zur neuesten Diskussion s.J.P.Ross, Jahweh ṣᵉḇāʼôṯ in Samuel and Psalms, VT 17,1967, 76—92.

in den beiden so wichtigen Büchern. Es wäre also durchaus denkbar, dass auch Jesaja darauf verzichtet hätte. Wenn er das keineswegs getan hat, dann muss ihm die Bezeichnung als geeignet erschienen sein, Wesentliches von dem, was er über Gott sagen wollte, zum Ausdruck zu bringen. Für uns ist dieser Aussagegehalt schwer zu fassen, woran sich vermutlich nicht viel ändern würde, wenn wir den ursprünglichen Sinn des Namens mit grösserer Sicherheit eruieren könnten. So können wir nur sagen, dass sein Stimmungsgehalt in der Sphäre anderer von ihm bevorzugter oder doch für ihn typischer Gottesbezeichnungen liegen muss. Nach dem tatsächlichen Befund bedeutet das: in der Nähe von אדון bzw. אדני, wie treffend die Formel האדון יהוה צבאות (oder אדני) zeigt, s. 1,24 3,1.15 10,16(?) 19,4 22,12.15 28,16. Man darf angesichts dieser Kombination doch wohl geradezu formulieren: Für Jesaja ist JHWH der Heerscharen der Herr.

IV

Bevor wir auf אדון eintreten, sei aber von einem Epitheton gesprochen, das zwar singulär, doch darum nicht weniger wichtig ist. In 6,5 wird JHWH der Heerscharen *der* מלך genannt. Dass אדון und מלך dem Sinn nach beieinander liegen, bedarf keiner Erörterung, es ergibt sich aber auch daraus, dass JHWH der Heerscharen von Jesaja in seiner Berufungsvision nicht nur מלך sondern auch אדני genannt wird. Es ist keineswegs zufällig, dass der Prophet JHWH gerade in seinem Vokationsbericht König nennt. Die Erzählung ist nach dem Schema einer Thronratsvision gestaltet[40]: JHWH sitzt auf einem "hohen und erhabenen Thron", um ihn sind Seraphen, die den Thronrat repräsentieren. Schon längst ist auf die Verwandtschaft der Gestalt von Jes. 6 mit 1.Kön.22,19ff. aufmerksam gemacht worden[41]. An dieser Stelle wird zwar JHWH nicht König genannt, er ist aber ohne Zweifel nach dem Bild eines Königs, der Kronrat hält, gezeichnet. Es spricht vieles dafür, dass Jesaja Gott nicht als im irdischen Heiligtum thronend geschaut hat, sondern dass ihm Einblick in die himmlische Welt gewährt wurde. Aber das

40. s.BK X, Jesaja, S.236ff.

41. s.W.Zimmerli, BK XIII, Ezechiel, S.19.

irdische Heiligtum ist Abbild des himmlischen Palastes des göttlichen Königs. Dem himmlischen Wohnsitz entspricht im Tempel wohl die Lade als Thron des unsichtbaren Gottes, es sei denn, er throne auf den Keruben, was die Formel ישב הכרבים nahezulegen scheint[42]. Jedenfalls ist nicht zu verkennen, dass die Ladetradition, auch wenn sie in 1.Sam. 4—6 und 2.Sam.6 nicht von JHWH als dem מלך spricht, die Vorstellung von Gott als König impliziert, was der "Ladepsalm" 24 bestätigt, der alles Gewicht darauf legt, dass JHWH der Heerscharen König ist[43]. Der Gott, der triumphierend durch die "uralten Pforten" seinen Einzug hält, ist der מלך הכבוד.

Aus diesen Ueberlegungen ergibt sich, dass Jesaja keinesfalls, wie etwa angenommen wird, der erste war, der von JHWH als König gesprochen hat[44]. Es ist zwar bemerkenswert, dass seine prophetischen Zeitgenossen den Titel nicht verwenden, die übrigen vorexilischen Propheten nur am Rande[45]. Aber zweifellos war, wie der Name JHWH der Heerscharen, auch das Epitheton מלך längst vor Jesaja in Jerusalem heimisch. Schon im gewiss vordeuteronomistischen[46] "Tempelweihspruch", 1.Kön.8,13, sagt Salomo, dass er JHWH eine Wohnstatt errichtet habe als Ort seines Thronens in Ewigkeit (מכון לשבתך עולמים). Mit der Lade war also faktisch auch die Königsvorstellung in Jerusalem da, wenn auch der Begriff selbst offensichtlich nur sehr zögernd in Gebrauch kam. Mehr Sicherheit über seine Bedeutung in vorjesajanischer Zeit wäre zu gewinnen, wenn die sogenannten Thronbesteigungspsalmen ohne Widerspruch der vorexilischen Zeit zugewiesen werden könnten. Sollten die uns vorliegenden Beispiele dieser Gattung erst nachjesajanisch sein, so wäre aber doch mit Gewissheit anzunehmen, dass, wenn nicht ihre Gestalt, so doch ihre Begrifflichkeit und

42. s.R.de Vaux, Les Institutions de l'Ancien Testament II 1960, S. 130.

43. Die Deutung des Psalms auf eine in Jerusalem übliche Ladeprozession hat alle Wahrscheinlichkeit für sich, s. H.J. Kraus, Psalmen, BK XV/1, 194.

44. s. neuerdings wieder Th. C. Vriezen, Essentials of the Theology of Isaiah, in: Israels Prophetic Heritage, Festschr. J. Muilenburg, 1962, 128—146, hier 132.

45. Der König des Zion von Jer. 8,19 dürfte JHWH, nicht den davidischen König im Auge haben. Es ist aber wohl zu beachten, dass der Ausdruck in einem Zitat der Volksklage erscheint.

46. s.M.Noth, Könige BK IX/1, 1968, 175.

ihre Hauptmotive älter als Jesaja sind[47]. Zudem besteht kein Zweifel, dass bereits bei den Kanaanäern und speziell auch im jebusitischen Jerusalem der מלך - Titel für die Gottheit verwendet wurde. Es ist bezeichnend, dass Ps.29, der anerkanntermassen stark kanaanäische Züge trägt[48], vom Thronen des Königs JHWH in Ewigkeit spricht. Der Königsname מלכי־צדק ist für Jerusalem ein sicherer Zeuge[49]. In Ugarit ist *mlk* Attribut Els[50], der speziell König der Götter genannt wird[51]. Die Tell-Amarnatafeln kennen *ili-milku* und *milki-ilu*[52], die ugaritischen Texte den Namen *ilmlk*, der dem alttestamentlichen nomen proprium Elimelech entspricht (s. Ru. 1,2 u.ö.)[53]. Das könnte vermuten lassen, dass JHWH als der Gott des jerusalemischen Heiligtums in dieser Hinsicht einfach in die Nachfolge des in Jerusalem verehrten *El Eljon* eingetreten ist. Das ist wohl richtig, aber das Problem ist zweifellos komplizierter. Da צדק doch wohl auch Name einer Gottheit ist, bezeugt der Name Melchisedek, dass auch dieser der Königstitel gegeben wurde. In Ugarit wurde auch Baal König genannt, wenn auch dessen Königtum strukturell einen andern Aspekt darbietet[54]. Vor allem aber ist der Molochkult von Jerusalem, der im Alten Testament selbst bezeugt ist, zu berücksichtigen. Es ist immer noch das Wahrscheinlichste, dass מֹלֶךְ eine diskriminierende Vokalisation (nach בֹּשֶׁת) von מֶלֶךְ ist[55]. Der König aber, dem man in Jerusalem Kinder zum Opfer brachte, war gewiss nicht El, sondern dürfte *Schalem* (nach dem Jerusalem doch wohl seinen Namen trägt)[56] sein, der seinerseits vielleicht mit *'Aṯtar* gleichzusetzen

47. s.F.Stolz, Strukturen und Figuren im Kult von Jerusalem, ZAWBeih 118, 1970, bes. S.87ff., anders G. Wanke, Die Zionstheologie der Korachiten, ZAWBeih 97, 1966, bes. S.106ff.

48. s.F.M. Cross, Notes on a Canaanite Psalm in the Old Testament: BASOR 117 (1950) 19—21 und H.J. Kraus, BK XV/1, 233ff.

49. Zur Gottheit ṣdq s. F. Stolz a.a.O. (Figuren...) 218f.

50. s. W. Schmidt, Königtum Gottes in Ugarit und Israel, BZAW 80, 1961,S.18—21.

51. W. Schmidt, a.a.O. S.20.

52. J. A. Knudtzon, Die El-Amarna-Tafeln, 1915, Nr.151, Z.45; Nr.286, Z.36.

53. Der Name kann allerdings auch bedeuten "(Mein) Gott ist Milk", s.W. Schmidt a.a.O. S.19, s. dazu (und auch zu andern Formen des Namens) ferner Jean Nougayrol, in Ugaritica V,1968,S.60.

54. s.W.Schmidt, a.a.O. S.21—23.

55. s.F. Stolz, a.a.O. (Figuren...) S.206.

56. s.G. Fohrer, Art. Σιών, ThWNT 7, S.292—318, hier 296.

ist[57]. Bei der scharfen Ablehnung der Molochopfer im Hinnomtal, überhaupt angesichts der Gefahr der Kanaanisierung des JHWH-Glaubens ist es keineswegs befremdlich, dass uns nicht mehr Zeugnisse über die Verehrung JHWHs als König erhalten sind. Es gehört zum Weitblick Jesajas, dass er die Bedenken seiner Zeitgenossen überwand und dem Königstitel, der sich sachlich so ausgezeichnet eignete, um das Wesen des Gottes Israels in Worte zu fassen, zur Anerkennung verhalf.

Wiederum aber ist vor dem Trugschluss zu warnen, als hätte Jesaja einfach eine theologische Vorstellung, die in Jerusalem beheimatet war, dem Glauben Israels integriert. Es gab ohne Zweifel manche Kanäle, durch welche das der vorderorientalischen Sedentärkultur angehörige Bild der Gottheit, die als König in ihrem Heiligtum thront, Israels Gottesglaube beeinflussen konnte[58]. Die uns bekannte jerusalemische Kultsprache war in dieser Hinsicht bestimmt kein Sonderfall. Nach dem, was oben über die Ladevorstellungen gesagt worden ist, kann der Gedanke des göttlichen Königtums auch in Silo nicht unbekannt gewesen sein. Micha ben Jimla (bzw. der Verfasser der betreffenden Erzählung), der ihn ebenfalls kennt, hat ihn sicher nicht aus Jerusalem entlehnt. Es gibt zudem Gründe für die Annahme, dass auch in Kreisen, die dem kanaanäischen Einfluss ferne standen, von JHWH als König gesprochen wurde, wenn auch unter wesentlich anderen Aspekten[59]. Obschon Jesaja diesen Kreisen zweifellos nicht angehörte, mag doch die Rezeption des מלך — Titels dadurch erleichtert worden sein, dass man ihn keineswegs als absolute Neuerung empfinden musste. Die Zurückhaltung, die nach den Quellen JHWH-treue Kreise gegenüber dem irdischen Königtum zeigten, ist zweifellos nicht nur aus bittern Erfahrungen mit den Königen, die in Samaria oder Jerusalem regierten, zu erklären, sondern im Bewusstsein begründet, dass JHWH Israels מלך sei und es darum keines andern Königs bedürfe.

57. s. dazu V. Maag in H. Schmökel, Kulturgeschichte des Alten Orients, 1961, S. 581 ff. und F. Stolz, a.a.O. (Figuren...) S. 185 ff.

58. s. V.Maag, Malkût JHWH, VT Suppl 7, 1960, S. 129—153, bes. S. 141ff.

59. s.M.Buber, Königtum Gottes, [3]1956, s.bes.S.71ff. und H. Wildberger, Jahwes Eigentumsvolk, AThANT 37,1960, S. 80ff.

V

Es ist schwer zu sagen, was des genauern das Königtum *Sädäqs* oder auch *Schalems* im jebusitischen Jerusalem beinhaltete[60]. Für unser Thema ist das belanglos, weil als religionsgeschichtlicher Hintergrund des Königtums JHWHs in der jerusalemischen Tradition nur dasjenige Els in Frage kommt. Es leidet überhaupt keinen Zweifel, dass die Adaption von Vorstellungen der *El*-Verehrung relativ leicht vor sich gegangen ist. אל konnte ohne Mühe einfach als "Gott" verstanden werden. Soweit das Wort von Jesaja verwendet ist, ist es natürlich nicht mehr als Gottesname zu verstehen. In 31,3 wird "Gott" dem Menschen schlechthin gegenübergestellt[61], d.h. es ist einfach Gattungsbezeichnung. Das ist im Zusammenhang durchaus sachgemäss: der Mensch ist Mensch, nicht Gott von Art. Es fallen aber zwei Stellen auf, an denen Jesaja אל verwendet, wo man JHWH erwarten würde. Einmal der Name Immanuel in 7,14 (vgl. 8,10). Warum erwartet Jesaja nicht, dass dem königlichen Sohn[62] ein JHWH-haltiger Name gegeben wird? Das fällt umsomehr auf, als die ähnlichen Namen עמניה und עמדיה tatsächlich nachzuweisen sind[63]. Zweifellos war Jesaja in der Namengebung durch die Tradition gebunden. Mowinckel[64] dürfte mit seiner Vermutung recht haben, dass "mit uns ist Gott" ein alter Kultruf ist: Nach 2.Sam.23,5 kann sich das Königshaus der Davididen darauf berufen, dass Gott (אל) mit ihm sei. An diese Verheissung soll der Name des erwarteten Sohnes der עלמה offensichtlich erinnern. Es kommt dazu, dass nach 9,5 einer der "Thronnamen" des heilsvollen Herrschers אל גבור heisst. Natürlich

60. s. dazu F. Stolz, a.a.O. (Figuren...) S. 204ff., bes.218f.

61. Jes. 31,3a: "Die Aegypter sind Menschen und nicht Gott, und ihre Rosse sind Fleisch und nicht Geist" dürfte sich an ein geflügeltes Wort anlehnen, das in den Bereich der Weisheit gehört. Sie liebt die Gegenüberstellung Gott-Mensch (vgl. etwa Prov. 16,9) und vermeidet es oft bewusst, den Eigennamen eines Gottes zu verwenden, sondern spricht allgemein von "Gott', s. dazu H. H. Schmid, Wesen und Geschichte der Weisheit, BZAW 101, 1966, 24f. und vgl. etwa 1.Sam.16,7.

62. s. dazu BK X S.292ff.

63. zu עמניה s. den Elephantine-Papyrus Nr.22, Z.105, zu עמדיה s. D. Diringer, Le iscrizioni antico-ebraiche palestinesi, 1934, S. 218 (Siegelinschrift).

64. S. Mowinckel, Psalmenstudien II, 1922, S.306, Anm.1, anders H. D. Preuss, ZAW 80 1968, 159.

könnte hier nicht JHWH gesagt werden, es handelt sich wieder um den Gattungsbegriff. Das wird auch der Grund sein, warum Jesaja nicht אלהים, sondern אל sagt. Unterschwellig mag aber auch an diesen Stellen eine noch vorisraelitische Nomenklatur nachwirken. Die ugaritischen Texte haben deutlich gemacht, dass der irdische König in besonders enger Verbindung mit *El* steht[65]. Doch waren selbstverständlich diese Zusammenhänge Israel zur Zeit Jesajas nicht mehr bewusst. Aber alte Vorstellungen wirkten am Königshof der Davididen, die in die Nachfolge der jebusitischen Könige Jerusalems eingetreten waren, in der Begrifflichkeit der "Königsideologie" immer noch nach. Für Jesaja dienen sie dazu, vom Heil zu künden, das JHWH durch seinen Gesalbten aufrichten wird.

VI

Es ist bereits auf die Bedeutung von אדון bzw. אדני hingewiesen worden. Wenn dieses Epitheton im Lauf der Geschichte des Glaubens Israels geradezu zum Gottesnamen (אדני = κύριος = "der Herr") geworden ist, so ist Jesaja daran nicht unbeteiligt. Man muss sich allerdings zum vornherein darüber klar sein, dass wir hier auf einem besonders unsichern Grund stehen. אדני oder אדון kann sehr wohl an manchen Stellen erst im Lauf der Ueberlieferung an die Stelle des ursprünglichen Gottesnamens JHWH getreten sein. Dass man damit rechnen muss, legen die Differenzen zwischen dem masoretischen Text und den alten Versionen (aber auch der Qumranüberlieferung) nahe. Doch ist es völlig ausgeschlossen, dass אדני oder gar האדון immer auf ein ursprüngliches JHWH zurückgeht. An zwei absolut sichern Stellen (1,24 und 3,1), wozu zwei weitere Stellen kommen, an denen die Authentizität nicht unbestritten ist (10,33 und 19,4) wird JHWH האדון genannt. Oefter erscheint daneben אדני. In 6,1.8.11 steht es absolut, scheint also bereits die Funktionen eines Eigennamens übernommen zu haben. In V. 1 und 8 liest allerdings eine grosse Anzahl von MSS JHWH,

65. KRT ist der Sohn Els, s. dazu H.- H. Schmid, Gerechtigkeit als Weltordnung, BhTh 40, 1968, 39 und vgl. J. Gray, The KRT Text in the Literature of Ras Shamra, ²1964, S.5f. und vgl. F.M.Cross, THWAT I Sp.268.

nur in 11 fehlt diese Variante. Es ist also möglich, aber keineswegs gewiss, dass an den beiden erstgenannten Stellen אדני Ersatz für ursprüngliches יהוה ist. In Vers 11 jedoch dürfte אדני mit Sicherheit jesajanisch sein, nicht nur wegen der Textüberlieferung, sondern weil es dort wohl noch nicht als Name zu verstehen ist, sondern mit seinem Suffix die persönliche Beziehung des Propheten zu seinem göttlichen Auftraggeber ausdrücken will, sodass wohl "mein Herr" oder "mein Gebieter" zu übersetzen ist. Genau so ist אדני wohl auch in 7,7 zu verstehen, wo es *neben* JHWH steht[66]. In 7,14 hingegen findet es sich wieder absolut, doch liest dort eine nicht geringe Anzahl von Handschriften יהוה, das ursprünglich sein könnte. Es ist aber zu beachten, dass Jesaja eben vorher von seinem Gott (אלהי) gesprochen hat, womit er sich König Ahas gegenüber abgrenzte, der wohl darauf hätte vertrauen können, dass JHWH in besonderer Weise Gott und Helfer des Königshauses war, aber dieses Vertrauen in der Stunde der Prüfung nicht zu bewähren vermochte. Es ist also auch hier sehr zu erwägen, ob man nicht mit "mein Herr' übersetzen soll. In 7,20 scheint die Textüberlieferung einhellig für die Ursprünglichkeit von absolutem אדני zu sprechen, in 8,7 hingegen steht im ursprünglichen Text von Q[a] wahrscheinlich יהוה[67]. Auch in 9,7 liest Q[a], diesmal ohne nachträgliche Korrektur, יהוה statt אדני, sodass auch diese Stelle, was den Sprachgebrauch Jesajas anbelangt, keine sichere Basis bilden kann. Dieselbe Unsicherheit besteht, wenn man Q[a] miteinbezieht, auch an den übrigen Stellen, die für Jesaja in Frage kommen, 9,16 22,5.12.14 28,2 28,16.22 30,15[68].

66. Die Septuaginta liest κύριος Σαβαωθ

67. Q[a] liest als Korrektur über der Zeile אדני, der ursprüngliche Text ist fast ganz zerstört, hat aber zweifellos יהוה gelautet.

68. 9,16: die Septuaginta liest ὁ θεός, 22.5: die Septuaginta statt אדני יהוה צבאות nur κύριος Σαβαωθ, 22,12: אדני fehlt in der griech., äthiop. und arab. Uebersetzung, 28,16: manche MSS und Q[a] lesen יהוה für אדני, 28,16: Q[a] liest statt אדני יהוה nur יהוה, hat aber אדני über der Zeile ergänzt, 28,22: אדני (innerhalb der Formel אדני יהוה צבאות) hat kein Gegenstück in einigen MSS und in der griech. und syr. Uebersetzung, 30,15: Q[a] hat אדני wieder zunächst weggelassen, jedoch über der Zeile ergänzt. Beim selbständigen אדני von 37,24 ist die Jesajanität nicht unbestritten. Gerade beim vielfältigen Bild, das die Textüberlieferung bietet, ist die Annahme ausgeschlossen, dass אדני im masoretischen Text immer erst sekundär entweder neben יהוה oder an dessen Stelle gesetzt worden wäre. Es ist vielmehr durchaus damit

Bei allem Schwanken der Textüberlieferung kann man aber doch damit rechnen, dass Jesaja selbst von JHWH als האדון sprach, und dass er gelegentlich אדני sagte, wobei der ursprüngliche Sinn des Personalsuffixes an einzelnen Stellen noch erkennbar ist. Im ganzen Alten Testament findet sich אדון auf einen göttlichen Herrn bezogen um die 30 Mal, davon in Jes.1—39 6 Mal, אדני im ganzen Alten Testament 449 Mal[69], davon 34 Mal im ersten Teil des Jesajabuches. Das relativ häufige Vorkommen in der Jesaja zugeschriebenen Ueberlieferung wird man als weiteres Indiz dafür werten dürfen, dass Jesaja selbst es als sachgemäss empfunden hat, von Gott als dem Herrn zu sprechen. Als Herrn hat er ihn erfahren (vgl. die Stellen in Kap. 6), als Herrn hat er vor Israel von ihm gesprochen.

Auch den Titel Herr für JHWH hat Jesaja zweifellos nicht zum ersten Mal in der Geschichte Israels verwendet; wenn auch der Leser seiner Worte den Eindruck bekommt, dass das Epitheton in besonderer Weise der Gotteserfahrung Jesajas entspreche, so schliesst das doch durchaus nicht aus, dass er sich auch hier auf eine längst eingebürgerte Tradition stützen konnte. Der älteste sicher datierbare alttestamentliche Beleg dafür, dass JHWH Herr genannt wurde, dürfte der Name des Davidsohnes Adonia bzw. Adonijahu "JHWH ist (mein?) Herr" sein (2.Sam.3,4 und 1.Kön. 1—2). Möglicherweise ist das Vorkommen im Wallfahrtsgebot Ex.23,17 und 24,23 innerhalb des feierlichen Titels האדון יהוה אלהי ישראל noch älter, was auch von der Stelle Ex.15,17 nicht ganz ausgeschlossen ist. Kaum jünger ist der Name des Fronvogtes des Salomo, Adoniram, 1.Kön. 4,6 5,28, der zweifellos ebenfalls als Bekenntnis zu JHWH, dem Herrn, zu verstehen ist. Wenn im "Thronbesteigungslied" Ps.97 JHWH אדון כל־הארץ genannt wird (V.5), mag das ein Hinweis dafür sein, dass man in Jerusalem

zu rechnen, dass die Septuaginta ursprüngliches אדני יהוה zu blossem יהוה verkürzt hat, da ja sowohl יהוה als auch אדני mit κύριος hätten wiedergegeben werden müssen. Analog dazu wird sich die Verkürzung in Q^a dadurch erklären, dass bereits יהוה als אדני gelesen wurde. אדני muss also zum mindesten an einem Teil der Stellen ursprünglich sein, auch wenn die Textüberlieferung schwankt, vgl. dazu den Tatbestand im Ezechielbuch, s.W.Zimmerli, BK XIII, 1250—1258, 1265.

69. Zahlen nach O. Eissfeldt, ThWAT,I, Sp.65f.

JHWH auch als den Weltenherrn pries, wenn man ihn als König feierte[70].

Was die Etymologie von אדון anbelangt, ist wohl anzunehmen, dass das Wort mit ugaritisch *ad*, "Vater", zusammengehört; der Uebergang von der Bedeutung "Vater" zu "Herr, Gebieter" bedarf keiner Erklärung[71]. Doch ist damit für den wirklichen Sprachgebrauch noch wenig gesagt. Wichtiger ist, dass im amoritischen, kanaanäischen und phönizischen Bereich, z.T. schon vor der Zeit des Alten Testaments, von der Gottheit als dem Herrn (oder der Herrin) gesprochen wurde[72]. Diese Tatsache, besonders auch, dass der Titel nicht nur El, sondern auch, und zwar in ausgesprochener Weise, Baal, dem Vegetationsgott, oder, was der Name Adonizädäk zeigt, auch dem jerusalemischen Gott *Ṣädäq*, beigelegt wurde, mag Israel wiederum eher gehemmt haben, JHWH als אדון zu bezeichnen. Der relativ spärliche Gebrauch von אדון und אדני in der frühen alttestamentlichen Literatur dürfte also ähnliche Gründe haben wie die Zurückhaltung gegenüber dem Königstitel. Das berechtigt aber auch, die inhaltliche Füllung des Begriffes ganz von alttestamentlichen Stellen her zu suchen. Natürlich ist hier nicht der Ort, die ganze Breite der alttestamentlichen Bezeugung zu untersuchen. Da aber Jesaja JHWH zugleich als König bezeichnet, wird man Stellen wie Ps.97 heranziehen dürfen: JHWH ist König (V.1) und als solcher אדון כל־הארץ (V.5), der עליון על־כל־הארץ (V.9a), welcher gepriesen wird: נעלית על־כל־אלהים (9b)[73]. Es ist

70. s. dazu O. Eissfeldt, ThWAT I, Sp.66, zurückhaltend E. Jenni, THAT I Sp.31.

71. s.ThWAT I, Sp.63ff., THAT I, Sp.36, s.auch HAL,S.12. — Der Name des Davidsohnes Adonijahu hat ja auch bereits ein kanaanäisches Vorbild im Namen des jerusalemischen Königs Adonizädäk (אדני־צדק) Jos.10,1—3, wobei es strittig ist, ob man den Namen mit "(mein) Herr ist Gerechtigkeit" oder mit "צדק ist (mein) Herr" übersetzen soll. Im Blick auf אדניהו dürfte die zweite Möglichkeit vorzuziehen sein.

72. Ob das Affix -aj in אֲדֹנָי Personalsuffix ist oder Erweiterung des Wortes zur Verstärkung seines Sinnes (etwa — "Allherr"), kann hier nicht erörtert werden. Eissfeldt a.a.O. (ThWAT Sp.67ff.) stellt der Form die ugaritische Wortendung -aj zur Seite. muss aber doch zugeben, dass an einigen Stellen mit ursprünglicher Suffixbedeutung zu rechnen ist. Zur früheren Diskussion vgl. G.H.Dalman, Studien zur biblischen Theologie. Der Gottesname Adonaj und seine Geschichte, 1889, W. W. Graf Baudissin, Kyrios als Gottesname im Judentum und seine Stelle in der Religionsgeschichte, 1929, s.17—35.

73. Es ist deutlich, dass das Aussagen sind, die ihre Form im Raum eines Polytheismus mit

zu beachten, dass der Titel אדון כל־הארץ in Jos.3,11.13 dem Gott der Lade zugeeignet ist, der, wie oben festzustellen war, zugleich als König vorgestellt ist. Ps.114 nennt Israel JHWHs Königreich (V.2), ihn selbst aber אדון (V.7). Der Psalm scheint auf eine alte Prozession über den Jordan anzuspielen[74], die sachliche Verbindung zu Jos.3 liegt also auf der Hand. Es wird kein Zufall sein, dass Jesaja von JHWH als dem Herrn im Zusammenhang mit Worten über Jerusalem spricht (1,24 3,1 10,33), und es wird von den gemachten Beobachtungen her zu fragen sein, ob nicht trotz der Q[a]-Varianten אדני an allen drei Stellen von Kap.6 ursprünglich ist und der Gebrauch dieses Titels damit zusammenhängt, dass auch sonst Begriffe aus dem Wortbereich der Lade in den Berufungsbericht aufgenommen worden sind.

VII

Gerade die Tatsache, dass der Herrenname und der Königstitel in frühen Texten selten zu finden sind, gibt ihrem Gebrauch bei Jesaja Gewicht. Das gilt auch und noch ausdrücklicher vom *Epitheton* קדוש ישראל. Die Bezeichnung ist spezifisch jesajanisch; an 7 Stellen, 1,4 5,19.24 30,11.12.15 31,1, dürfte die Authentizität unbestreitbar sein[75]. Aber auch in den sekundären Partien des Jesajabuches ist das Epitheton beliebt: es findet sich in 5 weiteren Fällen in 1—39, 11mal in 40—55, 2mal in Kap. 60. Das ist umso bemerkenswerter, als die Bezeichnung ausserhalb des unter dem Namen Jesajas überlieferten Schrifttums höchst selten ist: sie begegnet nur noch 2mal in Jeremiabuch (Kap 50f.[76]) und an drei Stellen im Psalter: 71,22 78,41 89,19. Ernster als in andern Fällen stellt sich also hier die Frage, ob קדוש ישראל nicht eine jesajanische Schöpfung sei. Ps.71 dürfte nachexilisch sein, hingegen sind die

einem Götterkönig an der Spitze gewonnen haben müssen. Sie stehen ohne Zweifel im Zusammenhang mit dem El-Glauben Kanaans.

74. s. dazu H. Wildberger, a. a. O. (Jahwes Eigentumsvolk) S. 62.

75. 37,23 (par.2.Kön.19,23) ist, was die Herkunft von Jesaja anbelangt, sehr umstritten.

76. Jer.50f. steht bekanntlich in mancher Hinsicht Deuterojesaja nahe und dasselbe gilt von Jes.60, sodass der Streuungsbereich des Epithetons ein auffallend enger ist.

Psalmen 78[77] und 89 doch wohl vorexilisch, und wenigstens Ps.89 könnte vorjesajanisch sein. Das Lied bezeugt die jerusalemische "Königsideologie". Da Jesaja mit dieser bekannt war, ist es nicht ausgeschlossen, dass er ihr auch die Gottesbezeichnung "der Heilige Israels" entnommen hat. Dagegen spricht allerdings, dass Jesaja das Epitheton nicht verwendet, wo er vom König bzw. dem Messias spricht, aber auch, dass es sich in andern, sicher älteren Königspsalmen nicht findet. Es ist also in der Tat damit zu rechnen, dass Jesaja der erste war, der von JHWH als dem Heiligen Israels gesprochen hat. Allerdings: die Vorstellung der Heiligkeit Gottes fand er zweifellos bereits vor. Das Trishagion der Seraphen von 6,3 dürfte an Formulierungen des Jerusalemer Tempelkultes anknüpfen Es wird schon kein Zufall sein, dass die engste Parallele zu ihm sich wiederum in einem "Thronbesteigungslied", nämlich im 99. Psalm findet (V.3.5.9). Gottes Heiligkeit ist Ausdruck seiner Königsherrlichkeit. Es ist frappant, dass auch hier wieder eine Verbindungslinie zu den Ladetraditionen sichtbar wird, indem in 1.Sam.6,20 der Gott der Lade als האלהים הקדוש bezeichnet wird.

Da מלך als Titel für JHWH, wie ihn Jesaja verwendet, an ähnliche Vorstellungen in der Umwelt Israels erinnert, ist auch für קדוש die Frage zu stellen, ob die Vorstellung nicht vielleicht auch ausserhalb Israels zum Ideenkreis um den Gottkönig gehöre. In der Tat spricht das ugaritische Keret-Epos vom König als dem Sohn Els, Spross des Freundlichen und Heiligen (*qdš*, II K I — II 10f.) und in einer Liste von Götternamen erscheint geradezu der Titel *qdš mlk* (RS 24.271 Z.B3, s. Ugaritica V S.584f.), s. auch im selben Text *qdš wamrr* (Z.B9).Nun ist es aber ein besonders durchsichtiges Beispiel für die interpretatio israelitica kanaanäischer Vorstellungen, dass sich Jesaja *nicht* damit begnügt hat, die Vokabel tale quale zu übernehmen, sondern sie durch die Näherbestimmung mit ישראל dem Glauben seines Volkes unverkennbar adaptierte. Man kann sich fragen, wie Jesaja zu dieser Formulierung gekommen ist. Es ist eine naheliegende Vermutung, dass es sich um eine Analogiebildung zu der ihm bekannten Bezeichnung אביר יעקב bzw. אביר ישראל handelt. Dieser Zusammenhang

77. Ps.78 ist nach G,. Fohrer a.a.O. (Einleitung) S.314 spätvorexilisch.

wird auch bei der Bestimmung des Inhaltes des Epithetons zu berücksichtigen sein; er bezeichnet JHWH nicht in seinem An-sich-Sein, sondern in seiner Beziehung zu Israel: JHWH ist der, den Israel in seiner grossen Geschichte als den Heiligen *erfahren* hat[78].

Nach 1.Sam.6,20 ist die Heiligkeit Gottes eine vernichtende Macht, angesichts derer man sich fragen muss, wer vor ihr bestehen kann. Bei Jesaja wirkt dieser Aspekt der göttlichen Heiligkeit deutlich nach: Wer es mit JHWH zu tun hat, hat Grund zu fragen, ob und wie er vor ihm bestehen kann. So lässt er in 5,19 seine Gegner sagen: "... der Ratschluss des Heiligen Israels nahe und treffe ein, so erkennen wir ihn". Was für eine abgründige Verkennung JHWHs, ihn den Heiligen Israels zu nennen und sich herauszunehmen, sein Gerichtshandeln herauszufordern! Wenn der Prophet in 1,4 Israel anklagt, JHWH verlassen zu haben, so erhält diese Anklage ihr volles Gewicht erst durch die Parallele: "Sie haben verworfen den Heiligen Israels". Genau so empfängt der Satz von 5,24a: "Sie haben die Weisung JHWHs verworfen" seine schneidende Härte erst durch die Parallele: "und haben verworfen das Wort des Heiligen Israels" (vgl. auch 31,1). Und noch einmal, in 30,11, hat Jesaja seine Gegner reden lassen: "... schweigt uns vom Heiligen Israels" — als ob ein Prophet schweigen könnte, wenn der spricht, welcher der Heilige Israels ist. Dass JHWH der Heilige ist, bedeutet also, dass er mit brennendem Eifer darüber wacht, dass ihm sein Volk die Treue hält. Ein anderer Aspekt ergibt sich für קדוש ישראל allerdings aus dem Zusammenhang, in dem die Bezeichnung in 30,15 steht: "So spricht der Herr JHWH, der Heilige Israels: In Umkehr und Ruhe liegt euer Heil; im Stillehalten und Vertrauen liegt eure Stärke". Die Ambivalenz des jesajanischen Gottesverständnisses kommt hier schön zum Vorschein: dieser Heilige Israels, der so scharf darüber wacht, dass er ernst genommen wird, ist zugleich — und zuerst! — der, bei dem sich Israel aufs Beste geborgen wissen könnte. Andererseits wird das folgende "doch ihr habt nicht gewollt" als Ausdruck

78. So etwa ist das Epitheton nach dem Kontext in Ps. 71,22 zu verstehen. In Ps.89,19 bezeichnet es den treuen und starken Beschützer des Königs bzw. seines Volkes.

unglaublicher Verstocktheit erst dadurch ganz deutlich, dass es ein Nein zu eben diesem Heiligen Israels ist[79].

VIII

In 8,14 sagt Jesaja, dass JHWH seinem Volk zum *Fels* (צור) des Strauchelns werde. Die Drohung ist nur auf dem Hintergrund bekenntnishafter Formulierungen voll zu verstehen, in denen der Beter Gott als "seinen Felsen" (s. Ps.18,3 19,15) oder auch einfach als "den Felsen" preist (Ps.18,32—47 u.ö., vgl. vor allem die Verwendung von צור in Dt. 32,15.18.30.31.37). Wie bei מלך und אדון bezeugen auch hier theophore Eigennamen, dass צור geradezu als Bezeichnung für Gott verwendet wurde[80]. Es ist aber zum vornherein zu erwarten, dass Jesaja der Kultfrömmigkeit, für die Gott sozusagen ex officio Garant von Gesichertheit und Geborgeheit ist, kritisch gegenüberstehen muss. Darum eben die Formulierung von 8,14: JHWH, von dem ihr so sicher zu wissen meint, dass er euch "Fels" ist, wird für euch allerdings ein צור sein, aber ein צור מכשול! Das heisst aber wiederum nicht, dass Israel nicht in der Tat bei JHWH Zuflucht finden könnte. Es *könnte* so sein, aber faktisch ist festzustellen, dass Israel des Gottes seiner Hilfe vergessen, des Felsens seiner Zuflucht nicht gedacht hat (17,10). Doch ist das kein letztes Wort, so gewiss man Jesaja mit der Etiquette "Unheilsprophet" nicht zutreffend erfasst hat: "Freude des Herzens wird sein, wenn man beim Flötenspiel dahinzieht, um auf den Berg JHWHs, zum Felsen Israels zu gelangen" 30,29. Die Deutung des Felsens Israels auf den Heiligen Fels im Tempel zu

79. Wenn auch 10,20 vermutlich nicht von Jesaja stammt, so kann der Ergänzer doch insofern in seinem Sinne sagen, dass sich die zukünftige Gemeinde des Heils auf den Heiligen Israels stützen werde, als er seine Aussage durch באמת abgesichert hat. Immerhin, bei Jesaja selbst findet sich קדוש ישראל nie in Heilsweissagungen. Von 10,20 aus führt aber eine deutliche Linie zu Deuterojesaja. Da wird geradezu gesagt, dass der Heilige Israels sein Erlöser (גאל) sei, 41,14, s. auch 43,14 47,4 48,17 49,7 54,5. Die Ambivalenz des jesajanischen Gottesverständnisses ist hier zugunsten von eingleisigen Heilszusagen aufgelöst, wie auch in Ps.71,22 und 89,19 der Heilige Israels unter dem Aspekt des Heil schaffenden und Schutz gewährenden Helfers gesehen ist.

80. Im Alten Testament finden sich: צור ישראל, אליצור, פרהצור צרי שדי und das Hypokoristikon צור, s. A. Wiegand, Der Gottesname צור..., ZAW 10, 1890, S. 85—96; H. Schmidt,

Jerusalem ist allerdings nicht völlig ausgeschlossen[81], aber die naheliegendste Auffassung ist doch, dass צור ישראל Parallele zum vorangehenden JHWH ist. Sie wird dadurch gestützt, dass in den letzten Worten Davids JHWH ebenfalls צור ישׂראל genannt wird (2.Sam.23,3). Am Umgang mit diesem Gottesepitheton lässt sich vortrefflich die Haltung Jesajas gegenüber der Kultfrömmigkeit Jerusalems beobachten: Er kennt sie sehr wohl, er sieht scharf ihre Gefahr und kann sie völlig in Frage stellen. Aber das heisst nicht, dass er ihren Gehalt letztlich verneint. Er stellt sie unter die "conditio fidei", sieht sie im Spannungsfeld der Dialektik zwischen göttlicher Zusage und menschlicher Bejahung im Glauben. Zu seiner Interpretation des überlieferten Begriffs gehört es auch, dass er nicht von JHWH als "Fels" überhaupt, sondern als צור ישׂראל spricht. Diese Verbindung, die an קדוש ישׂראל erinnert, findet sich im Alten Testament nur noch einmal, in 2.Sam.23,3, den "letzten Worten Davids", auf die man in der Jesajaexegese immer wieder stösst. Auch sie sind schwierig zu datieren[82], aber sie bezeugen ohne Zweifel Vorstellungen, die älter als Jesaja sind. Ob dazu auch צור ישׂראל gehört, wissen wir nicht sicher. Aber dass Jesaja vom Felsen *Israels* spricht, lässt jedenfalls erkennen, dass er den Begriff der Kultsprache eng mit den spezifischen Glaubenserfahrungen seines Volkes verbinden will. Man könnte geradezu formulieren: Erst wenn Israel bedenkt, dass JHWH nicht ein Gott wie andere Götter, sondern der Heilige Israels ist, wird es das Recht haben, sich in aller Zuversicht am Bekenntnis zu halten, dass er sein Fels ist.

IX

Zusammenfassend lässt sich etwa sagen:

Die allgemeine Erkenntnis, dass Jesaja wie kein anderer der vorexilischen Propheten von spezifisch jerusalemisch geprägten

Der heilige Fels in Jerusalem, 1933, S. 87ff. und vgl. auch ברצור, KAI Nr.25, Z.1 und die akkad. Eigennamen *^{d}NN-šadii*, *^{d}NN-šadûni* "Gott NN ist mein (bzw. unser) Berg (Hort)", s. J. J. Stamm, Die akkadische Namengebung, 1939, S.211.

81. vgl. *B. Duhm*, *Das Buch Jesaja*, 1922^4 und G. Fohrer, Das Buch Jesaja, II, 1967^2, je z. St.

82. s.O.Procksch, Die letzten Worte Davids, in Kittelfestschr. 1913, 112—125, S. Mowinckel, "Die letzten Worte Davids" II Sam 23,1—7, ZAW 45, 1927, 30—58.

Vorstellungen her kommt, hat sich in dieser Untersuchung der Namen und Epitheta Gottes bestätigt. Es ist aber sofort hinzuzufügen, dass es nur ein ganz bestimmter Sektor jerusalemischer Frömmigkeit und Theologie ist, der sich in seinen Worten bemerkbar macht. Bei einer Hinterfragung der von ihm verwendeten Gottesbezeichnungen nach ihrer Herkunft stösst man in auffallend starkem Ausmass auf die Zionspsalmen (vornehmlich 46 und 48), die sogenannten Thronbesteigungslieder (wie 97 und 99), die Ladepsalmen (24 und 132), und das Wallfahrtslied (Ps. 84). Aber auch "die letzten Worte Davids" (2. Sam. 23,1—5), das Moselied (Dt. 32), und die Ladetraditionen der Samuelisbücher (vorab 1.Sam. 4 und 2. Sam. 6) waren zu nennen, wozu etwa noch Ps. 114 und Jos. 3 kommen. H.—J. Kraus[83] hat für die vorexilische Zeit ein königliches Zion-Lade-Fest postuliert. Was auch von dieser These zu halten sei, jedenfalls ergab die vorliegende Studie, dass diese drei Aspekte, JHWH, der Gott des Zion, der Gott der Lade und der Gott der davidischen Dynastie eng zusammengehören. Wenn auch die Traditionsstränge um diese drei Themen des Glaubens Israels grundsätzlich zu trennen sind, so sind sie doch faktisch zu einer Einheit von auffallender Geschlossenheit verwoben.

Es scheint, dass die im Kreis der Ladebetreuer ausgebildete Theologie von besonderm Einfluss auf das Gottesbild Jesajas gewesen ist. Nicht nur ist der bei ihm beliebte Name יהוה צבאות von Haus aus mit der Lade verbunden gewesen und mit ihr nach Jerusalem gekommen, sondern vermutlich auch die Bezeichnung "der Gott Jakobs" bzw. "der Starke Israels". Die Vorstellung, dass JHWH König ist, fügt sich der Auffassung der Lade als eines Gottesthrones aufs natürlichste ein, der Titel "Herr" ("des ganzen Landes") musste naheliegen, und auch der Gedanke der Heiligkeit JHWHs scheint mit der Lade verbunden gewesen zu sein, gehört jedenfalls zur Vorstellung, dass Gott König ist. Einmal mehr ergibt sich, wie bedeutsam nicht nur in politischer, sondern gerade auch in theologischer Hinsicht die Ueberführung der Lade nach Jerusalem gewesen ist, und wie stark sich die Ladetheologie auf den Glauben Israels ausgewirkt und ihn befruchtet hat.

83. Die Königsherrschaft Gottes im Alten Testament, 1951.

Es leidet keinen Zweifel, dass die Gottesbezeichnungen **מלך**, **אדון** und **אל**, wie Jesaja sie verwendet, in der Umwelt Israels ihre Vorgeschichte haben, und auch **יהוה צבאות** und **קדוש** weisen, religionsgeschichtlich gesehen, dorthin zurück. Indessen sind diese Bezeichnungen dadurch modifiziert, dass sie als Aussagen von JHWH, dem Gott Israels, verstanden sein wollen. D.h., sie sind dem Glauben Israels integriert. Das zeigt sich äusserlich daran, dass neben und mit ihnen "der Gott Jakobs", "der Starke Israels" oder auch einfach "unser Gott" verwendet werden kann, und das Gottesepitheton "der Heilige" durch den Genetiv "Israels" in seinem Stellenwert festgelegt wird.

Sieht man von **קדוש ישראל** ab, ist deutlich zu erkennen, dass sich die Adaption von Gottesnamen und Titeln aus der Umwelt keineswegs erst und nur in Jerusalem vollzogen hat. Sie hat sich auch und schon vorher an andern Heiligtümern, und zwar gerade auch an solchen im Gebiet des spätern Nordreichs ereignet, was für uns wenigstens im Fall von Silo zu belegen ist.

Insofern vertritt Jesaja trotz seiner starken Verwurzelung in seiner Heimatstadt nicht eine exklusiv jerusalemische Ausprägung des Glaubens Israels; er ist Exponent einer breiteren Entwicklung, die bereits in der "Richterzeit" begonnen haben muss. Aber er hat Tendenzen zum Durchbruch verholfen, die in manchen Kreisen-gerade auch in Jerusalem – auf Widerstand gestossen sind. Es bestanden offensichtlich starke Hemmungen, JHWH **מלך** aber auch **אדון** zu nennen, und selbst die Bezeichnung **יהוה צבאות** war keineswegs allgemein anerkannt, ja in gewissen Kreisen offensichtlich geradezu verfemt. So verständlich die Bedenken Israels gegen solche Namen in seinem Abwehrkampf gegen Kanaan waren, so bedeutungsvoll ist es doch, dass es Jesaja in grosser Kühnheit gewagt hat, sie als legitimen Ausdruck dessen, was Israel von seinem Gott zu bekennen hatte, aufzunehmen.

Begriffe, die bereits eine Geschichte hinter sich haben, sind immer schon belastet und haben gelegentlich so viel Eigengewicht, dass sie wenig geeignet sind, auszudrücken, was eine starke Persönlichkeit als Eigenes zu sagen hat. Jesaja brauchte vor dieser Gefahr nicht zurückzuweichen, weil seine Botschaft so scharf profiliert ist, dass die übernommenen Begriffe ihr dienstbar werden mussten. Und er hat einem Namen JHWHs besondere Leuchtkraft verliehen, der sonst kaum verwendet wurde, vielleicht gar seine eigene Prägung ist: der Heilige Israels. Es leidet keinen Zweifel dass diese Bezeichnung das Zentrum markiert, von dem her die andern Namen und Beinamen ihren spezifisch jesajanischen Inhalt gewinnen. Die grosse Zahl von Namen und Beinamen, die Jesaja für JHWH verwendet, bezeugt, wie sehr er darum gerungen hat, sein Volk davor zu bewahren, dass es sich seinem Gott nur mit dem Munde nahe und ihn mit den Lippen ehre, während sein Herz ferne von ihm ist (Jes. 28,13), dass es vielmehr einsehe, wem es sich stellt, wenn es von seinem Gott spricht, nämlich dem

אדני יהוה קדוש ישראל

bzw. dem אדון יהוה צבאות אביר ישראל.

Der Monotheismus Deuterojesajas

Walther Zimmerli, den diese Ausführungen in Dankbarkeit zur Vollendung des siebten Dezenniums grüßen möchten, betont in seiner alttestamentlichen Theologie den „ganz unspekulativen Charakter“ des atl. Glaubens. „Er kämpft nicht um ein gereinigtes Welt- und Götterbild, sondern läßt das Phänomen fremder Götter ... zunächst stehen, nimmt diesen aber alle Macht und weigert ihnen in aller Schärfe den Anspruch auf Israel.“[1] An der Richtigkeit dieser Beurteilung kann kein Zweifel sein. Die Zeit ist endgültig vorbei, da man glaubte, mit der Etikette „sittlicher Monotheismus“ die eigentliche Leistung Israels im Kreis der Völker der Alten Welt erfassen zu können. Monotheismus ist kein selbständiges Thema der israelitischen Religionsgeschichte. „Es hat sich an ihm nicht gemessen und geprüft, so wie es sich am ersten Gebot gemessen und geprüft hat.“[2] Von Rad, der diesen Satz formuliert hat, weiß natürlich, daß im AT das Bekenntnis zu Jahwe als dem alleinigen Gott nicht fehlt. Aber er meint, daß es sich beim Aufkommen des Monotheismus um einen Prozeß handle, „dessen sich Israel selber gar nicht recht bewußt wurde“[3]. Im Blick auf das Ganze des ATs ist dieser Satz durchaus am Platz und zu beherzigen. Man wird in diesem Zusammenhang auch die Stimme des Religionswissenschaftlers nicht überhören dürfen, daß die Einzigkeit Gottes nicht „eine Negation seiner Vielheit (ist), sondern eine leidenschaftliche Affirmation seiner Gewaltigkeit“[4]. Es ist jedoch zu fragen, ob nicht eben bei Deuterojesaja dieser Schritt von „leidenschaftlicher Affirmation seiner Gewaltigkeit“ zum Bekenntnis seiner absoluten Einzigkeit im vollen Bewußtsein sowohl der inneren Notwendigkeit als auch der Tragweite der monotheistischen Formulierungen getan worden ist. Zimmerli selbst fügt dem

---

[1] Grundriß der alttestamentlichen Theologie (1972) 34, s. auch 193.

[2] G. v. Rad, Theologie des Alten Testaments, I (^{4}1965) 224, s. auch 225.

[3] Auch G. v. Rad sieht aber durchaus, daß sich bei Dtjes ein der theologischen Reflexion bewußt gewordener Monotheismus ausspricht, betont aber zugleich, daß es sich dabei nicht um „eine religionsphilosophische Wahrheit“, sondern um ein nur vom Gottesvolk glaubwürdig zu machendes Bekenntnis handle, ebd. 225.

[4] G. v. d. Leeuw, Phänomenologie der Religion (^{2}1956) § 20.3.

oben zitierten Satz hinzu: „Bei Dtjes, ausgerechnet in der Zeit der tiefsten Erniedrigung Israels, ist dann aber zu erkennen, wie Fremde sich an Israel heranmachen und bekennen: ‚Nur bei dir ist Gott' (45,14)."

I.

Die Diskussion um das Problem des atl. Monotheismus hat darunter gelitten, daß man nicht immer klar definierte, was unter Monotheismus zu verstehen sei. So meint Albright: „Bedeutet (aber) der Ausdruck ‚Monotheist': Einer, der die Existenz nur eines einzigen Gottes lehrt, welcher Schöpfer des Alls, Quelle der Gerechtigkeit ist, in Ägypten ebenso mächtig wie in der Wüste und in Palästina, der kein Geschlecht hat und keine Mythologie, der von menschlicher Gestalt ist, aber von Menschenaugen nicht gesehen werden kann und sich in keiner Gestalt darstellen läßt – dann war der Begründer des Jahwismus sicherlich Monotheist."[5] Diese These Albrights hängt mit seiner Beurteilung der Tradition über Mose zusammen, die einer kritischen Schau nicht standhält. Aber davon abgesehen ist die entscheidende Aussage dieser Reihe, nämlich „einer, der die Existenz nur eines einzigen Gottes lehrt", in der Tradition über Mose, wie sie vorliegt, nicht zu belegen. Im übrigen aber ist Albrights Beschreibung des mosaischen Jahwe ein eindrückliches Zeugnis der Besonderheit des Jahweglaubens in der altorientalischen Welt. Die Frage kann jedoch nur dahin gehen, ob und inwieweit das altisraelitische Gottesverständnis des frühen Israel mit Folgerichtigkeit zum Monotheismus führen mußte[6]. Um der Sauberkeit der Begriffe willen ist zwischen der Unvergleichlichkeit oder Einzigartigkeit Jahwes auf der einen Seite und seiner Einzigkeit auf der andern klar zu scheiden[7]. Parallelen zu be-

---

[5] W. F. Albright, Von der Steinzeit zum Christentum (1949), Abschnitt „Mose und der Monotheismus", 258 ff., s. besonders 271. Auch Albright weiß allerdings wohl darum, daß Mose kein Monotheist war „mit genau umschriebenen Auffassungen" wie bei Theologen, bei denen dieser ein zentraler dogmatischer locus ist.

[6] Auch O. Procksch wagt den Satz: „Der Monotheismus ist das Urdatum des alttestamentlichen Gottesglaubens", aber er fügt hinzu: „auch wenn die theologische Erkenntnis davon sich erst allmählich bis zur Höhe, die wir bei Deuterojesaja finden (Jes 44,6) entwickelt hat", Theologie des Alten Testaments (1950) 605. Aber eben weil dem so ist, sollte man nicht den Monotheismus, sondern die Unvergleichlichkeit Jahwes oder seinen Willen, keine andern Götter neben sich zu dulden, als Urdatum des Glaubens Altisraels bezeichnen.

[7] Zur Auseinandersetzung mit Albright s. H. H. Rowley, Mose und der Monotheismus, ZAW 69 (1957) 1–21 und dort 6 Anm. 25 f. – Die Stellen zum Thema „Unvergleichlichkeit" hat C. J. Labuschagne gesammelt: The incompa-

kenntnishaften Sätzen wie dem, daß es keinen Gott wie Jahwe gebe, finden sich in der Umwelt des alten Israel häufig[8]. Solche Formulierungen sind kathenotheistisch zu deuten: Sie gehören von Haus aus zum Sprachfeld des Hymnus und des Klage- bzw. Dankliedes und haben den Sinn, sich das Wohlwollen des angerufenen göttlichen Wesens zu sichern[9]. Man muß sie, auch wenn sie zunächst ganz monotheistisch klingen, von ihrem Sitz im Leben her und nach ihrer Funktion beurteilen. Es ist keineswegs ausgeschlossen, daß derselbe Beter sich bei anderer Gelegenheit an eine andere Gottheit mit ungefähr denselben preisenden Worten richtet. Im Bereich Israels allerdings ist solcher Wechsel keine legitime Möglichkeit. Das braucht nicht zu bedeuten, daß man die Existenz anderer Götter bestreitet, nicht einmal, daß auch Israeliten sich nicht gelegentlich an Astarte oder Baal wenden, in der Meinung, daß diese für den Bereich, in dem man gerade Schutz und Hilfe nötig hat, besser zuständig seien. Aber eine Formulierung wie die: Wer ist wie Baal? ist im Munde eines Angehörigen des Jahwevolkes undenkbar. Die Unvergleichlichkeit Jahwes als des „eifersüchtigen" Gottes ist im Alten Orient also eine Kategorie für sich[10]. Der Mo-

---

rability of Yahweh in the Old Testament (1966), und zwar unter Beizug des altorientalischen Vergleichsmaterials. Er ist dabei zum Ergebnis gekommen, daß zwar gewiß auch im Umkreis Israels von der Unvergleichlichkeit eines Gottes gesprochen werden kann, aber: „the results of our investigation show that we should look for the origin of the concept of God's incomparability not outside but inside Israel" (129). Er dürfte mit dieser These recht haben, so gewiß rein formal gesehen da wie dort die Überlegenheit der Gottheit, an die man sich wendet, gepriesen werden kann. Daß man mit der Annahme von Abhängigkeit vorsichtig sein muß, zeigt sich daran, daß man solchen Formulierungen auch in einem so fernen Kulturkreis wie Indien begegnet. So wenn im Rig-Veda Indra mit den Worten: „Nicht gibt es außer dir einen anderen, der dir gleicht" (VI 21,10) gepriesen wird.

[8] Es sei nur gerade auf die Namen *mīkā'ēl* und *mīkājᵉhū* verwiesen. Der Name Michael erscheint bereits in Num 13,13, *mīkājᵉhū* in Ri 17,1.4. *mīkā'ēl* könnte von Haus aus kanaanäisch sein („wer ist wie El?"), in Ugarit scheinen solche Unvergleichlichkeitsaussagen zu fehlen, doch mag das Zufall sein. Hingegen kennt Babylon Namen wie *Mannu-kīma-Sîn* (Labuschagne, 34 f.), *Mannu-kīma-ilīja* (Stamm, AN, 237) oder *Mannu-šāninšu* (HAL II 546). B. Hartmann, Es gibt keinen Gott außer Jahwe, ZDMG 110 (1961) 229–235, hat allerdings zu zeigen versucht, daß *kī* und *kᵉ* „außer" bedeuten können und glaubt daher, diese Namen im Sinn einer monotheistischen Formel verstehen zu können: Es gibt keinen (Gott) außer Jahwe (El). Hätte er recht, dann läge in diesen Namen ein sehr altes Zeugnis von Jahwes Einzigkeit vor. Aber Hartmanns Deutung scheitert an den außerbiblischen Parallelen.

[9] Man vgl. beispielsweise den Hymnus an *Šamaš*, AOT, 247, das Lied auf Nanna-Su'en, SAHG 13 Z 25 ff. und das Gebet an Ištar, AOT, 260.

[10] Darum wird auch der religionsgeschichtliche Begriff des Henotheismus dem alttestamentlichen Tatbestand nicht voll gerecht: die totale Hingabe an

notheismus ist damit allerdings noch nicht gegeben. Zu ihm gehört nicht nur die engagierte und ausschließliche Zuwendung zur Gottheit, sondern das klare Bewußtsein der Einheit von Kosmos und Geschichte und der Abhängigkeit beider vom Walten des einen Herrn samt all den Konsequenzen, die eine solche Weltanschauung für den Glauben an den einen Gott mit sich bringt[11]. Sich auf den Monotheismus einlassen, heißt, harte Probleme provozieren, denen sich der Glaube dann eben zu stellen hat[12]. Der Schritt zum Monotheismus ist grundsätzlich ein überaus folgenreiches Betreten von Neuland, dessen Bedeutung nicht durch verschwommene Begriffe verdeckt und relativiert werden darf. Jedenfalls also: Von Monotheismus kann nur die Rede sein, wo man zu dieser Einheitsschau gekommen ist. Das bedeutet aber eine denkerische Leistung, die dem Israel der Frühzeit gar nicht möglich gewesen wäre. Daß aber, wo diese Erkenntnisstufe erreicht war, der Moment kommen mußte, wo die Existenz anderer Götter geleugnet wurde, versteht sich zwar im nachhinein leicht, war aber ein Durchbruch, wie er nur von ganz großen Persönlichkeiten vollzogen werden kann.

Eine weitere Vorbemerkung ist an dieser Stelle notwendig: Es ist zweifellos so, daß Texte, die von Haus aus von der Unvergleichlichkeit Jahwes reden, im Lauf der atl. Überlieferungsgeschichte monotheistisch verstanden worden sind[13]. Formulierungen der liturgischen Sprache halten sich mit großer Zähigkeit – zumal im Alten Orient. Das muß jedoch keineswegs bedeuten, daß sie durch die Jahrhunderte hindurch immer Träger desselben Sinngehaltes gewesen sind. Und ebensowenig ist es zum vornherein ausgemacht, daß Formulierungen aus dem Alten Orient im Koordinatensystem des Glaubens Israels dasselbe aussagen wie irgendwo in

---

eine Gottheit im Henotheismus schließt nicht aus, daß zu anderer Zeit in einer andern Situation eine andere Gottheit jenes so hoch gepriesene göttliche Wesen im Denken des Beters verdrängt. Das Entwicklungsschema: Polytheismus, Henotheismus, Monotheismus entspricht offensichtlich der Wirklichkeit nicht: Der Henotheismus stellt keine Vorstufe zum Monotheismus dar.

[11] S. dazu B. Balscheit, Alter und Aufkommen des Monotheismus in der israelitischen Religion, BZAW 69 (1938) hier bes. 1–10.

[12] Es sei nur etwa daran erinnert, daß im AT noch völlig unbefangen gesagt werden kann, daß Jahwes Macht an der Scheol ihre Grenze hat (s. Ps 6,6; 88,6.12; 115,17). Macht man mit dem Monotheismus Ernst, dann trägt Jahwe auch die Verantwortung für das, was im Bereich der Finsternis, des Bösen, des Todes geschieht.

[13] Das gilt z. B. vom *š^{e}ma'*, Dtn 6,4: *Jhwh '^{æ}lōhēnū Jhwh 'æḥād.* Wie auch diese Formel des Genauern zu deuten sei, jedenfalls ist sie von Haus aus kein Zeugnis für den Eingottglauben. Zur jüdischen Auslegung s. z. B. Schalom Ben-Chorin, Jüdischer Glaube (1975) 55 ff.

seiner näheren oder ferneren Umwelt[14]. Um dieser grundsätzlichen Vieldeutigkeit bekenntnishafter Sätze willen, ist die präzise Interpretation einer bestimmten religiösen Aussage oft schwierig, zumal dort, wo der historische und geistesgeschichtliche Kontext, aus dem heraus sie zu verstehen wäre, nicht erhoben werden kann – ein Problem, das etwa dem Exegeten alttestamentlicher Psalmen schwer zu schaffen macht. Bei Deuterojesaja sind wir in der glücklichen Lage, daß über seine zeitliche Ansetzung ein großer, über „Echtheitsfragen" zum mindesten ein weitgehender Konsens besteht. Struktur und Gedankengehalt lassen sich leidlich gut erfassen, so daß sich die einzelne Aussage von der Gesamtschau her mit zureichender Sicherheit deuten läßt. Es mag darum sinnvoll sein, erneut darnach zu fragen, was es mit dem Monotheismus Deuterojesajas auf sich hat und worin es allenfalls begründet ist, daß gerade bei ihm ein klarer Durchbruch zu erkennen ist. So gewiß es richtig ist, daß die Höhenlage einer Religion mit der Frage, ob sie als monotheistisch zu gelten habe, nur wenig zu tun hat[15], so liegt ja doch der Monotheismus des Judentums, des Christentums und des Islam in der Konsequenz des im AT bezeugten Gottesglaubens[16]. Mag auch das Bekenntnis zu Jahwe als dem einen Gott im AT nur am Rand stehen, so hat es doch im Lauf der Wirkungsgeschichte eine Bedeutung gewonnen, die es rechtfertigt, sorgfältig nach seinen Anfängen zu fragen.

---

[14] Das ließe sich beispielsweise sehr schön zeigen an Stellen der Bhagavadgîta, die durchaus „Parallelen" zu ähnlichen alttestamentlichen Aussagen zu sein scheinen. Kṛṣna preist sich als den Überlegenen, ja alleinen Gott oder wird von Arjuna als solcher gepriesen: „Du bist Vater aller Dinge, Herr von allem, was da lebt. Keiner gleicht dir in den Welten, dir, vor dem das All erbebet" (XI 43). Oder: „Es gibt nichts Höheres als mich, das Einzig-Eine bin ich nur" (VII 7). Solche Sätze können nur vom indischen Monismus her richtig eingestuft werden. Der Kṛṣnaglaube schließt die Verehrung anderer Götter in keiner Weise aus: „Der welcher andern Göttern dient, der dient in höherm Sinn mir auch" (IX 23), ein Satz, der im AT völlig unmöglich wäre.

[15] S. dazu W. Eichrodt, Theologie des Alten Testaments, II (^{5}1964) 141, vgl. etwa auch W. Wundt, Völkerpsychologie IV (1914) 320: „Begriffe wie ‚Monotheismus' und ‚Polytheismus' (sind) leere Zahlenschemata, nach denen sich der Wert einer Religion ebensowenig bemessen läßt, wie etwa der Wert einer Ehe nach der Zahl der Kinder, die ihr entsprossen sind."

[16] Zur Waḥdānīja s. z. B. H. Stieglecker, Die Glaubenslehren des Islam (1962) 42 ff. Die Šahāda: „Es gibt keinen Gott außer Allah" *(lā 'illāha 'illāllāhu).*

II.

Zunächst sei ein Überblick über die deuterojesajanischen Stellen gegeben, die unzweideutig seinen Monotheismus bezeugen:

43,10–13:

10 *ʾattæm ʿēdaj nᵉʾūm-Jhwh wᵉʿabdī ʾᵃšær bāḥartī*
lᵉmáʿan jēdᵉʿū[17] *wᵉjaʾᵃmīnū*[17] *lī wᵉjābīnụ̄*[17] *kị-ʾᵃnị hū̆ʾ*
lᵉfānaj lōʾ-nōṣar ʾēl wᵉʾaḥᵃraj lōʾ jihjǣ.

11 *ʾānōkī ʾānōkī Jhwh wᵉʾēn mibbalʿādaj mōšīᵃʿ.*

12 *ʾānōkī higgadtī wᵉhōšaʿtī wᵉhišmaʿtī wᵉʾēn bākæm zār*
wᵉʾattæm ʿēdaj nᵉʾūm-Jhwh waʾᵃnī-ʾēl. 13 *gam mijjōm ʾᵃnī hūʾ*
wᵉʾēn mijjādī maṣṣīl ʾæfʿal ūmī jᵉšībænnā.

Lassen wir zunächt die schwierig zu deutende Formel *kī ʾᵃnī hūʾ* weg, so fehlt zwar in diesem sonst recht ausführlichen Abschnitt die ausdrückliche Feststellung, daß es außer Jahwe keinen andern Gott gebe. Daß das aber gemeint ist, kann gerade hier nicht zweifelhaft sein: Wenn vor und nach Jahwe kein Gott gebildet wurde, dann ist Jahwe Gott schlechthin. *waʾᵃnī ʾēl* in 12 kann nach dem Kontext nicht bedeuten: Ich bin ein Gott, sondern nur: ich bin der Gott, neben dem kein anderes Wesen denkbar ist, das als göttlich bezeichnet werden dürfte. „Einen so eindeutigen und grundsätzlichen Satz zur Einzigkeit Gottes hat vor Dtjes niemand gesprochen."[18] Nun ist allerdings festzustellen, daß auch in diesem Abschnitt das eigentliche Thema nicht die Einzigkeit Jahwes ist, der Skopus ist erst in 13aβb erreicht: „Keiner vermag aus meinen Händen zu entreißen, ich schaffe es, wer will es wenden?" Das „es", das keine Macht zu ändern vermag, ist die Errettung Israels. Das „außer mir gibt es keinen Gott", steht zwar im Raum, gesagt wird aber: *ʾēn mibbalʿādaj mōšīᵃʿ*, und auch das ist keine theoretische Aussage, sondern möchte Israel Mut zum Hoffen machen: Weil Jahwes Macht so total ist und seine Herrschaft an keiner andern Macht eine Grenze findet, kann Israel sich auf ihn verlassen in geradezu triumphaler Zuversicht. Der Monotheismus ist dem soteriologisch-seelsorgerlichen Interesse untergeordnet. Aber das bedeutet nicht, daß die ontologischen Aussagen Deuterojesajas nicht ernst zu nehmen wären: Sie öffnen einen neuen Horizont, innerhalb dessen fortan der Glaube Israels zu sehen ist.

---

[17] MT liest *tēdᵉʿū wᵉtaʾᵃmīnū lī wᵉtābīnū*, s. aber BHK³; J. Begrich, Studien zu Deuterojesaja (1938) 41; Steinmann; L. J. Mc. Kenzie u. a.

[18] C. Westermann im Blick auf 10bβγ.

44,6–8:

6 *kō-ʾāmar Jhwh mǽlæk-jiśrāʾēl wᵉgōʾᵃlō Jhwh ṣᵉbāʾōt*
ʾᵃnī rīšōn waʾᵃnī ʾaḥᵃrōn ūmibbalʿādaj ʾēn ʾᵆlōhīm.
7 *ūmī-kāmōnī jiqrāʾ wᵉjaggīdǽhā wᵉjaʿrᵉkǽhā lī ...*
8 *ʾal-tifḥᵃdū wᵉʾal-tirʾū*[19] *hᵃlōʾ mēʾāz hišmaʿtīkā wᵉhiggadtī*
wᵉʾattæm ʿēdaj hᵃjēš ʾᵆlōᵃh mibbalʿādaj wᵉʾim[19] *ṣūr bal-jādāʿtī.*

Hier ist die Nichtexistenz anderer Götter als nackte Tatsache ausgesprochen: „Außer mir ist kein Gott." Auch die Doppelfrage am Schluß von 8 kann natürlich nur beantwortet werden: Außer Jahwe gibt es keinen Gott und keinen Fels. Von diesen eindeutigen Aussagen aus ist die alte Formel zum Ausdruck der Unvergleichlichkeit Jahwes *mī kāmōnī* zu Beginn von 7 zu interpretieren. Darauf wird zurückzukommen sein. Im übrigen ist die inhaltliche Übereinstimmung mit dem vorhergehenden Abschnitt deutlich: „Ich bin der Erste und Letzte" entspricht 43,10bβγ. Das soteriologische Moment steht auch hier im Mittelpunkt: „Erschreckt nicht und fürchtet euch nicht" (8aα); Jahwe wird „König Israels" und „*sein* Erlöser" genannt. Und worum es Dtjes geht, wenn er die Einzigkeit seines Gottes verkündet, zeigt schön die Parallelisierung von *ʾᵆlōᵃh* mit *ṣūr* in 8b. Daß Israel Zeuge sein soll, hat der Abschnitt ebenfalls mit dem vorhergehenden gemein. Was aber hat es zu bezeugen? Leider ist das genaue Verständnis von 8b nicht gesichert. Hat die masoretische Punktation recht, dann soll Israel Zeuge dafür sein, daß Jahwe das Kommende längst angekündet hat. Ist aber die Versabteilung von BHK und BHS richtig – und dafür spricht auch das *wᵉ* vor *ʾattæm* – dann ist es Aufgabe Israels, zu bezeugen, daß es keinen Gott neben Jahwe gibt. Das bedeutet, daß der Monotheismus ein selbständiger Glaubensinhalt geworden ist.

45,5–7:

5 *ʾᵃnī Jhwh wᵉʾēn ʿōd zūlātī ʾēn ʾᵆlōhīm*
ʾᵃʾazzærkā wᵉlōʾ jᵉdaʿtānī[20].
6 *lᵉmáʿan jēdᵉʿū mimmizraḥ-šǽmæš ūmimmaʿᵃrābā kī-ʾǽfæs bilʿādaj*
ʾᵃnī Jhwh wᵉʾēn ʿōd. 7 *jōṣēr ʾōr ūbōrēʾ ḥōšæk*
ʿōśǣ šālōm ūbōrēʾ rāʿ ʾᵃnī Jhwh ʿōśǣ kol-ʾēllǣ.

Die Verse bilden den Abschluß eines an den Perser Cyrus gerichteten Wortes. Cyrus ist Jahwes „Gesalbter" (45,1), d. h., daß er Jahwes Willen vollstrecken muß. Es ist damit an sich kaum mehr

[19] Emendierter Text, s. BHS.
[20] Fohrer hält 5b für einen Zusatz, kaum zu Recht.

ausgesagt, als wenn der erste Jesaja Assur „Stecken seines Zorns", „Rute seines Grimms" nennt (10,5). Aber Dtjes untermauert diese Botschaft: Jahwe kann über die Herrscher der Welt verfügen, weil es keinen Gott außer ihm gibt. Und nicht nur Israel allein wird sich an diesem Wissen erbauen können: Man wird es vom Aufgang der Sonne bis zu ihrem Niedergang erkennen können, daß Jahwe allein Gott ist. Über die Formulierung: „Ich bin Jahwe und keiner sonst" wird gleich noch zu reden sein; auf den ersten Blick scheint der Satz völlig sinnlos zu sein: Wer denn sollte Jahwe sein, wenn eben nicht Jahwe selbst. Mit großer Klarheit ist hier im übrigen eine Konsequenz des Monotheismus gesehen: nämlich, daß Jahwe als der eine Gott auch Schöpfer und Bildner der Nachtseite von Kosmos und Geschichte ist; auch das wird noch zu bedenken sein.

45,14:

Die Erkenntnis der Völker, daß Jahwe allein Gott ist, bleibt kein intellektueller Akt ohne Folgen: Ägypter, Äthiopier und Sabäer werden „hinüberkommen" und werden vor Israel bekennen:

'ak bāk (sc. bei Israel) *'ēl wᵉ'ēn ʿōd 'ǽfæs 'ᵆlōhīm* (14bβ).

Dtjes erwartet also eine förmliche Bekehrung. Jerusalem bzw. sein Tempel wird Pilgerheiligtum, ja zentrale Kultstätte für die Völker überhaupt[21]. Darf man es so sagen: Wenn nach der deuteronomischen Kultreform nur *eine* Kultstätte für ganz Israel möglich ist — weil ja eben Jahwe *ein* Jahwe ist (Dtn 6,4), so sieht Dtjes, weil Jahwe der *eine* Gott ist, Jerusalem als religiöses Zentrum der Völker überhaupt. Dem *Mono*theismus entspricht eine straffe zentralistische „kirchliche" Organisation.

45,18:
kō 'āmar Jhwh bōrē' haššāmájim hū' hā'ᵆlōhīm
jōṣēr hā'āræṣ wᵉʿōśāh hū' kōnᵉnāh . . .
'ᵃnī Jhwh wᵉ'ēn ʿōd.

Es fragt sich, wie man *hū' hā'ᵆlōhīm* syntaktisch fassen soll: Ist *hā'ᵆlōhīm* Apposition zu *hū'* (Fohrer: „er, der Gott", Westermann: „er, Gott") oder ist es ein eingeschobener Satz: „er ist der Gott", nämlich der Gott schlechthin? Vermutlich ist die erste Möglichkeit vorzuziehen. Aber so oder anders, jedenfalls ist Jahwe nicht mehr *ein* Gott, er ist *der* Gott (die Zürcher Bibel übersetzt sinngemäß richtig: „er, der alleinige Gott"). Die Gottesrede selbst beginnt am Schluß des Verses mit der Selbstvorstellungsformel „ich

[21] Vermutlich muß v. 14 als Einheit für sich gesehen werden; 15 setzt neu ein (s. Westermann z. St.).

bin Jahwe", aber das genügt nicht, es wird wieder hinzugefügt: „und keiner sonst". Das kann nicht meinen: Ich bin Jahwe und bin kein anderer Gott, d. h. ich trage keinen anderen Namen, sondern nur: Ich, Jahwe, bin Gott und ein anderes göttliches Wesen, dem diese Bezeichnung gelten könnte, gibt es nicht.

45,21 f.:

Jahwe ist es, der die geschichtlichen Ereignisse im voraus angekündigt hat:

21 *h^a^lō' '^a^nī Jhwh w^e'^ēn 'ōd '^æ^lōhīm mibbal'ādaj*
'ēl-ṣaddīq w^e^hiwwāš^e'^ū kol-'afsē-'ắræṣ
22 *p^e^nū-'ēlaj ūmōšī^a'^ 'ájin zūlātī.*
kī '^a^nī-'ēl w^e'^ēn 'ōd.

Man beachte die Parallelität der Aussagen: „Es gibt keinen *'^æ^lōhīm* außer mir" = „es gibt keinen gerechten und rettenden *'ēl* außer mir" = „ich bin *'ēl* und keiner sonst". Die soteriologischen und ontologischen Aussagen über Jahwe stehen wieder nebeneinander und bedingen sich gegenseitig. Die Diskrepanz zu scheinbar ähnlichen Aussagen des ATs ist also von grundsätzlicher Bedeutung. So kann Jeremia von den Göttern sagen: *hēmmā lō' '^æ^lōhīm* (2,11aβ), aber man muß dieses Sätzchen deuten nach 2,5: Die Götter sind nur *hǽbæl*, „ein Hauch", und dieses wieder von 2,8 (Ende) her: *'aḥ^a^rē lō'-jō'ilū hālākū. lō' '^æ^lōhīm* heißt hier also nicht: Sie sind keine Götter, sondern: Sie leisten nicht, was man von wirklichen Göttern erwarten müßte.

49,26b:

Dasselbe Verständnis wie in 45,21 f. dürfte auch in 49,26b anzunehmen sein:

w^e^jād^e'^ū kol-bāśār kī '^a^nī Jhwh mōšī'ēk w^e^gō'^a^lēk '^a^bīr ja'^a^qōb

Das Subjekt von *jād^e'^ū* ist *kol-bāśār*, „alle Welt", wie etwa in freier Weise übersetzt wird. Es fragt sich, wie der Objektsatz syntaktisch zu fassen ist. Die Zürcher Bibel sagt: „daß ich der Herr, dein Retter bin"[23], Fohrer hingegen: „daß ich der Herr bin, dein Retter"[24]. Nach Analogie ähnlicher Stellen ist die zweite Möglichkeit vorzuziehen. Dann ist aber in Rechnung zu stellen, daß bei Dtjes die Selbstvorstellungsformel eine neue Funktion ausübt: Jahwe ist wohl nach wie vor der Gott Israels (der *'^a^bīr ja'^a^qōb*, wie

---

[22] Fohrer und Volz betrachten diese letzte Zeile als Zusatz. Aber diese Plerophorie gehört nun einmal zum dtjes Stil.

[23] S. Volz und Westermann z. St.

[24] S. Nueva Biblia Española: que yo soy el Señor, el salvador.

er am Ende des Verses genannt wird), aber Jahwe ist zugleich Gott schlechthin. Zwar fehlt hier die Negation („und keiner sonst" o. ä.). Das bedeutet aber nicht, daß sie nicht hinzuzudenken wäre, sondern vielmehr, daß sie selbstverständlich geworden ist.

So ist es auch in 54,5:
... Jhwh ṣᵉbā'ōt šᵉmō wᵉgō'ᵃlēk qᵉdōš jiśrā'ēl
Aber es wird überraschend hinzugefügt:
'ᵆlōhē kol-hā'ắræṣ jiqqārē'.

III.

So weit die deutlichsten Monotheismusaussagen Dtjes's. Daneben begegnen in seinem Buch eine Reihe von Stellen, an denen das Motiv der Unvergleichlichkeit aufgenommen worden ist. Auf eine dieser Stellen sind wir bereits oben, nämlich bei 44,6–8, gestoßen: *mī kāmōnī*, „wer ist wie ich?" Stünde die Frage isoliert da, müßte sie wie an andern Stellen des ATs und bei altorientalischen Parallelen als Aussage über Jahwes Unvergleichlichkeit beurteilt werden. Aber nun ist die Frage hier eben eingebettet in eindeutige Monotheismusaussagen. Genauso, wie „ich bin Jahwe" im Munde Dtjes's schließlich heißt: Ich bin Gott[25], so wird die Unvergleichlichkeitsformel zum Mittel, von Jahwes Einzigkeit zu sprechen[26]. Genauso sind Einheits- und Unvergleichlichkeitsaussagen in 46,9 miteinander verbunden:

'ānōkī 'ēl wᵉ'ēn 'ōd 'ᵆlōhīm wᵉ'ǽfæs kāmōnī.

Daneben begegnet man zwei Stellen, an denen die Unvergleichlichkeit nicht mit der Partikel *kᵉ*, sondern mit Hilfe von Verben des Vergleichens ausgedrückt ist:

40,18: *'æl-mī tᵉdammᵉjūn 'ēl ūmā-dᵉmūt taᶜᵃrkū-lō.*

Man beachte, daß hier statt dem zu erwartenden *Jhwh* das allgemeine *'ēl* steht, seinerseits ein Zeugnis für die monotheistische

[25] S. dazu u. S. 528 f.

[26] Labuschagne, 117, kommt nach seiner Übersicht über Dtjes's Monotheismus zum Schluß: „Confessing His uniqueness is just another way of confessing His incomparability ..." Auch er verkennt die grundsätzliche Bedeutung des Bruches, der bei Dtjes so klar zu fassen ist, und stellt das Verhältnis von Unvergleichlichkeit und Einzigkeit Jahwes auf den Kopf: in Wirklichkeit sind Formulierungen, die von Haus aus die Unvergleichlichkeit bezeugen, dem Bekenntnis zu Jahwes Einzigkeit dienstbar gemacht.

Schau Dtjes's. Der Satz steht als Abschluß eines Abschnittes, der Jahwes souveräne und umfassende Schöpfermacht preist. Zu Beginn eines solchen Abschnittes steht 40,25:

'æl-mī tᵉdammᵉjūnī wᵉ'æšwæ jōmar qādōš.

Neben *dmh* ist hier das Verb *šwh* verwendet. Wieder dient als Gottesname nicht Jahwe, aber auch nicht *'ēl*, sondern das absolute *qādōš*, also nicht das beim ersten und auch beim zweiten Jesaja übliche *qᵉdōš jiśrā'ēl*: Jahwe ist hier der Heilige schlechthin. Und schließlich ist zu erwähnen: 46,5: *lᵉmī tᵉdamjūnī wᵉtašwū wᵉtamšīlūnī wᵉnidmæ.* Zu den Verbalwurzeln *dmh* und *šwh* tritt hier noch *mšl.* Der Satz bildet den volltönenden Abschluß eines Abschnittes[27], der von Jahwes Fürsorge für Israel von Mutterleib an bis in sein Alter spricht. An sich ist hier gewiß nur gerade von Unvergleichlichkeit die Rede. Aber der ganze Kontext zwingt auch hier, Neudeutung des überlieferten Motivs anzunehmen.

IV.

P. A. H. de Boer hat das wohl wichtigste Kapitel seines Buches „Second-Isaiah's Message"[28] mit dem Titel überschrieben: „The Limits of Second-Isaiah's Message"[29]. Er sieht sehr wohl, daß Dtjes an einzelnen Stellen Gottes Größe als Ordner von Himmel und Erde beschreibt. Er ist aber der Meinung, daß solche Sätze kein neues Konzept von Gott oder eine neue Lehre enthalten. Sie hätten ihren Ursprung im Hymnus, seien also keineswegs Deuterojesajas eigene Leistung und enthielten nichts, was für ihn typisch sei[30]. Das einzige Anliegen Dtjes's sei die Ankündigung der Erlösung Israels[31]. Im übrigen seien diese hymnischen Motive durchaus auch bei den Israel umgebenden Völkern zu finden. Daß das primäre Anliegen Dtjes's der Aufruf zu neuer Zuversicht ist, ist

---

27 D. h. der Verse 46,3–5; 46,1 f. ist eine kleine Einheit für sich; es ist immerhin zu beachten, daß sie vom Ende der Götter Babels spricht. Fohrer u. a. ziehen v. 5 zu den Versen 6–8, die nicht dtjes sind, doch trägt v. 5 ausgesprochen dtjes Gepräge.

28 OTS XI (1956).

29 S. 80–101.

30 „They (die Stellen, die Jahwes Größe und Macht als Ordner von Himmel und Erde beschreiben) do not introduce a new concept of God or a new doctrine. They are secondary, taken from a special category and used for a special aim. No typical Second-Isaianic trait can be derived from them." Es handle sich um „an application of an 'El hymn to his conception of a powerful Yhwh, redeemer of his people" (aaO 85 f.).

31 AaO 90.

unbestritten. Es ist aber die Absicht dieser Untersuchung, zu zeigen, daß sein Gottesbild tatsächlich als neue Konzeption, und zwar im Sinn eines vorher so nicht bezeugten Monotheismus zu werten ist. Wie nicht anders zu erwarten, steht allerdings auch Dtjes nicht beziehungslos im geistigen Raum Israels. Es genügt aber nicht, einfach auf den hymnischen Stil zu verweisen, sondern die Zusammenhänge der Monotheismusaussagen mit der vorgegebenen Tradition bedürfen einer näheren Untersuchung.

Zunächst die eigentlich monotheistischen Formulierungen: Sie sind keineswegs sozusagen Allgemeingut der hymnischen Literatur: Zu nennen ist hier nur gerade Ps 18 = 2Sam 22:

mī ʾ^ælōₐh mibbalʿₑₐdē Jhwh ūmī ṣūr[32] *zūlātī ʾ^ælōhēnū* (v. 32).

Die Nähe zu den dtjes Formulierungen liegt auf der Hand. Komposition und Alter des Psalmes sind leider stark umstritten, doch gilt wenigstens v. 32 ff., das Danklied eines Königs, allgemein als vorexilisch[33], genauer meist spätvorexilisch. Die monotheistische Aussage ist also auch hier da, und zwar als Element des Lobpreises. Um eine theologische Aussage, die durchreflektiert und in ihren Konsequenzen erfaßt wäre, handelt es sich aber nicht. Beachtenswert ist, daß parallel zu *ʾælōₐh* wie in Jes 44,8 *ṣūr* steht: Jahwe ist der Gott, auf den Israel sich verlassen kann. Wie bei Dtjes steht also das soteriologische Interesse im Vordergrund, wie es ja auch einem Dankeslied entspricht. Wenn der Psalm eine Einheit bildet — was trotz allem wahrscheinlich ist[34]—, ist nicht zu übersehen, daß der erste Teil ausführlich Jahwes Schöpfungshandeln darstellt. Von Dtjes her gesehen überrascht dieser Zusammenhang keineswegs.

Das ist aber schon alles, was in den Psalmen an eigentlich monotheistischen Aussagen (zu denen gehört, daß die Existenz anderer Götter verneint wird) zu entdecken ist. Hingegen ist noch auf Hos 13,4 hinzuweisen:

ʾānōkī Jhwh ʾælōhækā mēʾæræṣ miṣrājim wēlōhīm zūlātī lōʾ tēdaʿ ūmōšīₐʿ ʾájin biltī.

---

[32] Zu *ṣūr* als Gottesepitheton s. H. Wildberger, Gottesnamen und Gottesepitheta bei Jesaja, Festschrift Z. Shazar (1973) 703 f.

[33] Für G. Fohrer (Einleitung, 309) ist zwar 1—31 ein Danklied aus nachexilischer Zeit, aber 32—51 ein vorexilischer Königspsalm, in dem für Sieg gedankt wird. F. M. Cross/D. N. Freedman, JBL 72 (1953) 15—34, urteilen, daß der Psalm nicht jünger als das 9. oder 8. Jh. sei, halten aber schon das 10. Jh. für nicht ausgeschlossen.

[34] S. vor allem Gunkel und Kraus.

Auch hier ist die Verwandtschaft mit der dtjes. Diktion deutlich zu erkennen. Interessant, daß, wie in Jes 43,10 f., *mōšîªᵉ* in Parallele zu *ʾᵆlōhîm* steht, bezeichnend auch, daß auf die Heilsgeschichte zurückverwiesen wird. LXX hat in einer Erweiterung auch den Bezug auf Jahwes Schöpfungswerk eingeschaltet (nach *ʾᵆlōhǣkā*: στερεῶν τὸν οὐρανὸν καὶ κτίζων (τὴν) γῆν, οὗ αἱ χεῖρες ἔκτισαν πᾶσαν τὴν στρατιὰν τοῦ οὐρανοῦ ... Das „monotheistische" Bekenntnis ist an die Selbstvorstellungsformel angefügt, wie das auch bei Dtjes vorkommt. H. W. Wolff[35] hat darauf aufmerksam gemacht, daß die Verkündigung des Gotteswillens, die nach der Selbstvorstellungsformel zu erwarten wäre, abgewandelt ist in eine Art „hymnischen Selbstpreis", was wieder genau der dtjes Situation entspricht. Im übrigen ist allerdings der Unterschied zu Dtjes unverkennbar – nicht nur weil Hosea keineswegs andere Völker im Auge hat, die bei Dtjes immer in seinem Blickfeld stehen, sondern vor allem weil er sagt: *lōʾ tēdaʿ*. Daß andere Völker andere Götter kennen können, ist damit zum mindesten explizit nicht verneint. Aber von Hosea zu Dtjes ist nur noch ein kleiner Schritt. Man wird nicht annehmen können, daß dem Exilspropheten diese Hoseastelle vor Augen stand, wohl aber, daß er solche hymnischen Selbstprädikationen kannte und zu monotheistischen Aussagen ausgebaut hat.

Inhaltlich scheint dieser Hoseastelle die zweifellos wesentlich jüngere Aussage von Jes 26,13 nahezustehen[36], doch ist der Text so unsicher, daß auf dessen Analyse verzichtet werden muß. – Viel besser steht es auch mit Jes 64,3 nicht:

lōʾ hæʾᵆzînā ʾōzæn[37] *ʿájin lōʾ-rāʾātā ʾᵆlōhîm zûlātᵉkā jaʿᵃśǣ limḥakkē-lō*[38].

Auch diese Sätze können kaum als Zeugnis für den Monotheismus im strengen Sinn angesehen werden, auf alle Fälle ist ihr Verfasser daran theoretisch nicht interessiert. Es ist interessant zu sehen, wie an diesen Stellen, die zweifellos jünger als Dtjes sind, dessen streng monotheistische Ausprägung der Jahweprädikationen nicht aufgenommen ist.

Sehr nahe stehen aber dem zweiten Jesaja deuteronomistische Stellen. Zunächst sei auf 2Sam 7,22 hingewiesen:

---

[35] S. 289.

[36] LXX liest: ἐκτὸς σοῦ ἄλλον οὐκ οἴδαμεν, so daß vorgeschlagen wurde, in *zûlātǣkā bal nēdaʿ* zu ändern, s. BHK³.

[37] Emendierter Text, s. BHK³, vgl. aber auch BHS.

[38] Der Text ist auch hier unsicher, s. BHK³.

gādaltā ᵓᵃdōnāj Jhwh kī-ᵓēn kāmōkā wᵉᵓēn ᵓᵆlōhīm zūlātǣkā bᵉkōl ᵓᵃšær-šāmaᶜnū bᵉᵓoznēnū.

(s. auch 1Chr 17,20). Das ist zwar ein Prosasatz, inhaltlich aber ist hymnische Diktion auch hier unverkennbar; gattungsmäßig wird man von einem prosaisierten Danklied eines Königs sprechen können. Der zitierte Satz erinnert an Ps 18,32, so daß man vermuten kann, daß der Deuteronomist nicht frei formulierte, sondern daß ihm das Motiv aus Königspsalmen bekannt war. Wie gelegentlich bei Dtjes ist die „Unvergleichlichkeitsformel" *ᵓēn kāmōkā* mit der monotheistischen *ᵓēn ᵓᵆlōhīm* verbunden. Zu beachten ist aber doch, daß der Zusatz „nach allem, was wir mit unseren Ohren gehört haben" noch zurückweist auf Aussagen, denen wir oben bei Hosea und Tritojesaja begegnet sind[39].

Noch näher an Dtjes hinan führt das Moselied:

ᵓᵃnī ᵓᵃnī hūᵓ wᵉᵓēn ᵓᵆlōhīm ᶜimmādī (Dtn 32,39).

Es ist die engste Parallele, die im ganzen AT für die monotheistischen Aussagen Dtjes's zu finden ist. Hier ist das auffallende deuterojesajanische *ᵓᵃnī hūᵓ* bereits da und auch das *mī ᵓittī* von Jes 44, 24[40] hat in *wᵉᵓēn immādī* seine Parallele. Leider besteht wiederum kein Konsens über das Alter des Moseliedes. Wäre es so alt, wie Eissfeldt glaubte dartun zu können – er setzt es in die Mitte des 11. vorchristlichen Jahrhunderts[41] – müßte man annehmen, daß sein Verfasser Dtjes um viele Jahrhunderte vorausgeeilt ist. In Wirklichkeit dürfte es mit ihm etwa gleichzeitig sein[42], und es ist müßig, darüber zu spekulieren, ob Abhängigkeit des einen vom andern vorliegt: Der Gedanke lag in der Luft. Das zeigt sich daran, daß in Dtn 4, das man ja wohl auch in die Exilszeit ansetzen wird, zwei weitere eindeutig monotheistische Aussagen vorliegen: V. 35:

Jhwh hūᵓ hāᵓᵆlōhīm ᵓēn ᶜōd millᵉbaddō.

und 39:

[39] Hier sei wenigstens kurz auf den Hannapsalm hingewiesen: *ᵓēn-qādōš kᵉJhwh kī ᵓēn biltǣkā wᵉᵓēn ṣūr kēlōhēnū* (1Sam 2,2). Auch hier liegen Unvergleichlichkeitsaussagen vor, aber in sie ist die monotheistische Wendung *ᵓēn biltī* eingeschoben. Man streicht sie oft als sekundär, eben weil sie die Einzigkeit Jahwes bezeuge, was der Psalm sonst nicht tue, s. Stoebe, KAT 8/1,103. Von Dtjes her gesehen steht diese Argumentation auf schwachen Füßen, weil auch bei diesem Unvergleichlichkeits- und Einzigkeitsaussagen nebeneinander vorkommen.

[40] So muß zweifellos mit dem Ketib für *mē ᵓitti* emendiert werden, s. BHS.

[41] O. Eissfeldt, Das Lied Moses, BAL 104,5 (1958).

[42] Fohrer, Einleitung, 206.

Jhwh hū' hā'ᵆlōhīm baššāmájim mimmáʿal wᵉʿal-hā'áræṣ mittáḥat 'ēn ʿōd.

Hier begegnet man also auch dem so typisch dtjes *'ēn ʿōd*. Selbst der dtjes Satz, daß Jahwe der Erste und der Letzte sei, klingt im Umkreis der beiden Verse mit der Feststellung an, daß Jahwe sich in der *'aḥᵃrīt hajjāmīm* genauso als der barmherzige Gott erweisen werde, wie in den *jāmīm rīšōnīm* (v. 32.34), und zwar beginnen diese „ersten Tage" mit der Schöpfung, so daß die *aḥᵃrīt hajjāmīm* doch wohl als die eschatologische Wende zu interpretieren ist. Der Zweck der monotheistischen Prädikation ist ähnlich wie bei Dtjes der, Israel Mut zu machen, sich seinem Gott voll anzuvertrauen, wobei allerdings der Abschnitt sein telos in der Forderung findet, mit dem Gehorsam Jahwes nun wirklich Ernst zu machen[43].

Das Ergebnis ist eindeutig: Monotheistische Aussagen, die denen Dtjes's vergleichbar sind, tauchen erst beim Deuteronomisten oder kurz vorher auf. Um einiges älter dürfte allein Ps 18,32 sein[44]. An all diesen Stellen ist der Monotheismus aber nicht durchreflektiert, die Tragweite des monotheistischen Bekenntnisses scheint noch nicht erkannt zu sein. Die Vermutung hat sich wohl bestätigt, daß die monotheistischen Formeln Dtjes's von der Sprache des Hymnus herkommen, doch reden Hymnen innerhalb und außerhalb des ATs in der Regel nur von der Unvergleichlichkeit des gepriesenen Gottes. Der Schritt zu Aussagen über Jahwes Einzigkeit ist kaum lange vor Dtjes und keineswegs auf einer breiten Basis vollzogen worden. Da Ps 18, 2Sam 7, 1Sam 2 (s. auch Ps 89) die „Königsideologie" vertreten, läßt sich vermuten, daß sich in deren Bereich das Bekenntnis zu Jahwe als dem alleinigen Gott herausgebildet hat.

Auch die oben erwähnten Unvergleichlichkeitsaussagen Dtjes's haben gewiß ihren traditionsgeschichtlichen Hintergrund. Wir haben festgestellt, daß Dtjes sich in ihnen einerseits der Verben *dmh*, *ʿrk*, *šwh* und *mšl* bedient, andererseits der Partikel *kᵉ*. Es zeigt sich bald, daß, was die genannten Verben anbelangt, die traditionsgeschichtliche Basis auch diesmal nicht breit ist. Wir begegnen der dtjes Begrifflichkeit wirklich greifbar nur in Ps 89, dort allerdings in überraschender Nähe zum Propheten:

---

[43] Das entspricht ja durchaus dem theologischen Grundanliegen des Deuteronomisten, s. dazu H. W. Wolff, Das Kerygma des deuteronomistischen Geschichtswerks, in: Gesammelte Studien zum AT (1973) 308–327.

[44] Und eventuell auch 1Sam 2,2.

v. 7 *mī baššáḥaq ja^{ca}rōk lᵉJhwh jidmæ lᵉJhwh bibnē 'ēlīm.*
v. 8 *'ēl na^{ca}rāṣ bᵉsōd-qᵉdōšīm rab*[45] *wᵉnōrā' ʿal-kol-sᵉbībāw.*
v. 9 *Jhwh ^{'æ}lōhē ṣᵉbā'ōt mī-kāmōkā . . .*

Jahwe ist ein Gott (*'ēl!*), gefürchtet im Kreis der Heiligen, er ist „groß" und furchtbar über allen, die ihn umgeben. Zieht man Dtn 32,8 bei[46], so wird erkennbar, in welcher Hinsicht von Haus aus, unter Verwendung des bei Dtjes begegnenden Formgutes, von Jahwes unvergleichlicher Größe gesprochen wurde: Jahwe gehört zum himmlischen Hofrat des *'ēl ʿæljōn*. Aber er ist dort nicht einer unter andern — allerdings auch nicht der einzige — sondern überragt die anderen *qᵉdōšīm* bei weitem. Bei der Gleichsetzung Jahwes mit El, dem Haupt des himmlischen *sōd*, ist dann die Unvergleichlichkeit Jahwes erst recht gesichert — seine Unvergleichlichkeit, aber gerade nicht seine Einzigkeit. Monotheistisch lassen sich *diese* Unvergleichlichkeitsformeln im Gegensatz zu den deuterojesajanischen gerade nicht deuten[47].

Die Parallelität zwischen den Formulierungen Dtjes's und Ps 89 kann nicht Zufall sein. O. Eissfeldt hat auf den engen Zusammenhang zwischen den Gnadenverheißungen an David in Jes 55,3—5 und Ps 89 hingewiesen, dabei aber überhaupt die engen Beziehungen zwischen Dtjes und Ps 89 aufgezeigt. Ps 89 wird heute in der Regel als vorexilisch betrachtet[48]. Eissfeldt hält es für möglich, daß Dtjes den Psalm kannte[49]. Es kann zwar sein, daß Prophet und Psalmist beide von einer Tradition abhängig sind, die Jahwes Königtum zum Gegenstand hatte. Doch wird man, da Beziehungen zwischen dem Psalm und dem Propheten auch sonst nachzuweisen sind[50], der Vermutung Eissfeldts zustimmen können. Eissfeldt hat bei *seinem* Thema aber zugleich dargelegt, wie sehr Dtjes die ihm vorliegende Tradition der Davidsverheißung uminterpre-

---

[45] So ist mit LXX für *rabbā* zu lesen.

[46] In 8bβ ist mit LXX, Lat., Symm. *bᵉnē 'ēl(īm)* für *bᵉnē jiśrā'ēl* zu lesen, s. dazu O. Eissfeldt, El und Jahwe, Kl. Schr. III (1966) 386—397.

[47] Es kann nicht überraschen, daß der Zeitgenosse Dtjes's, Ezechiel, in ähnlicher Weise von der Unvergleichlichkeit des Pharao spricht: *'æl-mī dāmītā bᵉgodlǣkā* (31,2, vgl. auch 8,18). Der Pharao ist dargestellt als der größte und herrlichste unter den Bäumen des Gottesgartens, welche, so wird man sagen dürfen, die Götterversammlung symbolisieren. Man vgl. auch Jes 14,12 ff., wonach der große Völkertyrann sich auf den Berg der Götterversammlung setzen will, um es dem Höchsten gleichzutun (*'ædammǣ lᵉʿæljōn*).

[48] Kraus, BK XV/2: Zeit Josias oder eines seiner Nachfolger. Fohrer (Einleitung) will zwar den Psalm in zwei Teile zerlegen, 1—19 und 20—53, betrachtet aber beide Teile als vorexilisch.

[49] O. Eissfeldt, The Promises of Grace to David in Isaiah 55:1—5, in: Muilenburg-Festschrift (1962) 199, s. auch 200.

[50] AaO 199 f.

tiert hat[51]. Beim Thema „Unvergleichlichkeit" ist das nicht viel anders, indem, wie oben gezeigt, die Unvergleichlichkeitsformeln als Bezeugung der Einzigkeit verwendet sind. Im übrigen ist Ps 89 wie Ps 18 ein Königspsalm. Beide reden auf ihre Weise von Jahwes Unvergleichlichkeit, die sich einerseits in seinem Schöpfungswerk manifestiert, andererseits in seinem Schutz der Davididen. Beide dürften am ehesten der spätern Königszeit zuzuschreiben sein. Es bestätigt sich also, daß das der traditionsgeschichtliche Hintergrund ist, von dem her Dtjes zu seinen Formulierungen des Monotheismus gekommen ist. Daß auch bei ihm die Thematik Schöpfung meist auftaucht, wo er von der Einzigkeit Jahwes spricht, liegt so sehr auf der Hand, daß man wohl geradezu formulieren darf, daß bei Dtjes der Monotheismus aus der theologischen Verarbeitung des Schöpfertums Jahwes herausgewachsen ist. Weil Jahwe der Schöpfer ist, kann man sich darauf verlassen, daß er auch, und er allein, Retter Israels, aber auch Herr der Völker und damit Gott überhaupt ist.

Bleiben noch die Unvergleichlichkeitsaussagen mit *kᵉ*, sei es als Frage: Wer ist wie Jahwe? (wie ich, wie du, wie er, etc.), sei es als Negation: *'ēn kᵉ*. Neben Jes 44,7 findet sich die Frage *mī kāmōnī*, also im Munde Jahwes selbst, noch in Jer 49,19. Daneben ist die rhetorische Frage im Mund der Beter oder Bekenner (also von der Form: „Wer ist wie Jahwe?" oder „Wer ist wie du?") etwas häufiger[52]. Die Belege gehören fast alle der Psalmenliteratur an, und zwar Hymnen oder doch Psalmenteilen hymnischen Stils. Die Form ist nicht fest, sondern es sind mancherlei Modifikationen möglich. Vor allem die in Anm. 52 genannten Namen lassen aber erkennen, daß sie sehr alt ist. Nirgends bezeugt sie jedoch den Monotheismus, wenn man von den wenigen Fällen absieht, wo sie mit eindeutig monotheistischen Aussagen gekoppelt ist.

V.

Dtjes ist nach den oben angeführten „Parallelen" nicht der erste Zeuge des Monotheismus im AT. Aber in keiner andern Schrift spielen monotheistische Aussagen eine auch nur annähernd ähnliche Rolle wie bei ihm. Und nur bei ihm ist der Monotheismus in

---

[51] Die *ḥasdē dāwīd hannæ'ᵆmānīm* gelten jetzt Israel.

[52] 1Sam 2,2; Mi 7,18; Ps 35,10; 71,19; 89,9; 113,5; Hi 36,22, dazu die Namen *mīkājā, mīkājᵉhū, mīkāhū, mīkā, mīkā'* und *mīkā'ēl*, vgl. auch Jer 49,9; Ps 77, 14; Dtn 3,24; 4,7, s. dazu Labuschagne, 21 ff.

seiner Relevanz erkannt und in seinen Konsequenzen überdacht[53]. Das zeigt sich an folgenden Punkten:

a) Neben dem Gottesnamen Jahwe findet sich bei ihm relativ häufig die Gottesbezeichnung *'ēl*, „Gott" schlechthin, und zwar meist im Bereich von Monotheismusaussagen (40,18; 43,10.12; 45, 22; 46,9), dazu kommen 4 Stellen, an denen von *'ᵆlōhīm* gesprochen wird (44,6; 45,5.14.21, in 44,8 *'ᵆlōᵃh*). *'ēl* steht, abgesehen von 42,5, immer ohne Artikel und ohne Attribut[54]. Eigenname und Gattungsbezeichnung sind faktisch identisch geworden: Jahwe ist Gott schlechthin[55]. – Ähnliche Beobachtungen fügen sich dem an: In 40,45 steht statt des Gottesnamens einfach *qādōš* und nicht das beim ersten und zweiten Jesaja übliche *qᵉdōš jiśrā'ēl*[56], *qādōš* ist also beinahe zu einem Eigennamen geworden. Vergleichbare Stellen im AT sind nur noch Jes 57,15 *(qādōš šᵉmō);* Hi 6,10; Pred 8,10[57]; Hab 3,3[58].

b) In 44,24, im Bereich einer Monotheismusaussage, wird Jahwe als *'ōsæ kōl* bezeichnet. Man kann wohl wie z. B. die Zürcher Bibel übersetzen: „der alles gemacht". Bei Dtjes darf aber gewiß die Übersetzung gewagt werden: „der das All gemacht"[59]. Sonst wird Jahwe gepriesen als Schöpfer Himmels und der Erde, und auch an der vorliegenden Stelle wird das *'ōśæ kōl* sozusagen erklärt als *nōṭæ šāmájim* und *rōqa' hā'ắræṣ*. Es gibt kein althebräisches Wort

[53] Noch auffallender ist, daß Dtjes in dieser Hinsicht keineswegs „Schule" machte. Selbst bei „Tritojesaja" finden wir kaum Parallelen.

[54] Verbindungen wie *'ēl qannā'*, *'ēl ḥaj*, *'ēl 'æljōn* sind natürlich gerade keine Belege für einen alten Monotheismus, ebensowenig der *'ēl 'ōlām* von Beerseba.

[55] S. dazu Elliger, BK XI, 72, vgl. auch 323: „אל ohne Attribut hat bei Dtjes immer den besonderen Sinn: ein Gott, der wirklich Gott ist, und erscheint immer in monotheistischen Aussagen." Es ist zweifellos nicht richtig, wenn nach Cross (ThWAT I 277 f.) die Verwendung des El-Namens für Jahwe bei Dtjes „ihre Erklärung teils in der Verwertung alter liturgischer Formeln ..., teils in seiner allgemein archaisierenden Tendenz" (findet).

[56] So spricht Dtjes in 54,5 zwar von Jahwe Zebaoth, dem „Löser" Israels und darum auch vom *qᵉdōš jiśrā'ēl*, fügt aber überraschend hinzu: *'ᵆlōhē kol-hā'ắræṣ jiqqārē'*, der Heilige Israels ist Gott der ganzen Welt.

[57] Der Text ist allerdings unsicher, s. BHK[3].

[58] Vgl. auch *qādōš* als Appellativum in 1Sam 2,2.

[59] G. Sauer, THAT I 830, meint zwar, *kōl* sei nie theologischer oder kosmologischer Fachausdruck für „Universum" oder „(Welt-) All" geworden. Aber in Jer 10,16 (= 51,19), also an einer nachexilischen Stelle, wird Jahwe als der *jōṣēr hakkōl*, der „Bildner des Alls" gepriesen, und Ps 103,19 spricht von seiner Herrschaft über das All. Assur kann *bēl kala* genannt werden (s. K. Tallquist, Der assyrische Gott, 1932, 53 f.). In der Qumranliteratur begegnet man den Epitheta *'lwh/'dwn hkwl* (11QPs 151,7 f. DJD 4,55,7–8) und von Gott als dem *mr' kl* spricht man im Jüdisch-Aramäischen (Hoftijzer, 167) und ebenso im Syrischen.

für Kosmos, Universum, Welt. Hier ist ausnahmsweise ein solcher Begriff da. Es liegt auf derselben Ebene, wenn in 54,5 Jahwe *ʾᵆlōhē kol-hāʾāræṣ* genannt wird, was ebenso eine einmalige Bezeichnung ist. Daß sie, so wenig wie *ʿōśǣ kōl*, Schule gemacht hat, zeigt nur die einsame Höhe Dtjes's. Parallel mit der Erkenntnis der Einzigartigkeit Gottes stellt sich auch ein Begriff für die Einheit und Unteilbarkeit der „Welt“ ein.

c) In diesem Zusammenhang ist auf 45,7 zurückzukommen. Jahwe ist der *ʿōśǣ kol-ʾēllǣ*. Was dort damit gemeint ist, wird folgendermaßen entfaltet:

jōṣēr ʾōr ūbōrēʾ ḥōšæk ʿōśǣ šālōm ūbōrēʾ rāʿ.

Man hat schon vermutet, daß hier gegen den Dualismus der Religion Irans polemisiert werde[60], was in einem an Cyrus gerichteten Wort seinen guten Sinn habe. Das ist tatsächlich nicht ganz ausgeschlossen[61]. Aber jedenfalls: Es wird hier aus dem Bekenntnis zum einen Gott eine Konsequenz gezogen, die sonst nicht explizit artikuliert wird. Jahwe ist zwar der Schöpfer Himmels und der Erde, aber das Chaos gilt nicht als sein Schöpfungswerk, sondern ist Ausgangspunkt seines schöpferischen Handelns. Das spätere Judentum kennt trotz dem Bekenntnis zum *einen* Gott doch einen Gegenspieler Gottes, auf den man das Böse zur Not zurückführen kann, um Gott wenigstens nicht direkt damit belasten zu müssen. Jes 45,7 ist wohl die radikalste Absage an den Dualismus, die die Bibel kennt. Dtjes hat mit Schärfe gesehen, was von seinen Prämissen her unvermeidlich war, nämlich, daß der Glaube an Jahwe unmöglich einen Teil der Wirklichkeit aus dessen Machtbereich ausklammern kann. Die Nachtseite von Kosmos und Geschichte kann nicht einem andern Gott oder irgendwelchen dunkeln Mächten angelastet werden. Er hat darum nicht nur im Bereich der Geschichte, sondern auch in demjenigen der Schöpfung den Monotheismus zu seinem logischen Ende gedacht und dem theologischen Denken damit Aufgaben zugewiesen, deren Tragweite er wohl kaum ahnte. Das Problem der Theodizee tritt in Sicht.

d) Es kann kein Zweifel darüber bestehen, daß Dtjes Jahwe darum so sehr als den konkurrenzlosen Herrn der Schöpfung herausstellt, weil ihm alles daran liegt, daß Israel ihm zutraut, daß er das Steuer der Geschichte in der Hand hat und keine andere Macht

---

[60] F. Treu, Anklänge iranischer Motive bei Deuterojesaja, StTh 2 (1940) 79 bis 95.

[61] Dtjes lebt zwar in Babel, aber sollte er bereits Kenntnis von der Religion der Iranier gehabt haben und vor allem das Bedürfnis, sich gegen sie abzugrenzen?

Aussicht hat, gegen seine Herrschaft aufzukommen. Jahwes absolute Geschichtsmächtigkeit ist denn auch von Dtjes gedanklich scharf durchgedacht worden. – Wir sind auf den Satz gestoßen: „Vor mir ward kein Gott gebildet und nach mir wird keiner sein“ (43,10). Auch dieser Satz Dtjes's hat kaum eine Parallele im AT. Das heißt nicht, daß Israel je damit gerechnet hätte, daß *vor* Jahwe andere Götter gewesen seien[62] oder nach ihm andere kommen könnten. Daß solche Spekulationen, wie sie in der Umwelt durchaus bekannt waren[63], in Israel fehlen, gehört zu den Urdaten des Jahweglaubens. – Es stellt sich wieder, wie oben bei 45,7, die Frage, ob Polemik vorliegt, hier nicht gegen iranische Vorstellungen, sondern gegen allgemein vorderorientalische Theogonien[64]. Das mag mitspielen, aber es geht Dtjes auch in diesem Fall nicht um Polemik, sondern um Absicherung seines Monotheismus. Der Satz 43,10bβ steht übrigens nicht isoliert da. Es liegt durchaus auf derselben Linie, wenn der Prophet herausstellt, daß Jahwe der Erste und der Letzte sei: 44,6 und 48,12, beide Male in Verbindung mit eindeutig monotheistischen Wendungen. Dazu kommt 41,4:

ʾanī Jhwh rīšōn weʾæt-ʾaḥarōnīm ʾanī-hūʾ.

Man pflegt etwa zu übersetzen: „Ich, Jahwe, der ich der Erste und bei den Letzten derselbe bin.“ Es geht aber nicht um die Identität Jahwes am Anfang und am Ende der Geschichte, sondern um seine Einzigkeit[65]. – Auf derselben Linie liegt schließlich Dtjes's Gottesbezeichnung *ʾælōhē ʿōlām,* 40,28. Auch für diese Bezeichnung fehlt im AT jeder weitere Beleg, sie wird von Dtjes selbst geschaffen sein[66], denn mit dem alten *ʾēl ʿōlām* von Beerseba hat sie nichts zu tun. Man sollte, wie Elliger richtig bemerkt, nicht mit

---

[62] Nach Dtn 32,8 gehört Jahwe allerdings zu den *benē ʾēl* – falls diese Textemendation das Richtige trifft. Aber ein zeitliches Prä Els vor Jahwe darf aus der Stelle gewiß nicht herausgelesen werden.

[63] Z. B. Amun-Re wird gepriesen: „Urgott ohne seinesgleichen. Er ist der Große, der Menschen und Götter (erschuf)“, AeHG 76, Z 5 f. Oder: „Du bist der Eine, der alles Seiende geschaffen hat ... und die Götter entstanden aus seinem Mund“, AeHG 87E Z 1+3. Oder: „Du bist der Eine, ‚Urgott‘ ist dein Name, Amun-Re, Herrscher der Neunheit, einziger Gott ... Die Götter entstehen auf deinen Ausspruch“, AeHG 101 Z 24 ff. Wenn auch an diesen und ähnlichen Stellen der Gott als der einzige gepriesen wird, sind das keineswegs Zeugnisse für einen Monotheismus. Auf den Monotheismus Echnatons kann hier nicht eingegangen werden (s. dazu E. Hornung, Der Eine und die Vielen, 1971, speziell 240 ff.), sicher ist, daß Dtjes von ihm völlig unbeührt ist.

[64] S. dazu F. Stummer, Einige keilschriftliche Parallelen zu Jes 40–66, JBL 45 (1962) 180 ff.

[65] Zur Formel *kī ʾanī hūʾ* s. u. S. 526 f.

[66] S. E. Jenni, ZAW 65 (1953) 16 und Elliger, 98.

„ewiger Gott“ übersetzen, denn Zeitlosigkeit Gottes ist gerade nicht gemeint. Aber auch die Übersetzung „Gott der Ewigkeit“ ist nur ein Notbehelf. Gemeint ist, daß Jahwe die Geschichte beherrscht, von den Anfängen an bis in die fernste Zukunft hinein. – Schließlich ist hier noch auf das Ende von 43,12 und den Anfang von 13 hinzuweisen:

waʾᵃnī ʾēl gam-mijjōm ʾᵃnī hūʾ[67].

Jahwe ist Gott. Er war es nicht nur in der Vergangenheit, er wird es auch fortan sein. Damit kommt hier schön zum Ausdruck, was Dtjes's Anliegen ist, wenn er vom *ʾᵆlōhē ʿōlām* spricht.

Daß Jahwe Herr der Geschichte, und zwar nicht nur Israels, sondern der Völker überhaupt ist, ist gewiß nichts Neues. Schon Amos kündet im Namen seines Gottes den Nachbarvölkern Gericht an, und zwar nicht nur um ihres Verhaltens gegen Israel willen, sondern wegen ihrer Unmenschlichkeit überhaupt. Für Jesaja ist Assur Vollstrecker des Gotteswillens und wird zugleich selbst am Maßstab des Gotteswillens gemessen. Nach Jeremia ist Nebukadnezar Jahwes „Knecht“, d. h. sein Beauftragter im Geschichtsvollzug. Aber Dtjes hat radikalisiert: Er wagt das fast Ungeheuerliche, den Perser Cyrus Jahwes Hirten, ja seinen Gesalbten zu nennen (44,38; 45,1). Er sagt das, obwohl es ihm bewußt ist, daß Cyrus Jahwe nicht kennt (45,4). Er rechnet aber damit, daß dieser sich zur Erkenntnis Jahwes führen lasse. Er weiß, daß Israel bzw. der Gottesknecht eine Aufgabe an den Völkern hat (42,6; 49,6), und schließlich erwartet er, daß die Völker die Prärogative Israels in der Gotteserkenntnis anerkennen (45,14). Wenn Jahwes *kābōd* sich offenbart, wird es „alles Fleisch“ sehen (40,5, vgl. auch 49,26). Kurzum: Vom Monotheismus her ist Israels Geschichtsverständnis durch Dtjes völlig neu artikuliert.

e) Es ist an dieser Stelle nötig, auf die typisch dtjes Formel *kī ʾᵃnī hūʾ* einzugehen. Wir greifen nochmals auf 43,10b zurück:

lᵉmáʿan jēdᵉʿū wᵉjaʾᵃmīnū lī wᵉjābīnū kī-ʾᵃnī hūʾ[68].

Wir haben zweifellos eine Abwandlung derjenigen Redeform vor uns, für die W. Zimmerli die Bezeichnung „Erweiswort“ eingeführt hat[69]: „... und du (ihr, er, sie ...) wirst erkennen, daß ich Jahwe bin, d. h. *kī-ʾᵃnī hūʾ* steht hier für das sonst übliche *kī ʾᵃnī*

---

[67] Statt *gam-mijjōm* scheinen LXX, Targ. und Vulg. *mēʿōlām* gelesen zu haben, doch ist der Text zweifellos richtig.

[68] Zum Text s. o. S. 511.

[69] W. Zimmerli, Das Wort des göttlichen Selbsterweises (Erweiswort), eine prophetische Gattung, ThB 19 (1963) 120–132.

Jhwh. Dieses *ʾᵃnī hūʾ*, dem wir oben in Dtn 32,39 begegnet sind, begegnet auch an der eben zitierten Stelle, 43,12/13, in Parallele zu *ʾᵃnī ʾēl*. Man pflegt zu übersetzen: „auch hinfort bin ich derselbe“ o. ä. Es geht aber auch diesmal nicht um die Identität Jahwes in Vergangenheit, Gegenwart und Zukunft, sondern es handelt sich um eine modifizierende Wiederholung des vorherstehenden *ʾᵃnī ʾēl* und meint: auch in Zukunft bin ich und kein anderer Gott. Analog dazu ist 48,12 zu verstehen:

ʾᵃnī-hūʾ ʾᵃnī rišōn ʾaf ʾᵃnī ʾaḥᵃrōn.

Dem Sätzchen voran geht die Aufforderung an Israel zu hören. Man erwartet, daß die Jahwerede mit der bekannten Selbstvorstellungsformel *ʾᵃnī Jhwh* begänne, eventuell noch mit einer Erweiterung: dein Gott . . . . Aber Dtjes's Assoziationen bei dieser Formel laufen in anderer Richtung als sonst im AT. – Des weiteren ist noch 41,4b hinzuzunehmen:

ʾᵃnī Jhwh rišōn wᵉʾæt-ʾaḥᵃrōnīm ʾᵃnī hūʾ.

Die Zürcher Übersetzung sagt wieder: „Ich, der Herr, der ich der Erste und bei den Letzten derselbe bin.“ In Wirklichkeit ist zu übersetzen: „Ich bin Jahwe, der Erste und bin bei den Letzten, ich bin es.“ Targ. hat richtig paraphrasiert: „. . . ich, Jahwe, . . . ja die Ewigkeiten der Ewigkeiten gehören mir, und *außer mir ist kein Gott.*“

Mit „derselbe“ pflegt man dieses *hūʾ* auch in 46,4 wiederzugeben: *wᵉʿad ziqnā ʾᵃnī hūʾ*.

Das heißt aber wieder nicht: „Und bis ins Alter bin ich derselbe“, sondern eben: „Und bis ins Alter bin *ich* es“, oder noch deutlicher: „. . . bin ich der Er“, d. h. Gott schlechthin, der, der allein als Lenker der Geschichte in Frage kommt. Elliger[70] bemerkt dazu: „Es geht . . . um das Gott-sein, genauer um das Allein-Gott-sein; mit Recht hat man *ʾᵃnī hūʾ* die ‚montheistische Formel‘ genannt.“[71]

Wie kommt *ʾᵃnī hūʾ* zu dieser Sonderbedeutung[72]? Volz[73] verweist auf arabisch *huwa*, „der Er“, d. h. Allah, „eine Art Geheim-

[70]Elliger, 125.

[71] S. Dazu R. N. Whybray (New Century Bible, 1975) 61: „I am He . . . is a characteristic expression used by Deutero-Isaiah to express the conviction that Yahweh is the only God“, s. auch Ch. R. North, The Second Isaiah (1964) 94 und ThWAT II 367.

In Ps 102,28 allerdings legt sich die Übersetzung von *wᵉʾattā-hūʾ* . . . mit „du aber bist derselbe und deine Jahre nehmen kein Ende“ nahe. Doch liegt hier nicht die feste Selbstvorstellungsformel vor. Daß aber *ʾᵃnī hūʾ* an Stellen wie Dtn 32,39 nicht heißen kann: „Ich bin derselbe“, bedarf keines Beweises.

[73] P. Volz, KAT IX, 16.

wort für Gott". Bekanntlich hat man schon den atl. Gottesnamen *Jhwh* von diesem arabischen Gebrauch des *huwa* her verstehen wollen: *ja-hū'*, o Er, was ein ekstatischer Kultruf sein soll, wobei auch auf den Namen *'ᵃbīhū'* neben *'ᵃbijjāhū* verwiesen wird. Als Parallelen zieht man die Beinamen des Dionysos, Ἴακχος und Ἔυιος, die aus Kultrufen entstanden sind, bei[74]. Bei der völligen Unsicherheit über die Herleitung des Gottesnamens muß aber diese These beiseite bleiben. Nichts im AT weist darauf hin, daß es Israel bewußt gewesen wäre, daß der Gottesname mit dem Pronomen *hū'* zusammengesetzt sei. Es kann nach dem vorliegenden Material kaum ein Zweifel darüber bestehen, daß *'ᵃnī hū'* eine Abwandlung der Selbstvorstellungsformel *'ᵃnī Jhwh* ist. Zimmerli[75] spricht denn auch im Blick auf *'ᵃnī hū'* und *'ᵃnī 'ēl* von „freien Zersetzungen" der Selbstvorstellungsformel. Von „Zersetzung" zu sprechen ist in der Tat angebracht, solange man rein formgeschichtlich urteilt. Von der Sache her jedoch ist diese „Zersetzung" ein höchst relevanter und erregender Vorgang: Vorzustellen mit Namen braucht sich eine Gottheit ihren Verehrern nur, wenn diese mit der Existenz vieler oder doch mehrerer Götter rechnen. Im Moment, wo Jahwe Gott schlechthin ist, wird nicht nur der Gottesname überflüssig, sondern auch der Akt der Selbstvorstellung obsolet. Darum muß es jetzt theologisch korrekt heißen: Ich bin Gott (s. 45,22; 46,9) oder man kann einfach sagen: Ich bin Er, weil darüber kein Zweifel mehr bestehen kann, wer der Er ist. Gewiß kommt daneben die alte Formel immer noch vor: 45,5.6.18b[76]. Das ist nicht nur eine Inkonsequenz, sondern hängt damit zusammen, daß der Gott *Israels* Gott ist, der Heilige *Israels* der Heilige schlechthin, der Schöpfer *Israels*, der Schöpfer des Alls bzw. der Gott der ganzen Erde und darum auch Jahwe einfach der *hū'*.

Es ist aber noch ein Weiteres festzustellen: Wo die alte Selbstvorstellungsformel *'ᵃnī Jhwh* vorkommt, kann sie wohl ihre Ergänzung finden durch das suffigierte *'ᵉlōhīm* (41,13)[77] 43,3 (Jahwe, dein Gott, der Heilige Israels, dein Retter); 48,17 (s. vor-

---

[74] S. dazu R. Otto, Das Gefühl des Überweltlichen (1932) 210. 326, M. Buber, Moses (1948) 73; S. Mowinckel, The Name of the God of Moses, HUCA 32 (1961) 121–133.

[75] W. Zimmerli, Ich bin Jahwe, ThB 19 (1963) 30. Zu Parallelen aus der Umwelt s. H. Ringgren, ThWAT II 368–375.

[76] In 45,18a findet sich *hū' hā'ᵉlōhīm*, und zwar im Anschluß an die bereits erweiterte Botenformel: *kō 'āmar-Jhwh bōrē' haššāmájim.* Damit ist aber Jahwe, der Schöpfer, nicht als Schöpfergottheit definiert, sondern als *der* Gott schlechthin.

[77] Es ist zu übersetzen: „Ich bin Jahwe, dein Gott" und nicht: „Ich, Jahwe, bin dein Gott", s. Fohrer und Elliger z. St.

her: dein Erlöser, der Heilige Israels)[78]. Aber der Bezug auf Israel kann auch fehlen: 45,5: *ʾᵃnī Jhwh wᵉʾēn ʿōd*, 45,6.18 und in 45,7b: *ᵃnī Jhwh ʿōśǣ kol-ʾēllǣ*. Hier ist also Jahwe nicht definiert als Israels Gott und nicht im Rückgriff auf die Heilsgeschichte („der ich dich aus Ägyptenland herausgeführt habe“, o. ä.) näher bestimmt, sondern wieder als der Gott schlechthin, bzw. als Schöpfer aller Dinge überhaupt[79]. D. h.: Der Eigenname des Gottes Israels beginnt die Funktion der Gattungsbezeichnung „Gott“ zu übernehmen, etwa so, wie akkadisch *ilu* Appellativum *und* Nomen ist.

f) Schließlich hat Deuterojesaja aus seinem Monotheismus auch bewußt den Schluß gezogen, daß die Völker Jahwe als Gott schlechthin anerkennen werden und Israel eine Aufgabe an den Völkern hat. Der Gottesknecht ist Licht für die Völker, 42,6; 49,6 („daß mein Heil reiche bis an das Ende der Erde“ 49,6b). Ob man sagen darf, daß er „Bundesmittler für das Menschengeschlecht“ sei (so Zürcher Bibel u. a.), ist leider umstritten[80], aber von der Gesamtbotschaft Dtjes's her gesehen, wäre der Gedanke keineswegs unmöglich. Jedenfalls: Er muß den *mišpāṭ*, was das auch des Genauern heißen möge, zu den Völkern hinaustragen (42,1.3.4), denn auf Jahwes *tōrā* harren die (fernsten) Gestade (42,4). Nicht nur soll Cyrus erkennen, daß Jahwe ihn berufen hat, 45,3, sondern „sie“ (d. h. die Völker) sollen vom Aufgang der Sonne bis zu ihrem Niedergang erkennen, daß Jahwe allein Israels Helfer ist, 49, 26. Israel wird Völker zu sich rufen, die es gar noch nicht kennt, und diese werden zu ihm herzueilen um Jahwes willen, obwohl sie ihn nicht gekannt haben, 55,5. Leider ist der Text in 43,10 unsicher[81]. Aber man wird doch wohl in 10bα, wie oben vorgeschlagen, die 3. Person plur. lesen müssen: „Ihr seid meine Zeugen ... damit *sie* (die Völker) erkennen und zu mir Vertrauen fassen und zur Einsicht kommen, daß ich es bin.“ Der ganze Abschnitt 43,8–13 ist als rīb-pattern aufzufassen: In einer Gerichtsverhandlung soll festgestellt werden, daß Jahwe der alleinige Gott ist. Schließlich läßt 45,14 die Völker selbst das Bekenntnis aussprechen: „Nur in dir ist Gott, es gibt sonst keinen, gar keinen Gott!“ (vgl. auch 42, 10–12; 45,20–25; 51,4–6). Darum richtet er schließlich an „alle Enden der Erde“ die Aufforderung, sich zu Jahwe zu wenden und so sich das Heil schenken zu lassen. Denn Jahwe selbst hat den un-

[78] S. Anm. 76.

[79] S. Whybray, aaO 85: „... this formula (sc. I am the Lord) ... is the equivalent of ‚I am He‘ in verse 10, and so gives to the personal name Yahweh the absolute sense of ‚sole and universal God‘ ...“

[80] S. dazu J. J. Stamm, berît ʿam bei Deuterojesaja, Festschrift G. v. Rad (1971) 510–524.

[81] S. o. S. 511.

umstößlichen Schwur getan, daß sich vor ihm jedes Knie beugen und jede Zunge sich zu ihm bekennen muß.

Mag es so sein, daß die Mitte der Botschaft Dtjes's die Ankündigung der Erlösung *Israels* ist und mag er eben *darum* so sehr betonen, daß es außer Jahwe keinen andern Gott gibt, weil er das müde und skeptisch gewordene Israel zu froher Zuversicht wekken will – er zieht jedoch aus seiner so betonten monotheistischen Gotteserkenntnis entschlossen die Konsequenz, daß das Heil, das Jahwe schenkt und von dem Israel Zeuge ist, bis an die äußersten Grenzen der Erde hinausgetragen werden muß.

Vielleicht ist es doch die größte geistige Leistung Dtjes's, daß er die Erkenntnis so entschieden formuliert hat, daß es keinen Gott neben Jahwe gebe, und mit einer Klarsicht und Entschlossenheit, die im AT nicht ihresgleichen findet, aus dieser Erkenntnis die theologischen Folgerungen gezogen hat. Es dauerte Jahrhunderte, bis in der Geistesgeschichte der Menschheit sein kühner Vorstoß in Neuland verarbeitet worden war.

Das Freudenmahl auf dem Zion

Erwägungen zu Jes. 25, 6–8

«Selig ist, wer am Mahl im Reiche Gottes teilnehmen wird»[1]: so steht es in der Einleitung von Jesu Gleichnis vom grossen Gastmahl in Luk. 14, 15 zu lesen. Es gibt im Grunde nur eine Stelle im Alten Testament, an der von einem eschatologischen Mahl gesprochen wird, Jes. 25, 6–8. Der Abschnitt verdient schon aus diesem Grunde unsere Aufmerksamkeit, zumal er nicht die Beachtung gefunden hat, die ihm gebührt. Die Schwierigkeiten der Auslegung sind allerdings beträchtlich und beginnen schon bei den Textfragen[2]. Der emendierte Text von Jes. 25, 6–8 sei folgendermassen wiedergegeben:

6 Da rüstet Jahwe der Heere
für alle Völker auf diesem Berg
ein Mahl mit fetten Speisen,
ein Mahl mit alten Weinen,
mit markigen, fetten Speisen,
mit alten, geläuterten Weinen.
7 Und er vernichtet auf diesem Berg
die Hülle, mit der das 'Angesicht aller Völker' umhüllt ist[3],
und die Decke, die gedeckt ist über die Nationen allesamt.
8 'Und er vernichtet' für immer[4] den Tod.
Und abwischen wir der Herr Jahwe die Tränen von jedem Angesicht, und die Schmach seines Volkes nimmt er von der ganzen Erde hinweg.
Wahrlich, Jahwe hat's gesagt.

[1] So die Übersetzung der Zürcher Bibel.

[2] Schwierig ist auch die Übersetzung einzelner Vokabeln. Zu den Einzelheiten der Textrekonstruktion mein in Bälde erscheinender Jesaja-Kommentar (Biblischer Kommentar X/2) z. St.

[3] Das zweite hallōṭ ist als passives Partizip zu verstehen, sei es, dass man hallūṭ vokalisiert, oder dass man eine abnorme Form annehmen will. Die Bedeutung des Substantivs lōṭ steht nicht absolut fest, ist aber angesichts der Parallele massekā und der kaum zu bestreitenden Bedeutung «einwickeln, einhüllen» des Verbs lūṭ hinlänglich gesichert. Es wird zwar eingewendet, dass man eine Hülle nicht einhülle, sondern etwas mit einer Hülle umwickle. Aber Verben des Bekleidens und Bedeckens pflegen im Hebräischen den doppelten Akkusativ zu regieren, s. Gesenius-Kautzsch § 117ee und § 121d, vgl. auch das folgende hammassekā hannesūkā.

[4] LXX: katépien ho thánatos; Aquila: katapontísei tòn thánaton; Symmachus: katapothênai poiēsei tòn thánaton; Theodotion: katepóthē ho thánatos, ebenso 1. Kor. 15, 54. Es dürfte

1.

Die drei Verse stellen eine klar nach vorn und hinten abgegrenzte Einheit dar. Sie bilden zwar einen integrierenden Bestandteil der sogenannten Jesajaapokalypse, sind aber nicht unmittelbare Fortsetzung des vorangehenden «Stadtliedes», Jes. 25, 1–5. Vielmehr schliessen sie offensichtlich an 24, 21–33 an. Der «Berg» von 25, 6 ist der Berg Zion von 24, 23. In beiden Abschnitten handelt es sich um Verheissungen. Das bedeutet, dass die Exegese von 25, 6–8 an diejenige von 24, 21–23 anknüpfen muss. Da nun 24, 23 von der Errichtung der Königsherrschaft Jahwes auf dem *Zion,* und zwar über die ganze Völkerwelt, spricht, ist also 25, 6 ff. als Verheissung eines im Zusammenhang mit der endgültigen Durchsetzung der Herrschaft Jahwes stattfindenden eschatologischen *Mahls* zu verstehen. Anschliessend daran spricht der Abschnitt von der endzeitlichen Vernichtung der *«Hülle»,* die auf den Nationen liegt, vom definitiven Verschlungenwerden des Todes und der Wegnahme jeglicher Schmach, die Israel zu tragen hat. Es sind also eine Reihe von Motiven eschatologisch-apokalyptischer Art miteinander kombiniert, wie das schon bei 24, 21–23 der Fall ist.

Insofern ist es eine Verkürzung, im Blick auf die drei Verse vom eschatologischen Freudenmahl zu sprechen. Die zentrale Aussage derjenigen Schicht in Jes. 24–27, welcher dieser Abschnitt angehört und welche stärker als andere Partien der «Jesajaapokalypse» eigentlich apokalyptische Motive entfaltet, liegt zweifellos in 24, 23b vor: «. . . denn Jahwe der Heerscharen wird *König* geworden sein auf dem Zion und in Jerusalem»[5]. Was sonst in den beiden Abschnitten zu lesen ist, ist Entfaltung und Veranschaulichung dieses zentralen Themas. Es ist ein Glücksfall, dass hier im Alten Testament einmal nicht nur so eindeutig von der Königsherrschaft Jahwes als einer endzeitlichen Grösse gesprochen wird, sondern die Vorstellung von der malkūt jahwäh auch inhaltlich gefüllt und in ihrer Tragweite interpretiert ist. Die Motive sind, wenn man von der Prophetie Israels her kommt, überraschend neu und für die Apokalyptik allesamt zu Vorstellungen geworden, welche zum Grundbestand ihres Weltbildes gehören: der Kampf nicht nur gegen «die Könige der Erde», sondern auch «das Heer der Höhe in der Höhe» (24, 21), deren Verschluss in die «Grube» und der Gedanke einer zunächst vorläufigen und dann endgültigen Abrechnung mit den Gegenmächten Gottes mit einer entsprechenden Zwischenzeit (24, 22). Weit verbreitet ist allerdings das Motiv, dass Sonne und Mond und damit der Kosmos überhaupt in die Katastrophe hineingezogen werden, was damit zusammenhängen dürfte, dass Sonnen- und Mondfinsternisse Weltuntergangsstimmungen hervorrufen[6]. Neu ist aber wieder, dass

ūbilla' zu lesen sein, d. h. der Satz ist aktivisch und futurisch zu verstehen. – Dass lānäṣaḥ «für immer» bedeutet, ist nicht zu bezweifeln; Symmachus: eis télos. Aquila und Theodotion und ebenso 1. Kor. 15, 54 haben mit eis nîkos übersetzt. Die Wiedergabe von näṣaḥ mit «Sieg» beruht darauf, dass nṣḥ im Aramäischen «siegen» bedeutet.

[5] Die Vorstellung von Jahwes Königsherrschaft ist hier in den Horizont endzeitlichen Geschehens gestellt; zur Begründung s. meinen demnächst erscheinenden Kommentar.

[6] Vgl. z. B. den Papyrus Salt des Britischen Museums (10.051): «. . . [die Sonne] ging nicht

«Älteste in Herrlichkeit» vor dem göttlichen König stehen werden (24, 23)[7]. Erst recht gilt das von den Motiven des zweiten Teils, 25, 6–8: Das Völkermahl mit fetten Speisen und alten Weinen, die Vernichtung der Hülle und gar des Todes selbst, und zwar «auf ewig», mitsamt dem Abwischen aller Tränen, während dann mit der Ankündigung der Befreiung Israels von aller Schmach wieder traditionelle Gedanken eingebaut sind: Israel muss im Enddrama auch seinen Platz finden. Vermutlich ist dieses Motiv in 9 ff. innerhalb derselben Schicht noch weitergeführt.

2.

Ist auch das Freudenmahl für die Völker ein neues Motiv ohne eigentliche Parallele im Alten Testament, so steht nach dem Gesagten doch fest, dass es im Zusammenhang mit dem eschatologischen Antritt der Königsherrschaft Jahwes verstanden werden muss. Dabei ist im Auge zu behalten, dass zwar der Zion Zentrum der basileía toû theoû ist, aber nicht Israel, sondern die Völker zum Mahle geladen sind. Man möchte also vermuten, dass die alte Tradition von der *«Völkerwallfahrt zum Zion»* zur Gestaltung der neuen Vorstellung ihren Beitrag geleistet hat. Dabei ist allerdings nicht zuerst an die bekannteste Stelle, an der im Alten Testament von der Völkerwallfahrt gesprochen wird, Jes. 2, 2–4 (= Mi. 4, 1–3), zu denken. Wer auch Verfasser jenes Abschnittes sein mag[8], jedenfalls handelt es sich um eine ausgeprägt prophetische Modifikation der an sich weit älteren Tradition, indem dort die Völker nicht auf den Zion kommen, um Gaben zu bringen, sondern um Rechtsentscheidungen zu suchen.

Schon in der Siegeshymne auf Thutmose III. ist zu lesen: «Sie kommen mit Gaben auf ihrem Rücken und neigen sich vor deiner Majestät, so wie ich es befehle.»[9] Oder in einer Inschrift Merodach-Baladans II., die sich mit dem Wiederaufbau des Tempels Eanna in Uruk befasst: «... die Könige, seine Feinde, mögen den Überfluss der vier Weltgegenden, den Ertrag der Berge und des Meeres, als ihren schweren Tribut bis nach Eanna bringen. Er empfange ihre Geschenke, er lasse sie eintreten in Esagil, vor den Herrn der Herren ...»[10] Das sind Beispiele, die sich leicht vermehren liessen.

Im Alten Testament sind dieselben Vorstellungen zu belegen: «Zu jener Zeit werden Jahwe der Heerscharen Geschenke gebracht werden 'vom' hochgewachsenen und blanken Volk, das weit und breit gefürchtet wird» (Jes. 18, 7; s. auch Ps. 68, 32–33). Auch Ps. 96, welcher zu den sogenannten Thronbesteigungsliedern gehört (s. V. 10), also Jahwe als König, und zwar des ganzen Erdkreises, feiert,

auf. Der Mond blieb aus ... Der Himmel fiel im Finstern ... Umgestürzt war die Erde, umgewandelt das Wasser. Es zog nicht stromab ...»; S. Schott, Analecta Bibl. 12 (1959), S. 321 f.

[7] Möglicherweise ist das eine Reminiszenz an Ex. 24, 9–11. 16 f.

[8] Ich sehe keinen zwingenden Grund, den Abschnitt Jesaja abzusprechen: H. Wildberger, Jesaja, 1 (1972), S. 78 ff.

[9] A. Erman, Die Literatur der Ägypter (1923), S. 320.

[10] S. dazu P. Grelot, Vet. Test. 7 (1957), S. 319–321.

kennt die Vorstellung von der Völkerhuldigung auf dem Zion (V. 7). Wenn Ps. 72, 10 f. erwartet, dass die Könige vom äussersten Westen und Osten dem Herrscher zu Jerusalem ihre Gaben bringen, ist das letztlich kein Gegensatz zur Huldigung vor Jahwe; ähnlich wie der Pharao in Ägypten Repräsentant der göttlichen Welt sein kann, kann auch der König zu Jerusalem als Vertreter seines Gottes betrachtet werden, und Huldigung vor ihm bedeutet Anerkennung des Herrschaftsanspruches des Gottes, der ihn zu seiner Rechten gesetzt hat (vgl. dazu Jes. 55, 3 ff.[11]; 45, 14; 49, 7; 60, 3 ff.; Sach. 2, 15; 6, 15; 8, 20–22).

An diesen und ähnlichen Stellen ist also wohl davon die Rede, dass Völker nach Jerusalem kommen, reich beladen mit Gaben an den dortigen König oder an seinen Gott, wohl auch, dass sie dort anbeten werden, nicht aber, dass sie zu einem Festmahl geladen sind. Ein Stück weiter scheint Sach. 14, 16 f. zu führen: Was von den Völkern übriggeblieben sein wird, wird Jahr für Jahr nach Jerusalem ziehen, «um den König, Jahwe der Heerscharen, anzubeten und das Laubhüttenfest zu feiern». Zu einem Fest gehören Opfer, und Opfer sind mit Opfermahlzeiten verbunden. Weil das aber «Jahr für Jahr» geschehen wird, handelt es sich nicht um ein einmaliges Fest, das Auftakt zu einer wirklich neuen Weltzeit wäre. Zeph. 3, 10 erwartet, dass Völker von jenseits der Ströme von Kusch Jahwe minḥā bringen werden. Leider ist aber minḥā an dieser Stelle schwerlich präzis zu deuten. An blosse Huldigungsgeschenke bzw. Tribut wird man bei diesem Text nicht denken dürfen. «Speiseopfer», wie z. B. die Zürcher Bibel übersetzt, ist dagegen wohl zu eng. Man wird allgemeiner, d. h. etwa mit «Opfergabe»[12], übersetzen müssen. Ob man an eine Opfer*mahlzeit* denken darf, die beim Kommen der Völker veranstaltet wird, bleibt aber ungewiss.

Es scheint also doch schwierig zu sein, eine direkte Linie zu sehen, welche von der Vorstellung der Völkerhuldigung auf dem Zion zu derjenigen von der Mahlzeit führt, die Jahwe für die Völker «auf diesem Berg» veranstalten wird. Die Lösung des überlieferungsgeschichtlichen Problems hat bereits Gressmann gesehen[13]: Nach dem Zusammenhang, in dem das Wort stehe, müsse es als *Krönungsmahl* verstanden werden. Als alttestamentlichen Beleg für ein solches Festmahl verweist er auf 1. Sam. 11, 15: «Da zog das ganze Volk zum Gilgal hin und machte dort Saul zum König vor Jahwe im Gilgal. Und man schlachtete dort Heilsopfer vor Jahwe, und Saul und alle Männer Israels waren dort überaus fröhlich.» Wir haben sonst aus dem Alten Testament kaum Nachrichten von Inthronisationsfeierlichkeiten, aber dass solche mit dem Regierungsantritt eines Königs verbunden waren, bedarf kaum einer Bestätigung.[14]

[11] In der Uminterpretation der von Haus aus David zukommenden Verheissung ist hier Israel als Gottesvolk an die Stelle des Königs getreten. Völker und Nationen eilen zu ihm «um Jahwes, deines Gottes, des Heiligen Israels willen».

[12] S. dazu K. Elliger, Das Alte Testament Deutsch 25 (1964[5]), z. St.; R. J. Thompson, Penitence and Sacrifice in Early Israel ... (1963), S. 194.

[13] H. Gressmann, Der Ursprung der israelitisch-jüdischen Eschatologie (1905), S. 300.

[14] Vgl. immerhin 2. Sam. 6, 18 f. S. Mowinckel, Psalmenstudien, 2 (1922), S. 126, verweist auch auf 1. Kön. 8, 62–66.

Nun ist aber im vorliegenden Fall Gott der Gastgeber. Für die Inthronisation Jahwes gibt es jedoch im Alten Testament keine Belege – es sei denn, man glaube an die Hypothese eines Thronbesteigungsfestes. Aber auch wenn man die «Thronbesteigungspsalmen» als Zeugnisse für die Existenz eines solchen Festes anerkennen wollte, wäre doch aus diesen nichts über ein Krönungsmahl zu ersehen.

Hingegen erfahren wir in Texten aus der Umwelt des Alten Testaments von solchen Festmählern anlässlich der Thronbesteigung einer Gottheit, und zwar im Zusammenhang mit dem Chaoskampf. Bei der Inthronisation Marduks versammeln sich die Götter zum festlichen Mahl:

«Brot assen sie, [Feinbier] brauten sie,
der süsse Met verscheuchte(?) ihre Furcht(?),
indem sie das Bier(?) tranken, platzten(?) ihre Leiber (vor Fülle).»

Darauf preisen sie Marduk:

«Marduk, du bist der geehrte[ste] unter den grossen Göttern ...
Wir haben dir das *Königtum* gegeben, die Gesamtheit des Alls.»

Marduk hat noch eine Probe seiner Zauberkraft zu geben, dann aber freuen sich die Götter und huldigen ihm:

«Marduk ist *König*!»[15]

Ebenso instruktiv ist ein Text aus Ugarit. El, das Haupt des Pantheons, versammelt die Seinen, um Baal zu feiern:

«Höret doch, [Götterfürsten]
... [Gott]heiten:
Auf den Schei[tel Alijan Baals ...]
wird Öl der (göttlichen) Entscheidung(?) [geschüttet] ...
... gelobt er ihnen.
Es nimmt das *König*[*tum* ein Alijan Baal] gemäss meiner Verfügung,
er nimmt [in Besitz den Thron seiner *Regierung*],
den Ruhestuhl, den Sitz [seiner *Herrschaft*].
Ich rufe die Götterfürsten [und Gottheiten]
in meinen Palast ...»

Die Götter lassen sich nicht zweimal bitten, und das Fest entspricht durchaus der Wichtigkeit des Anlasses. Man schlachtet Rinder und Kleinvieh, Stiere und Mastochsen, Widder, einjährige Kälber, hüpfende Lämmer und Zicklein, man schenkt erlesene Weine ein, «vom Köstlichsten, was aus der Brust des Libanon fliesst»[16] – und das alles sieben Tage lang. Also wahrhaftig auch ein Mahl mit fetten Speisen und erlesenen Weinen!

[15] Enûma eliš III, 134–136; IV, 28. H. Gressmann, Altorientalische Texte (^{2}1926), S. 166 f.
[16] III Rp A 13–20 und III Rp B 12 ff. J. Aistleitner, Die mythologischen und kultischen Texte aus Ras Schamra (1959), 85 ff.; dazu W. Elder, A Theological-Historical Study of Isaiah 24–27 (1974), S. 31–34. 58–60.

In Jes. 25, 6–8 sind also Vorstellungen von der Inthronisation der Gottheit, die im Schöpfungskampf ihre Macht erwiesen hat oder doch erweisen soll, transformiert in den Horizont endzeitlichen Geschehens, aufgenommen[17]. Dass Inhalte des Schöpfungsmythus der Darstellung endzeitlichen Geschehens dienstbar gemacht werden, ist ein bekannter Vorgang[18], und dass man im Alten Testament nicht Jahwes Sieg im Schöpfungskampf feiert, sondern die Errichtung seiner Königsherrschaft am Ende der Zeiten, entspricht präzis der teleologischen Ausrichtung des Jahweglaubens in Israel: Nur auf diese Weise konnte das Mythologem von der Inthronisation der Gottheit der Theologie des Jahweglaubens dienstbar gemacht werden.

Eine weitere Modifikation des religionsgeschichtlichen Modells besteht darin, dass nicht die Götter zu Jahwes Fest geladen werden, sondern die *Völker*. Der faktische Monotheismus Israels gab den Weg zu einer blossen Übernahme des Motivs in dieser Hinsicht nicht frei. An dieser Stelle hat zweifellos doch die Tradition der Völkerwallfahrt zum Zion eingewirkt. Sie ist dem Glauben Israels durchaus adäquat: Dass Jahwe, der an sich schon immer König war, nun endgültig und im vollen Umfang König wird und die Völker sich seiner Herrschaft unterstellen, kann beim Verständnis von Geschichte im Raum des Jahwe verehrenden Israel nur heissen, dass sein Herrsein über die Völker manifest wird.

Einzigartig ist die Vorstellung von Jes. 25, 6 aber auch darin, dass, nachdem in 24, 21 f. von der Besiegung und Bestrafung der Könige der Erde gesprochen worden war, nun nicht mehr von einem Gericht über die Völker im Zusammenhang mit der Errichtung der Jahweherrschaft über die ganze Erde gesprochen wird, sondern Gott ihnen ein *Fest* bereitet. Eine gewisse Parallele kann aus dem germanischen Bereich beigezogen werden[19]: Svein, der begehrt, König der Schweden zu werden, bietet den Seinen an, «die Opfer vor ihnen zu verrichten». Die heilige Handlung des Opfermahls besiegelt hier das Treueverhältnis der beiden Partner: die Rechte des Königs und die Gefolgschaftspflicht des Stammes[20]. Auch David wurde König über die Stämme des Nordens auf Grund einer Bundesschliessung (2. Sam. 5, 3). Von einem Mahl ist dort zwar nicht die Rede, aber es leidet keinen Zweifel, dass ein solches den feierlichen Akt besiegelt hat. Da das menschliche Königtum im göttlichen sein Urbild hat, wird man im Blick auf Jes. 25, 8 wohl interpretieren dürfen: Mit der Veranstaltung des Mahles für die Völker be-

[17] Vgl. z. B. Jes. 27, 1 und 51, 9 f.

[18] Nach Gressmann (A. 13), S. 300, vgl. auch 136 ff., haben die Propheten die Vorstellung vom Festmahl Jahwes «ins Grausige verzerrt» und mit grimmiger Ironie von einem grossen Opfermahl geredet, das Jahwe den Vögeln und den wilden Tieren bereiten werde, wenn er die Völker, seine Feinde, abschlachten wird (Zeph. 1, 8; Jes. 34; Ez. 39, 17 ff.). Das ist kaum richtig. Die angeführte Zephanjastelle gehört zur Beschreibung des Jahwetages und damit zur Ideologie des heiligen Krieges. Genauso ist es in Jes. 34, 2–8, so dass auch Ez. 39, 17–20 auf derselben Traditionslinie liegen wird; vgl. auch Jes. 30, 33.

[19] Ich verdanke den Hinweis stud. theol. M. Krieg.

[20] So nach der Hervör-Saga, Kap. 16. F. Bammel, Das heilige Mahl im Glauben der Völker (1950), S. 86.

siegelt Jahwe das Treueverhältnis, in das er mit diesen mit der Errichtung der endgültigen Weltherrschaft eintritt.

3.

Zu diesem ersten Motiv, durch das in Jes. 25, 6–8 die Errichtung der Königsherrschaft Jahwes konkretes Kolorit erhält, tritt in V. 7 dasjenige von der Beseitigung – der Text sagt es noch schärfer: vom Verschlingen – der Hülle bzw. *Decke* über dem Angesicht der *Völker*. Es ist allerdings nicht leicht, sichere Auskunft darüber zu geben, was damit gesagt sein will. Delitzsch[21] meint, lōṭ und massekā seien «Symbol nicht der Trauer und Trübsal, sondern der geistlichen Blindheit, wie das kálymma auf dem Herzen Israels II Kor. 3, 15»; ähnlich v. Orelli[22], Procksch[23] u. a. Aber diese Deutung lebt von der zitierten neutestamentlichen Stelle. Eine Decke auf dem Antlitz ist im Alten Testament Zeichen der Trauer, vgl. 2. Sam. 15, 30; 19, 5; Jer. 14, 3 f.; Esth. 6, 12[24]. Ist Trauer nicht mehr, werden auch ihre Zeichen verschlungen, so wie der Tod selbst verschlungen werden wird. Dass man mit dieser Deutung auf dem richtigen Weg ist, zeigt das Abwischen der Tränen, das 8aβ ankündet.

Das ist allerdings erst dann voll einsichtig, wenn 8aα «und er verschlingt den *Tod* für immer», für den ursprünglichen Bestand des Wortes in Anspruch genommen werden kann. Eben das ist aber strittig; man betrachtet den kurzen Satz weithin als sekundären Einschub. Es werden dafür formale Gründe ins Feld geführt: Er unterbreche in unerträglicher Weise den Zusammenhang[25]. Aber es ist nicht einzusehen, dass Trauer, Tod und Tränen nicht zusammengehören sollen. Oder man meint, dass 8aα metrisch nicht einzuordnen sei. Aber ein Metrum im eigentlichen Sinne ist in 25, 6–8, wie schon in 24, 21–23, kaum festzustellen. Der Hauptanstoss der Exegeten liegt zweifellos am Inhalt: Die Beseitigung des Todes schlechthin scheint ihnen eine so kühne und singuläre Verheissung zu sein, dass sie meinen, sie als sehr späte Glosse ansehen zu müssen. Aber Jes. 25, 6–8 gehört, mit 24, 21–23 zusammen, um der deutlich auf die Apokalyptik hinweisenden Motive willen, ohnehin nicht zu den älteren Teilen der «Apokalypse». Bevor man über die Authentizität ein Urteil fällt, ist aber vor allem zu fragen, wie der kurze Satz überhaupt zu verstehen ist.

Zunächst sei auf eine kaum beachtete traditionsgeschichtliche Parallele hingewiesen, welche Jes. 25, 6–8 auffallend nahe steht, nämlich Ps. 22, 28–30:

[21] F. Delitzsch, Commentar über das Buch Jesaja (1889⁴), S. 296.

[22] C. v. Orelli, Die Propheten Jesaja und Jeremia (1887), S. 87.

[23] O. Procksch, Jesaja I, übersetzt und erklärt (1930), S. 319.

[24] S. dazu die Begründung bei W. Kessler, Gott geht es um das Ganze. Jesaja 56–66 und Jesaja 24–27 (1960), S. 144 f.; auch B. Duhm, Das Buch Jesaja (1968⁵), S. 181; J. Lindblom, Die Jesaja-Apokalypse (1938), S. 37 f.; O. Kaiser, Der Prophet Jesaja, Kapitel 13–39 (1976²), S. 162.

[25] Duhm (A. 24), S. 181; G. Fohrer, Das Buch Jesaja, 2, Kap. 24–39 (1967²), S. 19 f.; Kaiser (A. 24), S. 161.

«28 Es werden gedenken und umkehren '...'[26] alle Enden der Erde,
und vor 'ihm'[27] niederfallen alle Geschlechter der Völker.
29 Denn Jahwes ist das *Königtum* (hammelūkā),
und er ist Herrscher über die *Völker*.
30 'Ja, nur ihm'[28] sollen huldigen alle, die in der *Erde* 'schlafen'[29],
vor ihm sich beugen alle, die hinabfuhren in den *Staub*...»

Leider ist der Text an verschiedenen Stellen korrupt. Schön wäre es für den Vergleich mit Jes. 25, 6, wenn das 'ākelū zu Beginn von 30 gehalten werden könnte. Doch ist die oben angenommene Emendation[30] kaum zu vermeiden. Aber wesentlich für unsern Gedankengang bleibt, dass nach diesem Text auch die Toten dem Herrschaftsbereich Jahwes unterstellt werden: Es genügt nicht, dass alle Völker Jahwes Herrschaftsanspruch anerkennen und man sich ihm bis zu den Enden der Erde zuwendet, sondern auch die Bewohner der Scheol werden ihm huldigen. H. Gese hat das so formuliert: «In Ps. 22 kommt ... eine bestimmte apokalyptische Theologie zu Worte, die in der an einem Einzelnen sich vollziehenden Errettung aus der Todesnot die Einbruchstelle der basileía toû theoû sieht: die Bekehrung der Welt, ausdrücklich mit dem basileía-Theologumenon begründet, die Auferstehung der Toten, wenn auch noch so sehr zurückhaltend konzipiert als Erlösung zur kultischen Teilhabe an Jahwe.»[31] H. H. Schmid hat gegen diese Deutung allerdings mit Recht Bedenken angemeldet.[32] Von Auferstehung spricht der Psalm nicht, aber er hat aus der Integrierung des Motivs der Königsherrschaft Jahwes in das Klagelied die revolutionäre Konsequenz gezogen, dass Jahwe als König über die ganze Welt auch Herr der Toten ist.

Von hier aus gesehen ist es nicht mehr so überraschend, dass in Jes. 25, 8aα scheinbar so abrupt vom Verschlungenwerden des Todes gesprochen wird. Eine weitere Beobachtung tritt hinzu: Es hat sich oben ergeben, dass im Hintergrund des Freudenmahles für die Völker auf dem Zion das Mythologem von der Inthronisation der Gottheit nach dem Chaoskampf steht. In Babylon ist die Chaosmacht konkretisiert in der Tiāmat, in Ugarit aber kämpft Baal gegen Jam und Mōt. Bei der Neufassung des alten Traditionsgutes unter der eschatologischen Perspektive des Glaubens Israels ergab sich also beinahe zwangsläufig, dass vom Verschlungenwerden des māwät gesprochen werden musste. Auf den mythologischen Ursprung verweist auch das Verb blc. Im Alten Testament sind es vornehmlich die Mächte der Tiefe, die zu verschlingen drohen[33]. Kommt aber das Chaos endgültig zu seinem Ende, muss davon gesprochen werden, dass umgekehrt māwät, der es symbolisiert, verschlungen wird. D. h., wenn die Herrschaft Jahwes zum vollen Durchbruch kommt, dann wird auch sein grosser Gegenspieler, hier

[26] 'äl-jahwäh dürfte Glosse sein: Bibl. Hebr. ed. Kittel.
[27] Für lefānäkā ist lefānāw zu lesen: ebd. und Bibl. Hebr. Stuttg.
[28] Für 'ākelū wajjištaḥawū wird 'ak lō jištaḥawū vorgeschlagen: ebd.
[29] Für dišnē ist zweifellos ješēnē zu lesen: ebd.
[30] S. Anm. 28.
[31] H. Gese, Vom Sinai zum Zion (1974), S. 192.
[32] H. H. Schmid: Wort und Dienst 11 (1971), S. 135 f.
[33] Ex. 15, 12; Num. 16, 32. 34; 26, 10; Deut. 11, 6; Ps. 106, 17; vgl. auch Jon. 2, 1.

Tod genannt, völlig und für immer entmachtet sein[34]. Wie das geschieht, steht nicht da. Nach dem Zusammenhang ist nur soviel klar, dass man nicht mehr trauern muss und alle Tränen abgewischt werden. Es ist bei der Interpretation der Stelle aber in Rechnung zu setzen, dass hebräisch māwät und deutsch «Tod» einen verschiedenen Bedeutungsbereich haben[35]. «Tod» ist, was immer das Leben mindert und bedroht. Von Auferstehung oder Unsterblichkeit braucht der Text nicht zu sprechen, wohl aber davon, dass «an jenem Tag» (24, 21) dem Heilswillen Jahwes keine Grenzen mehr gesetzt sind und die Völker, mit denen Jahwe das Fest feiert, kein Unheil mehr treffen kann.

Der Text entlässt uns mit offenen Fragen: Muss dann also nicht mehr gestorben werden? Was wird mit denen geschehen, die bereits im Tode sind? Man wird gut daran tun, hier nicht in Spekulationen zu verfallen. Jes. 25, 8aα ist ein aufblitzender Gedanke, über dessen Tragweite weiter nachzudenken war.

Mit dieser Exegese der vorliegenden Stelle ist zugleich die Frage beantwortet, wo die alttestamentliche Wurzel des Auferstehungsglaubens zu suchen ist: im Bekenntnis zur *Königsherrschaft* Jahwes, die unbeschränkt sein wird und in ihrer Grenzenlosigkeit auch offenbar werden muss. Eines Tages musste es ausgesprochen werden, dass auch der Tod aus dem Herrschaftsbereich Jahwes nicht auszuklammern sei[36]. Es ist eine tief innere Notwendigkeit, dass im Neuen Testament mit der Verkündigung der Nähe des Gottesreiches auch das Thema «Überwindung des Todes» mit Nachdruck zur Sprache kommen musste.

Die Vernichtung des Todes ist grundsätzlich und universell. Abgewischt werden die Tränen «von jedem Angesicht», das wird noch einmal ausdrücklich gesagt. Aber in V. 8bα tritt überraschend Israel in Erscheinung: «Und die *Schmach seines Volkes* nimmt er von der ganzen Erde hinweg.» Ist das ein Zusatz, welcher den Eindruck, die Sonderstellung Israels sei unter den Tisch gefallen, korrigieren wollte? Im Grunde ist es keineswegs auffallend, dass auch von Israels Zukunft die Rede ist, auffallend ist vielmehr, wie verhalten hier vom Heil des Gottesvolkes gesprochen wird. Nicht einmal die Rückkehr nach dem Land der Väter kommt zur Sprache. Beinahe möchte man das paulinische Wort: den Juden zuerst, dann auch den Griechen[37], abwandeln: alle Völker, unter ihnen gewiss auch Israel. Es scheint vorausgesetzt zu sein, dass es Juden «auf der ganzen Erde» gibt, diese aber in der Zerstreuung bleiben werden. Nur dass ihre «Schmach» von ihnen genommen wird, objektiv: die Diskriminierung, der sie als völkisch-religiöse Minderheit ausgesetzt sind, und subjektiv: das Gefühl, verachtet, von den grossen Gastvölkern nicht angenommen zu sein.

[34] Vgl. den ugaritischen Text I*AB, I 5 f., wo Mot dem Baal droht, ihn zu fressen. Aistleitner (A. 16), S. 14.

[35] S. dazu C. Barth, Die Errettung vom Tode (1947), S. 53 ff.; vgl. R. Bultmann, thánatos: Theol. Wört. z. N.T., 3 (1938), 7–25, S. 17 f.

[36] Dass speziell iranische Einflüsse wirksam geworden sind, ist kaum zu bestreiten, vgl. etwa die sorgfältig abwägende Studie von H. Birkeland, The Belief in the Resurrection of the Dead in the Old Testament: Stud. Theol. 3 (1949), S. 60–78.

[37] Röm. 1, 16 und 2, 9 f.

*

Die Auslegung hat den ersten Eindruck verstärkt, dass in der Perikope vom Freudenmahl auf dem Zion ein Stück alttestamentlicher Erwartung vorliegt, in welchem eine einsame Höhe erreicht ist.

Im Alten Testament hat der Abschnitt kein wirkliches *Echo* gefunden. Dan. 7 weiss wohl vom Kommen des Königreiches und der Herrschaft und der Macht über alle Reiche unter dem ganzen Himmel, aber das ewige Reich wird dem Volk der Heiligen des Höchsten gegeben (V. 27). Im Qumranschrifttum wird von einer Mahlversammlung gesprochen, die zur Zeit, da der Messias geboren wird, stattfinden werde. Aber dort versammeln sich natürlich die Söhne des Lichtes[38]. Von einem Mahl zu Beginn der eschatologischen Zeit wissen auch Dokumente aus dem Frühjudentum. So kündet 4. Esr. 6, 52 an, dass Behemoth und Leviathan aufgespart werden (gemeint ist offensichtlich auf die letzte Zeit), «dass sie verzehrt werden sollten, von wem und wann du willst». Die syrische Baruchapokalypse orientiert etwas genauer, nämlich, dass die beiden Seeungeheuer alsdann, d. h. wenn der Messias kommen wird, zur Speise für all diejenigen dienen werden, welche dann noch übrig sind (29, 3)[39].

Es wurde oben ausgegangen von Luk. 14, 15, dem einleitenden Satz zum Gleichnis vom grossen Abendmahl. Die Erwartung eines Festmahles ist aber in diesem Gleichnis wie bei der Variante von der königlichen Hochzeit in Matth. 22, 1–10 umgebogen zu einem Vergleich. Aber der erwähnte einleitende Satz: makários hóstis phágetai árton en tê basileía toû theoû, kennt noch die alte Vorstellung. Er gehört nicht zum ursprünglichen Bestand des Gleichnisses, sondern dient als Verbindung des vorangehenden Abschnittes mit dem eigentlichen Gleichnis von 16 ff.[40] und ist eben so Zeugnis dafür, dass in der Welt der urchristlichen Gemeinde die Vorstellung von einem Mahl im Reiche Gottes durchaus bekannt war. Dafür gibt es weitere Hinweise im Neuen Testament. Apk. 3, 20 weiss von einem Mahl, das der Christus mit den Seinen halten wird, und 19, 9 spricht vom Hochzeitsmahl des Lammes, zu dem sein Weib, die Gemeinde, geladen ist. Nach Matth. 8, 11 sind es zwar nicht gerade alle Völker, die zum Mahl erscheinen werden, aber

[38] 1QSa II, 11–22.

[39] Vgl. auch Äth. Hen. 60, 24; Slav. Hen. 42, 5: «Beim letzten Kommen wird er herausführen Adam mit den Vorvätern und wird sie hierherführen (in das Paradies Eden), dass sie sich freuen, wie ein Mensch seine Geliebten herbeiruft, mit ihm Mahl zu halten, und jene gekommen (und) reden vor dem Palast jenes Mannes, mit Freuden erwartend sein Mahl, das Geniessen des Guten und des unermessbaren Reichtums, und Freude und Fröhlichkeit im Licht und in ewigem Leben»: J. Behm, deîpnon: Theol. Wört. z. N. T., 2 (1935), 33–35, S. 35. Hier beginnt also das Mahl mit dem Erscheinen des Messias. So ist es auch in der syrischen Baruchapokalypse 29, 3–8. Weitere Hinweise bei A. Schweitzer, Die Mystik des Apostels Paulus (1930), S. 231 ff. Für das rabbinische Schrifttum sei etwa hingewiesen auf Midr. Esth. 1, 4: «Für das Mahl unseres Gottes, das er in Zukunft den Gerechten bereiten wird, gibt es kein Ende»; dazu P. Billerbeck, Kommentar, 4, 2 (1928), S. 1154 f., vgl. auch 1 (1922), S. 878 f., und Behm, ebd.

[40] S. dazu R. Bultmann, Gesch. d. synopt. Trad. (1958[4]), S. 113 f.; S. Schulz, Q. Die Spruchquelle der Evangelisten (1972), S. 391 f.

doch viele von Morgen und Abend, die sich mit Abraham und Isaak und Jakob zu Tische legen werden[41]. Damit ist die Universalität des Mahles von Jes. 25, 6 wieder erreicht, wenn auch die Gäste nicht die Völker schlechthin, sondern die Glaubenden aus den Heiden sind. Zwar nicht der Gedanke des Mahls, aber derjenige von der Besiegung des Todes und dem Abwischen der Tränen, hat in 1. Kor. 15, 54 und in Apk. 7, 17 und 21, 4 ein Echo gefunden.

Jes. 25, 6–8 war für die Formulierung der jüdischen und christlichen Hoffnung von grösster Bedeutung und wurde der Verkündigung der biblischen Botschaft, immer wieder neu interpretiert, dienstbar gemacht.[42]

[41] Vgl. auch Luk. 13, 28 f. und Mark. 14, 25 par.

[42] Diese Arbeit ist Teil einer ungedruckten Sammlung von Aufsätzen, die Gerhard Ebeling zu seinem 65. Geburtstag als Gruss von Kollegen und Freunden überreicht wurde.

Die Rede des Rabsake vor Jerusalem

Es ist in der Forschung weithin üblich geworden, beim erzählenden Anhang zum ersten Teil des Jesajabuches von Jesaja- bzw. Hiskialegenden zu sprechen[1]. Das impliziert ein abwertendes Urteil – nicht unbedingt über die theologische Bedeutung der Abschnitte, aber über ihren Stellenwert für die Historiographie Israels. Eng mit der historischen Wertung von Jes. 36–39 ist die heiss umstrittene Frage nach der Authentizität mancher prophetischen Worte verknüpft. Wird das Jesajabild von Kap. 36–39 in das Reich theologischen Wunschdenkens verwiesen[2], ergibt sich eine andere Ausgangslage für die Umgrenzung der jesajanischen Überlieferung, als wenn man zum Urteil gekommen ist, dass die vier Kapitel bei der Rekonstruktion des Geschichtsbildes der jesajanischen Zeit nicht einfach ausser acht gelassen werden können.

Allerdings dürfen die Erzählungen keinesfalls tale quale als zuverlässige Geschichtsberichte betrachtet werden. Die nicht zu übersehenden Differenzen zwischen dem Text des Jesaja- und dem des 2. Königsbuches (im folgenden J-Text und K-Text genannt) beweisen, dass sogar nach der Übernahme des ganzen Komplexes in das Jesajabuch[3] nicht nur Retuschen, sondern wesentliche Eingriffe in den Textbestand vorgenommen wurden. Man kann also erst nach einer sorgfältigen überlieferungsgeschichtlichen Analyse der einzelnen Teile zu einem Urteil über das Gewicht, das diese für die Geschichtsschreibung beanspruchen können, gelangen.

1.

Die vier Kapitel bestehen aus *vier verschiedenen Erzählungen:*

1. Jes. 36, 1–37, 8. 9a. 37aβb. 38[4], ein erster Bericht über Jerusalems Errettung,
2. 37, 9b–36. 37aα, ein zweiter Bericht über dasselbe Ereignis,
3. 38, Hiskias Krankheit und sein Dankgebet nach der Genesung,
4. 39, Merodach-Baladans Gesandte aus Babylon.

[1] Zur Literatur zu Jes. 36–39 s. meinen in absehbarer Zeit erscheinenden Kommentar (Bibl. Komm. 10, 17). Hier seien nur genannt: J. Meinhold, Die Jesajaerzählungen Jes. 36–39 (1898); W. Rudolph, Sanherib in Palästina: Palästinajahrbuch 25 (1930), S. 59–80; H. Haag, La campagne de Sennachérib contre Jérusalem en 701: Rev. bibl. 58 (1951), S. 348–359; H. M. J. Gbrjhw (Gevaryahu), dbrj rbšqh b'znj h'm 'l ḥwmt jrwšljm: sfr Sgl [Festschrift M. Ṣ. Segal] (1964), S. 94–102; L. L. Honor, Sennacherib's Invasion of Palestine (1926); B. S. Childs, Isaiah and the Assyrian Crisis (1967); R. Deutsch, Die Hiskiaerzählungen (1969). Im weiteren sei auf die Kommentare verwiesen, unter den neuern vor allem auf O. Kaiser, Der Prophet Jesaja Kapitel 13–39 (1976²).

[2] S. z. B. G. Fohrer, Das Buch Jesaja, 2 (1967²), S. 162 f.

[3] Zweifellos haben die vier Kapitel ihren ursprünglichen Ort im zweiten Königsbuch (2. Kön. 18, 13–20, 19); s. dazu die Einleitungen. Dass die Verse 18, 14–16 nicht in das Jesajabuch aufgenommen wurden, hat seinen Grund darin, dass sie den übrigen Erzählungen zu widersprechen scheinen.

[4] Wo die Nähte zwischen den beiden Berichten verlaufen, ist nicht mit voller Sicherheit festzustellen, s. dazu Fohrer (A. 2); Childs (A. 1); Kaiser (A. 1).

Die vier Abschnitte sind dadurch verbunden, dass in ihnen sowohl Hiskia als auch Jesaja erwähnt werden und sie von Ereignissen derselben geschichtlichen Stunde zu sprechen scheinen. Der dritte und vierte Abschnitt sind aber zwei von Haus aus völlig selbständige Erzählungen und gehören auch zeitlich nicht in den Rahmen des Sanheribfeldzuges hinein.

Dass auch die beiden Erzählungen von 36 f. erst sekundär miteinander verbunden wurden, wird heute ebenfalls kaum mehr bestritten, erst durch den redaktionellen Vers 37, 9a sind sie in eine enge zeitliche Abfolge gestellt. Danach hätte Sanherib, nachdem der Rabsake, von Jerusalem kommend, ihn in Libna getroffen hatte, vernommen, dass Thirhaka, der König von Äthiopien, im Anzug sei. Daraufhin habe er eine zweite Abordnung nach Jerusalem geschickt mit demselben Auftrag, an dem soeben der Rabsake gescheitert war, nämlich Hiskia von der Erfolglosigkeit seines Widerstandes zu überzeugen. Wenn aber die erste Gesandtschaft unverrichteter Dinge zurückgekehrt ist, hat es keinen Sinn, ausgerechnet jetzt, wo Ägypten im Anzug war, den Versuch, Hiskia zur Kapitulation zu bewegen, zu wiederholen. Höchste Bedenken erweckt auch die Erwähnung des Thirhaka. Dieser kuschitische Pharao hat in Ägypten die Herrschaft von 690–664 innegehabt. Man müsste also annehmen, dass er in Ägypten längst vor seiner Thronbesteigung eine wichtige Rolle gespielt habe (37, 9 gibt ihm aber bereits den Titel mlk-kwš). Davon wissen wir nichts, und Thirhaka kann nach den neusten Erkenntnissen damals erst etwa neun Jahre alt gewesen sein[5]. Es kommt hinzu, dass ein Zug Thirhakas gegen Sanherib doch nur schlecht mit dem Zug der Könige von Muṣri und der Bogenschützen, Wagen und Rosse des Königs von Meluḫḫa, Streitkräfte ohne Zahl[6], gleichgesetzt werden kann, mit denen es bei Eltheke zum Kampf gekommen ist. Man beachte, dass 36, 6 nicht von Thirhaka und nicht von einem König von Kusch spricht, sondern vom Pharao, dem König von Ägypten. Man müsste also einen zweiten Feldzug von Ägypten/Kusch gegen Sanherib in Palästina annehmen und die Erwähnung des Thirhaka erst noch als einen Irrtum betrachten, wollte man die beiden Erzählungen zeitlich nacheinander einordnen. Es ist aber unwahrscheinlich, dass nach Eltheke schon bald wieder ein neuer Versuch unternommen worden ist, von Ägypten her in Palästina einzugreifen. Es bleibt höchstens die Möglichkeit, für die sich Albright[7] eingesetzt hat, einen zweiten Feldzug Sanheribs in wesentlich späterer Zeit (etwa um 688) gegen Jerusalem anzunehmen, bei dem dann wirklich Thirhaka eingegriffen hätte. Aber davon wissen wir nichts, und die Hypothese scheitert schon daran, dass Hiskia bald nach

[5] S. dazu W. F. Albright, The Date of Sennacherib's Second Campaign against Hezekiah: Bull. Amer. School Or. Res. 130 (1953), S. 8–11, ferner J. Bright, Geschichte Israels (1966), S. 306 ff.

[6] Tonprisma Sanheribs II, 73 f.: Altor. Texte, S. 353.

[7] Albright (A. 5), S. 9.

701 gestorben ist[8]. Der Schluss ist unumgänglich: Die beiden Erzählungen, die in 36 f. miteinander verknüpft sind, beschreiben weder zwei unmittelbar sich folgende Ereignisse, noch reden sie von zwei Feldzügen Sanheribs in grösserer zeitlicher Distanz, sondern sie handeln beide vom selben Versuch Sanheribs, Hiskia zur Unterwerfung zu bewegen.

Die *Rede des Rabsake,* die uns im Folgenden allein beschäftigen soll, ist im Rahmen des *ersten Berichtes* überliefert. Zweifellos steht dieser der historischen Wirklichkeit näher als der zweite. Er ist über die Umstände der Gesandtschaft Sanheribs genau informiert: Er kennt den Titel des Mandatars, weiss, woher er nach Jerusalem kommt, wo die Verhandlungen stattfinden, welches Namen und Titel der Abgesandten Hiskias sind, und weiss vom Versuch dieser Abgesandten, den Rabsake zur Zurückhaltung angesichts des Volkes, das mithört, zu bestimmen, und von der Reaktion des Rabsake, der sich daraufhin ganz offen und direkt an das Volk wendet. Er berichtet, dass das Volk sich nicht auf eine Diskussion eingelassen hat: nicht weil es aus innerer Überzeugung den Vorschlag des Rabsake ablehnte, sondern weil es sich an die Instruktionen des Königs hielt. Das weckt grundsätzlich Vertrauen in die Glaubwürdigkeit des Erzählers. – Kann auch der *Wortlaut* der Rede als zuverlässig gelten? Diese Frage soll uns im folgenden beschäftigen, wobei natürlich nicht anzunehmen ist, dass die Rede gerade im Stenogramm vorliegt. Sie lautet, wenn man dem Text im Jesajabuch folgt (Jes. 36, 4–21):[9]

«4 Der Rabsake sagte zu ihnen: Sagt doch dem Hiskia: So spricht der Grosskönig, der König von Assur: Was ist denn das für ein Vertrauen, dem du dich hingibst? 5 'Meinst du',[10] ein (blosses) Wort sei (schon) Plan und Macht zum Krieg? Auf wen vertraust du denn, dass du von mir abtrünnig geworden bist? 6 Sieh, du vertraust auf Ägypten, diesen geknickten Rohrstab, der jedem, der sich auf ihn stützt, in die Hand dringt und sie durchbohrt. So ergeht es mit dem Pharao, dem König von Ägypten, allen, die auf ihn vertrauen. 7 Wenn du aber zu mir sagst: Auf Jahwe, unsern Gott, vertrauen wir! – *ist das nicht der, dessen Höhenheiligtümer und Altäre Hiskia beseitigt hat und zu Juda und Jerusalem sagte: Vor diesem Altar (allein) sollt ihr huldigen?* 8 Wohlan, wette doch mit meinem Herrn, dem König *Assur*[11]: Ich will dir zweitausend Pferde geben, falls du in der Lage bist, dir die dazu nötigen Reiter zu beschaffen. 9 Und wie solltest du einen der geringsten *Statthalter*[12] der Knechte meines Herrn zurücktreiben können, *da du dein Vertrauen auf Ägypten wegen der Kriegswagen und Pferde*[13] *gesetzt hast!* 10 Und schliesslich: Bin ich denn ohne den Willen Jahwes in dieses Land heraufgezogen, es zu vernichten? Jahwe hat zu mir gesprochen: Zieh in dieses Land hinauf und vernichte es!

[8] Das Todesjahr Hiskias ist wie die genaue Chronologie der Zeit Jesajas leider immer noch umstritten. A. Jepsen & R. Hanhart, Untersuchungen zur israelitisch-jüdischen Chronologie, = Zs. at. Wiss. Beih. 88 (1964), meinen 697 v. Chr.; V. Pavlovský & E. Vogt, Die Jahre der Könige von Juda und Israel: Biblica 45 (1964), S. 321–347, nehmen das Jahr 699 an; J. Bright (A. 5), S. 310, kommt in Anlehnung an Albright auf das Jahr 687/86.

[9] Eine ausführliche Erörterung der textkritischen Probleme wird mein Kommentar enthalten, und ich beschränke mich hier auf das Wichtigste; wenn auch nicht in allen Fällen, dürfte doch grundsätzlich der J-Text vorzuziehen sein.

[10] Ich folge dem K-Text, der 'āmartā liest.

[11] Der gen. 'aššûr hat nach hammäläk keinen Platz.

[12] Der stat. constr. pḥt ist unmöglich, man müsste zum mindesten den abs. lesen, vielleicht will das Wort Erklärung zu 'ḥd ʿbdj 'dnj sein.

[13] pršjm neben rkb bedeutet wohl Pferde und nicht Reiter.

11 Da sagten Eljakim und Sebna und Joah zum Rabsake: Rede doch zu deinen Knechten aramäisch, denn wir verstehen (es), und rede mit uns nicht jüdisch vor den Ohren des Volkes, das auf der Mauer ist.

12 Da antwortete der Rabsake: Hat mich denn mein Herr zu deinem Herrn und zu dir gesandt, diese Worte zu reden, und nicht vielmehr zu den Männern, die auf der Mauer sitzen, bei euch ihren Kot[14] zu essen und ihren Harn[14] zu trinken?

13 Und der Rabsake stellte sich hin und rief mit lauter Stimme auf jüdisch und sagte: Hört die Worte des Grosskönigs, des Königs von Assur! 14 So spricht der König: Lasst euch durch Hiskia nicht täuschen, denn er ist nicht im Stande, euch zu retten. 15 Und lasst euch nicht durch Hiskia zum Vertrauen auf Jahwe verleiten, wenn er sagt: Jahwe wird uns gewiss erretten, in die Hand des Königs von Assur wird diese Stadt nicht gegeben werden. 16 Hört nicht auf Hiskia, denn so spricht der König *Assur*[15]: Schliesst mit mir einen Segen(svertrag) und kommt zu mir heraus, so wird jeder von seinem Weinstock und jeder von seinem Feigenbaum essen und ein jeder das Wasser seiner Zisterne trinken dürfen, 17 *bis ich komme und euch in ein Land mitnehme, das eurem Land gleicht, ein Land voll Korn und Wein, ein Land voll Brot und Weinberge.* 18 *Lasst euch von Hiskia nicht verführen, wenn er sagt: Jahwe wird uns erretten.* Haben denn die Götter der Völker ein jeder sein Land aus der Hand des Königs von Assur errettet? 19 Wo sind denn die Götter von Hamath und Arpad, wo die Götter von Sepharwaim ... und dass sie Samaria aus meiner Hand errettet hätten? 20 Wer unter den Göttern all dieser Länder war es, der sein Land aus meiner Hand errettet hätte, so dass Jahwe Jerusalem aus meiner Hand erretten könnte? 21 Sie schwiegen jedoch und gaben ihm keine Antwort. Der König hatte nämlich befohlen: Antwortet ihm nicht!»

Durch die Einleitungsformeln von V. 4 ist die Rede als ein Botenspruch stilisiert. Für einen solchen scheint sie allerdings viel zu lang zu sein. In einer ähnlichen Situation lautet die Botschaft in 1. Kön. 20, 2 f.: «Und er (scil. Benhadad, der vor Samaria mit seinem Heer aufmarschiert ist) sandte Boten in die Stadt an Ahab, den König von Israel, und liess ihm sagen: So spricht Benhadad: Dein Silber und dein Gold ist mein: Deine Weiber und deine Kinder aber magst du behalten.»[16] Die Kürze dieser Botschaft leuchtet ein; sie beinhaltet die Aufforderung zur Kapitulation mit knapper Angabe der Bedingungen, jedes weitere Wort wäre überflüssig. Es ist von Boten die Rede, Boten haben nicht zu begründen, wie der Rabsake das tut, sondern die Botschaft in ihrem genauesten Wortlaut weiterzugeben. Der Rabsake ist Unterhändler, der die Jerusalemer zum Abbruch ihrer Rebellion veranlassen soll.

Auffallend ist in der Rede des Rabsake der Wechsel in der Person: In 5 f. ist, wie es sich in einem Botenspruch gehört, das Ich dasjenige des Auftraggebers, Sanherib, und das Du dasjenige des Adressaten der Botschaft, Hiskia. In V. 7b ist das anders: Da wird von Hiskia in der 3. Person gesprochen und das Du scheint das des Sprechers der hiskianischen Delegation zu sein. V. 7b ist aber vom Inhalt her als ursprünglicher Bestandteil der Rede kaum denkbar. Der historische Kern der Überlieferung von der Kultreform Hiskias in 2. Kön. 18, 4 f. dürfte die Säuberung des Tempels von Symbolen wie dem Nehusthan und von Kulten, die unter assyrischem Druck eingeführt worden waren, sein. Hier aber ist sie einfach als

[14] Mit Ketîb ist ḥar'ēhäm und šēnēhäm zu lesen.

[15] S. Anm. 11.

[16] Emendierter Text, s. Zürcher Bibel.

Vorwegnahme der josianischen Kultzentralisation dargestellt. Das ist unwahrscheinlich, aber selbst wenn man die Geschichtlichkeit einer so verstandenen Hiskiareform für erwiesen halten wollte, wäre es doch höchst seltsam, dass der Rabsake ausgerechnet vor Jerusalem und vor Abgesandten Hiskias mit diesem Argument gefochten hätte. V. 7b ist also zweifellos ein Einschub, hingegen ist es durchaus verständlich, dass der Rabsake dem Vertrauen auf Jahwe den Boden zu entziehen sucht. Lässt man 7b weg, ist es klar, dass das Du von t'mr in 7a doch nicht das Du des Sprechers der Hiskiadelegation ist und dass auch nicht mit dem K-Text in den Plural t'mrwn geändert werden darf: Nach wie vor ist Hiskia angesprochen. Seine ursprüngliche und natürliche Fortsetzung besitzt 7a in 8–10: Was soll Gottvertrauen bei der offensichtlichen militärischen Schwäche und wie soll sich denn Jerusalem auf seinen Gott berufen, wenn doch Assur nur den Willen eben dieses Gottes vollstreckt? In V. 8 erhebt sich allerdings wieder die Frage des Stilbruchs: Wer ist das Subjekt von w'ttnh in V. 8, Sanherib oder der Rabsake? Man scheint an den Rabsake denken zu müssen, während in V. 10 das Ich wieder Sanherib ist. Soll man daraus schliessen, dass auch V. 8 f. als Interpolation zu betrachten ist? Nun, ein Zuwachs liegt zweifellos in 9b vor, das Thema «Vertrauen auf Ägypten» hat in diesem Zusammenhang keinen Platz mehr. Im übrigen aber fügt sich der sarkastische Hohn auf die Ohnmacht Judas in 8. 9a ausgezeichnet in die Rede des Rabsake ein. Der Streit, ob es sich beim Ich von V. 8 um dasjenige des Königs oder seines Abgesandten handelt, ist in Wirklichkeit gegenstandslos, weil sich dieser offensichtlich völlig mit seinem Auftraggeber identifizierte. Der Rabsake ist eben nicht nur «Briefträger», sondern eine hochgestellte Persönlichkeit mit so grosser Vollmacht, dass er durchaus im Namen seines Herrn eine Wette eingehen kann.

Die Erwähnung der Unterbrechung der Rede des Rabsake durch die Abgesandten Hiskias gehört zweifellos ebenso zum ursprünglichen Bestand des Berichtes. «Das Volk, das auf der Mauer ist», sind nicht irgendwelche neugierige Zuschauer, die man doch kurzerhand wegschicken könnte, sondern militärische Begleiter der Abgeordneten. Dass der Rabsake versucht, über diese die Stimmung in der Stadt zu beeinflussen, ist durchaus denkbar. Formal gibt er sich auch hier noch durch die Einleitung: «So spricht der König» (V. 14) als Abgesandter, in Wirklichkeit ist er Agitator[17]. Er versucht ganz offen, die Bevölkerung Jerusalems gegen Hiskia aufzuhetzen und zur Kapitulation zu bewegen. Die Bedingung, die der Assyrerkönig stellt, ist die Übergabe der Stadt. Das ist mit dem ṣ'w 'lj zwar nur beiläufig ausgesprochen, ist aber der entscheidende Punkt. Es bleibt offen, was an Tribut zu zahlen ist und was mit Hiskia geschehen wird. Dafür wird der Bevölkerung ein sicheres Leben in Frieden zugesagt. Die zu treffende Vereinbarung wird mit brkh umschrieben[18]. Das ist ein sonst nicht zu belegender Gebrauch des Wor-

[17] Anders ist es im zweiten Bericht, der in 37, 14 von einem Brief spricht, der Hiskia überbracht worden ist.

[18] Vgl. dazu J. Scharbert: Biblica 39 (1958), S. 19, und A. Murtonen, The Use and Meaning of the Words lᵉbārēk and bᵉrākāh: Vet. Test. 9 (1959), 158–177, S. 173 f.

tes, aber durchaus der Absicht des Rabsake angemessen: Der Bevölkerung der Stadt soll die Übergabe in möglichst rosigem Licht erscheinen. Eine Fortsetzung der Rede erwartet man nicht, der Verhandlungspartner hat jetzt das Wort.

Liest man in V. 17 weiter, ist man allerdings geradezu konsterniert: «... bis ich komme und euch in ein Land nehme...» So etwa hätte der Rabsake reden müssen, hätte er die Bewohner Jerusalems zum äussersten Widerstand aufstacheln wollen. Auch sonst ist der Vers merkwürdig: Was soll das heissen: «Bis ich komme»? Warum kommt der Assyrerkönig nicht gleich? Und wie soll es denn verlockend sein, ruhig von seinem Feigenbaum essen zu können, wenn man weiss, dass man die Heimat verlassen muss – wobei die Ungewissheit, wann das geschieht und unter welchen Umständen, auch nicht gerade beruhigend wirkt. V. 17 muss Zusatz sein.

Anderer Art sind die Verse 18–20. V. 18a ist eine Parallele zu 15a. Die in 18b–20 folgende Argumentation, dass es sinnlos sei, mit Jahwes Eingreifen zugunsten Jerusalems zu rechnen, hinkt merkwürdig nach, nachdem bereits in 16 die Aufforderung zum Abschluss eines Unterwerfungsvertrages ergangen ist. Andererseits vermisst man gegenüber der in V. 15 vom Rabsake referierten Erwartung eines Eingreifens Jahwes zugunsten Jerusalems einen Einwand des Babyloniers. Offenbar ist der Text (wohl im Zusammenhang mit dem Einschub von V. 17) in Unordnung geraten: 18b–20 ist von Haus aus Fortsetzung von 15, 18a, aber ist bei dieser Verschiebung als Wiederholung von 15a nötig geworden, muss also gestrichen werden, wenn 18b–20 wieder an den ursprünglichen Platz gestellt wird.

Es bleibt dabei, dass mit V. 16 die Rede des Rabsake zu ihrem Ende gekommen ist. V. 21 braucht nur noch zu berichten, dass es zu keinen Verhandlungen gekommen ist.

2.

Scheidet man die bei obiger Analyse festgestellten Zusätze von 7b. 9b. 17 und 18a aus und stellt 18b–20 nach 15 um, ergibt sich ein wohlgeordneter *Aufbau* und ein klarer Fluss der Gedanken bis hin zum Telos der Rede, der Aufforderung zum Abschluss eines Friedensvertrages. Der Rabsake ist mehr als ein Bote[19], er versucht zu überzeugen. Er geht auf die Argumente ein, die man nach seiner Meinung in Jerusalem der erneuten Unterwerfung unter Assur entgegenhalten wird: in 4–6, die Erwartung, dass Ägypten nicht untätig bleiben werde, in 7a. 8. 9a und 10 das Vertrauen auf die Errettung durch Jahwe. Eine doppelte Widerlegung wird dabei gegeben: Was soll Gottvertrauen bei der militärisch gesehen hoffnungslosen Schwäche Judas und was die Berufung auf Jahwe, wo Assur doch dessen Willen vollstreckt? Im Zwischenstück probiert es der Rabsake statt mit Argumenten mit beissendem Hohn. Im zweiten Teil der Rede, dem an das Volk, geht der Rabsake

[19] Von ml'kjm, Boten, ist aber im zweiten Bericht, Jes. 37, 9b, die Rede.

noch einmal auf das Thema «Vertrauen auf Jahwe» ein. Die Argumentation ist von der in V. 11 verschieden, aber auf ihre Weise durchaus geschickt: Die Götter anderer Völker haben ihre Getreuen auch nicht zu erretten vermocht. Man könnte einwenden, dass Jahwe zwar nicht ein Gott wie andere Götter sei, aber der Fall Samarias beweist, dass dem nicht so ist. V. 16 zieht das Fazit: Will Jerusalem «vernünftig» handeln und eine Katastrophe vermeiden, soll es sich mit den Assyrern arrangieren.

Nach V. 2 ist der Rabsake bḥl kbd vor Jerusalem erschienen. Das darf keine falschen Vorstellungen erwecken. Dass er unter dem Schutz von Truppen erscheint und den Jerusalemern die Macht Assurs vordemonstrieren will, ist selbstverständlich, dass er aber nicht ein Truppenführer ist, der den Auftrag hat, die Belagerung Jerusalems in die Wege zu leiten, wenn die Verhandlungen scheitern, liegt auf der Hand. Leider ist nicht sicher zu bestimmen, welches die Funktionen eines rab šaqē, d. h. eines Obermundschenken, bei den Assyrern waren. Sie mögen durchaus variiert haben. Oberbefehlshaber des Heeres war er nicht, dieser trug den Titel tirtanu (o. ä., s. Jes. 20, 1). Nach W. Manitius[20] war er der Oberste der Leibwache. Jedenfalls hatte er keinen militärischen Auftrag, es handelte sich um eine diplomatische Aktion[21], bei welcher der Rabsake als Unterhändler auftrat. Von daher versteht man, dass die Etikette «Botenspruch» nicht passen will[22].

Es ist durchaus einleuchtend, dass der *Assyrerkönig,* bevor er zur Belagerung Jerusalems schritt, was ein langwieriges, mühsames Unternehmen werden musste, bei welchem der Erfolg letztlich kaum in einem vernünftigen Verhältnis zum nötigen Aufwand stand, zuerst versuchte, Jerusalem durch Verhandlungen zur Loyalität zurückzuführen. Sanherib lag primär daran, den Weg durch das Gebiet der Philister hindurch nach Ägypten hinunter zu sichern, aber nicht an der Beherrschung Judas. Dieses hatte sich bereits am Aufstand von Asdod 713–711 beteiligt. Es scheint sich damals wie Edom und Moab noch rechtzeitig mit Sargon arrangiert zu haben[23], vielleicht nachdem die Assyrer ihre Macht durch Angriffe auf judäisches Gebiet nachdrücklich demonstriert hatten. Diese Situation hätte sich auch im Jahre 701 wiederholen können, aber diesmal hat sich Juda, offensichtlich durch Zusicherungen Ägyptens, dazu bewegen lassen, es auf eine offene Auseinandersetzung ankommen zu lassen. Als die Gesandtschaft mit dem Rabsake nach Jerusalem hinaufzog, standen die assyrischen Truppen in Lachis (36, 2). Nachdem Sanherib das aufständische Philisterland in seiner Hand hatte, war der Moment gekommen, das Problem Juda in Angriff zu nehmen. So erklärt es sich, dass Lachis, obwohl es im Südwesten Judas lag, wohl als erste Stadt im Herrschaftsgebiet Hiskias angegriffen wurde.

Bei der Rückkehr des Rabsake von Jerusalem lag Sanherib bereits im Kampf mit dem weiter nördlich gelegenen Libna. Man schliesst daraus in der Regel, dass

[20] W. Manitius, Zs. f. Ass. 24 (1910), S. 204 ff.
[21] Childs (A. 1), S. 81 f.
[22] C. Westermann, Grundformen prophetischer Rede (1960), S. 77, spricht von entfalteter Botschaft.
[23] H. Wildberger, Jesaja (1972), S. 752 ff.

Lachis unterdessen gefallen war. Das steht nicht im Text, aber jedenfalls hatte man in Jerusalem Anlass, den Ernst der Lage zu erkennen. Nun sagt allerdings Jes. 36, 1 in einer zusammenfassenden Nachricht, dass Sanherib wider alle Städte Judas herangezogen sei und diese eingenommen habe. Damit kann auf keinen Fall die Situation umschrieben sein, aus welcher heraus die Sendung des Rabsake zu verstehen ist. Der Vers gehört nicht zur Rabsakeerzählung, sondern ist Bestandteil des, vermutlich jerusalemischen Annalen entnommenen, völlig anders gearteten Berichtes über die Kapitulation Hiskias, der in 2. Kön. 18, 14–16 erhalten ist. Dadurch, dass jene Verse des K-Textes bei der Übernahme des Hiskiakomplexes in das Jesajabuch weggelassen worden sind, scheint nun 36, 1 Einleitung zu den in 36, 2 beginnenden Hiskia/Jesaja-Überlieferungen zu sein. Der Kardinalfehler ist bereits passiert, als im Königsbuch der Annalenbericht 2. Kön. 18, 13–16 vor V. 17 ff. gestellt wurde. Der Grund dafür ist allerdings begreiflich: Man wollte den Hiskiaabschnitt nicht mit der fatalen Nachricht der Annalen enden lassen – diesselbe Tendenz, die bei der Übernahme des Abschnittes in das Jesajabuch zur Übergehung der Kapitulation Hiskias führte. V. 13 wurde nicht getilgt, weil er als Datierung nötig zu sein schien.

Da der Rabsake in seiner Rede vor Ägypten warnt, muss die Aktion, die er leitete, noch vor der Schlacht bei Eltheke unternommen worden sein. Leider ist die genaue Lage dieser Örtlichkeit immer noch nicht gesichert[24], und auch die Ortslagen von Libna und Ekron sind nicht mit letzter Sicherheit auszumachen[25]. Andererseits ist mit guten Gründen daran gezweifelt worden, ob der Bericht über den Palästinafeldzug auf dem Tonprisma Sanheribs chronologisch vorgehe.[26] Es ist darum unmöglich, sich vom Ablauf der militärischen Aktionen ein genaues Bild zu machen. Für das hier zur Diskussion stehende Problem ist es indessen nur wichtig, dass der Rabsake in einem Zeitpunkt nach Jerusalem geschickt wurde, als Sanherib sich erst im Grenzgebiet Judas aufhielt und die Auseinandersetzung mit Ägypten noch bevorstand.

[24] Man denkt an ḫirbet el muqanna': M. Noth, Geschichte Israels (1966[6]), S. 242; Albright u. a.; oder an den tell eš-šalaf: B. Mazar: Isr. Expl. Journ. 10 (1960), S. 72 ff.; oder auch an den tell el-melāt: K. Elliger, Bibl.-hist. Handwörterb., 1 (1962), Sp. 403.

[25] Libna wurde früher auf dem tell eṣ-ṣāfi gesucht. Heute neigt man dazu, es auf dem tell bornāṭ zu lokalisieren. Die Gleichsetzung von Ekron mit 'āqir, die sich nahezulegen scheint, ist heute in Frage gestellt, und zwar zugunsten der ḫirbet el-muqanna', wo man früher Eltheke suchte.

[26] Es fällt auf, dass in diesem Bericht Lachis nicht genannt wird, obwohl Sanherib seine Eroberung für so wichtig hielt, dass er sie in seinem bekannten Relief im Palast zu Ninive darstellen liess.

3.

Diplomatische Aktionen dieser Art sind gewiss oft in Szene gesetzt worden. Eine gewisse Parallele zur Rede des Rabsake enthält die zweite *Kamose-Stele* aus Karnak, die 1954 entdeckt worden ist.[27] Sie beschreibt den Feldzug des Kamose von Theben gegen den Hyksoskönig Apophis von Avaris. Die Inschrift beginnt mit einer ersten Rede des Kamose, in der er den Apophis schwer verhöhnt. Dann beschreibt Kamose, wie er mit seiner Flotte die Gegend von Avaris erreicht und sie für den Angriff bereitstellt. Er muss sich aber damit begnügen, sich an die Frauen des Apophis zu wenden, die auf dem Dach seines Palastes von den Maueröffnungen aus zum Flussufer hinunterblicken. Er sagt zu ihnen:

«This is the assault. Look, I have arrived, for I am fortunate and the future is in my grasp and my cause is successful. As Amun the brave endures, I will not tolerate you nor allow you to walk the land without my being after you. Let your heart fail thereat, base 'Alam. For behold, I am drinking of the wine of your vineyards which the 'Alamu I have captured press for me: I am hacking up your place of residence, cutting down your trees.»

Wie der Rabsake auf die Erfolge der Assyrer in andern Gebieten verweist, zählt Kamose die Beute auf, die er im Verlauf seines Feldzuges gemacht hat und schliesst dann mit den Worten:

«O 'Alam, fit to perish, let your heart fail thereat! O base 'Alam, who said, 'I am a sovereign without rival as far as Hermopolis, even to Pathyris, for (my) intention is to keep control of Avaris between the two rivers', I am laying them waste and there are no (longer) people there.»[28]

Hier spricht nicht ein Abgesandter des Angreifers, sondern dieser selbst, zunächst, wenigstens der Fiktion nach, mit dem gegnerischen König selbst, dann, ähnlich wie sich der Rabsake an die Leute auf der Mauer wendet, zu den Frauen auf dem Palast, um sich vor ihnen seiner Macht zu rühmen. Aber Kamose hatte vor Avaris keinen Erfolg. Die Fortsetzung berichtet, dass er einen Boten abgefangen hat, den Apophis an seinen Verbündeten, den Herrscher von Kusch, mit der dringenden Bitte um Hilfe geschickt hat. Das heisst, er hat, wie das Jes. 37, 8 von Sanherib sagt, «eine Nachricht» erhalten, die ihn offenbar bewogen hat, die Aktion gegen Avaris abzubrechen.

Noch näher steht dem biblischen Bericht derjenige über eine diplomatische Aktion Thiglath-Pilesers III. gegen Babylon, von welcher der erste der von Saggs herausgegebenen *Nimrudbriefe* berichtet.[29] Schon dem Herausgeber ist die Ver-

[27] L. Habachi, The Second Stela of Kamose and his Struggle against the Hyksos Ruler and his Capital: Abhandl. d. Deut. Archäol. Inst. Kairo, Ägyptol. Reihe 8 (1972) und H. S. Smith & A. Smith, A Reconsideration of the Kamose Texts: Zeits. f. Ägypt. Sprache 103 (1976), S. 48–78.

[28] So die Übersetzung von Smith & Smith (A. 27), S. 60 f.

[29] H. W. F. Saggs, The Nimrud Letters (1952), 1: Iraq 17 (1955), S. 21–56.

wandtschaft mit der Rabsake-Überlieferung aufgefallen,[30] und Childs hat ihn für deren Verständnis ausgewertet.[31] Es lohnt sich, ihn noch genauer anzusehen. Nach der Interpretation des Briefes durch Saggs hat ein aramäischer Stammesführer namens Ukin-zer die Herrschaft über Babylon an sich gerissen. Im Brief berichten zwei Unterhändler ihrem Herrn über ihren Versuch, die einheimischen Bewohner Babylons gegen Ukin-zer für die Sache Assurs zu gewinnen:[32]

(1) An meinen Herrn König (2) dein Diener [Sama]š?-būnāja (und) Nabû-ēṭir. (3) Meinem Herrn König möge es wohl gehen; (4) Nabû (und) Marduk mögen meinen Herrn König segnen! (5) Am 28. gingen wir nach Babylon (6) (und) stellten uns vor dem Marduk-Tor hin. (7) Mit (*issi*!) einem Babylonier sprachen wir. (8) [...]. nu, ein Diener des Ukinzēr – (9) ein Kaldu-Mann war bei ihm (*i-se*!-*e*!-*šu*) –, (10) sie kamen heraus (und) standen mit Babyloniern (11) vor dem Tor. Wir sprachen wie folgt (12) zu den Babyloniern: (13) «Der K[öni]g (*š*[*arr*]*u*!) hat uns zu euch! geschickt (*i*!-[*sap*!-]*ra-na-ši*) (14) mit dem Auftrag: '... (15) ... (16) ... Babylon? möge zustimmen! (17) Euer Schutzverhältnis zu bestätigen (18) komme ich nach Babylon.'» Viele [Wor]te (19) sprachen wir mit ihnen, (aber) die ... (20) der Truppen waren offenbar nicht ein[verstanden?] (21) (und) kamen nicht heraus; sie sprachen nicht mit uns, (22) schrieben uns nur einige Male. Wir (23) sprachen zu ihnen: «Öffnet das Stadttor, (24) wir wollen nach Babylon hineingehen!» Er willigte nicht ein (25) und sagte: «Euch (allein) haben wir nach Babylon (26) hereingelassen.» Wir sagten: «Wenn (27) der König selbst kommt, was (28) sollen wir! dem König sagen? Wenn (29) der König kommt, werden sie das Stadttor öffnen?» (30) Sie glaubten nicht, dass der König kommen würde. (31) Wie folgt sprachen wir zu ihnen: (32) «... und die Diener (33) des Ukīn-zēr sollen zu euch herabkommen (*lu*-[*r*]*i*!-*du*!-*ni-kunu*)! (34) Bis der König kommen wird, (35) [bleiben] wir in Kār-Nergal.» (36) Vor? den Babyloniern werden wir sprechen. (37) Was immer ihr Bescheid sein wird (*ṭè-mu-ša-nu-ni*!?) ... (38) werden wir meinem Herrn König schreiben.

Lesung und Übersetzung sind nicht in allen Punkten gesichert, aber so viel ist klar, dass eine diplomatische Mission beschrieben wird, welche derjenigen des Rabsake sehr ähnlich ist. Das Kräfteverhältnis ist offensichtlich momentan nicht so, dass die Übergabe der Stadt kurzerhand durch ein Ultimatum erzwungen werden könnte. – Die Unterhändler versuchen darum, die Babylonier mit Argumenten zu beeinflussen: Was haben denn eigentlich Ukin-zer und seine Chaldäer in der Stadt zu suchen? Die Privilegien der Stadtbürgerschaft sind gesichert, was kann also Babylon durch seine Freundlichkeit gegenüber Ukin-zer erreichen? Die jetzigen Herren der Stadt haben die Bevölkerung irregeleitet. – Neben Argumenten fehlen auch Drohungen nicht: Der König wird selbst kommen, dann wird Babylon sehen, was sein Schicksal ist. Wie aber die Abgesandten einsehen müssen, dass man ihnen nicht glaubt, drohen sie – wenigstens sofern wir den Text richtig verstehen –, dass sie dem König von der Feindschaft der Babylonier Bericht erstatten werden. Die Mission ist gescheitert. Der Assyrerkönig wird andere Massnahmen ergreifen müssen, wenn er die Stadt wieder unter seine Botmässigkeit bringen will.

[30] Saggs (A. 29), S. 47.

[31] Childs (A. 1), S. 80 ff.

[32] W. v. Soden, Sanherib vor Jerusalem: Festschr. H. E. Stier (1972), 43–51, Übers. S. 47. In Klammern steht die Umschrift derjenigen Wörter, in deren Lesung v. Sodens von Saggs abweicht.

Die Parallelität erstreckt sich formal gesehen bis auf Einzelheiten. In Jerusalem soll zwar ein Graben zwischen dem Volk und dem alteingesessenen Königshaus aufgerissen werden, in Babylon ist es ein Fremder, der die Herrschaft usurpiert hat. Aber auch Ukin-zer wird sich auf Rechtstitel berufen haben. Dass Šamaš-bunaja nicht die Botenformel verwendet, hat wenig zu bedeuten, denn dass er im Auftrag des assyrischen Königs vor Babylon erschien und dass er die Vollmacht besass, nach Gutdünken zu verhandeln, liegt auf der Hand. Von besonderer Bedeutung ist natürlich, dass Šamaš-bunaja wie der Rabsake ein Assyrer ist und die beiden Ereignisse zeitlich nicht weit auseinanderliegen. Man möchte geradezu sagen: Der Rabsake verhandelt nach einem «Muster», das sich in Assur für solche Fälle herausgebildet hat. – Nicht unwichtig für die Beurteilung der Invasion Palästinas durch Sanherib ist die Beobachtung, dass auch Thiglath-Pileser nicht darauf aus ist, sofort vernichtend zuzuschlagen; er versucht wie Sanherib zunächst das Ziel mit der Kunst der Diplomatie zu erreichen und will nicht ohne Not das ganze Gewicht einer erdrückenden militärischen Überlegenheit spielen lassen.

Sobald man auf den Inhalt der *Rabsakerede* sieht, zeigt sich, dass das «Muster» sehr *präzis* für die besondere *Situation* modifiziert ist. Gewiss ist mit der Möglichkeit zu rechnen, dass die Rede vom Standpunkt des Erzählers aus retuschiert worden ist; wir haben hier nicht wie beim Nimrudbrief ein Originaldokument vor uns. Andererseits ist zu bedenken, dass sich der Rabsake als ein hochgestellter Diplomat über die Situation in Jerusalem sehr genau ins Bild setzen konnte, was etwa durch Befragung von Kriegsgefangenen und Überläufern, aber auch durch Spione geschehen konnte.

Dass der Rabsake in 4b–5 vor dem Vertrauen auf Ägypten warnt, ist ohnehin nicht überraschend. Man hat zwar eingewendet, dass er hier beinahe so spreche wie der Prophet Jesaja. Gewiss, zumal das Wort vom geknickten Rohrstab entspricht in seinem Gehalt wie in seiner Anschaulichkeit sehr wohl der Diktion des Propheten. Aber gerade dieses Bild ist im mesopotamischen Bereich gebräuchlich. In einem Lied auf Enlil ist zu lesen: «(Du) hast dich dem Gebirge vernichtend genaht, knickst das feindliche Land wie ein einzelnes Rohr.»[33] Man kann trotzdem vermuten, dass dem Rabsake etwas von der Opposition Jesajas gegen die Politik der proägyptischen Partei Jerusalems zu Ohren gekommen ist und er bewusst an diesem Punkt einhakte. Nötig ist diese Annahme jedoch nicht. Ebensogut war der Rabsake ohne Zweifel über die militärische Schwäche Hiskias informiert. Der König hat zwar die Verteidigung der Stadt vorbereitet, aber eine Reitertruppe für den Kampf im offenen Feld besass er kaum. Darum ergehen eben die Hilfsgesuche an Ägypten, vgl. etwa 31, 1. Das Sanheribprisma spricht von Sonder- und Elitetruppen,[34] die Hiskia in die Stadt gebracht habe.

[33] A. Falkenstein & W. v. Soden, Sumerische und akkadische Hymnen und Gebete (1953), S. 77.

[34] Akkadisch urbi ù ṣābī damqūti. J. B. Pritchard, Ancient Near Eastern Text Relating to the O. T. (1950, ²1955) übersetzt «irregular and elite troops». Was unter den urbi zu verstehen ist, bleibt unklar.

Keineswegs befremdlich ist es aber auch, dass der Rabsake das Vertrauen auf Jahwe als illusionär darzustellen versucht. Er müsste wirklich schlecht über Jerusalem orientiert gewesen sein, wüsste er nicht, dass man die Stadt mit ihrem Heiligtum für unverletzlich hielt. Der Gedankengang von 18–20, nämlich dass andere Götter ihr Land bzw. Volk auch nicht zu schützen vermocht hätten, liegt nahe. Man fühlt sich allerdings an 10, 8 f. erinnert, wo in einem ähnlichen Zusammenhang ebenfalls die Städte Hamath, Arpad und Samaria erwähnt sind. Aber hätte sich ein «Abschreiber» das dort genannte Damaskus entgehen lassen und dafür das unbekannte Sepharwaim eingefügt? Schade, dass wir nicht wissen, was es mit dieser Stadt auf sich hat. Immerhin, ganz auszuschliessen ist es nicht, dass 18–20 auf Grund von 10, 8 f. formuliert worden ist.

Wie steht es aber mit der Argumentation von V. 10? Der Gedanke, dass Jahwe die Assyrer herbeigerufen habe, scheint im Munde eines Assyrers schlechthin unmöglich zu sein. Kein Wunder, dass dieser Vers von manchen Auslegern für den ursprünglichen Bestand der Rede gestrichen wird. Aber der Rabsake legt hier nicht ein Glaubensbekenntnis zu Jahwe ab, sondern treibt Propaganda. Und man darf ihn nicht unterschätzen: seine Informiertheit über Jerusalem nicht und ebensowenig seine Geschicklichkeit, dort einzuhaken, wo Jerusalems Bevölkerung selbst verunsichert ist. Übrigens gibt es in altorientalischen Texten zu diesem Motiv Parallelen. So hat sich Kyros bei der Eroberung von Babel auf den Auftrag Marduks berufen:

(Marduk) «suchte einen gerechten Fürsten nach seinem Herzenswunsch, damit er seine Hände erfasse. Kyros, König der Stadt Anšan, dessen Namen sprach er aus, berief ihn zur Herrschaft über die ganze Welt... Marduk, der grosse Herr, der Hüter seiner Menschen, blickte freudig auf seine guten Taten und sein gerechtes Herz. Nach der Stadt Babylon zu ziehen befahl er ihm, liess ihn einschlagen die Strasse nach Babylon, wie ein Freund und Genosse ihm zur Seite gehend.»[35]

Ob nicht Sanherib ähnlich hätte sprechen können, um seinen Zug nach Jerusalem zu rechtfertigen?

Gevaryahu hat auf einen von Borger bearbeiteten Text[36] hingewiesen[37]:

«Da ergrimmte Enlil, (Herr) der Götter, Marduk; um das Land niederzuwerfen und seine Bewohnerschaft zu verderben, sann er Böses.» Eine andere Fassung fügt hinzu: «... und ein schlimmer Fluch wurde in seinem Munde gefunden», und eine dritte: «... er bebte vor Zorn(?), wider Esagila und Babel zürnte sein Herz und erfasste er Grimm ...» Und in der Beschreibung seines Feldzuges nach Ägypten vom Jahre 671 ist zu lesen: «(Unter den Truppen) des Taharka, des Königs von Ägypten und Kuš, Gegenstandes des Fluches ihrer grossen Gottheit, richtete ich von Išḫurpi bis nach seiner Residenz Memphis, eine Strecke von 15 Tagen Landes, täglich ohne Aufhören ein gewaltiges Blutbad an.»[38]

[35] Tonzylinder des Kyros: Altor. Texte, S. 369 Z. 12–15.

[36] Gevaryahu (A. 1), S. 96.

[37] R. Borger: Archiv für Orientforschung, Beiheft 9 (1956), S. 13 f.

[38] Borger (A. 37), S. 98 f. M. Tsevat, The Neo-Assyrian and Neo-Babylonian Vassal Oathes and the Prophet Ezechiel: Journ. Bibl. Lit. 78 (1959), S. 199 ff., weist darauf hin, dass bei Vasallenverträgen die Unterworfenen nicht nur bei den Göttern der Sieger, sondern auch bei ihren eigenen schwören mussten. Im Mund eines Assyrers könne also Jes. 36, 10 nur meinen, dass Jahwe die Verletzung des Eides rächen werde. Leider wissen wir nicht, wie die assyrischen Verträge mit Jerusalem ausgesehen haben.

Dass schliesslich die Aufforderung zur Kapitulation der Situation völlig entspricht, bedarf nach den obigen Überlegungen zum Zeitpunkt der Mission keiner Diskussion. Die sonst nicht nachzuweisende Formulierung ʿśh brkh zeigt, dass hier nicht irgendein Kompilator das Wort hat.

Es kann nicht daran gezweifelt werden, dass die Rede des Rabsake wenigstens in grossen Zügen richtig wiedergegeben ist, aber auch dass Hiskia die Aufforderung, in die Loyalität zu Assur zurückzukehren, von sich wies. Fest steht allerdings, dass Sanherib keineswegs so rasch, wie es die beiden Erzählungen haben wollen, in die Heimat zurückmarschierte. Hiskia hat sich schliesslich doch dazu entschliessen müssen, Sanherib seine Unterwerfung anzubieten. Dass der Assyrer sie annahm, Hiskia auf dem Thron bleiben konnte, Jerusalem nicht unterging und Juda wenigstens als Vasallenstaat weiterexistieren konnte, ist erstaunlich. Sanherib muss dafür seine besondern Gründe gehabt haben. Israel erlebte den Abzug Sanheribs als klares Zeichen der Treue Jahwes zu der von ihm erwählten Stadt.

Ausgewählte Bibliographie

I. Selbständige Veröffentlichungen

1. Jahwewort und prophetische Rede bei Jeremia, Diss. Zürich 1942
2. Die Handschriftenfunde beim Toten Meer und ihre Bedeutung für die Erforschung der Heiligen Schrift, Calwer Hefte 5, 1956
3. Jahwes Eigentumsvolk. Eine Studie zur Traditionsgeschichte und Theologie des Erwählungsgedankens, AThANT 37, Zürich 1960
4. Biblische Welt, Silvia Verlag, Zürich 1961

4a. Le monde biblique, Silva Verlag, Zürich 1961

4b. Terra Santa, Silva Verlag, Zürich 1961

5. Jesaja, BKAT, Neukirchen-Vluyn, X/1 1972 (Liefg. 1, 1965; Liefg. 2, 1966; Liefg. 3, 1968; Liefg. 4, 1969; Liefg. 5, 1970; Liefg. 6, 1972). X/2 1978 (Liefg. 7, 1974; Liefg. 8, 1975; Liefg. 9, 1976; Liefg. 10, 1977; Liefg. 11 u. 12, 1978); Liefg. 13–15, 1978; Liefg. 16, 1979; weitere Lieferungen im Druck.

II. Aufsätze wissenschaftlichen Charakters

6. Die »Sektenrolle« vom Toten Meer, EvTh 13 (1953), 25–43
7. Der Dualismus der Qumranschriften, AS 8 (1954), 163–177
8. Das Hiobproblem und seine neueste Deutung, Ref 3 (1954), 355–363. 439–448
9. Die Bedeutung der Handschriften vom Toten Meer, Ref 4 (1955) 227–243
10. Die Bibel als Zeugnis der geschichtlichen Offenbarung, Ref 4 (1955), 621–636
11. Israel und sein Land, EvTh 16 (1956), 404–422
12. Die Völkerwallfahrt zum Zion, Jes II 1–5, VT 7 (1957), 62–81
13. Samuel und die Entstehung des israelitischen Königtums, ThZ 13 (1957), 442–469
14. Der heutige Stand der alttestamentlichen Wissenschaft, Kirchenblatt für die reformierte Schweiz 114 (1958), Nr. 13, 194–198 u. Nr. 14, 210–215
15. Auf dem Wege zu einer biblischen Theologie, EvTh 19 (1959), 70–90
16. Die Thronnamen des Messias, Jes. 9,5b, ThZ 16 (1960), 314–332
17. Das Verhältnis des Menschen zu den kosmischen Mächten im alten Orient und in Israel, Mensch und Kosmos (Zürich, Zwingli-V., 1960), 27–38
18. Jesajas Verständnis der Geschichte, VTSuppl 9 (1963) 83–117
19. Das Abbild Gottes, Gen. 1, 26–30, ThZ 21 (1965) 245–259. 481–501
20. Das biblische Menschenbild, Ref 14 (1965) 339–356
21. Die theologische Bedeutung des Alten Testaments, Ref 16 (1967), 79–99

22. »Glauben«. Erwägungen zu האמין : Hebräische Wortforschung, Festschr. W. Baumgartner, VTSuppl 16 (1967), 372–386
23. »Glauben« im Alten Testament, ZThK 65 (1968), 129–159
24. Die Neuinterpretation des Erwählungsglaubens Israels in der Krise der Exilszeit, Wort – Gebot – Glaube, Festschr. W. Eichrodt, AThANT 59 (1970), 307–324
25. Gottesnamen und Gottesepitheta bei Jesaja, Zer li'gevurot, The Zalman Shazar Jubilee Volume 1973, 728–699
26. Der Monotheismus Deuterojesajas, Beiträge zur Alttestamentlichen Theologie, Festschr. W. Zimmerli, Göttingen 1977, 506–530
27. Das Freudenmahl auf dem Zion. Erwägungen zu Jes. 25,(–8, ThZ 33 (1977), 373–383
28. Die Rede des Rebsake von Jerusalem, Festschrift H. J. Stoebe, ThZ 35 (1979), 35–47

III. Lexikon-Artikel

29. Art. Perser, Parsismus, EKL III (1959), 122–128
30. Art. Zarathustra, EKL III (1959), 1884–1886
31. Art. Jeremia, RGG^3 III (1959), 581–584
32. Art. Jeremiabuch, RGG^3 III (1959), 584–590
33. Art. Samuel, RGG^3 V (1961), 1357 f.
34. Art. Blutrache, BHH I (1962), 261
35. Art. Elia, BHH I (1962), 396 f.
36. Art. Elisa 2., BHH I (1962), 399–401
37. Art. Endor, BHH I (1962), 409
38. Art. Sage und Legende, BHH III (1966), 1641–1645
39. Art. Schlinge, BHH III (1966), 1702f.
40. Art. אמן 'mn, fest, sicher, THAT I (1971), 177–209
41. Art. בחר bḥr, erwählen, THAT I (1971), 275–300
42. Art. מאס m's, verwerfen, THAT I (1971), 879–892
43. Art. נאץ n'ṣ, verachten, THAT II (1975), 3–6
44. Art. סְגֻלָּה s^{e}gullā, Eigentum, THAT II (1975), 142–144
45. Art. צֶלֶם ṣælæm, Abbild, THAT (1975), 556–563
46. Art. שאר š'r, übrig sein, THAT (1975), 844–855

IV. Predigtmeditationen (in Auswahl)

47. Jes. 2,2–5: in: Herr, tue meine Lippen auf, Eine Predigthilfe, hg. v. Eichholz, G., Bd. 5, Essen 1961^2, 97–105
48. Jes. 6,1–8: ebda 346–355

49. Jes. 12: ebda 369–375
50. Jes. 35,3–10: ebda 577–585
51. Jes. 11,1–5.9: hören und fragen, eine Predigthilfe, hg. v. Eichholz, G. u. Falkenroth, A., Bd. 5, Wuppertal-Bremen 1967, 58–67
52. Ez. 2,3–8a; 3,17–19: ebda 351–360
53. Jos. 24,1–2a. 13–25: ebda Bd. 6, Neukirchen-Vluyn, 1971, 372–381
54. 2. Mos. 34,4b–10: ebda 456–464
55. Jes. 5,1–7: ebda Bd. 4/2, Neukirchen-Vluyn 1976, 263–269

V. Rezensionen (in Auswahl)

56. J. J. Stamm, Das Leiden des Unschuldigen in Babylon und Israel, Judaica 4 (1948), 145 f.
57. M. Schmidt, Prophet und Tempel, Judaica 5 (1949), S. 66f.
58. M. Noth, Überlieferungsgeschichte des Pentateuch, Judaica 7 (1951), 68–71
59. P. Kahle, Die hebräischen Handschriften, Judaica 7 (1951), 302–304
60. W. Eichrodt, Israel in der Weissagung des Alten Testaments, Judaica 7 (1951), 305f.
61. G. v. Rad, Der Heilige Krieg im alten Israel, Judaica 8 (1952), 124–126
62. Stier, Jjjob, Das Buch Hiob, ZRGG 8 (1956), 75f.
63. E. Kellerhals, Der Islam, Zürcher Kirchenbote 43 (1957), Nr. 6, 66
64. E. Abegg, Der Pretakalpa des Garuḍā-Purāna, NZZ Nr. 3130 vom 1. Nov. 1957
65. E. Abegg, Der Pretakalpa des Guraḍā-Purāna, ThZ 14 (1958), 137f.
66. F. F. Bruce, Die Handschriften vom Toten Meer, Zürcher Kirchenbote 44 (1958), Nr. 4, 42
67. M. Noth, Gesammelte Studien z. AT, JSST 4 (1959), 164–168
68. G. W. Ahlström, Psalm 89, ThZ 18 (1962), 55–59
69. G. A. F. Knight, A Christian Theology of the Old Testament, ThLZ 87 (1962), 346–348
70. Die Religionen der Menschheit (ed. Schröder), Bd. 1: F. Heiler, Erscheinungsformen und Wesen der Religion, NZZ Nr. 4715. 4717 vom 28. Nov. 1962
71. J. Gonda, Die Religionen Indiens, NZZ Nr. 1629 vom 24. April 1963
72. S. Morenz, Ägyptische Religion, NZZ Nr. 1232 vom 22. März 1964
73. H. Ringgren, Israelitische Religion, NZZ Nr. 4879 vom 15. Nov. 1964
74. H. Seidel, Das Erlebnis der Einsamkeit im Alten Testament, ThLZ 97 (1972), 501–503
75. S. Erlandsson, The Burden of Babylon, JSSt 17 (1972), 151–153

76. Altes Testament und Alter Orient, NZZ Nr. 101 vom 3. Mai 1974 (H. H. Schmid, Altorientalische Welt in der alttestamentlichen Theologie, Zürich 1974 u. a.)

VI. Verschiedene allgemeinverständliche Publikationen (in Auswahl)

77. Die Bedeutung der neugefundenen Jesaja-Handschrift, NZZ Nr. 1505. 1510. 1511 vom 9. Juli 1952
78. Weihnachten, NZZ Nr. 2957 vom 25. Dez. 1952
79. Die arabischen Staaten und Israel, Ref. 5 (1956), 657–668
80. Die Handschriften am Toten Meer, Kirchenbote für den Kt. Zürich, 42 (1956), Nr. 2, 14–16
81. Wovon wir leben: Gedanken zum Eidg. Bettag, Tages Anzeiger (Zürich) Nr. 218 vom 16. September 1961
82. Pfingsten, NZZ Nr. 2309 von 10. Juni 1962
83. Die großen Weltreligionen: Die indische Religion: Volkshochschule 32 (1963), Heft 5: Die indische Religion I, 129–137; Heft 6: Die indische Religion II, 161–167
84. Konkordat und Pfarrerausbildung, Protokoll der Kirchensynode des Kt. Zürich, 21. Amtsdauer, vom 25. Juni 1963
85. Gedanken zur Reform des Theologiestudiums, Ref. 14 (1965), 4–12, 97–104
86. Massada, NZZ Nr. 1988 vom 7. Mai 1967
87. Kāmid el-Lōz, Neues Licht auf die Geschichte des zweiten vorchristlichen Jahrtausends, NZZ Nr. 505 vom 30. Nov./1. Dez. 1974
88. Der Gottesknecht, sein Leiden, seine Herrlichkeit, Zwingli-Kalender 58 (1976), 94–97
89. Liebeskräfte mobil machen, Leben und Glauben, Nr. 52 (1977), 7. Juli, 1977, 197
90. Sonne, steh still zu Gibeon und Mond im Tale Ajalon, Leben und Glauben, 53 (1978), Nr. 34, 26. Aug., 3

VII. Kongresse, Nachrufe

91. Probleme der alttestamentlichen Wissenschaft. Zum dritten internationalen Alttestamentlerkongreß (IOSOT-Kongreß Oxford 1959), NZZ Nr. 2899 vom 27. Sept. 1959

92. Deutscher Orientalistentag, NZZ Nr. 2994 vom 16. Aug. 1961
93. Wissenschaftliche Erforschung des Alten Testaments (IOSOT-Kongreß Bonn), NZZ Nr. 3385 vom 7. Sept. 1962
94. Alttestamentlerkongreß in Genf, NZZ Nr. 3778 vom 14. Sept. 1965
95. Internationaler Alttestamentlerkongreß in Rom, NZZ Nr. 349 vom 10. Juni 1968
96. Martin Noth, NZZ Nr. 375 vom 21. Juni 1968
97. Kongreß der Alttestamentler in Uppsala, NZZ Nr. 409 vom 3. Sept. 1971
98. Internationaler Kongreß der Alttestamentler in Göttingen, NZZ Nr. 223 vom 23. Sept. 1977
99. Artikel über L. Köhler in: Neue Deutsche Biographie, hg. von der Bayrischen Akademie der Wissenschaften, 1979

SACHREGISTER

BIBELSTELLENREGISTER